Ferdinand und Käte May
Der Freund der Sansculotten

Ferdinand und Käte May

Der Freund der Sansculotten

Roman um Jean Paul Marat

Verlag Neues Leben
Berlin

ISBN 3-355-00882-6

© Verlag Neues Leben, Berlin 1965
11. Auflage, 1989
Lizenz Nr. 303 (305/196/89)
LSV 7001
Schutzumschlag und Einband: Helmut Wengler
Typografie: Katrin Kampa
Schrift: 9 p Garamond
Gesamtherstellung: Karl-Marx-Werk Pößneck V 15/30
Bestell-Nr. 641 037 1
00820

Erster Teil

Englisches Präludium

I

Der Arzt aus der Rookery St. Giles

„Es ist eine Schande, Missis Hopkins, eine wahre Affenschande! Ein so blutjunges Ding und hockt die halbe Nacht bei dem französischen Doktor. Glotzt mit ihren Kulleraugen, wie er seine teuflischen Experimente macht. Und die Mutter duldet das."

„Die Seymour hat's ja selbst nicht anders getrieben. Erinnern Sie sich noch an den Maler, Miß Evans, der bei ihr gewohnt hat? Der lange dürre Mensch, der die Diebe am Pranger und die liederlichen Weiber im Spinnhaus zeichnete? Der hat auch Lizzys Mutter am Waschfaß gemalt. Sie haben's nicht gesehen? Da haben Sie was verpaßt! Die Strümpfe mußten herabschlampen und die Haare ins Gesicht strähnen; dabei ziert sie sich doch sonst. Aber was glauben Sie? Ein Lord hat das Bild gekauft, für bare zehn Pfund."

„Dafür hätte Seine Herrlichkeit zehn lebendige Frauenzimmer bekommen – und nicht nur am Waschfaß."

Gelächter schepperte an der Hauswand empor, wo aus dem bröckelnden Verputz roter Backstein hervorlugte und vor einem schmalen Fenster verstaubte Rosmarinstöcke standen.

Die schwatzenden Frauen warteten fröstelnd auf den Milchkutscher. Es war noch früh, Nebelfetzen strichen um die düsteren Dachfirste Londons. Nur oben um die Kamine der mehrstöckigen Häuser huschte bereits goldrotes Sonnengeflock.

Missis Hopkins war behäbig und rund. Sie hatte zuwenig Bewegung und verleibte sich zuviel Ingwerbier und süßen Kuchen ein. Miß Evans, schlanker, aber mit einem Gesicht, dem man die Enttäuschung einer freudlosen Mädchenzeit ansah, blickte auch heute mit sauertöpfischer Miene in den frühen Tag, auf die schilpenden Spatzen, die im Pferdedreck pickten.

„Begreifen Sie eigentlich diesen Doktor?" fragte die Evans, nachdem das Rattern einer Postkutsche verhallt war. „Er läßt sich von Lizzy aus allen Brunnen Wasser holen. Ich bitte Sie, einfaches Wasser! Aus bald vierzig Brunnen, sogar von Soho, vom Tower, von der Westminsterabtei. Und was macht er damit? Er kocht es! Da steckt doch etwas dahinter."

Missis Hopkins dachte angestrengt nach, wie sie hinter das Geheimnis dieses Mediziners kommen könne, der seit einigen Wochen zwei Stuben bei ihrer Nachbarin, der Witwe Seymour, gemietet hatte. Endlich meinte sie: „Reich kann er dabei nicht werden, der Doktor Marat. Ich habe Frau Seymour gleich gesagt, der ist ein windiger Franzose. Der bringt Ihnen keinen Penny. Wenn er wenigstens ein Lebenselixier zusammenbraute, wie der Doktor Green drüben an der Ecke. Der fährt in eigener Kutsche und trinkt Burgunder."

Miß Evans flüsterte hastig: „Vorsicht! Lizzy steckt ihre freche Fratze zum Fenster heraus. Nicht einmal die Haare hat sie sich gekämmt."

„Morgen, Miß Evans. Morgen, Missis Hopkins", rief Lizzy Seymour und schob ihren rotblonden Haarschopf durch die Rosmarinzweige. In ihrer Stimme war ein klein wenig Bosheit. „Sie sprachen doch vom Wasser, das ich Mister Marat besorge – mit dem gieße ich jetzt meine Blumen! Achtung! Ach – verzeihen Sie."

Ein Guß plätscherte herab, gerade auf die gestärkte Haube der Dame Evans. Die Tropfen sprühten auch auf das schwabbelige Gesicht von Frau Hopkins und auf ihren umfangreichen Busen.

„Lizzy! Verdammte Kröte", schrie Miß Evans mit ihrer fisteligen Stimme, „dir sollte man den Hintern verdreschen."

Oben war das Fenster mit Geklirr wieder geschlossen worden.

„Einen Konstabler sollte man holen", keifte die Hopkins. Dann kreischte sie entsetzt auf, denn das Wasser hatte auf Haut, Haar und Kleid knallrote Spritzer hinterlassen.

„Blut", ächzte die Hopkins.

„Dieser Franzosendoktor!" tobte Miß Evans.

Zu allem Unglück bog in diesem Augenblick der Milchkutscher Samuel um die Ecke. Er lachte schallend auf und nannte die Damen rotgetupfte Nachteulen. Wütend traten sie in den stockdunklen Hausflur, tasteten nach dem dicken Strick, der als Ersatz für das Treppengeländer herabhing. Samuel band seinen Esel an eine Haustürklinke und folgte seinen Kundinnen.

An eine Tür war ein Karton geheftet: „Vermiete Zimmer mit und ohne Pension. Helen Seymour, Witwe", und weiter war zu lesen: „Jean Paul Marat, Doktor medicinae. Doktor der Menschenrechte."

Ohne anzuklopfen, stürmten die aufgebrachten Frauen in ein düsteres Gelaß.

„Aber meine Damen!" Der kleine Mann im braunen Samtrock mit den ausgefransten Ärmeln war gerade dabei, mit einem Blasebalg das Holzkohlenfeuer in einem winzigen Blechofen anzufachen. „Sie kommen doch nicht, um einen Mann der Wissenschaften in seinen Forschungen zu stören? Oder erscheinen Sie als Patientinnen? Und Sie, mein Freund? Besuchen Sie mich als Kranker oder als Milchverkäufer?"

„Sehen Sie denn nichts, Doktor? Wir sind mit rotem Saft beschmutzt", schrie die Dame Hopkins.

„Die Weiber sehen aus wie die Forellen in meiner schottischen Heimat." Der Milchfuhrmann lachte vergnügt, und dabei erschienen tiefe Grübchen auf seinem gutmütigen runden Gesicht.

„Es hat jemand von oben rot regnen lassen."

„Die Lizzy, das rotznäsige Ding! Mister Marat, sehen Sie mich an. Eine nagelneue Haube. Geschenk meiner verstorbenen Mutter. Ich werde die Flecken bestimmt nicht rauskriegen", rief Miß Evans, und ihre Stimme schrillte im höchsten Diskant. „Warte nur, Lizzy, ich weiß, daß du nichtsnutziges Ding hinter der Tür lauschst. Ich gehe jetzt zur St.-Annen-Schule. Deine Lehrerin, Miß Beveridge, ist meine Freundin. Sie soll dir fünf mit dem Lineal auf deine dreckigen Pfoten geben und dich eine ganze Stunde in der Ecke knien lassen."

„Auf getrockneten Erbsen", schellte nun die Stimme von Missis Hopkins vor, „du Miststück."

„Aber meine Damen", beschwichtigte Marat und wandte sich von den aufglühenden Kohlestücken ab, „wo bleibt die vielgerühmte Londoner Liebenswürdigkeit? Das Reizvolle an der Weiblichkeit, wie es mein Landsmann Voltaire so treffend schilderte?"

Mit einem Schlage veränderten sich die Gesichtszüge der beiden Damen. Marat beobachtete diesen Vorgang vergnügt und dachte, wie recht doch sein alter Vater hatte, der stets lehrte, daß man mit Schmeichelei die Menschen gewinnen könne, um ihnen dann auch die unbequemste Wahrheit in die Hirnrinde einzugraben.

„Wir wissen nicht, wer dieser Mister Voltaire gewesen ist", flötete Miß Evans, „aber bestimmt war er ein scharfäugiger Beobachter der englischen Frauenseelen."

„Vermutlich auch ihrer diversen Körperpartien", prustete der Milchmann los. „Ich habe noch keinen echten Kerl zwischen Soho und Tempeltor kennengelernt, der sich nur mit den Seelen begnügt hätte."

Ehe die Frauen wütend aufschreien konnten, hatte der Doktor dem Fuhrmann den Blasebalg in die Hand gedrückt und ihm zugeraunt:

„Blasen Sie ins Feuer, aber nicht in das unseres Disputs. Ich fürchte, Sie bekommen sonst ebenfalls rote Verzierungen ins Gesicht, aber von spitzen Fingernägeln."

Marat trat an Miß Evans heran und betrachtete lächelnd die roten Tupfen.

„Ganz ungefährlicher Farbstoff, Miß Evans. Ich spritze etwas davon ins Wasser, ehe ich es untersuche. Übrigens mache ich jede Probe mit anderem Farbstoff. Gestatten Sie? Ein Wattebausch mit dieser harmlosen Essenz, und die Flecken sind schneller weg als die auf der Weste eines ehrlichen Menschen."

Tatsächlich. Die Farbspritzer verschwanden. Auch Missis Hopkins ließ sich säubern, und sie seufzte tief auf, als die geschickten Hände des jungen Arztes auch den Ansatz des üppigen Busens abtupften.

„Die französischen Ärzte verstehen etwas", sagte sie und lächelte anerkennend in den Spiegel hinein, den ihr Marat entgegenhielt.

Inzwischen hatte Sam den Blasebalg betätigt. Das Wasser in dem Kupferkessel siedete, feine Bläschen stiegen empor. Der Milchmann ließ seine neugierigen Blicke umherschweifen. Mit besonderem Interesse betrachtete er einen Totenschädel, der auf einem Wandbord stand und dem eine Tabakspfeife zwischen die lückenlosen Zahnreihen geklemmt worden war.

„Ein munterer Bursche", meinte Sam und deutete mit dem Kinn hinüber, „kann nicht sehr alt geworden sein."

Das breitflächige Gesicht Marats verdüsterte sich, und die dunklen Augen blickten zornig.

„Vierundzwanzig Jahre. Wenn Sie wollen, zählen Sie die Jahre im Gefängnis und im Erziehungshaus Bridewell doppelt, dann sind es sechsunddreißig. Seit seinem zwölften Jahr sah der Junge diese ungerechte Welt fast stets durch Gitterfenster."

Frau Hopkins fragte bedächtig: „Hat man ihn geköpft oder gehenkt?"

„Gehenkt. Er hatte ein Pferd gestohlen, erklärte aber, es habe herrenlos vor einem Gasthof in der Fleet-Street gestanden, und er habe es nur losgebunden, weil es von der Sonne gebraten wurde und ihm die Mücken so zusetzten."

„So ein Kopf im Haus bringt Glück." Der Milchmann legte den Blasebalg beiseite, das kochende Wasser lief über.

„Er hat mir seinen Schädel und seine Pfeife vermacht. Ich war der einzige, der ein Gnadengesuch für ihn an den König aufgesetzt hatte, der einzige, der bis zu seinem Ende bei ihm blieb."

„Armer Teufel", sagte Sam. „Ist das Gerechtigkeit? Ein Mensch für einen herrenlosen Gaul?"

Auf einmal wurde den beiden Damen bewußt, daß sie Eile hatten. Sie verabschiedeten sich hastig und liefen die Treppe hinab, wobei Frau Hopkins angewidert eine tote Ratte mit dem Fuß berührte, die in einem Winkel lag.

Oben im Zimmer meinte der Kutscher treuherzig: „Sie hätten

die Weiber doch noch mit dem Hexenstein berühren müssen oder wenigstens mit Essig bespritzen. Sie glauben gar nicht, wieviel Galle die in sich tragen."

„Und Sie sollten sich wegen Ihres Aberglaubens schämen, Samuel Butler. Für Sie haben die aufgeklärten Männer unseres Zeitalters umsonst gelebt."

Marat nahm das Gefäß mit dem brodelnden Wasser und starrte forschend auf den sich am Rande des Topfes bildenden Niederschlag.

„Ich verkaufe seit bald zwanzig Jahren Milch. An Aufgeklärte und an Nichtaufgeklärte. Die Pennys sind die gleichen. Und was die Justiz anbelangt, Doktor, ich habe mir sagen lassen, daß man in Ihrer Heimat nicht weniger roh verfährt. Die Henker haben gute Zeiten. Es riecht auch bei Ihnen nach verbranntem Menschenfleisch."

„Ach, lieber Freund, humanere Zeiten werden kommen, und wir alle sollten Wegbereiter sein." Der Arzt setzte den Topf vorsichtig auf einen eisernen Rost und ließ ihn abkühlen.

„Unten steht mein Karren, und wenn ich mich noch lange festquatsche, wird mir die Milch sauer. Soll ich Ihnen eine Pinte* Rahm bringen? Alle Leute hierherum buttern selbst. Sie haben Angst vor der ... Wie nennt man doch gleich die böse Seuche, Doktor?"

„Typhus. Aber ob sie von der Milch kommt? Vom Wasser? Ich weiß es noch nicht, ich suche und suche. Deshalb siede ich die Proben."

„Wenn Sie Porterbier sieden würden, es wäre einträglicher. Aber ich muß fort. Den Rahm gebe ich Frau Seymour. Er kostet Sie nichts. Ich ehre einen Mann der Wissenschaft auf meine Art."

Nachdem der Milchkutscher gegangen war, versank Marat wie oft in letzter Zeit in finsteres Brüten. Da quälte er sich in den Nachtstunden, schrieb seine Forschungsergebnisse nieder, studierte das „Handbuch der Medizin" des gelehrten Robert James und merkte immer mehr, wie antiquiert dessen ganzes Wissen war. Hier lagen Briefe französischer Freunde, dort das dickleibige Manuskript seines Romans „Die Abenteuer des Grafen Potowsky", das von einem Verleger zum anderen gewandert war, manchmal gelesen und abgelehnt, manchmal ungelesen zurückexpediert worden war. Aber daneben standen – o Stolz des Verfassers – die drei Bände „Über den Menschen", geschrieben und gedruckt in englischer Sprache.

Und dort im Fach lag eine Mappe mit vielen fertigen Kapiteln. „Die Ketten der Sklaverei" hatte er mit schwungvoller roter

* Worterklärungen am Schluß des Buches

Schrift auf den grauen Einband gesetzt. „Alle Religionen dienen dem Despotismus, doch ich kenne keine von ihnen, die ihn so sehr begünstigt wie das Christentum", las er beim Durchblättern. Und an anderer Stelle: „So geschieht es, daß die verlogenen Maximen – unterwürfig von den einen gepredigt und feige von den anderen hingenommen – zu den festesten Stützen der Tyrannen werden, denn niemals sind die Ketten der Sklaverei fester, als wenn Götter sie geschmiedet haben."

Sinnend legte er die Mappe ins Fach zurück. Das war Geist des 18. Jahrhunderts! Aus allen Kapiteln sprach er. Es waren die Ideen französischer Enzyklopädisten und englischer Philosophen und Naturwissenschaftler, auf denen er fußte. Erhabene Gedanken über Vernunft, Freiheit und Menschenwürde. Ob seine Sätze zündeten?

Wer war er schon? Arzt, Physiker, Schriftsteller? Zehn harte Jahre lagen hinter ihm. Studium der Medizin in Paris und in Edinburgh. Vier Jahre angestrengtes Lernen an der Sorbonne, Tag um Tag, eine freudlose und freundlose Zeit. Dann Promotion in Schottland, wo der Himmel so grau war und die Stadt so trist. Er blätterte in seinem Tagebuch. Da hatte er an seinem dreißigsten Geburtstag geschrieben: „Geboren mit einer empfindsamen Seele, einer feurigen Einbildungskraft, einem heftigen Charakter, frei und zäh, einem rechtschaffenden Geist, einem Herzen, das allen ausgezeichneten Leidenschaften geöffnet war, besonders aber der Liebe zur Ehre, habe ich nichts gemacht, um diese Gaben der Natur zu mindern oder zu zerstören, sondern alles getan, um sie zu kultivieren. London, 24. Mai 1773."

Der Straßenlärm nahm zu. Karossen ratterten vorbei, der Kot spritzte hoch. Frachtfuhrleute knallten ohrenbetäubend mit den Peitschen, ein Ausschreier bot Apfelsinen an. Die Hausfrauen leerten Spülicht in die Straßenrinnen.

Erstes Sonnengeflirr zitterte über die Reagenzgläser und Phiolen, die Tiegel und Kupferkessel. Langsam erhellte sich das Gemach.

Wieder begann ein glutheißer Tag des Juli 1775. Die Hitze half Seuchen ausbrüten und ließ den Gestank in Londons Straßen unerträglich werden.

Marat seufzte.

Da pochte es an der Tür, die zum Zimmer der Witwe Seymour führte. Die vierzehnjährige Lizzy steckte ihre sommersprossige Nase zum Türspalt herein. „Darf ich?" fragte sie, und schon stand sie mit ihrem unbekümmerten Lachen vor dem jungen Arzt, der sich vergeblich bemühte, ernst und gravitätisch zu erscheinen.

11

„Fünf auf die Hand und eine Stunde auf die Knie", sagte er schließlich und wurde von ihrem Lachen angesteckt.

„Zur Verschärfung auf Erbsen", ergänzte sie seine Rede und hob übermütig den Rock etwas auf, ihm ihre untadeligen Knie zu zeigen.

Marat errötete. Er war diese Keckheit nicht gewohnt, seine heimatliche Umgebung, die calvinistische Überzeugung seiner Mutter hatten ihn Frauen und Mädchen gegenüber zu scheuer Zurückhaltung erzogen. In der Anatomie hatte er stets einen roten Kopf bekommen, wenn er an eine Frauenleiche herangetreten war.

„Laß das", sagte er unwillig, „du solltest gesitteter sein. Schüttest aqua destillata auf die Damen. Auch noch mit arabischer Henna gefärbt. Ein Glück, daß ich die Flecken entfernen konnte."

„Sie hätten hören sollen, was die Schandmäuler redeten. Die haben jetzt ihren Denkzettel", maulte sie, um gleich darauf wieder loszuprusten: „Die dicke Hopkins mit ihrer englischen Frauenseele . . . Wissen Sie, Mister Marat, wo sie ihre Seele hat? Auf dem Hintern, wo sie ihren Geldbeutel trägt. Im Speiseschrank, wo das Gänseschmalz steht."

„Ein junges Mädchen sollte nicht solche Reden führen. Hier, lies Addison."

„Dann schon lieber Defoe. Den Robinson Crusoe kenne ich fast auswendig – wo doch mein Vater Seekapitän war un l bei den Antillen abgesoffen ist."

Marat blickte sie ärgerlich an.

„So drücken sich alle aus", sagte sie trotzig, „mit Mann und Maus abgesoffen. Kennen Sie die Inseln? Man schickt Tabak von dort und Zuckerrohr. Auch Rum, den die Matrosen saufen – wollte sagen trinken."

„Ein Mensch ist das Produkt seiner Umwelt", sprach Marat leise vor sich hin.

Lizzy ließ ihm keine Zeit zum Sinnieren. Sie sagte wichtig: „Die weißen Pflanzer auf den Antillen holten sich Schwarze als Sklaven."

„Jawohl, sie düngen das Zuckerrohr mit dem Schweiß dieser Neger. Sie peitschen sie grausamer als ihre Maultiere und Hunde. Es ist ein blutiger Zucker, Lizzy."

„Meine Mutter sagt, man hat auch die katholischen Iren hinübergeschickt. Die weiße Haut spürt die Schläge noch mehr, aber Weiße arbeiten fleißiger, und eine weiße Frau bringt dem Kapitän fünfzehnhundert Pfund Zucker, wenn er sie gesund hinüberschafft."

Lizzy pendelte gefährlich mit dem einzigen Rohrstuhl des

Zimmers und langte sich aus einer Schale ein Stück Kandiszuk-
ker.

„Der Sklavenhandel muß verboten werden!" sagte Marat zornig.
„Englands Krone beschmutzt sich, wenn sie diese Schmach noch
länger duldet."

Lizzy betrachtete ihn aus halbgeöffneten Augen. Noch war sie
halbes Kind, aber sie spürte bereits, wie sehr ihr dieser Ungestüme gefiel und daß sie fast alles nur noch mit seinen Augen betrachtete. Sie dachte mit naiver Neugier, ob sie ihm wohl gefalle,
ihm eine Arztfrau werden könne. Schließlich hatte Mama mit
sechzehn Jahren geheiratet. Aber einen Seemann würde sie aus-
schlagen – das Schicksal ihres Vaters schreckte sie, die Mutter war
schon mit zweiundzwanzig Witwe geworden.

„Brauchen Sie wieder Wasser?" fragte sie unvermittelt und ließ
ihre Blicke auf dem Stadtplan von London umherwandern. Vierzig Brunnen waren bereits eingezeichnet. Nur die Ziehbrunnen
schienen dem Arzt verdächtig; bei der letzten Säuberung war aus
ihnen viel Schmutz und Schlamm heraufgeholt worden. Eine him-
melschreiende Blamage für den Lord-Mayor und die Londoner
Stadtverwaltung.

„Ein Schmutzloch ist noch in der Highland-Street. Dort mußt du
hin, Lizzy. Und ich sage dir, meine These stimmt: Die verdrecke-
sten Brunnen sind in den Vierteln der Armen. Das ist nicht bloß
in London so. Der Leibmedikus des Bischofs von Speyer – das ist
eine deutsche Stadt am Rhein –, der Johann Peter Frank, mit dem
zusammen ich in meinem Frankreich Physik studiert habe . . ."

„Warum nennt er sich Frank, wenn er ein Deutscher ist?" unterbrach ihn Lizzy.

„. . . schreibt mir, daß man die Seuchen durch obrigkeitliche Vor-
sorge bekämpfen muß, daß Unwissenheit und Unvernunft die
Quellen dieses sozialen Übels sind. Also, man muß die Menschen
zur Sauberkeit, zur Gesundheit zwingen. Mit dem Büttel, wenn es
sein muß."

„Da sollen sie erst einmal die Hopkins bestrafen. Stets leert sie
ihr Nachtgeschirr in die Gosse. Und die Evans spuckt aus dem
Fenster. Mutter sagt, sie ist nicht gesund auf der Brust. Soll ich
jetzt gehen?"

„In Soho sind wieder Menschen an Typhus gestorben. Siehst du,
dort, wo die Seuche Opfer fordert, mache ich ein Kreuz auf die
Karte. Es geht klar daraus hervor, daß alle Kranken von diesem
Soho-Brunnen getrunken haben. Der Tod muß im Wasser sein."

Lizzy schnellte vom Stuhl empor. Das begreife ich nicht. Wie
sollte der Tod ins Wasser kommen? Manchmal gingen die Gedanken des Herrn Marat wirklich in die Irre.

„Ehe du gehst, Lizzy, möchte ich dir noch etwas auftragen. Kennst du das Zuchthaus Bridewell?"

„Wo sie die Landstreicher einsperren? Die Buhldirnen? Die entlaufenen Dienstmägde? Natürlich kenne ich das. Der Zuchtmeister dort heißt Howe, seine Tochter Elizabeth geht in meine Klasse. Aber die ist dumm wie Bohnenstroh. Kein einziger Satz ist richtig, den die schreibt."

„Lizzy, du bist doch klug, ja? Ich habe hier einen Brief an Mister Howe. Man hält in Bridewell eine Frau gefangen. Sie soll gezüchtigt und gebrandmarkt werden, weil sie den Mut hatte, an den König zu schreiben, daß die Empörung seiner amerikanischen Untertanen vollauf berechtigt sei. Sie hat auch geschrieben, die britische Flagge werde nicht mehr lange über den Häfen Neuenglands wehen.

Weißt du, die Frau hat Mut und Geist, man muß sie retten. Sie heißt Miß Cabrol. Ich vertraue dir viel an, Lizzy! Du bist oft ein wilder Irrwisch, aber jetzt mußt du wie eine Erwachsene handeln. Du wirst dieses Schreiben unbemerkt in Mister Howes Stube legen. Wirst du das können?"

Als Lizzy, die kupferne Wasserkanne schlenkernd, über die Tower-Bridge eilte, holte gerade ein Scharfrichtergehilfe aus einem Ledersack die noch blutigen Köpfe zweier Hochverräter hervor, die man in der Frühe in Tyburne hingerichtet hatte. Ein Schwarm Neugieriger starrte hinauf zu den eisernen Zacken der Brücke, auf die die Köpfe jetzt gespießt wurden.

Was da wohl Mister Marat sagen würde?

Ihr junges Herz begann heftig zu klopfen, als sie an den kleinen Franzosenarzt dachte. Wie sanft waren seine Augen, wie zornig konnten sie aber flammen. Und wie gescheit konnte dieser Doktor Marat reden und wie selbstverständlich klang alles in seinem Munde. Auch der kurze Brief an Mister Howe war so klug und geschickt abgefaßt, daß sie ihn sofort begriffen hatte.

Ein Trommelwirbel. Nochmals wurde das vollzogene Todesurteil verlesen: Verleitung zum Aufruhr – Hochverrat – Empörung gegen die Gesetze der Regierung Seiner Majestät König Georgs des Dritten. Die Menschentraube löste sich auf. Das Mädchen hörte gerade noch, wie ein Bäckergeselle einem Seemann zuflüsterte: „Hochverräter! Weil sie einem Freund des Königs eine derbe Lektion erteilt haben? Ihm beibringen wollten, wie die Armen an Hunger und Seuchen sterben, die Lords aber im Überfluß schlemmen?"

Der Seemann mit seinem von der Tropensonne und den Atlantikstürmen gegerbten Gesicht nickte bestätigend: „Bei unserer

14

letzten Reise hingen drei an der obersten Rah, weil sie dem Schinder von Kapitän den Respekt aufgesagt hatten. Kein Erbarmen mit uns Männern von der christlichen Seefahrt."

Er spie braune Tabaksbrühe in die Themse und blickte mißtrauisch um sich, ob jemand das Gespräch gehört habe.

Lizzy setzte ihren Weg fort. Das Menschengewühl in den engen Gassen war so unerträglich wie die Hitze. Passanten hasteten vorüber: Handwerker, Tagelöhner, Seeleute, Händler, Bankiers, Dienstmägde, Soldaten, Komödianten, Ladenmädchen, Ausschreier, Dirnen, Reiter auf staubbedeckten Pferden, Zigeuner, die einen Bären mitführten, Schausteller mit Guckkästen, in denen man den Untergang der spanischen Armada oder die Hinrichtung Karls I. sehen konnte. Vor der Königlichen Börse gab es Geschrei: Die amerikanischen Anleihen fielen im Kurs. Die Spekulanten rannten zu ihren Lokalen.

Lizzy näherte sich der Highland-Street. Sie dachte an die Schule, an die widerliche graue Stube mit den blindgetünchten Fenstern und den schmalen, harten Bänken, sie sah Miß Beveridge in dem scheußlichen Flanellkleid und den ausgetretenen Schuhen, die immer mit einem scharfkantigen Lineal strafte, dessen Schläge man noch tagelang spürte. Die Annen-Schule war für Mädchen nicht obligatorisch, aber die Mutter bestand auf den Unterricht, und die Strafen daheim waren oft noch härter als die der Miß Beveridge. So würde es wohl auch diesmal nicht beim Knien in der Ecke bleiben. Sie seufzte.

Die Highland-Street machte ihrem Namen keine Ehre. Eng und winkelig, das Straßenpflaster von Schmutz und Unrat bedeckt, dünstete sie gleichsam das armselige Leben ihrer Anwohner aus. Gerber hausten hier, auch Schuhmacher und natürlich einige Kneipenwirte. Der Ziehbrunnen mit der eisernen Kette trug die Jahreszahl 1518.

„Ist versperrt", murrte eine Frau, die in einem Holzeimer einige Wäschestücke trug, „jetzt kann unsereiner das Wasser eine halbe Meile weit schleppen. Mist verfluchter! Was wollen sie nur, die Schreihälse im Parlament? Schon mein Urgroßvater hat das Wasser gesoffen – bei Gott, er ist fünfundachtzig geworden. Mich hat man in der Brühe gebadet und ich hab' meine Bälger mit Suppen großgezogen, die mit diesem Brunnenwasser getauft waren. Und jetzt?" Sie riß mit verbissener Wut an dem riesigen Schloß, das die Kurbel hemmte.

Ein Konstabler mit dem gewaltigen Schnauzbart, wie er in schottischen Regimentern üblich war, trat näher und herrschte die Frau an: „Hüten Sie Ihre lose Zunge. Das Loch ist verseucht. Gestern ist der Brunnenmeister mit seinem Gehilfen runtergelassen worden. Achtzig Fuß tief. Man hat sie schnell wieder hochziehen müssen. Der Gehilfe wäre fast erstickt. Faulgas, sagt man."

Lizzy starrte mit einem Gefühl des Grauens in die dunkle Tiefe. Die Frau war schimpfend davongegangen. Den heiseren Baß des Polizisten hörte man jetzt vor einer Kneipentür.

Da war also tatsächlich ein Brunnen wegen fauliger Gase versperrt worden? „Verseucht", wie der Konstabler sagte. Also hatte der Doktor Marat richtig dia . . . diagnostiziert, wie er sich so gelehrt ausdrückte. Dann wußte man aber auch schon in der Stadtverwaltung, wie gefährlich solch ein verschmutzter Brunnen war. Also waren die Entdeckungen Doktor Marats bereits gar keine mehr . . .

Lange saß Lizzy auf dem Brunnenrand und überlegte. Es schlug zwölf von der St.-Pauls-Kirche. Erschrocken fuhr das Mädchen auf: der Brief! Hastig lief sie die hitzespeienden Straßen entlang, hin zu dem klobigen Gebäude, dessen Name nur scheu genannt wurde, dem Bridewell-Zuchthaus. In einem kleinen Nebengebäude, das von alten Bäumen umstanden war, wohnte der ehrenwerte Zuchtmeister Mister Howe. Elizabeth war daheim, saß schläfrig auf einer Schaukel. Lizzy ermunterte die dumme Trine zu einem Ballspiel, um Gelegenheit zu haben, dabei den dicken Lederball ins Zimmer des Vaters zu schleudern. Dann war es leicht, den Ball zu holen und den Brief unbemerkt in die Aktenmappe des abwesenden Zuchthausverwalters zu schieben.

Doktor Marat wird mit mir zufrieden sein, dachte Lizzy. Sie wäre bereit gewesen, für ihn zu lügen und zu stehlen. Eine Kleinigkeit war das mit dem Brief gewesen. Ach, sie kannte ihn auswendig: „Mister Howe! Ich habe die Ehre, Sie nicht zu kennen. In Ihrem Gewahrsam befindet sich eine Frau, die gebrandmarkt und nach der Barbados-Insel deportiert werden soll. Zuvor soll sie von Ihnen mit Ruten gezüchtigt werden. Diese Dame, Miß Cabrol, stammt aus Genf in der Schweiz, sie hat die gleiche Luft geatmet wie der große Rousseau. Ich fürchte zwar, daß dessen Name nicht durch die Mauern Bridewells gedrungen ist, noch weniger die Prinzipien, die er vertritt.

Mein Herr! Ich weiß, daß Sie einen schwunghaften Handel mit den Gliedmaßen Gehenkter betreiben. Ich weiß, daß auf solchem Verbrechen die schlimmste Todesstrafe ruht, die Strafe des Vierteilens. Vor mir liegt eine Anzeige an den Lord-Mayor. Sie geht ab, wenn Miß Cabrol nicht bis morgen abend frei und an Bord der Bark ‚Bretagne' ist. Die Anzeige geht auch ab, wenn Sie versuchen sollten, mich ausfindig und unschädlich zu machen. Sie werden bestimmt Kreaturen finden, die Miß Cabrols Flucht bewerkstelligen. Ein Arzt und Menschenfreund. London, 14. Juli 1775."

Eine Stunde später kniete Lizzy in der Ecke des Klassenzimmers. Sie vergoß keine Träne. Miß Beveridge hatte kantige Scheite Brennholz untergeschoben, um die Strafe zu verschärfen. Die Handflächen brannten diesmal wie von Feuerzungen beleckt. Doch was waren dies alles für Schmerzen, wenn man von einem Manne wie Marat des Vertrauens gewürdigt wurde?

Aber wer ist diese Miß Cabrol? Ob sie seine Geliebte ist? Am Ende seine Braut?

Nun fielen doch Tränen auf die Holzscheite, und Miß Beveridge war im Glauben, die Delinquentin zeige heftige Reue.

Zu der üblichen Sprechstunde des Doktor Jean Paul Marat erschien heute Direktor Bentham von „Lloyds" Schiffsversicherungen; ein dicker, apoplektischer Mann, dem die Hitze zu schaffen machte. Man mußte ihn zur Ader lassen. Das war ein schwieriges Unterfangen bei dem nervösen, leicht erregbaren Patienten. Während sein Blut in ein Becken rann, redete er unaufhörlich: „Seien Sie froh, Doktor, daß Sie nichts mit Schiffsladungen und Schiffsverlusten zu tun haben. Ihnen stirbt mal ein Kranker – Pech für den Betreffenden –, uns sterben ganze Schiffsbesatzungen, und wertvolle Ladungen gehen verloren. In der vorigen Woche mußten wir gleich zweimal die Glocke läuten. Totalverlust eines Zweimasters vor Westafrika bei schwerem Sturm. An Bord war Negervolk für die Pflanzer in Virginia. Lauter schwarzes Gebein, an dem nun die Haie nagen. Ferner zerschellte an der Küste von Neufundland eine Brigg. Lloyds mußten tief in die Tasche greifen."

Marat hielt inne, ließ die Lanzette sinken. „Schwarzes Gebein? Das waren einmal Menschen."

Der dicke Mann wischte sich den Schweiß ab, die Prozedur war schmerzhaft genug.

„Ach, ihr Franzosen! Ihr stinkt ja förmlich nach Humanität, so hat man euch mit Menschenrechts- und Freiheitsphrasen gesalbt. Dieses Gift ist über den Ozean gedrungen. Die Lumpenhunde, diese Kolonisten in Nordamerika, schicken uns Manifeste, die eure Montesquieus und Diderots diktiert haben könnten."

„Man sollte den Willen entschlossener Farmer und Pflanzer nicht mißachten. Wenn ein Volk die Freiheit will, wachsen ihm die Waffen in die Hand."

Zornig glitt der Direktor vom Behandlungssessel. „Hören Sie auf, Doktor. Sie sind Franzose, stammen jedoch, wie ich hörte, aus der Schweiz. Dorther kommen ja seit Jahrhunderten alle diese Weltbeglücker. Jener Calvin, der uns zur dauernden Askese verdammen wollte, und dieser abscheuliche Heuchler Rousseau, der von der neuen Erziehung faselte, aber seine eigenen Kinder ins Findelhaus gab."

„Es gibt Ideen, die alle Grenzen überspringen", sagte Marat vorsichtig, „und es ist eine Tatsache, daß der Glaube an die göttliche Gnadenwahl das englische Volk – sagen wir lieber den englischen Kaufmann und Seefahrer – zu kühnen Wagnissen inspirierte."

Der Dicke schwieg und sah Marat mißtrauisch ins Gesicht.

Mit feinem Lächeln, das eine leise Trauer nicht verbarg, fuhr Marat fort: „Gott wollte es doch, daß die Briten reich wurden?"

„Ja, bei Jehova. Diese Seite der calvinistischen Lehre hat mir immer gefallen, Doktor Marat."

„Da ich Schweizer war und meine Mutter strenge Calvinistin, so sollen Sie hören, was ich lernte: Gott hat in seinem ewigen und unwandelbaren Ratschluß *einmal* festgestellt, welche Menschen er einst zum Heil annehmen und welche er andererseits dem Verderben anheimgeben will. Sie sind reich, Mister Bentham, deshalb sind Sie in der Gnade. Sie sind auserwählt."

„Zum Teufel, ja", bestätigte der Lloyd-Direktor, „wir Engländer machen aus einem Schilling zehn, ihr Franzosen verliert von tausend Livres neunhundertneunundneunzig. Soll ich Ihnen die Höhe der französischen Staatsschuld nennen? Zwei Milliarden vierhunderteinundsiebzig Millionen Livres. Frankreich ist konkurs, mein Herr."

„Ich weiß, Mister Bentham. Zwei Ludwige hintereinander haben unser Volk ruiniert."

„Sehen Sie, Doktor, der siebenjährige Krieg um die amerikanischen Besitzungen hat euch aufs Kreuz gelegt. Wir haben gewonnen. Nordamerika gehört uns. Deshalb sollen die Schufte drüben bezahlen, was uns der Krieg gekostet hat. Aber nicht einmal die Teesteuer wollten die Kolonisten bezahlen, auch nicht die staatlichen Stempelgebühren. Aus Protest haben sie die Kisten mit feinstem indischen Tee ins Wasser des Bostoner Hafens geworfen. Dreihundertundzweiundvierzig Kisten, Mister Marat! Lloyds mußten alles bezahlen."

„Seitdem ist Blut geflossen", sprach Marat ernst.

„Noch mehr Blut wird fließen. Der König schickt Regimenter über das Meer. Doch genug. Ich muß an die Börse. Was schulde ich Ihnen für das Abzapfen dieser Menge? Schätze, es ist eine Pinte voll. Freiwillig geopfert." Jetzt lachte der feiste Herr so sehr, daß sein Gesicht erneut blaurot anlief.

„Die ärztliche Taxe ist zehn Schilling, Mister Bentham."

„Wäre ich doch Mediziner geworden." Bentham hatte schon die Türklinke in der Hand, als er noch einmal seine etwas vorgewölbten schlauen Augen auf Marat richtete. Dieser Franzose mußte

18

doch etwas von Stimulanzien verstehen . . . Man sollte ihn fragen, offen, von Mann zu Mann.

„Doktor, noch eins. Ich bin nicht mehr der jüngste, aber trotz Puritanismus sehe ich junge Mädchen immer noch lieber als alte Vetteln. Kennen Sie die schönen Verkäuferinnen in den Läden der Börse gegenüber? Nun, ich vermute, daß Sie weder Handschuhe, Krausen, Kragen, Brust- und Taschentücher benötigen. Sie leben wie Diogenes in der Tonne. Aber ich. Nun ja, ich ziehe die hübschen Frauenzimmer dort gerne an – noch lieber aus. Ich zahle einige Guineen, wenn Sie mir das besorgen, was meiner Männlichkeit hilft; ein Stimulans, wie die Römer es schon kannten."

Marat zauderte. Einige Guineen – damit konnte er experimentieren, konnte einigen Kranken in Soho heilende Medikamente zukommen lassen. Wie sagte der schlaue Jesuit Ignatius von Loyola? „Der Zweck heiligt die Mittel." Doch er war kein Jesuit. Er war ein schlichter Jünger jener Philosophen, die der Aufklärung eine Bresche schlugen. So sagte er mit einem echt klingenden Bedauern in der Stimme: „Leider fällt dies ins Gebiet meines hochverehrten Kollegen Doktor Green. Ich rate Ihnen, diesen aufzusuchen. Ein paar Schritte nur von hier."

„Danke, Doktor. Der Herr ist mir bekannt."

Hinter Mister Bentham fiel die Tür hart ins Schloß. Marat wußte sehr wohl, warum der gutsituierte Direktor wegen eines Aderlasses zu ihm kam; bei Green hätte er zwanzig Schilling zahlen müssen.

Mit ingrimmigem Lächeln setzte sich der junge Arzt an den Arbeitstisch. Da lagen Briefe, die der Beantwortung harrten. Er wollte an den Vater schreiben, ihm mitteilen, daß die Universität Edinburgh von St. Andrew dem hochbeglückten Sohn die Würde eines Doktors der Medizin verliehen hatte, daß in Amsterdam drei Bände des Werkes „Über den Menschen" in französischer Sprache erschienen waren. Grüße an die fernen Brüder und Schwestern sollte der Vater ausrichten. Stolz schwang mit, als Marat die nüchternen Zeilen hinsetzte, Selbstgefühl, daß „Geist, Gelehrsamkeit und Geschmack sich mit Genie vereinigt haben", wie ein Rezensent in einer Londoner Zeitung geschrieben, der das Werk Marats einer eingehenden Würdigung unterzogen hatte. Er bat den Vater, hoch oben im Gebirge rings um den Neuchâteler See Heilpflanzen auszugraben. Kannte nicht jeder Alpenbauer die wohltätige Wirkung von Arnika? Ein Absud daraus erweiterte die Gefäße und hemmte Entzündungen. Auch blaublühender Enzian wuchs dort, dessen magenstärkende Wirkung in England noch unbekannt war.

„Ich brauche für mich wenig, für meine Forschung viel, für die Heilung der Menschheit alles", schrieb er und setzte noch mit winziger Schrift den Satz hinzu: „Unsere Cousine Marie Cabrol dürfte auf hoher See sein, wenn diese Zeilen Euch erreichen. Sie war so unvorsichtig, ihre zarten Finger in die britische Justizmaschinerie zu stecken. Ich hoffe wenigstens, daß die Aktion, die ich zu Maries Rettung eingeleitet habe, gelingt, daß sie nicht als Deportierte nach der Barbados-Insel verschleppt wird."

Im Zimmer war die Hitze unerträglich geworden. Vom geöffneten Fenster kam keine Kühlung, nur der faule Atem der Straßenrinnen stieg empor und mischte sich mit dem Zwiebel- und Kohlgeruch, der aus der Küche drang.

Seufzend nahm Marat den Federkiel und begann den nächsten Brief. Er war an Johann Peter Frank gerichtet, den fast gleichaltrigen Freund, mit dem er durch den gleichen Studiengang und die gleiche Weltanschauung verbunden war. Beide waren sie Jünger des großen Genfer Philosophen Rousseau und gliederten unter seinem Einfluß die Krankheiten in natürliche und von Menschen verschuldete. Letztere mußten sich durch sinnvolles Planen und Handeln heilen lassen. Heute wollte Marat dem fernen Freund die Ergebnisse physikalischer Forschungen mitteilen. Er verdankte der Elektrotherapie Heilerfolge, und er wollte ein Elektrisiergerät schildern, das er sich selbst mühsam genug gebaut hatte.

Es klopfte. Unwillig wandte Marat den Kopf zur Tür. Frau Seymour schob sich mit verlegenem Gesicht herein. Sie trug ein schwarzes Kleid und hatte sich eine gestärkte weiße Schürze vorgebunden. Die Spitzenhaube umrahmte gesunde, gerötete Züge. Die Witwe lachte gern und oft und zeigte dabei ihre schönen regelmäßigen Zähne. Die Damen Evans und Hopkins nannten sie neidisch eine Kokette, die ihre Angel nach allen Männern der Umgebung auswerfe, insbesondere aber nach Doktor Marat, der bereits an ihrem Haken zappele.

Frau Seymour wußte, daß sie den Männern gefiel – und sie wollte gefallen. Desto strenger hielt sie Lizzy, und sie sparte nicht mit Schlägen, wenn sie den Eindruck hatte, daß ihre Tochter zu keck ihren kleinen festen Busen oder ihre schöngeformten Beine zeigte.

Marat mochte diese stets vergnügte Frau, die so unkompliziert in den Tag hinein lebte. Während ihrer kurzen Ehezeit hatte sie als Frau eines Seemannes jeweils nur wenige Wochen im Jahr die Liebe ihres Mannes verspüren dürfen. Viel zu früh war die Nachricht vom Untergang der Dreimastbark „Edinburgh" eingetroffen.

Die Witwe war jetzt in ihren allerbesten Jahren. Sie leugnete keineswegs, daß sie dem Maler Middletown angehört und ihm Modell zu einer Venus gestanden hatte. Dieser verschuldete und verbummelte Porträtist Middletown, ein Schüler des großen William Hogarth, hatte mehr in Schenken, Bordellen und im Schuldturm als im Atelier seines Meisters gesessen, aber er hatte den fadenscheinigen Glanz seines Abenteurerdaseins in die karge Witwenstube getragen. Bei einem Raufhandel irgendwo in Soho hatte man ihm den Schädel eingeschlagen. Schicksal . . .

Wenn Helen Seymour an seine Umarmungen dachte, ging ihr ein Ziehen durch den Leib. Sie schmeckte noch den Tabakrauch von seinen Lippen, fühlte seinen harten, sehnigen Körper, seine zupackenden und doch so zarten Hände.

Wie sie nun vor dem kleinen Franzosen stand, zog sie unwillkürlich Vergleiche.

Ein unschönes, breitflächiges Gesicht mit eingedrückter Adlernase hatte Marat, einen viel zu großen Mund – der allerdings Leidenschaft verriet –, einen schütteren Haarwuchs. Aber die dunklen Augen! Welche Güte strahlten sie aus, und welch Lodern im Zorn. Wenn er nur nicht so scheu wäre, der kleine Arzt . . .

Wenn er auch in seinen Schriften die Existenz eines strafenden Gottes leugnete, so war seine Keuschheit wohl doch die Frucht seiner Gottesfurcht.

„Der verdammte Calvin hat uns die Freuden des Eros geraubt, er will aus der schönen Welt ein langweiliges Bethaus machen", hatte Middletown geschimpft und den nassen Pinsel auf dem Bild ausgedrückt, das den spitznasigen, hagergesichtigen Reformator wiedergab. Sie erinnerte sich genau.

Marat leerte etwas verlegen die Kupferschale mit dem abgezapften Blut des Mister Bentham in einen Eimer. Er wußte, daß Frau Seymour nur mit leisem Widerwillen dieses Gemach betrat. Dann fragte er sie, was es gebe.

„Ein französischer Seekapitän steht draußen, er kann auf englisch nur fluchen und guten Tag sagen. Dann ist die kleine Mary wiedergekommen, das schmutzige Ding mit den Triefaugen. Sie bittet, behandelt zu werden, hat aber keinen Penny mit."

„Zuerst der Kapitän. Nennt er sich Forestier?"

„Ja. Forestier aus Marseille, ein Mann, hoch und breit wie ein Mastbaum. Ich habe stets angenommen, die Franzosen sind alle so klein wie . . . Ach, verzeihen Sie, Mister Marat."

„Es geht die Mär, daß auch David klein war, dennoch soll er den Riesen Goliath getötet haben." Marat war ein wenig ungehalten und stieß ganz leicht mit der Zunge an. Seine englische Aussprache war sonst völlig fehlerfrei.

Frau Seymour knickste und eilte hinaus. Draußen kicherte sie aber doch; immerhin überragte sie den Doktor um Haupteslänge. –

„Kapitän Forestier, ich habe Sie hergebeten", begann Marat das Gespräch. „Sie sind mir für diffizile Geschäfte empfohlen worden. Ihre Bark sticht morgen abend nach Le Havre in See?"

„Ganz richtig, Monsieur, nach Le Havre. Ich habe Kisten mit Maschinenteilen an Bord. In Cherbourg bekomme ich weitere Orders."

„Sie sind bereits von Freunden informiert worden? Eine Dame wird die Seereise mitmachen. Ohne Wissen der Londoner Hafenpolizei. Verstehen Sie, Kapitän, eine richtige Dame und eine Französin dazu."

„Auf meiner Bark haben lange keine Unterröcke geweht." Der Seemann lachte dröhnend. Er hatte wie viele Südfranzosen einen schwarzhaarigen Römerkopf mit wildwucherndem Backenbart und wirkte wie ein Flibustier-Kapitän. In den Ohrläppchen trug er massive Goldringe, und rings um den Hals lief eine Strichtätowierung, die im gegebenen Falle dem Scharfrichter die richtige Stelle anzeigen sollte. Auf der Brust baumelte eine Silbermedaille, groß wie eine Männerhand. Sie war beschriftet:
„Mein Hals dem Henker, mein Herz den Damen."

Das also war Forestier, von dem die Kunde ging, daß er Konterbande für die Kolonisten Neu-Englands führe, jeder Kontrolle durch britische Kriegsfregatten entschlüpfe, daß er aber auch schwarze Sklaven für die westindischen Pflanzer transportiere.

„Meine Kabine hat besondere Ausmaße", sagte der Kapitän gemächlich, „außen zwanzig Fuß in der Länge, innen sechzehn. Platz genug für eine schlanke Mademoiselle. Luft bekommt sie, und die Mahlzeiten serviere ich eigenhändig. Aber die vereinbarte Summe in bar, Monsieur Marat." Forestiers Augen funkelten.

„Die Hälfte bei der Abfahrt, den Rest bei der Ankunft in Le Havre", entgegnete Marat entschlossen. „So lautet die vertragliche Abmachung."

„Einverstanden." Wieder das dröhnende Lachen. „Ich werde Demoiselle nicht in den Atlantik werfen. Was hat sie denn ausgefressen? Einer Lordschaft das Portefeuille geklaut? Falsche Pfundnoten in Umlauf gesetzt?"

„Sie irren. Sie hat sich für die Farmer Nordamerikas eingesetzt, hat nur etwas geschrieben, und zwar nichts anderes als das, was Lord Chatham schon vor sechs Jahren im Parlament gesagt hat. Sie erinnerte schließlich Seine Britische Majestät an das Schicksal Karls I., der ja bekanntlich auf dem Schafott endete." Über Marats Gesicht lief ein trübes Lächeln.

„Ich habe schon manchen blinden Passagier übers Meer gebracht, aber noch kein einziges politisierendes Frauenzimmer. Immer zu, die Welt hat sowieso einen Knacks bekommen, ich nehme das mutige Weibsbild mit. Nur mir darf sie nicht moralisierend kommen ... Ich habe auch *dunkle* Kojen an Bord. Übrigens noch was – die Demoiselle ist natürlich Ihre Geliebte ..."

„Sie ist die Tochter der Schwester meiner Mutter, also meine Cousine."

„Hm, und dafür soviel Risiko, Doktor? Wenn's schiefgeht, hängen Sie am Galgen."

„Sie werden mir dabei Gesellschaft leisten, Kapitän Forestier. Hier sind die zehn Guineen. Der Rest – die Abmachung."

Ohne eine Miene zu verziehen, kassierte der Kapitän. Beim Hinausgehen äußerte er lässig: „Es wäre kein Fehler, wenn Demoiselle in Burschenkleidern käme. Meine Besatzung kann Damen von Huren schlecht unterscheiden."

Nachdem Forestier gegangen war, hing noch der scharfe Geruch von Teer, Tabak und Knoblauch im Raum, gemischt mit Schwaden eines starken Parfüms.

Die kleine Mary hatte geduldig im Nebenzimmer gewartet. Das Kind hatte vereiterte Augen und hielt still, als Marat mit der Säuberung begann.

„Bindehautentzündung", murmelte er und notierte einige Wahrnehmungen in sein Tagebuch. „Immer wieder der Schmutz der Wohnungen und der Straßen. O Hygieia, Göttin der Gesundheit, wann endlich wirst du auch zur Göttin der Sauberkeit werden?"

Er mußte der Kleinen mit Kamillenabsud die verschleimten Partien auswaschen und mit einer entzündungshemmenden Salbe die Augenlider betupfen. Sie verhielt sich dabei tapfer. Mary war das fünfte Kind eines Lastträgers, der am Pier der Ostindia-Kompagnie arbeitete. Das jüngste Schwesterchen sei blind zur Welt gekommen, erzählte sie. Marat nickte. „Augenentzündungen bei Neugeborenen." Welcher Arzt kannte sie nicht? Wie aber konnte man ihnen begegnen?

Mary knickste dankend, als er ihr Kandiszucker gab, und trippelte artig fort, heim in die Elendsbehausung, wo neue Infektionsherde auf sie warteten.

2

Die Flucht aus Bridewell

Die Glocke schlug die fünfte Stunde. Im Zuchthaus Bridewell begann der Tag wie jeder andere. Auf den Steinfliesen der Gänge schlurften die Holzschuhe der Strafgefangenen. Schrill pfiffen die Aufseher, die in sauberen blauen Uniformröcken einherschritten. Einige verhärmt aussehende Frauen entzündeten die in eisernen Haltern steckenden Unschlittkerzen. Gefangene mit kahlgeschorenen Köpfen schleppten die stinkenden Kübel hinaus, andere brachten Schüsseln mit dünner Suppe und Brot. In Reihen geordnet, marschierten Männer und Frauen nach der großen Halle, wo der Prediger das Morgengebet sprechen sollte. Auch Mister Howe hatte sich eingefunden, um die Exekutionen des Tages anzukündigen.

In der langen Reihe der weiblichen Sträflinge schleppte sich Marie Cabrol den düsteren Gang entlang. Sie war noch immer wie betäubt.

Wieder sah sie das pausbäckige Gesicht des ehrenwerten Oberrichters in Old Bailey vor sich, seine imponierende Perücke mit den Korkzieherlocken, den schwarzen, mit einer Halskrause geschmückten Talar. Sie sah den Generalanwalt, der die Anklage vertrat und dessen gelangweilter Blick an ihrer Gestalt herabglitt wie an lästigem Ungeziefer. Die Geschworenen blätterten gleichgültig in Papieren. Die Augen der Zuhörer waren auf sie gerichtet, als stünde sie ohne Kleider vor diesem Tribunal.

Sie hatte noch die breiige Stimme des Oberrichters im Ohr: „Aus der Schweiz importierten wir bisher Gouvernanten, Hauslehrer und Ärzte. Wir schätzen es nicht, Angeklagte, daß man uns rebellierende Frauenzimmer schickt, die Seiner Königlichen Majestät Drohbriefe in den Palast senden, ja diese Briefe sogar öffentlich anschlagen. In der Bibel steht: ‚Das Weib schweige in der Gemeinde.‘ Sie aber hat nicht geschwiegen, Angeklagte Cabrol.“

Sie hörte das schneidend scharfe Organ des Generalanwalts: „Was in den fernen Kolonien geschieht, ist Auflehnung gegen die Regierung Seiner Majestät. Wir hängen diesen Washington, diesen Jefferson, sobald uns diese Männer in die Hände fallen. Hier ist ein Frauenzimmer, das öffentlich, meine Herren Geschworenen, öffentlich jene Schandtaten der amerikanischen Rebellen gutheißt, die in Boston und anderswo geschehen sind. Dieses Frauenzimmer hat es sogar gewagt, Soldaten Seiner Majestät, die nach Neu-England verschifft werden sollten, zum Ungehorsam zu verleiten."

Und wieder der Vorsitzende, dieses pausbäckige Schafsgesicht: „Sie ist schweizerische Staatsbürgerin. Sie untersteht aber britischem Gesetz, und wir scheuen uns nicht, es anzuwenden. Sie kann sich überzeugen, daß unsere Seilermeister haltbare Stricke anfertigen. Am Galgen in Tyburne kann Sie sich mit den Krähen unterhalten, ob die Deklaration der dreizehn Kolonien Nordamerikas ein gottgefälliger Akt war, ob Jean Jacques Rousseau im Recht ist mit seinen verderblichen Theorien – oder ob das Recht auf seiten des Parlaments und Seiner Majestät ist."

Sie sah wieder die erschrockenen Gesichter der beiden Damen Lambeth vor sich, bei denen sie gewohnt hatte. Die Mullgardinenfenster ihres Zimmers hatten den Blick auf alte Parkbäume freigegeben. Sie erinnerte sich der Empörung Seiner Lordschaft Sir Robert Peels, dessen gelähmter Gattin sie langweilige Romane des Schweizers Bodmer vorgelesen hatte.

Kaum zwanzig Minuten hatte die Verhandlung gedauert. Wie hatte ihr Herz in tollem Galopp gegen die Rippen gepocht.

Welcher Ungeist hatte sie nur getrieben, sich in das politische Spiel der Männer einzumischen? Hätte sie sich nicht damit zufriedengeben sollen, Verse Miltons ins Französische zu übersetzen? Was galt schon eine kleine schweizerische Lehrerin? Die Weltgeschichte wurde von ganz anderen Mächten bestimmt. Die Bank von England und die englische Pfundnote regierten, einer Rebellin drohten Zuchthaus und Galgen.

Dann das Urteil. Der Oberrichter sprach von Milde: kein Galgen, dafür Deportation. Kein Henkerbeil, dafür Züchtigung und Brandmarkung.

Und nun war sie hier. Bridewell hatte sie wie ein riesiges Maul aufgeschluckt.

In der Halle wurde es still. Der Geistliche sprach sein Gebet. Da er fast zahnlos war, verstand niemand den Text.

Als er geendet hatte, klapperten mit einem Schlag die Blechlöffel, schlürften einige hundert Frauen und Männer die dünne Hafersuppe, würgten sie am feuchten, grauen Brot.

Zu den vergitterten Fenstern lugte die Morgensonne herein, glitt über magere, hohläugige Gesichter und über die strähnigen Haare der Frauen.

„Zwei Weibchen sind heute mit dran", raunte ein Gefangener seinem Nachbarn zu und schielte nach den Aufsehern, die stöckeschwingend die Reihen entlanggingen, um jede Unterhaltung der Gefangenen zu verhindern, „ein Londoner Hürchen und eine Ausländerin. Zwei Burschen sind auch dabei, haben vagabundiert.

Kein Wunder, gibt doch keine Arbeit! Da wird Mister Howe heute wieder mal zeigen, wieviel Beefsteaks er gefrühstückt hat. Wenn er richtig vollgefressen ist, schlägt der doppelt so gut."

„Mein Hintern kann's bezeugen", zischte der andere. „Drei Monate hat's gedauert, bis alles verheilt war. Der Saukerl."

„Junge Weiber schlägt er besonders gern", flüsterte der erste. Er konnte nach alter Gefängnistaktik reden, ohne die Lippen zu bewegen.

Marie Cabrol merkte gar nicht, wie ihr eine Mitgefangene das Brot stahl. Sie blickte zum Podium, dorthin, wo ein mannsdicker Pfahl stand, an dem ein eiserner Ring, Ketten und Stricke befestigt waren.

Ihr Gehirn registrierte dies alles, aber sie konnte einfach nicht glauben, daß es Wirklichkeit war.

Ein Traum war dieses Bridewell – sicher würde sie in ihrem sauberen Stübchen aufwachen, die frische Bettwäsche mit dem erquickenden Lavendelgeruch verspüren, das kühle Wasser des morgendlichen Bades genießen.

Ein Traum war diese Nacht auf fauligem Stroh – ein Alptraum dieser Pfahl, daneben der Korb, gefüllt mit langen Birkenruten.

Ob denn die Schwestern Lambeth den Brief an Vetter Marat expediert haben? Der kleine schüchterne Doktor, ob er ihr helfen wird? Marat, liebster, bester Vetter, hilf mir! Hilf!

Es war plötzlich im Saal so still geworden, daß man das rasselnde Atmen eines Brustkranken hörte.

Der hünenhafte Mister Howe, von den Gefangenen „Prügel-Jonny" genannt, stand auf, zog sich die Uniformjacke glatt, bürstete den gezwirbelten Bart und zog eine Liste aus der Tasche.

Obgleich Howe von riesigem Wuchs war, hatte er eine piepsige Stimme. „Wie ein Kastrat", murmelte die Frau neben Marie.

Kaum hatte Howe die Namen verlesen, stürzten die Aufseher herbei und beförderten die Verurteilten mit Püffen und Tritten auf das Podium. Marie blickte in des Zuchtmeisters blatternarbiges Gesicht, dem sich das harte Handwerk aufgeprägt hatte.

„Als zweite die Cabrol", ordnete Howe an. Halblaut sagte er zu einem Aufseher: „Holt den Arzt. Diese Blaustrumpfweiber halten nicht durch."

„Du bekommst deine dreißig Rutenhiebe", sprach er zu der kleinen Dirne, die neben Howe stand. „Das ist eine Lektion zur Besserung und Reue, damit du hinfort den Pfad der Tugend wandelst. – Dir, verehrte Dame Cabrol, ist eine schärfere Lektion zugedacht. Und außer der Prügel bekommst du zum dauernden Andenken eine Brandmarkung, den Buchstaben D = Deportierte, mit dem heißen Prägestempel aufgedrückt."

Meckerndes Gelächter im Saal. Es versickerte bald. Stille trat wieder ein. Maries Herz klopfte rasend. Das war kein Traum. Das arme Ding neben ihr, dem die Tränen über das verquollene Gesicht rannen, wurde zum Pfahl gestoßen und hing dann in den Stricken. Der Rücken und die Schenkel waren nackt. Mister Howe schlug sachverständig zu. Nach alter Bridewell-Sitte klopften sämtliche Blechlöffel dabei den Takt und übertönten die Verzweiflungsschreie der Gezüchtigten. Es gab kein Erbarmen. Hier hing die Kreatur, wehrlos, hilflos.

Nach dem zehnten Hieb wechselte Howe die Rute. Und wieder klopften die Blechlöffel den Takt. Das Mädchen bäumte sich schreiend in den Stricken, versuchte den klatschenden Schlägen zu entgehen. Vergeblich.

Erfahrene Zuchthäusler unten im Saal waren überzeugt, daß sie durchhalten werde, sie sei schmächtig, aber drahtig.

„Dreißig – Ende", sagte Howe. Nun war das Mädchen doch zusammengesackt und wurde von Wärtern hinausgetragen.

Gleichmütig winkte Howe: die Nächste.

Marie spürte, wie ihr eine grobe Hand den Tuchrock herunterriß, dann die Bluse und die Wäschestücke. Ein vierschrötiger Uniformierter schnürte sie an den schmutzigen Pfahl. Die Stricke schnürten ihr ins Fleisch.

Kam nun das Ende? Würde hier in diesem düsteren Saal ihr Leben ausgelöscht werden? Sollte nie wieder das grüne Wasser des Neuchâteler Sees ihre Glieder umspülen? Sollte sie nie mehr den Firnschnee glänzen sehen, hoch oben auf den Gipfeln der Heimat, niemals wieder auf Alpenwiesen liegen?

Sie drehte den Kopf zur Seite, sah den gefürchteten Howe mit den grausamen Augen, sah in Angst und Not, wie er sorgsam die Rute wählte... Und dann der erste pfeifende Hieb. Jetzt nur nicht schreien! Auf die Lippen beißen! Der Schmerz kroch in sie hinein, war so qualvoll, daß sie glaubte keinen zweiten Hieb erdulden zu können. Und wieder Hieb, Hieb und Taktschlag der Löffel. Sie wollte nicht jammern, wollte ihren Stolz behalten, dann aber schrie sie, schrie alle Qual aus sich heraus.

Howe machte eine Pause und winkte den beleibten Arzt heran, der die Delinquentin aus flinken Augen prüfend betrachtete. Er zog ihr die Augenlider auseinander und goß ihr ein Glas kalten Wassers in den Mund. Es schmeckte seltsam bitter.

Wieder schlug der Zuchtmeister. Hieb auf Hieb. Doch die Delinquentin am Pfahl war verstummt. Leblos hing sie in den Stricken. Blut tropfte von den Schenkeln.

„Bindet das Weibsstück ab", kommandierte der fette Arzt, „sie stirbt uns sonst. Bringt sie in den Krankenraum."

„Sehr schade, Doktor", fistelte Howe, „an der hätte ich ein Exempel statuiert. Schluß für heute, ich mag nicht mehr."

Die Sträflinge marschierten in die Arbeitssäle. Manche waren enttäuscht, doch die meisten des Mitleids voll.

Im Büro Mister Howes schrieb der Arzt einen Totenschein: „An den Folgen der Züchtigung ..."

Doch der Zuchtmeister tobte.

„Sind Sie närrisch, Doktor? Am schwachen Herzen starb diese Cabrol! Soll ich Scherereien bekommen? Ihr Betäubungstrank war übrigens verteufelt stark."

„Sie hätten ebensogut auf einen gefüllten Mehlsack schlagen können. Sie spürte nichts mehr. Aber wenn sie wach wird, dürfte sie Wundfieber bekommen."

„Nicht mehr meine Sache. Sobald es dunkelt, raus mit ihr. Die Bark liegt am Ostindia-Kai. Der Kapitän, ein gewisser Forestier, gehört eigentlich in meine Menagerie."

„Lieber Howe, seien wir froh, wenn alles vorüber ist. Die Cabrol wird sich nicht wieder in England sehen lassen. Und wir stellen für einige Zeit unseren lukrativen Handel ein. Ich überlege inzwischen, wie und wo ich diesen Arzt und Menschenfreund erwischen kann. Der Brief hat mir Sodbrennen verursacht."

„Und mir erst, Doktor." Die beiden Männer hoben die Gläser mit schottischem Whisky.

„Was halten Sie von diesem Doktor Marat, Ihrem nächsten Kollegen im Stadtteil?"

„Falls Sie mich nach seinen ärztlichen Qualitäten fragen, Mister Bentham, ich muß Ihnen die Antwort schuldig bleiben. Es gibt so etwas wie einen Sittenkodex unter uns Medizinern. Keiner sagt dem anderen etwas Schlechtes nach. Nicht einmal, wenn dem Kollegen ein offensichtlicher Kunstfehler unterlaufen ist. Eine schöne Sitte, schon seit dem guten Onkel Hippokrates, nicht wahr?"

„Beneidenswert, lieber Doktor Green. Wenn man diese Sitte doch auch auf uns Börsenleute übertragen könnte."

Der Lloyd-Direktor lächelte, nahm die Stahlbrille aus dem Futteral und sah sich im Gemach Doktor Greens um: galante Kupferstiche an den Wänden, ein Tenier, der eine derbe Wirtshausszene wiedergab, Brokatvorhänge an den bleiverglasten Fenstern, ein dicker orientalischer Teppich in satten Farben, Silbergeschirr auf dem Kamin, damastbezogene Sessel, die sicherlich aus den Werkstätten des großen Chippendale stammten. Ein einträglicher Beruf, dachte Bentham mit Achtung und einem Schuß Neid, da er der Ansicht war, es sei leicht verdientes Geld.

Die beiden Männer rauchten Virginiatabak aus holländischen Tonpfeifen. Ihr Gespräch tröpfelte so dahin, nachdem die medizinische Konsultation zur beiderseitigen Zufriedenheit beendet war. Der Versicherungsdirektor hatte einen Trank erhalten, den Doktor Green aus zerstoßenen Schalentieren und indischen Kräutern zubereitet hatte.

„Ich lieferte diese Mixtur sogar dem Gemahl der Kaiserin Maria Theresia nach Wien", hatte der Arzt versichert. Zwei Guineen kostete die Flasche, und seufzend wurde die geforderte Summe gezahlt.

„Sie fragten mich, was ich von Doktor Marat halte. Ich wunderte mich etwas, daß Sie das interessiert. Er gilt als eine Art Heiliger. Sicher nicht ohne Grund, denn er soll viele Patienten ohne Bezahlung heilen. Nun, wie dem auch sei, seine Wirtin, eine appetitliche Katze übrigens, verbreitet seinen Ruhm in allen Gassen. Erwiesen ist, daß Marat in Edinburgh promovierte."

„Demnach ist er vollgültiger Mediziner und kein Scharlatan", erwiderte Bentham mißvergnügt. Ein Mann mit dem Doktorgrad einer schottischen Universität mußte mit Vorsicht behandelt werden.

„Außerdem soll er in Newcastle als Schriftsteller dilettiert und unter Gefahr der eigenen Ansteckung eine Seuche bekämpft haben."

„Doktor, ich möchte Sie daran erinnern, daß Sie nicht nur Arzt, sondern auch Untertan Seiner Britischen Majestät sind."

„Allerdings." Green lachte. „Was wollen Sie damit sagen? Die Steuern, die ich zahle, erinnern mich täglich daran."

„Sie wissen, Doktor, daß ich nach außen ein Anhänger der Whigs bin", sagte Bentham nach einer kleinen Pause, „aber mit den Tories einig gehe. Und ich bin der Meinung, wir müssen den Rebellen in Nordamerika die Faust zeigen. Und in jede Faust gehört ein englisches Bajonett."

„Selbstverständlich. Und wir wollen weiterhin billigen Tabak aus Virginien", ergänzte Doktor Green, „und dafür brauchen die Plantagenbesitzer Schwarze."

„Sehen Sie, jetzt sind wir beim Kern der Sache betreffs dieses Marat. Das eben trachtet er zu verhindern. Er äußerte sich despektierlich über die Regierung, das Parlament, über Majestät. Wie man hört, sympathisiert er mit den Kolonisten drüben überm Ozean. Er unterstützt die amerikanischen Rebellen und – hol mich der Gottseibeiuns – er soll sogar mit diesem Benjamin Franklin in Korrespondenz stehen. Vermutlich nicht nur über Blitzableiter."

Green schwieg lange. Obgleich er als Modearzt des Kronadels

und der Finanzaristokratie hohe Einkünfte und eine gesellschaftliche Position hatte, widerstrebte ihm dennoch eine Hetze, die sich gegen den jüngeren, noch unbekannten Armenarzt anzubahnen schien. Ein Rest von Anständigkeit aus den einstmaligen Tagen des eigenen sich Einschränkenmüssens war ihm verblieben. So antwortete er schließlich etwas gereizt: „Der Mann ist Arzt und Schriftsteller. Seit wann ist es verboten, philosophische Ansichten zu äußern? Er hat, als er in Schottland lebte, einen Roman geschrieben. Sein genialer Landsmann Montesquieu dürfte mit seinen ‚Persischen Briefen‘ wahrscheinlich dabei Pate gestanden haben. Warum soll Marat nicht schreiben? Ich habe es längst aufgegeben, an irgendeinen Nutzen oder Schaden durch Literatur zu glauben. Ich glaube an die Funktionen des Gehirns, der Därme und einiger anderer Körperteile, glaube an die Vergänglichkeit allen Fleisches.“

„Weichen Sie mir nicht aus, Doktor, reden Sie nicht abwegiges Zeug. Ich spreche hier nicht als Privatmann. Von mir aus kann Mister Marat an die Unbefleckte Empfängnis glauben oder an Voltaires Lehren. Ich bin Direktor von Lloyds. Der Krach mit den dreizehn aufrührerischen Staaten bringt uns Kaperkrieg und Schiffsverluste. Lloyds müssen bezahlen. Jeder also, der diese Empörer in Rede und Schrift unterstützt, ist der Feind unseres Unternehmens, ergo auch mein Feind. Ich muß ihn vernichten, auch wenn er zehn Seuchen in Newcastle zum Erlöschen gebracht hätte.“

„Leider können Sie auf meine Unterstützung kaum rechnen, Direktor. Ich bin weder Kaufmann noch Politiker.“

Unmutig saß Bentham in dem Damastsessel und besah sich seine gepflegten Fingernägel. Der Arzt spürte, daß er zu weit gegangen war. Er schenkte Genever ein, um einzulenken.

„Danke.“ Benthams Züge hellten sich plötzlich auf. „Wissen sie, daß Sie mir doch einen Fingerzeig gegeben haben? Sagten Sie nichts von einer appetitlichen Katze? Ich erinnere mich, daß mir ein attraktives Weibchen begegnet ist, als ich...“ Er fing an zu stottern, denn er wollte keinesfalls verraten, daß er am Tage zuvor den französischen Arzt bemüht hatte.

„Ja, ja, das wird Frau Seymour gewesen sein, seine Wirtin. Vielleicht weiß sie mehr über Mister Marat. – Da fällt mir eine Beobachtung ein, die ich neulich gemacht habe. In der Apotheke ‚Zu den drei Mohren‘ gibt es einen Apothekergehilfen, François Laval heißt er, der für meinen Kollegen Marat die unleserlichen Manuskripte ins reine schreibt – ein Apotheker ist natürlich geübt im Lesen miserabler Schriften –, den könnten Sie auch befragen.“

„Großartig! Noch ein Hinweis, obwohl mir die verwitwete Katze lieber ist – auf diese Tierchen verstehe ich mich."

„Zudem Sie ja mein Elixier benutzen können", ergänzte Green zynisch.

Er geleitete den angesehenen Patienten bis zur Flurtür und beobachtete amüsiert, wie Bentham stracks dem Haus in der Seitengasse zustrebte, in dem Marat wohnte.

Missis Helen Seymour knickste tief, als ein vornehmer Herr vor ihrer Tür stand, der sich als Lloyd-Direktor zu erkennen gab. Er war also von der Versicherung. Endlich schien man sich zu einer Entschädigung bereit zu finden. Schließlich hatte Kapitän Seymour vielen Stürmen getrotzt, ehe der Taifun sein Schiff vor den Antillen in die Tiefe gerissen hatte.

Bentham betrachtete das an der Zimmerdecke hängende Modell der „Edinburgh", jenes Unglücksschiffes. Glücklicherweise entsann er sich einiger Einzelheiten und war sofort Herr der Situation. Das gewünschte Abenteuer mit diesem munteren Frauenzimmer ließ sich gut an. Erfreulich auch, daß dieser Marat zu Patienten unterwegs war.

„Das war die Kapitänskajüte", sagte Helen und deutete auf das Miniaturschiff. „Dort haben wir Hochzeit gemacht. Es war Vollmond, und die Wellen glitzerten."

Es klang etwas geziert, Frau Seymour bemühte sich um eine gepflegte Aussprache. Immerhin war dieser Gast ein Mann mit Einfluß. Sie duldete es daher auch, daß er ihre Hand tätschelte und ungeniert den Arm bis zur Ellenbogenbeuge küßte.

„Erzählen Sie", sagte er zärtlich, „es muß berauschend gewesen sein."

„Den Rausch hatten die Matrosen", sagte sie mit einem Gurren in der Stimme, „mein Mann hatte Rum gespendet. Die Bark lag vor Anker auf der Reede von Portsmouth. Ich mußte mit allen Männern tanzen, die ganze Nacht hindurch."

„Und zwischenhinein . . .?"

„Ach, Mister Bentham, ich war sechzehn. Was wußte ich schon von einem Manne?" Sie entzog sich ihm kichernd.

„Jetzt wissen Sie wohl mehr?" Er glaubte bei diesem Weibchen nur geringen Widerstand zu finden und küßte ihr erneut den Arm.

Sie errötete nun doch. Dieser fremde Herr ging recht forsch vor. Was wollte er eigentlich. Der Verstand sagte ihr jetzt, daß er wohl doch nicht wegen der Abfindung gekommen war. Da hätte er einen Angestellten schicken können. Bestimmt hatte er eine andere Absicht. Aber welche? Sie ging zum Wandschrank, holte

31

eine Glaskaraffe mit Nußlikör und bot dem Gast einen Willkommenstrunk. Sie selbst nippte nur an ihrem Glas. Vorsicht war geboten. Diese Herren mit den gepflegten Spitzbärten sehen aus wie König Karl I., aber sie können ordinärer werden als ein Hafenarbeiter unten an der Themse.

Ob sie eine Einladung ins Drury-Lane-Theatre annehme? fragte der Besucher. Es werde ein Stück vom berühmten Shakespeare gegeben, um einen Dänenprinzen gehe es. Den Titelhelden spiele der große Garrick, obwohl er für die Rolle schon viel zu alt sei. Und hinterher ein Abendessen in einem exquisiten Gasthaus?

Warum nicht? Warum sollte sie nicht zusagen?

„Ich hole Sie pünktlich mit einem Wagen ab." Er tätschelte ihr wieder die Hand und sagte wie nebenbei: „Übrigens, ehe ich gehe – wohnt bei Ihnen nicht dieser schweizerische Arzt Marat? Sie können ihn wohl empfehlen?"

Frau Seymour wurde gesprächig. „Oh, Mister Marat ist ein großer Forscher, ein Arzt, der alle Künste beherrscht, der sogar mit Magnetismus heilt, mit Elektro. Ich weiß nicht genau, wie es heißt. Er hat sogar aus Holland ein Mikroskop . . ."

„So, so, ein Mikroskop", sagte ihr Gegenüber höchst interessiert.

„Eine Laus sieht darin wie ein Untier aus . . . Doktor Marat verfaßt auch Bücher, dick wie die Bibel. Er sagt, er schreibe über den Menschen und seine Seele." Sie nippte nochmals am Nußlikör und lächelte.

„Diese drei Bände kenne ich. Hervorragende Arbeit. Aber jetzt soll er ein neues Werk schreiben. Ich möchte ihm gern eine Freude machen, das Manuskript einem Verleger zeigen. Vielleicht druckt der es. Könnte ich es nicht einmal sehen? Sicher wissen Sie Bescheid in seinen Sachen."

Die Witwe wurde hellhörig: Nun war die Katze aus dem Sack! Ihrem kleinen Franzosen galt also das Interesse des Dicken, vermutlich war er nur seinetwegen gekommen. Enttäuschung drückte sich in ihrem klugen Gesicht aus. Bentham merkte, daß er einen Fehler begangen hatte. Rasch wechselte er das Thema, fragte, ob sie nicht eine Tochter habe.

„Ein hübsches Kind, ganz die Mutter, sie ist mir im Treppenhaus begegnet", sagte er schmeichlerisch.

„Sie ist erst vierzehn. Der Doktor hat ihr einen Floh ins Ohr gesetzt. Sie soll ihm helfen – assistieren nennt er das. Ich bitte Sie, Mister Bentham, ein Mädchen, das bei Kranken Furunkel ausdrückt und Eiter abzapft . . ."

„Seien Sie vorsichtig, Ärzte haben eine lockere Lebensführung."

„Und ich hab' eine lockere Hand", entgegnete sie lachend, „das weiß meine Lizzy genau."

„Schade, ich hätte mir das Geschriebene gern einmal angesehen. Vielleicht später, vielleicht heute abend nach unserem Souper?"

Er flüsterte noch einmal „Vielleicht?", als sie keine Antwort gab.

Als Mister Bentham die dunkle Stiege hinabstolperte, murmelte er: „Schlaues Biest, aber ich bekomme dich doch."

Erschrocken stellte Missis Seymour fest, daß jemand in Marats Laboratorium rumorte. War der Arzt unbemerkt gekommen? Hatte er ihr Gespräch mit angehört? Sie klopfte an und öffnete. Da saß Lizzy und drehte eifrig das Rad der neuen Elektrisiermaschine, daß die blauen Funken sprühten. Es roch in dem stickigen Gelaß nach heißem Harz und nach Zitronenöl, das Marat für bestimmte Versuche benötigte. Topfpflanzen standen auf dem Arbeitstisch, ihr Wachstum sollte vom elektrischen Strom beeinflußt werden.

„Mutter", rief Lizzy, „sieh doch nur! Wir erzeugen Blitze! Jean Paul sagt, wir werden Nervengelähmte mit elektrischem Magnetismus heilen. Au..." Sie rieb sich die Backe.

„Naseweis! Da hast du noch eine! Seit wann Jean Paul? Für dich ist er noch immer Doktor Marat. Oder hast du dich ihm an den Hals geworfen? Dann prügele ich dich windelweich und stecke dich ins Erziehungshaus."

Die Tochter hielt sich weinend die Backe.

„Aber Mutter! Ich bin doch für ihn nur Gehilfin. Der sieht nicht einmal, daß ich schon Figur habe. Außerdem hat er eine Geliebte, Miß Cabrol. Ich weiß es genau."

„Eine Geliebte? Wie sagst du? Cabrol? Warte mal..."

Frau Seymour kramte in Marats Papieren.

„Hier, du dummes Ding. Der Doktorbrief aus Edinburgh. Was steht hier? ‚Doktoris medicinae Jean Paul Marat, geboren 24. Mai 1743 in Boudry, Kanton Neuchâtel, Schweiz. Sohn des Malers und Zeichners Jean Baptiste Marat, gebürtig zu Cagliari auf der Insel Sardinien, und dessen Ehefrau Louise, geborene Cabrol, Tochter des Perückenmachers Cabrol aus Castres im Languedoc.' Seine Mutter ist eine geborene Cabrol."

„Aber dann ist ja alles gut, dann ist diese Miß seine Verwandte." Lizzy tanzte im Zimmer herum, doch ihre Mutter riß sie an den Zöpfen.

„Du", schrie sie, „du bist noch ein unreifes Ding. Daß du dich nicht unterstehst! Ich bringe dich an den Schandpfahl. Schlange du!"

Sie standen sich plötzlich als Rivalinnen gegenüber, und die Augen der Mutter loderten im Zorn. Als sie zuschlagen wollte, klopfte es an der Tür.

Samuel Butler schob sich ins Zimmer.

„Aber, aber", krächzte er, „das ist ja hier der reinste Weiberkrieg!"

„Was drücken Sie sich vor der Tür herum? Sie sollten lieber dafür sorgen, daß Ihre Milch nicht getauft ankommt", schrie die erboste Witwe, „die ist ja ganz blau, wenn man sie kriegt."

„Weil sie vor Angst bibbert, wenn sie eine so schlagfertige Frau sieht."

„Der Doktor ist überhaupt nicht da", rief Lizzy, froh, daß die Mutter ein anderes Objekt für ihre Wut gefunden hatte.

„Was wollen Sie denn von ihm?" fragte Missis Seymour etwas freundlicher.

„Die Salbe will ich holen", antwortete Butler mit seinem glucksenden Lachen. „Mein Patrick lahmt auf dem rechten Vorderbein, und ich lahme auf beiden Beinen. Die verdammte Gicht, fing mit der großen Zehe an."

„Die kommt vom Saufen – aber nicht von Milch, von Korn und Kümmel", rief Lizzy.

„Wenn ich mich recht erinnere, du freches Ding, bin ich zum Doktor gekommen", entgegnete Butler. Er hatte die Hand neugierig an den Elektrisierapparat gehalten und zog sie nun hastig zurück. „Au verflucht, das Ding beißt", rief er.

„Damit heilen wir Ihre Gicht", sagte Lizzy wichtig, „nicht nur mit der Salbe."

„Teufelswerk", brummte der Milchkutscher. Er hatte bereits die Türklinke in der Hand, als ihn Frau Seymour nochmals beiseite nahm.

„Sie kennen doch Gott und die Welt", sagte sie. „Haben Sie schon mal was von Direktor Bentham von Lloyds gehört?"

„Mit solchen Geldaristokraten verkehrt ein Samuel Butler nicht. Aber gehört habe ich, er soll mehr Weiber haben als der König Salomo. Und mehr Geld als Kaiser Nero."

„Gegen solche Geldstinker hat Doktor Marat sein neuestes Buch verfaßt. Es soll jetzt ins reine geschrieben werden." Lizzy schwang die umfangreiche Mappe mit der roten Aufschrift.

„Die Ketten der Sklaverei", buchstabierte Frau Seymour. Plötzlich wußte sie, was dieser Bentham suchte, und sie war fest entschlossen, ihren Doktor zu schützen, ganz gleich, ob er es ihr lohnen würde. „Wo ist eigentlich unser Doktor?" fragte sie, nachdem Butler gegangen war.

„Unser Doktor", entgegnete die Tochter schnippisch, „ist am Ostindia-Pier. Ein Seemann ist erkrankt. Man hat nach ihm geschickt."

„Auch wieder einer, der kein Honorar zahlen wird." –

„Halten Sie gefälligst still, Demoiselle Cabrol. Bin kein Chirurg, sondern ein ungeübter Schiffskapitän. Außerdem schlingert der verdammte Kasten, seit wir die Lichter von Dover passiert haben."

Marie Cabrol stöhnte vor Schmerzen. Sie lag in einer schmalen Koje auf einem harten Bett. Das ständige Auf und Ab des Schiffes bedrängte sie. Eine Kopfwendung zur Decke, wo eine trübselige Ölfunzel hin und her pendelte, machte sie vollends schwindlig.

Der enge Raum hatte keine Lüftung, es war zum Ersticken heiß. Von dem bärtigen Manne ging ein penetranter Geruch nach Wein und Knoblauch aus. Marie betrachtete den hünenhaften Kapitän aus schrägen Augen. Plötzlich überfiel sie Angst: Mit diesem Mannskerl in der winzigen Koje allein und wehrlos!

Aber mit welcher Behutsamkeit betupfte er ihre Wunden. Ob er am Ende doch ein ehrenhafter Charakter war?

Die Bark krängte stark nach steuerbord. Marie flog gegen die Wand und schrie auf.

„Bedaure, Demoiselle. Eine Luxuskabine gibt's nicht an Bord. Bin froh, daß ich Ihre gesuchte Persönlichkeit unbemerkt durch die Hafenkontrolle schleusen konnte. Kostete mich eine Gallone Genever, muß ich in Rechnung stellen. Drehen Sie sich um, die Brust hat auch was abbekommen. Seien Sie keine Zimperliese! Habe genug deportierte Frauen nach den Antillen transportiert, die schlimmere Andenken an Bridewell hatten."

Kapitän Forestier fuhr mit der Wundbehandlung fort.

„Ganz brav stillgehalten! Glauben Sie denn, ich hätte noch keine nackte Frau gesehen? Der gottverdammte Calvinismus! Macht nur Muckerinnen aus hübschen Weibchen, die für die Freuden der Liebe geboren sind ..."

„Nehmen wir an, Kapitän", sagte Marie mit ihrem trotz des Schmerzes ungebrochenen Widerspruchsgeist, „die Natur hätte uns Frauen auch noch andere Aufgaben gestellt. Au ... au ... das tat sehr weh, Kapitän."

Wieder krängte die Bark.

„Sie können Ihrem Vetter Marat auf den Knien danken, daß er Sie in meine Obhut gegeben hat. Sie wären sonst unterwegs, um die Plantagen auf Barbados vom Unkraut zu roden. Das wären so andere Aufgaben."

„Mir ist alles noch wie ein Wunder. Man gab mir einen Trank, als ich am Pfahl hing. Ich glaubte in einen schwarzen Nebel zu sinken, spürte nichts mehr, wußte nichts mehr."

„Dafür wußte ich um so mehr. Man brachte mir am späten

Abend in einer geschlossenen Kutsche einen jungen Mann, der sich bis zur Sinnlosigkeit besoffen hatte. In diesem beneidenswerten Zustand soll er einem anderen Burschen einige Degenstöße versetzt haben. Grund genug für ihn, die englische Justiz zu meiden und unbemerkt nach Frankreich zu echappieren. Erklärlich, daß der junge Mann blutete. Erklärlich, daß meine Mannschaft eine solche Trunkenheit hochachtend respektierte und der Hafenpolizei gern ein Schnippchen schlug."

„Aber wieso kam ich frei aus Bridewell?"

„Das werden Sie später erfahren. Hoffentlich hab ich Sie bis Le Havre so liebevoll mit englischem Pflaster beklebt, daß Sie unbemerkt meine Bark verlassen können. Ich brauche dann die Koje für andere Zwecke. Hoffe, daß Sie einstweilen genug haben. Ist nicht angenehm, dem britischen Löwen als Gabelfrühstück zu dienen."

Die Lampe pendelte, die Wellen schwappten gegen die Bordwände.

„Ist meine zwanzigste Reise", sagte Forestier. „Habe diesmal lauter Jennys an Bord, bin ein Mädchenhändler." Er lachte, als Marie empört aufschrie.

„Keine Jennys aus Fleisch und Blut, sondern eiserne Jungfrauen! Hat ein Fabrikant in Lyon angekauft. Spinnmaschinen, die Mister Hargreaves erfunden hat und die jedes Kind bedienen kann. Er hat sie nach seiner Tochter Jenny benannt."

Marie seufzte. „Ich habe das kürzlich gesehen, Kinder an Spinnstühlen – vierzehn Stunden täglich."

„Sind Sie nun überzeugt, daß die Engländer den Fortschritt gepachtet haben? – Halten Sie doch still, mille tonnerres! Und stöhnen Sie nicht soviel. Als auf meiner letzten Reise die westafrikanischen Sklavinnen ausgepeitscht wurden, haben sie keinen Mucks getan."

„Auf Ihrem Schiff, Kapitän Forestier?"

„Auf meiner Bark ‚Bretagne', jawohl, Mademoiselle. Oder wissen Sie mir lohnendere Ladung? Übrigens gingen alle Transporte für Rechnung des Handelshauses ‚Smith and Fuller', London, Tempeltor-Street."

„Entsetzlich! Und Sie geben sich zu diesem schmutzigen Geschäft her?"

„Kann ich's ändern? Ist doch seltsam: Jeder Franzose, der Bücher schreibt oder liest, schwärmt von England. Hort der Freiheit, Insel der Demokratie, Land des Liberalismus. Können Sie mir mal sagen, wo der Fortschritt zu finden ist? Habe nirgendwo soviel Bettler gesehen und nirgendwo soviel Huren. Nirgendwo gibt's soviel Armut und gleichzeitig Reichtum. Dabei betut man sich in Frömmelei. Hören Sie mir auf, Demoiselle. Da sind wir in Frankreich ehrlicher. Wir sind bankrott und sagen es offen. – So, das war das letzte Pflaster."

Marie zog schnell die Decke hoch. Eine Woge widerstrebender Empfindungen durchflutete sie seit Beginn der Behandlung: Erniedrigung, Scham, Angst, Übelkeit, Empörung, Verlegenheit, Geborgensein, Lebenswille, Dankbarkeit.

„Sie sind ein seltsamer Mensch, Kapitän. Sie helfen mir, aber Sie transportieren Sklaven. Sie sind vermutlich auch Schmuggler. Dabei haben Sie viele gesunde Ansichten."

Wieder lachte Forestier sein dröhnendes Lachen. „Haben Sie eine Ahnung, wie kompliziert die Welt ist. Und wie schlecht. Entweder man tritt, oder man wird getreten. Und zu den Getretenen möchte ich nicht gehören."

Von Deck waren Kommandorufe zu vernehmen und das Tappen vieler Füße. Als sich das Schiff plötzlich heftig nach backbord legte, verlor Forestier den Halt und rutschte gegen die Kojenwand.

Zum erstenmal lächelte Marie. „Ihr Standpunkt ist so anfechtbar wie Ihr fester Stand, Kapitän Forestier. Ich glaube trotz alledem, daß man eine Welt der Menschenwürde und Gerechtigkeit errichten kann. Diesen Glauben hat auch mein Vetter Marat, obwohl er genug Ungerechtigkeiten sieht und die krassen Gegensätze zwischen reich und arm."

Der Kapitän wischte sich den Schweiß ab, der ihm in die Augen tropfte.

„Na schön", sagte er, „wollen hoffen, daß Sie und der Doktor recht haben. Mich interessiert jetzt aber was anderes. Was werden Sie anfangen? Wieder den Kindern reicher Eltern die Regeln der französischen Grammatik beibringen?" Er fuhr ihr durch den Haarschopf.

„Sie sollten meine Lage nicht ausnützen." Marie war sichtlich verstört.

„Reden Sie keinen Unsinn. Sie halten mich wohl für einen Piraten. Ich will wissen, was Sie anfangen werden."

„Ehe ich nach London ging, war ich Erzieherin bei den Kindern des Marquis de Contades auf seinem Schloß in der Bretagne. Dorthin könnte ich sicher wieder. Aber erst will ich mal nach Hause."

„Vielleicht hat der Herr Marquis eine Mätresse nötig."

„Kapitän, Sie verletzen mich."

„Ich? Das haben andere ausgiebig getan. Die Narben werden Sie noch lange haben, wie ein Soldat nach der Schlacht. Ich muß jetzt auf die Brücke. Der Wind springt um, und dieses Stück vom Kanal hat schon mehr gekenterte Schiffe gesehen als mein Beichtvater Jungfrauen."

„Sie sind unverbesserlich, Kapitän. Schade um Sie."

„Sagen wir lieber: schade um Sie. Ein hübsches Frauenzimmer, gescheit und mutig, schreibt an diesen liederlichen König, der ohne seine Minister ein verlassenes Wrack wäre. Am Ende kommen Sie auf den Gedanken, in unserem geliebten Vaterland ähnliche Briefe zu schreiben. Dem fetten Kerlchen, das sie da in Reims gekrönt haben, dem sechzehnten Ludwig."

„Vielleicht tue ich's", entgegnete Marie.

„Also, dann will ich Ihnen einen Rat geben. Schreiben Sie an Majestät . . . Sie kennen doch die Bretagne? Ist's nicht an der Zeit, dort das verfluchte Kirchengesetz zu ändern, das den Frauen vermißter Seeleute verbietet, nach gewisser Zeit eine Todeserklärung zu beantragen? Die armen Weiber sind weder Ehefrauen noch Witwen, haben bis ans Ende ihrer Tage keinen Mann mehr. Zeit, daß dieser Zustand sich ändert."

„Es ist doch nicht schade um sie, Forestier."

„Ach was!" Plötzlich beugte er sich nieder, hob Maries Kopf an und küßte sie. Und die so scheue schweizerische Calvinistin gab ihm den Kuß verwirrt zurück.

Es pochte an der Kabinentür. Eine helle Stimme rief nach dem Kapitän. Forestier schob eilig die Bank an die Außenwand und zog die Innenwand vor. Kein kontrollierendes Auge würde das verborgene Lager finden.

3

Missis Helen Seymour

Am Abend hatte sich das zusammengeballte Gewölk in einem kurzen aber heftigen Gewitter entladen, und der Platzregen hatte allen Schmutz und Unrat der Gassen fortgespült. In die erquickende Frische mischte sich Heugeruch aus den Parkanlagen. Schwalben strichen um die Dachfirste.

Die Nachbarn lagen in den Fenstern, als die pompöse Kutsche Mister Benthams vor Missis Seymours Haustür anlangte. Der winzige Groom riß die Wagentür auf, wobei das Trittbrett herunterklappte. Dann trat Helen aus dem Haus, und selbst die gehässigsten Schwätzerinnen mußten vor soviel Anmut und fraulicher Reife kapitulieren. Es war so still ringsum, daß man das Geschnuffel eines kleinen Bengels vernahm, der sich staunend im Glanz des Kutschenfensters widergespiegelt fand.

Den ganzen Nachmittag hatten die Damen Hopkins und Evans in dem heißen Wohnstübchen Helen Seymours wie Feldherren vor einer Schlacht operiert.

Das Kleid aus geblümter indischer Seide war in einigen Nähten erweitert worden. Schließlich waren seit dem Hochzeitstag über dreizehn Jahre vergangen; ewig behielt man nicht die so betörend schmale Taille. Die Brennscheren hatten Missis Seymours widerspenstiges üppiges Haar zu Locken gebändigt.

Sehr vorsichtig und mit viel Gelächter war die mollige Frau von einem Leiterchen herab in den Reifrock gestiegen, nachdem die beiden Nachbarinnen zuvor das Korsett derart geschnürt hatten, daß Frau Seymour das Atmen erschwert wurde.

„Das ist nicht so wichtig", hatte die Hopkins gesagt. „Das Essen wird trotzdem rutschen. Ich bin überzeugt, er spendiert Hummer. Und natürlich Brüsseler Poularden."

Lizzy hatte endlich die Seidenschuhe mit den hohen Absätzen gebracht, die ein Schuhwarenhändler angeblich aus Paris bezogen hatte. „Den Schuh soll Monsieur Bourbon gemacht haben, der Lieferant der Königin. Dabei macht ihn jeder Londoner Schuster genausogut, aber er muß ja aus Paris sein."

„Dummes Ding. Sieh nach, es muß noch irgendwo ein Töpfchen Rouge stehen. Schließlich muß man etwas Rot auflegen, das gehört dazu." Die Mutter war nervös geworden.

Nun rollte die Kutsche mit Helen Seymour durch die Fleet-Street hin zur Königlichen Börse, wo sich die Büroräume von Lloyds befanden und Mister Bentham zusteigen wollte. Es war gerade Börsenschluß, ein Menschenstrudel ergoß sich auf den Vorplatz. Der Kutscher auf dem hohen Bock knallte unaufhörlich mit der Peitsche, und der Groom stieß in sein schrilles Pfeifchen, trotzdem mußten sie im Schritt fahren. Der behäbige Direktor wartete bereits ungeduldig. Als er einstieg, bogen sich die Lederfedern des Wagens beträchtlich.

Mister Bentham trug einen bordeauxroten Frack mit seidenen Aufschlägen und eine damastseidene gestickte Weste, auf der ein Pfauenpaar sich schnäbelte. Sein Kinn steckte in einer blütenweißen Halsbinde, die von einer Agraffe gehalten wurde.

Helen bestaunte diese Eleganz, während er seinerseits beifällig ihre Erscheinung musterte. Dieses Weibchen aus der Rookery St. Giles, dem armseligen Stadtteil, hatte sich überraschend in eine Dame verwandelt.

39

Ungestüm küßte er ihr beide Hände und ließ wieder die Lippen über ihre Arme gleiten. Helen hielt still, sie wollte ihn nicht verstimmen. Sein Bart kitzelte, er roch nach Tabak und Kölnischwasser.

Frau Seymour hatte sich inzwischen ausgedacht, wie sie diesem dickbäuchigen Geldmenschen ein Schnippchen schlagen könne. Der sollte ihrem kleinen Doktor nicht gefährlich werden. Sie hatte beim Stöbern in Marats Büchergefachen ein weiteres Manuskript gefunden, das den Titel trug: „Abhandlung über das Feuer". Diese Aufzeichnungen wollte sie dem Schnüffler aushändigen. „Über das Feuer" konnte ja nicht staatsgefährlich sein wie etwa jenes Werk über die „Ketten der Sklaverei", das anscheinend gegen Fürstenmacht und Könige gerichtet war, vielleicht auch gegen den Handel mit den unglücklichen Schwarzen.

Der Wagen fuhr durch die Oxford-Street, an Villen vorbei, die hinter schmiedeeisernen Gittern weißschimmernd in der Abendsonne lagen, vorbei an Palästen mit barocker Prunkfassade. Es schien in London gar keine häßlichen Mietshäuser aus nüchternem Backstein zu geben.

Mister Bentham nannte einige Namen. „In diesem Haus dort mit dem Säulenvorbau wohnt Sir Philip Francis. Er ist Mitglied des Obersten Rates von Bengalen, sein jährliches Einkommen wird auf zehntausend Pfund Sterling geschätzt."

„Was! Zehntausend Pfund?" Diese Summe verschlug Helen den Atem.

Sie dachte daran, daß ihre Witwenpension fünfzig Pfund jährlich betrug und daß Samuel Butler dreihundert Tage im Jahr seinen Esel durch St. Giles traben lassen mußte, um fünfundzwanzig zu verdienen.

„Ich werde Sie einmal nach Kensington hinausfahren lassen. Dort habe ich in der Woodstock-Street ein ganz verträumtes Tusculum. Ein Häuschen, mit Rosen umrankt. Der Garten ist von unbeschnittenen Taxushecken eingefaßt. In der Mitte liegt ein stiller Teich, in dem sich marmorne Nymphen spiegeln, die so schön sind wie Sie, Frau Helen."

Frau Seymour dachte: Warum eigentlich nicht? Das Leben ist so kurz und freudenarm.

„Hier wohnt der Bankier Thomas Coutts. Er ist mit tausend Schilling nach London gekommen, heute besitzt er eine Million Pfund. Und dort wohnt Francis Baring, er ist zwei Millionen Pfund schwer."

Jetzt bog die Kutsche in eine enge Gasse ein. Armselig gekleidete Frauen und abgemagerte Kinder staunten dem Gefährt nach. Betrunkene kamen aus schmutzigen Schenken.

Mit angewiderter Miene schob Bentham die Gardine vor das Wagenfenster. „Es ist nicht nötig, daß mich das Gesindel erkennt", sagte er. Auf Helens fragenden Blick erklärte er: „Ich besitze hier in der Charles-Street einige Häuser. Sie bringen mir jährlich etwa tausend Pfund. Meinen Mietseintreiber haben sie neulich verprügelt, er liegt im Spital."

Helen rückte etwas von Bentham ab. Wie hatte Doktor Marat gesagt? „Aus dem Reichtum geht unausbleiblich die Knechtschaft der Armen hervor. Die Reichen streben nach Genuß, die Armen dagegen kämpfen um ihr täglich Brot." Marat – dich soll kein Bentham den Häschern denunzieren.

Im Drury-Lane-Theatre qualmten hinter Blechschirmen bereits Dutzende von Öllampen und verbreiteten Hitze und Gestank. Immer wieder eilten Mädchen mit Spritzen umher und versprühten wohlriechende Essenzen. Beleuchter kletterten an der Rampe und am Bühnenportal empor, um mit Putzscheren dem schlimmsten Übel zu wehren.

„Es wird Zeit, daß der alte Garrick bessere Öllampen anbringen läßt", meinte Mister Bentham zu dem grauhaarigen Diener, der die Logentür aufschloß.

In der Loge brannten zwei Kerzen, die Mister Bentham schleunigst löschte, da der Vorhang sich hob.

Helen starrte auf das erleuchtete Viereck der Bühne. Nie zuvor war sie in einem Theater gewesen, nie zuvor hatte sie eine solch eigenartige Erregung verspürt. Sie stimmte von ganzer Seele zu, als Hamlet verkündete, die Zeit sei aus den Fugen, sie jubelte, als er den Mörderkönig entlarvte und den fetten Polonius wie eine Ratte niederstach, sie weinte über den Wahnsinn, der Ophelias Hirn umkrallte.

Unwillig wehrte sie ab, als Bentham das Dunkel der Loge für seine Absichten ausnutzen wollte. Er hatte den Hamlet schon zu oft gesehen, um noch beeindruckt zu sein.

Beim Verlassen des Theaters erklärte Bentham seiner hübschen Begleiterin, welch Glück es sei, im England dieses Jahrhunderts zu leben, und welche Wonne für eine Frau, Freundin eines angesehenen Mannes zu sein.

„Dort drüben", sagte er, „diese attraktive Frau, eine Kreolin übrigens, mit fünfzehn Jahren hat sie geheiratet. Ihr erster Mann, Lord Westernmoore, war genau dreimal so alt, sie hat ihm schon nach einem Jahr allerliebste Hörner aufgesetzt. Jetzt ist sie die Freundin des Herzogs von Winchester. Nun, was sagen Sie denn dazu?"

Helen sagte nachdenklich: „Wir sind einfach erzogene Menschen, Mister Bentham. Die Gesellschaftsspiele dieser Lords und

Herzöge sind uns so unbekannt wie dem Seemann der Nordpol. Außerdem habe ich eine Tochter von vierzehn Jahren . . ."

Bentham ließ den Theaterpförtner nach dem Wagen pfeifen.

Es gab im „King George" tatsächlich Hummer und dazu einen Burgunder, von dem Bentham sagte, man sehe, wie er durch Helens weiße Kehle fließe. Es gab Beefs, innen noch so blutig, wie es der englische Geschmack verlangte. Beefs und französischen Sekt.

Die starken Getränke berauschten Helen allmählich. Dabei nötigte Bentham sie immer wieder zum Trinken.

Ach, es war ja so schön, einmal alle Sorgen abzuwerfen, in der Nische eines Weinhauses zu sitzen, ins Nichts zu gleiten. Sie konnte Bentham noch sagen, daß sie eine in Leinen gehüllte Abhandlung des Doktor Marat dem Kutscher ausgehändigt habe, sie vernahm noch den erfreuten Ausruf ihres Begleiters – dann spürte sie, wie ihre Umgebung in einem Nebel verschwamm.

Sie erwachte mit jähem Schreck. Ein Sonnenstrahl glitt ihr übers Gesicht, Mullgardinen blähten sich im Wind, Vögel zwitscherten, ein Hund bellte.

Wo war sie? Der Raum war kreisrund, mit Fenstern, die bis zum Fußboden reichten, mit Türen, die ins Freie führten. Die Decke war bemalt: nackte Mädchen, von Faunen erbeutet, eine Diana, die auf Hirsche zielte.

Sie fand sich auf einem breiten weichen Bett und merkte, daß sie nackt war. Entsetzt kroch sie unter die Decke.

Kein Zweifel – sie war in Benthams Landhaus.

Jetzt sah sie ihn neben sich liegen. Seine bläulichen Lippen waren geöffnet, die schweißigen Haare waren ihm über die Stirn gefallen. Ein widerlicher Weindunst entströmte seinem Mund. Voller Ekel blickte sie auf seine behaarte Brust und den gewölbten Bauch. Verstört sprang sie aus dem Bett. Der dicke blaue Teppich dämpfte ihre Schritte.

Er hat dich wie eine Straßenhure betrunken gemacht und dann genommen, schoß es ihr durch den Kopf.

Auf dem Teppich verstreut lagen ihre Kleider. Der seidene Reifrock wirkte wie eine umgekippte Tonne. Er hatte Rotweinflecke. Da lag auch Benthams Weste mit dem sich schnäbelnden Pfauenpaar. Voller Haß trat sie darauf herum.

Draußen bellte wieder der Hund, und eine Katze miaute ängstlich.

Nur fort von hier, nur fort!

Konnte sie aber in ihrem Putz von gestern durch die ärmlichen Gassen von St. Giles laufen? Vielleicht genügte ihr Unterkleid? Sie warf es über und schlang sich jenes Mullfichu um, das sie im Theater getragen hatte. Gleich darauf rannte sie barfuß hinaus.

Eine Frau in mittleren Jahren arbeitete an einem Rosenbeet. Helen fragte, ob sie ihr ein Kleid leihen könne.

„Ein Kleid? Arme Leute haben nur ein Kleid, das müßte die Dame wissen", antwortete die Frau abweisend.

Wo war ihr Ridikül? Sie hatte in der Aufregung vergessen, es mitzunehmen. Es mußte etwas Geld darin sein. Sie schlich in das Gemach zurück.

Tatsächlich! Hier waren einige Schillinge und ein paar Cents. Da – ihr stockte der Puls – in Seidenpapier eingewickelt zwei Sovereigns. Das Gold blinkte in der Sonne. Ihr traten Tränen der Scham in die Augen. Dann aber erkannte sie, das war die Rettung.

„Gute Frau", Helen atmete heftig, „rasch, hier ist ein Goldstück, holen Sie mir eine Kutsche. Geben Sie dem Kutscher seinen Lohn, der Rest gehört Ihnen."

Mißtrauisch blickte die verhärmte Frau auf, dann riß sie die Münze an sich und rannte so schnell fort, daß sie ihre Holzschuhe verlor.

Es kam ein geschlossener Wagen, in dem sich Helen verkroch. Nur von niemandem gesehen werden und niemanden sehen!

Die Gasse lag noch menschenleer, Helen konnte unbemerkt ins Haus schlüpfen. Lizzy schlief fest, auch aus Doktor Marats Zimmer war kein Laut zu hören. Wenn er ahnte . . .

Helen warf sich über ihr Bett und weinte.

Ein paar Tage darauf brachte ein Mann in Dienerkleidung ein Paket. Es enthielt Helens Schuhe, ihr Seidenkleid und den zerknitterten Reifrock. Auch das Leinenpäckchen mit Marats Manuskript lag darin. Ein Zettel war an ihm befestigt. „Was Mister Marat über das Feuer schreibt, ist nur für das Feuer geeignet."

Marat erwachte. Irgendwo weinte eine Frau. Er lauschte auf das Schluchzen, das in einer Skale von Tönen auf- und abstieg, um dann zu verstummen, aber später im gleichen Rhythmus erneut zu beginnen. In seinem engen Schlafkabinett hockte noch die graue Dämmerung. Der Raum lag gegen Norden, und kein Strahl der Morgensonne erhellte ihn.

Wer weinte da? – Traumbilder verwoben sich in sein Erwachen.

War es die Mutter? Die Schwester Babette? Eine Maus scharrte. Oder war es der Stichel des Vaters? Er hatte doch dreißig Holzschnitte für ein naturwissenschaftliches Werk des Botanikers Doktor d'Ivernois zu liefern und fünfzig Stahlstiche für den Verleger Duchesne in Paris. Da hieß es arbeiten, aber er konnte dabei am Fenster sitzen und den flügellahmen Staren die schönsten Fischerlieder aus Sardinien vorpfeifen. Mutter rumorte in der Küche. Aber warum weinte sie wieder? Hatte sie Heimweh nach Castres? Nach den Weinbergen, auf denen die Sonne spielte? Nach dem weißumbuchteten Golf von Lyon? Nach dem tiefblauen Wasser, in dem sich die rostroten Segel spiegelten? Auch der Vater erzählte oft vom Mittelländischen Meer, von der Heimatstadt Cagliari, vom Getreidehafen und von den Felsgebirgen im Innern der Insel, wohin man die Frauen und Mädchen eilends verbrachte, wenn die sarazenischen Seeräuber drohten, Frauen für ihre Harems zu rauben.

Ach ja – er war wieder zu Hause in Boudry, diesem lieben Städtchen am Ufer der Reusse, dem Alpenflüßchen mit dem flaschengrünen klaren Wasser, in dem man die Forellen flossenspielend sehen konnte. In den engen Gassen wurden die Weinfässer geschwefelt. Ob Mutter weinte, weil der Pfarrer Montmartin wieder einmal mit dem Vater gestritten hatte? Männerdisput über die wichtige Frage, ob Jesus beim Abendmahl gesagt hatte „Dies ist mein Leib" oder „Dies bedeutet meinen Leib". Darüber konnten die beiden sich einen ganzen Abend erhitzen, mehr als von dem leichten Landwein, der die Kehlen feuchtete.

Marat sah sich barfuß an der Genfer Schiffslände, wie er beim Beladen der flachbordigen Schiffe half.

Als er das Vaterhaus vor dreizehn Jahren besucht hatte, weilte Jean Jacques Rousseau im Dörfchen Motiers, war Schützling des preußischen Königs, dem das Ländchen Neuchâtel gehörte. Wie niederdrückend, als später der große Rousseau, der auf Schloß Colombier bei dem Gouverneur Lord Keith zu Gast weilte, für den armen Hauslehrer aus Bordeaux nicht zu sprechen war.

Hauslehrer bei der Familie Nérac – eine armselige Existenz.

Hatte nicht Madame Nérac soeben gerufen? War sie es, die weinte? Er mußte ihr vorlesen, schnell!

„Stimmt es, daß die englischen Damen eine neue Frauenmode kreieren? Fessellos, Monsieur Marat, fessellos wie die moderne Liebe?" Der Traum läßt ihn noch nicht los.

Marat streicht sich über die Stirn – er ist wieder in der Gegenwart. Ja, richtig, gestern hatte er bis in die späten Abendstunden neuerschienene Journale studiert und Diderots Reiseberichte über dessen Besuch bei der Zarin Katharina gelesen. Dann hatte er einen langen Brief an die Mutter in Sachen Marie Cabrol geschrieben, nachdem ein Zettel Forestiers zu ihm gelangt war, die „Ware" sei an Bord. Schließlich hatte er bis Mitternacht experimentiert. Seit einiger Zeit befaßte er sich mit dem Magnetismus, der immer mehr zur Heilmethode wurde. Der deutsche Arzt Doktor Mesmer konnte doch kein Scharlatan sein?

Endlich war er übermüdet ins Bett gesunken, in die Federge-
birge der charmanten Witwe Seymour. Bleiern schwer war sein
Schlaf gewesen. Und jetzt – wieder glitten die Gedanken in die
Vergangenheit. Hörte er nicht Glockengeläut? Das war doch die
Alarmglocke vom Rathausturm? Der Vater stand ernsten Gesichts
vor dem Bett und sagte: „Steh auf, Bub, oben im Gebirg, im Val de
Travers, hat Hochwasser eingesetzt. Häuser sind eingestürzt,
Menschen ertrunken, Vieh wird vermißt. Der Herr Pfarrer läßt
Wagen anspannen. Werkzeuge und Leitern werden angeschleppt.
Kleide dich an, Jean Paul, du mußt helfen, es ist Christenpflicht."
Finsternis der Tannenwälder, von Fackeln erhellt, Fahrt durch
aufgescheuchte Dörfer. Bauernfrauen, mit Federbetten bepackt,
hasten zu Tal. Lehrer eilen mit Medikamentenkästen herbei.

Er liegt auf dem Boden des holpernden Wagens, am Himmel
tanzen die Sterne, es ist kalt. Durch Felsschluchten brausen die
angeschwollenen Gebirgsbäche. Immer steiler führt der Geröll-
weg nach oben. Die Laternen geben nur schwaches Licht. Das
Pferd des Vaters strauchelt, stürzt... Doch Wunder über Wunder, Papa ist unverletzt, auch der Gaul hat nur unbedeutende
Schrammen.

Und dann: weinende Frauen und fassungslose Männer. Sie wa-
ten im knietiefen Schlamm und legen verschüttetes Hausgerät
frei. Die Toten sind schon geborgen, sie liegen in der Kirche, die
auf steilem Fels ins Dunkel ragt. Alle Männer aus Boudry klettern
suchend in den Ruinen umher, bis der Morgen kommt. Die blasse
Aprilsonne, die die Wolkendecke durchbricht, bescheint über-
nächtigte Gesichter. Schon legen sich wieder graue Regenschleier
wie Bahrtücher über das verwüstete Alpendorf.

Vor der zerstörten Schenke fand er die dunkelhäutige Schöne.
Ein Mädchen aus Savoyen, wohl nicht älter als vierzehn. Sie sei
mit Murmeltieren unterwegs gewesen, die sie verkaufen sollte, er-
zählte sie ihm. Der Zufall wollte es, daß sie von den stürzenden
Balken der Schenke nicht getroffen wurde. Nun saß sie auf einem
Fels, flocht sich ein Band in das schwarze Haar. Er mußte ihr eine
Spiegelscherbe halten, die sie aus dem Schutt aufgelesen hatte.

Und dann – der erste Kuß auf die Lippen eines Mädchens.

Aber jetzt verschwimmt alles, und nun ist es nicht mehr das
Mädchen mit den roten Lippen und dem schwarzen Haar, nun ist
es Helen Seymour...

Als Helen Seymour Marat die Morgensuppe servierte, kam die
verlegene Bitte: „Warum lassen Sie sich immer von Lizzy helfen,
die noch solch unerfahrenes Kind ist? Warum kann *ich* Ihnen
keine Assistentin sein?" Noch ehe er antworten konnte, schob sie

ihr Gesicht ganz nah an das seine heran. „Ein Menschenfreund sollte zugleich ein Menschenkenner sein – und zuvörderst ein Frauenkenner."

Endlich begriff der Schüchterne. Das war kein Traum, kein Gaukelspiel der stets niedergehaltenen Sinne, das war Leben ...

Er zog Helen an sich ...

Im Laboratorium hantierte eine wütende, aufbegehrende Lizzy. Das Mädchen ahnte wohl, daß für die Mutter ein neuer Frühling begonnen hatte, während sie nicht mehr beachtet wurde. Als Marat eintrat, war ihm noch die Erregung anzumerken.

„Nichts mehr werde ich für Sie tun, nichts!" rief Lizzy ihm entgegen und lief aufweinend hinaus. Verständnislos starrte er ihr nach.

Das Tagewerk lief an. Bis zum Anfang der Treppe staute sich an diesem Dienstag die Schar der Patienten. So war es immer, seitdem am Haus die Ankündigung stand: Jeden Dienstag und Donnerstag vormittag bis elf Uhr behandelt Doktor med. Jean Paul Marat unentgeltlich.

Im Behandlungsraum war die Hitze kaum noch zu ertragen. Der neuen Assistentin, Frau Helen Seymour, war alles sehr ungewohnt. Der Gestank offener Geschwüre verursachte ihr Brechreiz, und ihr wurde auch übel, wenn Marat zur Ader ließ und die Kranken dabei stöhnten. Mehr als einmal mußte sie hinausstürzen, sie glaubte die Qual der menschlichen Kreatur nicht länger ertragen zu können. Doch dann war sie wieder da, stolz auf den jungen Arzt, der nun endlich „ihr Doktor" geworden war. Sie entleerte die Schalen mit Eiter und Blut, wickelte verschmutzte Wundbinden ab und wusch den Dreck von Kinderköpfchen.

Alle erlittene Schmach der schrecklichen mit Bentham verbrachten Nacht, die sie so lange bedrückt hatte, war wie in einen tiefen See versunken.

„Immer wieder Hautkrankheiten", Marat sprach mehr zu sich selbst, „es ist doch betrüblich, daß wir Ärzte so wenig vom Organismus wissen. Zink und Schwefel – seit Paracelsus kennt die Schulmedizin kein neues Mittel. Dem einen hilft Zinksalbe, dem andern schadet sie."

Die Schar der Patienten nahm ab. Schließlich blieben nur ein paar Kinder – unverkennbar irischer Abstammung –, die Hungerödeme aufwiesen und Anzeichen von Schwindsucht. Mutlos ließ Frau Seymour die Hände sinken. „Mein Gott", flüsterte sie, „ich bin doch den Anblick von Armut gewöhnt, aber diese Kinder ... Wirklich, die Iren sind der Auswurf Londons."

„Es ist die Schande Englands, daß es die Iren in Schmutz und Schnaps verkommen läßt. Auch sie tragen ein Menschenantlitz", sagte Marat. Auf sein Geheiß mußte sie einen Brotlaib aufteilen, die Scheiben mit Sirup bestreichen und die hungrigen Kinder füttern.

„Sattsein ist die beste Medizin", sprach Marat und täschelte die struppigen Köpfe. „Ich möchte dem Lord Chatham einige Dutzend dieser Kleinen ins Parlament schicken, es würde ihm die Sprache verschlagen."

Er setzte sich erschöpft. Der Schweiß zeichnete feuchte Muster auf sein Hemd.

„Geht, meine Würstchen", sagte Helen dringlich, „der Doktor ist selbst krank. Kommt nächste Woche wieder."

Die Kinder trippelten gehorsam hinaus. Helen riß das Fenster auf. Ach, es kam keine Kühlung. Der Brutatem des Juli war heftiger denn je.

Auf einmal stand Lizzy im Zimmer. Die Augen waren vom Weinen noch verquollen, und man sah ihr den Kummer an. Sie redete geziert, wohl um zu zeigen, wie sehr sie über die ihr angetane Enttäuschung erhaben war.

„Es sind drei Herren im ‚Posthof' abgestiegen. Aus Newcastle. Sie fragten nach Doktor Marat. Ich habe es selbst gehört. Sie bringen eine Ehrenurkunde. Es soll auch in den Gazetten gedruckt stehen. Mister Marat wird Ehrenbürger von Newcastle. Wegen erfolgreicher Bekämpfung der Typhus-Seuche."

„Jean Paul!" rief Helen Seymour. Der Ausruf trieb zornige Tränen in Lizzys Augen.

Die Erschöpfung Marats wich im Nu.

„Newcastle, das liebe alte Teufelsnest! Wißt ihr, man sagt, der liebe Gott hat dreimal ausgespuckt, da war der Hafen da, dann hat der Teufel sechsmal hinterher gespuckt, dadurch ist die Stadt geworden. Der Tyne ... Lizzy, von dem hast du sicher schon bei Miß Beveridge etwas gehört?"

„Pah, das kann ich auswendig", antwortete sie und schnippte mit den Fingern, wie sie es von der Schule her gewohnt war. Ihr Zorn war im Schwinden. „Newcastle upon Tyne, Hauptstadt der nordöstlichen Grafschaft Northumberland. Römische Siedlung, später normannische Burg. Der Tyne ist ..."

„Genug, genug", rief Marat lachend, „ich weiß, daß aus dir eine belesene Frau wird."

„Was wird es ihr nützen", die Mutter seufzte, „ein gescheites Frauenzimmer ist übler dran als ein dummes. Es spürt doppelt hart, wie abhängig wir Weiber sind."

Marat lächelte. Er war so überzeugt, daß die kommende Zeit auch für das weibliche Geschlecht Freiheiten bringen werde, daß er einen Disput darüber für unnütz hielt. Ja, die Frauen sollten

47

mitreden, es mußte ja nicht gerade im Parlament sein, die große Politik war Männersache.

„Die Herren kommen um den Glockenschlag zwölf", rief Lizzy, die sich diese Mitteilung bis zuletzt aufgespart hatte.

Die praktisch veranlagte Helen eilte an die Kleidertruhe, um nachzusehen, ob sich nicht in der Hinterlassenschaft Kapitän Seymours ein anständiger schwarzer Rock und ein passendes Beinkleid für Doktor Marat fände. „In dem zerschlissenen Überrock lasse ich dich nicht vor die Leute treten, du Ehrenbürger dieser fremden Stadt", rief sie aus dem Nebenzimmer.

„Laß doch den Unsinn", antwortete Marat unwillig, „man zeichnet den Mann aus und nicht seinen Überrock."

Doch er ließ sich dann gefallen, daß Helen eifrig an ihm herumhantierte.

„Wie haben Sie denn das Typhusfieber in Newcastle kuriert?" wollte Lizzy wissen.

„Alles Obst mußte vor dem Genuß gewaschen werden. Die Leute schlangen nämlich unbesehen alles hinunter, was mit den Schiffen ankam: Apfelsinen, Weintrauben, Feigen und anderes. Aber das wichtigste war, das Wasser mußte gekocht werden. Dann mußte die ganze Bevölkerung eine weiße Masse schlucken – die Medizin kennt sie noch nicht lange."

„Und wie nennt man die Masse?"

Frau Seymour fragte mit dem Interesse einer künftigen Arztfrau.

„Lateinisch: Bolus alba; es ist ein Adsorbens. Ich sage euch, mehr als zehntausend Menschen aßen den Brei, mehr als zehntausend gaben weiße Exkremente von sich – aber die Epidemie erlosch."

Während Missis Seymour mit Bewunderung zuhörte und den Rock des verschollenen Kapitäns ausbürstete, verkündete Lizzy eine neue Nachricht: „Wissen Sie, Mister Marat, wen ich getroffen habe? Ihren Freund, den Apothekergehilfen Monsieur Laval. Er hat eine wichtige Mitteilung für Sie, er möchte am liebsten noch heute kommen."

„Laval? Er kommt aus Paris. Oh, wie mich das freut! Ob er Briefe mitbringt? Journale? Er soll sofort kommen, hörst du, sofort."

„Gewiß doch, Mister Marat. Ich eile ja schon, ich fliege. Übrigens, Mister Laval weiß, was sich bei einer Dame schickt. Er hat mir die Hand geküßt!" Triumphierend blickte Lizzy um sich.

„Eitler Fratz!" fuhr die Mutter sie an.

„Und er hat mir ein Glas Lakritzensaft spendiert. Und Süßholz."

„Das paßt zu dir!" Es hätte nicht viel gefehlt, und Helen Seymours Hand wäre ausgerutscht.

Marat hielt sie zurück. „Er ist ein prächtiger Junge, so um die zwanzig, da schäumt's ein bißchen über. Noch frisch in London, er stammt aus Arras in der Picardie", berichtete er über seinen Landsmann.

„Zwanzig?" Frau Helen warf einen fragenden Blick zu Marat. Es war der uralte Mutterblick, aus dem die Sorge um die Tochter sprach und zugleich die Hoffnung auf eine gesicherte Existenz des Mädchens.

„Mister Laval könnte zum Tee bleiben", meinte sie beflissen, „vielleicht auch zu einem Glas Portwein. Der Ehrenbürgerbrief muß doch begossen werden." Marat wollte abwehren, doch sie fuhr geschäftig fort: „Lizzy, du läufst zum Gemüsemarkt. Kaufe den besten Salat und sieh zu, daß du Krabben bekommst. Oder Weinbergschnecken? Ich habe gehört, in Frankreich ißt man so etwas."

„Zuerst muß Lizzy aber Monsieur Laval die Einladung überbringen. Vielleicht kann er zur Teestunde nicht bleiben."

„Er kann", versicherte das Mädchen und errötete heftig.

„Gut. Aber du mußt noch zwei Orders erledigen. Erstens ist hier eine Arznei für Daniel Webbster, den Weber, der nicht mehr arbeiten kann, weil er Wasser in den Beinen hat. Ein Absud aus der Digitalis purpurea, der die Herztätigkeit anregt. Webbster wohnt in der Parker-Street, fünftes Haus. Er soll täglich dreißig Tropfen nehmen. Zweitens gehst du zur neuen Pumpe am Tempeltor und holst mir eine Kanne Wasser. Ich sage euch, auch dieses Trinkwasser ist verdächtig, selbst wenn es die hohe Obrigkeit analysieren ließ."

4

Sam Butlers Verschwörung

Die Herren aus Newcastle saßen mit würdig-ernsten Gesichtern im respektabelsten Raum des Hotels „King George" und fingerten nervös an den Knöpfen ihrer Staatsfräcke, die sie für die feierliche Zeremonie angelegt hatten. Der Sprecher, Mister Wolton, Schiffseigner und Ratsmitglied, dessen aufgedunsenes Gesicht unter weißer Allongeperücke mit Schweißperlen bedeckt war, hatte soeben die schwungvolle Adresse an Mister Marat verlesen und dann nochmals die Dankbarkeit der Stadtverwaltung hervorgehoben.

Die verliehene Würde eines Ehrenbürgers Newcastles sei ein Zeichen unbegrenzten Vertrauens in die ärztliche Kunst des Geehrten.

Der Deckel eines schwarzen Kastens wurde emporgehoben.

„Einem Mann der Wissenschaften das neueste Mikroskop! Das beste, was holländische Kunstfertigkeit geschaffen hat, man sagte uns, es sei bis jetzt unübertroffen. Das Gerät hat Beleuchtungsspiegel und sonstige Novitäten. Möge es in den Händen Doktor Marats der Menschheit zum Heil dienen. Mikro heißt wohl klein, aber riesengroß ist der Dank von Newcastle." So sprach der zweite Ratsherr, Mister Greenball.

Die drei Herren hoben die mit Sekt gefüllten Gläser und tranken dem Gefeierten zu. Missis Seymour, die im schwarzen Seidenkleid steif und etwas ängstlich der Zeremonie beiwohnte, bekam leichtes Herzklopfen, als Marat seine Dankrede begann. Wie stets, wenn er aufgeregt war, stieß er leicht mit der Zunge an.

Er sieht gut aus, dachte sie, Seymours Rock steht ihm vorzüglich, nur die Ärmel sind etwas zu lang. Sie horchte auf. Er spricht wohl Latein? Aber jetzt Englisch – als ob es seine Muttersprache wäre. Welch eine Wendung in meinem Leben – ich bin die Freundin dieses großen Mannes. Doch was redet Jean Paul da? Er zetert ja auf einmal!

„Auch in Zukunft werden Seuchen unausbleiblich sein, wenn die schlimmste Pest, nämlich die Besitzgier, nicht ausgerottet wird. Die großen Städte, meine Herren, beherbergen nur zwei Klassen von Bürgern, die eine vegetiert im Elend dahin, während die andere im Überfluß schwelgt; diese besitzt alle Unterdrückungsmittel, jener fehlen jegliche Verteidigungsmöglichkeiten."

Der erste Ratssprecher, Mister Wolton, lief zornrot an. Er machte eine Handbewegung, als wolle er Marat unterbrechen; die beiden anderen starrten den jungen Arzt zuerst verständnislos an, dann versteinerten ihre Gesichter. Helen versuchte den Redefluß des geehrten und nun so unvorsichtigen Mannes mit einer zarten Geste zu hemmen, doch Marat ließ sich nicht aufhalten, seine Stimme gewann sogar an Schärfe.

„Die extrem ungleichen Vermögensverhältnisse stellen das gesamte Volk unter das Joch einer Handvoll Menschen. Die Armut bringt Laster, Krankheit, Siechtum, frühen Tod. Welch ein Unverstand bei den Fabrikherren, den Gutsbesitzern und Kaufleuten. Gutgenährte Arbeiter werkeln besser und leben länger."

Mister Wolton unterbrach: „Es genügt uns, Doktor Marat. Sie haben eine vorzügliche Dankrede gehalten. Wir fühlen uns angesprochen. Ich bin Schiffsreeder und Kaufmann, Mister Greenball ist Besitzer diverser Kohlengruben, und Mister Reade gehören Fabriken, in denen man Stecknadeln herstellt. Sie sind ein trefflicher Porträtist, Mister Marat."

Der spitzbärtige Greenball fuhr empor, seine Stimme überschlug sich fast: „Es gibt Ärzte, die sind zugleich Politiker. Schlecht so. Zumeist gelten sie unter Politikern als gute Ärzte und unter Ärzten als gute Politiker. Was würden Sie sagen, wenn wir Politiker als Mediziner praktizierten? Ich fürchte, es gäbe sehr viel Tote."

„Schuster, bleibe bei deinem Leisten!" donnerte der Stecknadelfabrikant hinterher.

Helen Seymour saß selbst wie auf Nadeln inmitten des Männergezänks, von dem sie nicht alles begriff. Sie sah nur die Angriffslust in den Augen ihres kleinen Doktors, den sie vergeblich an den Rockschößen zupfte.

„Jawohl, meine Herren", rief Marat nun, „wenn man solche Politiker gewähren läßt, gibt es Hekatomben von Toten und blutige Schlachtfelder."

Die so würdig begonnene Feierstunde ging in häßlichen Disputen unter. Mister Wolton hatte im Zorn sogar den Stiel seines Sektglases abgebrochen. Der Kohlengrubenbesitzer schrie:

„Wir Briten sind liberal, Doktor. An unseren Kaminfeuern dulden wir Emigranten aller Nationen. Wegen der Reden, die Sie hier führten, wären Sie im Frankreich Ihrer Bourbonenkönige längst in der Bastille, und Ihre Bücher würde der Henker verbrennen."

Von der Einladung zu einem Austernfrühstück, das die Herren vorgesehen hatten, wurde nicht mehr gesprochen. Ihre Verabschiedung war mehr als kühl.

Die Kutsche mit Frau Seymour und Marat bahnte sich ihren Weg durch das mittägliche London. Aus allen Geschäftslokalen, Maklerbüros und Kaufläden strömten Scharen von Angestellten, die zum Lunch eilten. Die Mittagssonne glostete aus einem fast südlich blauen Himmel. Im Wagen war es heiß. Als er in die Lombard-Street einbog, an der Königlichen Börse und den Büros von Lloyds vorüberrollte, ward Helen nochmals an die Demütigung durch Bentham erinnert, auch an dessen Suche nach den Schriften ihres Jean Paul. Jetzt, nach seiner Rede, begriff sie etwas von der angestauten Empörung im Innern des so schwer begreiflichen Mannes, von seiner Rebellennatur.

Scheu strich sie ihm über die Hand und war schon glücklich, als sich sein finsteres Gesicht entspannte.

„Mögen sie mich nur hassen", murmelte er, „Hauptsache, sie fürchten mich."

Sie schüttelte so energisch den Kopf, daß sich ihr kunstvoll aufgetürmtes Haargebilde löste. „So solltest du nicht reden, Jean Paul. Das könnte auch ein Tyrann sagen."

Er sah sie überrascht und erfreut an. Tatsächlich, die geliebte Freundin hatte eigene Gedanken. Er sprach hastig weiter: „Du kennst Newcastle nicht. Schmutz, Elend, Hunger, und Krankheiten. Schiffe laufen ein und bringen Seuchen mit. Täglich gibt es Unfälle beim Löschen der Ladung. Niemand kümmert das. Die Aktien stehen gut. Rings auf den Höhen wachsen die Villen der Schiffsreeder empor. Versinkt ein Kohlenschiff, desto besser. Lloyds Versicherung bezahlt. Ach, diese Stadt ist eine Hölle! Kohlenstaub lagert auf den wenigen Bäumen, und die Hafenarbeiter atmen ihn ein. Schon die Kinder husten schwarzen Schleim aus. In Kellerwohnungen hockt die Dürftigkeit. Ich habe Patienten besucht, die auf zerknülltem Papier schliefen. Weißt du auch, daß es eine Knochenerweichung gibt, die man Englische Krankheit nennt? Sie entsteht aus Mangel an guter Nahrung: Obst, Eier. Klingt es nicht wie Hohn im Lande des Überflusses: Den Kindern fehlt Licht, Luft und Sonne. Und täglich legen Dreimaster an, hochbeladen mit allem, was das Leben erst lebenswert macht."

„Ach, liebster Marat, du hast recht, aber noch keiner ist glücklich geworden, der die Menschen glücklicher machen wollte."

Der Wagen hielt. Man war wieder in St. Giles angelangt. Die beiden Nachbarinnen, Missis Hopkins und Miß Evans, hatten ein Willkommensschild gemalt und es mit ein paar Lorbeerzweigen umkränzt, die sie in den königlichen Gärten gebrochen hatten. „Willkommen dem Ehrenbürger" stand in fetten Lettern auf dem Papier, und Miß Evans hatte einen Äskulapstab dazugemalt, von dem die schnippische Lizzy behauptete, er sehe eher aus wie ein von einem Bandwurm umwickelter Spazierstock.

Marat lächelte – die alte Gasse hatte ihn wieder.

Noch immer lastete die bleierne Schwüle über der City. Wer irgend konnte, flüchtete hinaus aufs Land, an die grünen Ufer der oberen Themse. Aber die kleinen Leute mußten weiterschuften. In der Parker-Street hörte man wie immer vom Sonnenaufgang an das rhythmische Gepolter der Webstühle und das einförmige Schnurren der Spinnräder. Seit Jahrzehnten war Spinnen und Weben Hausindustrie. Die Männer saßen tagaus, tagein vor dem Handwebstuhl, während die Frauen und Kinder spannen und spulten. Wenn alle zupackten, konnte die Familie gerade bescheiden leben.

Aber seit einigen Jahren schwebte über jedem Weberhaushalt die schwarze Wolke der Arbeitslosigkeit. Da und dort hatten gewandte Unternehmer leerstehende Lagerhallen, alte Schuppen, oder Scheunen gemietet und Spinnmaschinen aufgestellt.

Die Männer fluchten auf diese verdammten „Jennys". Ein einziger bediente dieses neue „Teufelsrad", und es lieferte mit achtzehn Spindeln so viel Garn, daß die Weber kaum mit der Verarbeitung nachkamen. Achtzehn Menschen saßen bisher an achtzehn Spinnrädern, jetzt einer, folglich verfielen siebzehn dem Elend der Erwerbslosigkeit.

Schon sprach man davon, daß Mister Arkwright, ein Barbier aus Preston, eine neue Maschine erfunden hatte: eine mechanische Flügelspinnmaschine, Spinnig-Throstle genannt.

Konnte dieser Arkwright nicht bei seinem Rasiermesser bleiben? Konnte er nicht weiterhin Zähne ziehen und Schröpfköpfe setzen? Nein, er mußte arme Leute noch ärmer machen! Diese neumodische Maschine sollten sogar Kinder bedienen können. Man würde bestimmt deren Väter auf die Straße werfen. Wo hatte es je so etwas gegeben?

Mit diesen Kümmernissen war Lizzy nicht beschwert. Sie rannte durch die alte Gasse. Sie hatte es eilig. Viel zu lange war sie am Fischmarkt in Billingsgate aufgehalten worden, wo würdige Matronen in den Hummerkörben gewühlt und an den Krustentieren herumgemäkelt hatten.

Lizzy hatte endlich köstliche frische Krabben erstanden und Mutters Spezialteesorte gekauft. In der Oxford-Street verspätete sie sich auch. Unter den neuesten Kupferstichen, die ein Kunsthändler ausgehängt hatte, war ein ganz verwegener Druck. Von einem Franzosen natürlich. „Der heimliche Kuß". Fragonard hieß der Maler, das hatte sie entziffern können. War das nicht ein toller Zufall, nachdem sie vor einer Stunde ihren ersten heimlichen Kuß erhalten hatte? Noch spürte sie die weichen Lippen François Lavals auf den ihren; noch war sie erregt und aufgewühlt, noch glaubte sie, den würzigen Essenzengeruch der Apotheke wahrzunehmen.

Im Hinterzimmer hatte der herzkranke Apotheker gehüstelt und mit Gläsern und Flaschen geklirrt; vor dem Schaufenster waren Straßenpassanten, den ausgestellten Sägefisch bestaunend, stehengeblieben; jeden Augenblick hätte ein Patient mit einem Rezept eintreten können, doch François hatte sie unbekümmert um die Hüfte gefaßt und geküßt.

„Natürlich komme ich zum Tee, warten doch die heißesten Lippen auf mich", hatte er geflüstert. „Es trifft sich sowieso ausgezeichnet, weil ich auch Doktor Marat dringend sprechen muß."

Das Haus, in dem der Weber wohnte, war noch verwahrloster und baufälliger als die anderen Häuser in der Nachbarschaft.

Kaum eine Fensterscheibe war heil, die Haustür hing schief in den Angeln. Etwas zögernd betrat das Mädchen den finsteren Hausflur. Er roch abscheulich nach Urin und fauligen Kartoffeln. Ratten huschten pfeifend und quiekend in ihre Löcher. Beinahe wäre Lizzy über einen stinkenden Holzkübel gestürzt. Sie kannte Schmutz und Unrat und wurde daher auch durch diese Verwahrlosung nicht sonderlich erschüttert.

Die Treppenstufen knarrten. Ein morsches Brett drohte durchzubrechen. Das Mädchen tastete nach einem Halt an der feuchten Wand. Sie merkte mit eisigem Schreck, wie von unten her, durch eine breite Lücke in der Wendeltreppe, zwei Hände nach ihr griffen und ihre Knöchel wie mit stählernen Klammern umfaßten. Die Furcht verschlug ihr die Stimme. Die knochigen Finger schraubten sich weiter nach oben und betasteten ihre Schenkel.

Endlich war der erste betäubende Schreck gewichen. Lizzy schrie. Im Treppenflur blieb es still. War denn niemand zu Hause? Der Unbekannte im Dunkeln zerrte an ihr. Nur nicht stürzen, nicht ins Dunkel hinab . . . Hilfe!

Über ihr wurde es hell. Eine Tür hatte sich geöffnet, jemand leuchtete in den Treppenschacht hinab. Lizzy konnte jetzt ein von Narben zerfressenes Gesicht erkennen, das durch die Treppenlücke zu ihr emporstarrte.

„Charlie, du Schwein! Wirst du das Mädchen loslassen! Sollen wir dir den Buckel verdreschen!" schrie eine grobe Männerstimme.

„Du Pestbeule", zeterte eine Frau, die ein Talglicht trug.

„Das ist doch Seymours Lizzy!"

Ein pausbäckiges Gesicht schob sich über das Geländer; Samuel Butler tauchte auf.

Die Hände ließen los, der entstellte Kopf versank im Dunkel.

Ein vierschrötiger Mann quetschte sich an Lizzy vorbei. Man hörte einen dumpfen Schlag. „Wer sollte hier Schmiere stehen? Du verdammter Kerl, zur Arbeit bist du nicht zu gebrauchen, dafür solltest du hier dein Brot verdienen, uns vor den Konstablern warnen." Noch ein Schlag folgte, dann war Stille.

„Komm herauf, Lizzy", rief Sam Butler, „ich schätze, du bringst die Medizin für Webbster?"

Webbsters Zimmer wurde von einigen Unschlittkerzen erhellt. Kargheit und Trostlosigkeit beherrschen den Raum. Ein Webstuhl füllte fast die Hälfte des Gelasses aus. Einige Kisten, Stoffballen und Körbe dienten den Anwesenden als Sitzgelegenheit. Auf einem Bettgestell in der Ecke lag ein bleicher Mann, dessen eingefallenes Gesicht wie das eines Abgeschiedenen wirkte. Seine Augen starrten ins Licht.

„Ein Glück, daß du kommst, Lizzy. Der gute Vater Webbster hätte sonst seinen letzten Schnaufer getan. Das Wasser steigt ihm zum Herz. Ein Jammer mit ihm. Guck dir seine Beine an, kannst Dellen hineindrücken, tief genug für einen Kinderball", sagte Butler, nahm Lizzy das Fläschchen ab und flößte dem Schwerkranken das Herzmittel ein.

Stumm stand das Mädchen inmitten der Versammelten. Sie war sonst so mutig, aber diesmal lag ihr der Schreck bleischwer in den Gliedern.

Etwa zehn Männer und einige Frauen saßen in dem fensterlosen Raum. Sie wirkten im Kerzenlicht bleich und abgezehrt, ihre Augen lagen wie Kohlestücke tief in den Höhlen. Eine Branntweinflasche machte die Runde.

Sam Butler schien in der Versammlung großes Ansehen zu genießen. Er beförderte jetzt Lizzy mit einem freundschaftlichen Schubs auf eine der Kisten. Sie sah sich besorgt um: Was war hier los? Was ging hier vor? Sprach man nicht seit geraumer Zeit von Räuberbanden, die nachts die Straßenpassanten ausplünderten? Kürzlich war der Wagen Lord Killmoores ausgeraubt worden, sogar den Samt der Polstersitze hatte man herausgeschnitten. War das hier etwa eine Räuberbande? Lizzy zitterte.

„Soll diese halbe Portion dabeisitzen, wenn ernsthafte Menschen ernsthafte Gespräche führen?"

Ein kleiner Mann mit wucherndem Kinnbart und entzündeten Augen hatte Sam Butler die Frage gestellt. Er sprach einen Dialekt, den Lizzy schlecht verstand, vermutlich war er irischer Einwanderer.

„Diese halbe Portion hat den Mut gehabt, in diese Dreckshöhle zu klettern. Nun soll sie auch bleiben und hören, wo uns der Schuh drückt", wies Butler den Mann zurecht.

Er nickte Lizzy aufmunternd zu und deutete dann auf eine jüngere Frau, die ins Kerzenlicht starrte. Sie hatte den Kopf auf beide Hände gestützt, so daß man ihre knochigen Arme sah. Das Gesicht wirkte keineswegs unschön, aber die Züge waren zu scharf, sie kündeten von erlittenen Krankheiten und Entbehrungen.

„Na, Betsy", rief Sam, „nun rede endlich. Beweise, daß du mehr verstehst als alle Mannsbilder hier."

Die junge Frau antwortete mit einer tiefen, etwas kratzigen Stimme: „Es soll Leute geben, die wie die Vögel unter dem Himmel leben. Sie säen nicht, sie ernten nicht, aber sie werden von Gott gut ernährt."

„Sag lieber von unserer Hände Arbeit", rief ein Mann dazwischen, der im Hintergrund saß. An der Stimme erkannte Lizzy den Vierschrötigen, der ihr auf der Treppe beigestanden hatte.

Die Frau fuhr fort: „In Nord-Lancashire gibt es bereits Maschinen-Spinnereien. Die Maschinen stehen in langen Sälen, an vielen arbeiten Kinder. Wenn sie zu klein sind, bindet man ihnen Holzklötze unter die Füße. Die Arbeit dauert zwölf Stunden. Zwölf Stunden! Und hier in London, drüben in Bethnal Green, hat jetzt ein Mister Galway eine solche Fabrik aufgemacht. Eine Jenny neben der anderen. Und mit Wasserkraft betrieben. Jeden Tag kommt eine Wagenladung Baumwolle. Und nur Mädchen sitzen an den Maschinen, von denen keines älter ist als dieses hier, das die Medizin brachte. Die Männer fliegen aufs Pflaster."

„Das ist uns alles bekannt, Betsy", entgegnete Sam, „es gibt anderswo ähnliches. Hier sitzt Ned. Er spitzte bisher Stecknadeln. Erzähle, Ned, warum du keine mehr anspitzt."

Betsy rief: „Aber ich bin noch nicht fertig!"

Sam beschwichtigte sie: „Laß erst ihn sprechen."

Ned, ein älterer Mann, dessen zahnloser Mund von einem buschigen Bart verdeckt wurde, polterte los: „Erst waren wir zehn. Einer schnitt den Draht, drei spitzten zu, einer setzte Köpfe auf, einer polierte, einer sortierte, die anderen verpackten und verschickten. Jetzt – eine Maschine und eine Packerin für die fertigen Nadeln."

„Ich kann ihm nur noch Knoblauchsuppe kochen", schrie jene Frau, die im Treppenflur geleuchtet hatte. Sie hatte ein derbknochiges Gesicht, das von grauen Haaren beschattet war. „Seit Monaten ist Ned ohne Arbeit. Nichts mehr im Topf, nichts mehr unterm Hintern – die Betten haben wir verkaufen müssen."

„Die Maschine ist unsere Feindin", rief Ned heftig, „sie frißt uns mit Haut und Haaren."

Lizzy saß stumm da und blickte aufmerksam von einem zum anderen.

„Höre gut zu, Mädchen", Sam lächelte bitter, „das ist eine Lektion, die du nicht bei Miß Beveridge lernen kannst."

„Die verfluchten Erfinder", knurrte der Vierschrötige, „man müßte jeden mit dem Beil erschlagen."

„Dann kommt dein Kopf unters Beil", kam Sams zornige Entgegnung.

„Du redest gut, Sam Butler", ereiferte sich Betsy, „hast wohl immer vor vollen Töpfen gesessen?"

„So? Habe ich? Kennst mich so genau? Weißt du alles von mir?"

„Verdammt, Betsy", murrte der Vierschrötige, „so darfst du nicht reden. Ich kenne Sam viele Jahre. Da warst du noch eine Daumenlutscherin. Hier, meine Hand halte ich für ihn ins Feuer." Er hob seine Faust und hielt sie in die Flamme einer Kerze.

„Laß das, Jim", sagte Butler. Sein Gesicht bekam einen verlegenen Ausdruck.

„Nein, Sam", rief Jim aufgebracht, „ich weiß, wie es dir gegangen ist. Haben wir nicht beide den roten Rock des Königs getragen? Nicht auch gehungert und gefroren wie ihr?"

„Betsy hat es nicht so gemeint", beschwichtigte der alte Ned. Ein Gemurmel entstand ringsum, teils Zustimmung, teils Verärgerung.

Sam hüstelte. Peinlich war ihm dieses Kramen in der Vergangenheit.

„Wer von euch kennt die braunen Hochmoore droben in Schottland?" fragte Jim. „Dort sind wir zu Haus, Sam und ich. Armes Land, arme Bauern. Das Weidenland gehörte den Lords, der kahle Fels war für unsere Väter."

„Aber nirgendwo, glaubt mir, hatte der Himmel solche Wolkenberge", sprach Sam und sah träumerisch ins Licht der Kerzen.

„Aber er schickte uns so viel Nässe damals vor zwanzig Jahren, daß die Ernte verkam. Wir hatten uns ein paar Hasen in Schlingen gefangen, ein mageres Reh geschossen und uns einen Berg Knüppelholz geholt, weil wir hungerten und froren."

Jetzt lächelte Sam grimmig. „Dem Wildhüter, der uns angezeigt hatte, dem haben wir die Knochen zerschlagen. Er hat lange im Spital gelegen, weißt du noch, Jim?"

„Ja, aber für uns gab's Gefängnis. Und hinterher steckten sie uns in ein schottisches Regiment und schickten uns nach Kanada. Krieg gegen die Franzosen und gegen die Indianer."

„Genug in den alten Sachen gewühlt", schrie jetzt Ned und hieb mit der Faust auf den Kistendeckel. „Wir wissen doch, was wir an euch haben!"

„Verlaust, verdreckt, verseucht, verwundet sind wir zurückgekommen. Sam haben sie pensioniert, er bekam die Milchkutsche, ich bin Straßenreiniger mit der gleichen Pension geworden. Zuwenig zum Leben, zum Sterben zuviel, das könnt ihr glauben", schloß Jim.

Es war still im Raum, man hörte nur das hastige Atmen des Kranken.

Lizzy sah zu Sam hinüber. Auf einmal erschien ihr der oft verspottete Milchkutscher von einer Glorie aus Abenteuern umwoben.

„Die Welt hat ein großes Loch bekommen, und wir sitzen da, wo es am tiefsten ist", meinte schließlich der bärtige Ire. „Ich bin Katholik, aber ich glaube nicht, daß der Heilige Vater in Rom von meiner Not weiß. Ich bin auf der Grünen Insel geboren. Sie hat mir nicht einmal Kartoffeln und Salz gelassen. Das Schwein mußten wir verkaufen, jetzt kann ich in England noch meine Kinder an Mister Galway verschachern."

„Uns bleibt nur der Schnaps", murrte Jim und griff nach der Flasche, doch Betsy riß sie ihm aus der Hand.

„Schluß jetzt", ihre rauhe Stimme wurde gebieterisch, „bin ich unter Männern oder unter Schlappschwänzen? Ja, die Maschinen machen euch brotlos, bringen euch um. Aber warum bringt ihr nicht die Maschinen um? Gibt es keine Schmiedehämmer, keine Äxte und Beile? Los, laßt uns nach Bethnal Green marschieren..." Sie hatte sich erhoben, stand angriffslustig vor Sam Butler, der nachdenklich an der Unterlippe nagte.

„Betsy hat mehr Courage als alle Mannsbilder hierherum", schrie eine Frau, „unsere Männer sind Lappärsche, Hosenscheißer..."

„Hoffentlich fehlt's dir nicht mal an Courage, wenn du vor dem Richtertisch in Old Bailey stehst", sagte verächtlich ein jüngerer Arbeiter mit einem pockennarbigen Gesicht.

Der Ire suchte zu vermitteln. „Ob wir nicht mit diesem Maschinenbesitzer verhandeln sollten? Schließlich braucht er uns Arbeiter wie der Wagen das Pferd."

„Sage lieber, wie die Wanze unseren Buckel zum Aussaugen." Unter Gelächter ging der Vorschlag unter.

Noch immer schwieg Sam Butler.

„Geht auch zu den Krämern", rief Betsy fanatisch, „schlagt ihnen die Läden ein. Sie mischen gemahlene Kreide unter das Mehl und in den Zucker gestoßenen Reis. Pfeffer verfälschen sie mit Staub."

„Das Fleisch stinkt, das uns die Betrüger verkaufen", schrie einer.

„Schluß jetzt. Wer für das Marschieren ist", Betsy reckte den Arm, „der stehe jetzt auf. Wir schlagen die Jennys kurz und klein."

Alle, bis auf Sam und Lizzy, waren aufgesprungen und redeten erregt aufeinander ein.

Endlich hob Butler die Hand. Augenblicklich wurde es still. Bewundernd sah Lizzy, welches Ansehen dieser Milchkutscher besaß.

„Ihr habt mich gewählt, daß ich euch zur Seite stehe. Verdammt will ich sein, wenn ich auch nur einen Augenblick an mich denke. Aber weil ich über euer Wohl und Wehe sinniere, frage ich: Was kommt danach? Die Fabrikherren kaufen neue Maschinen. Oder glaubt ihr, die Maschinenbauer feierten euretwegen? Nicht einen Tag, sage ich. Keine Stunde. Und die Fabrikanten sind versichert. Euch steckt man ins Zuchthaus. Zehn Jahre ist die Taxe. Für die Anführer noch mehr, Betsy. Vielleicht Deportation. Ich habe Erfahrungen. Oder glaubst du, weil du noch leidlich hübsch bist, kommst du billiger davon? Gerade solche wie du sind Leckerbissen für die Wärter."

Alle schwiegen. Dann sagte der alte Ned: „Also rede weiter, Sam. Du bist wie immer der klügste, mach einen Vorschlag."

„Es gibt nur einen Weg", in Sams Stimme war Zuversicht, „alle Arbeiter müssen sich zusammenschließen: Weber, Spinner, Eisenarbeiter, Bergleute, Maschinenbauer. Vereint sind wir mächtig."

„Eher fließt die Themse rückwärts", rief jemand.

Die Tür wurde mit heftigem Ruck aufgerissen, ein etwa zehnjähriger Junge stand vor den Versammelten. Er keuchte, seine Worte überstürzten sich.

„Der Jimmy, der Säbelbeinjimmy . . . Er muß die ganze Zeit unten am Treppenaufgang gestanden haben. Ich habe gesehen . . . Habe gesehen, wie er herausgekommen ist. Er hat's eilig gehabt."

„Und Charlie?" fragte Sam.

„Sein Platz unter der Treppe ist leer."

„Ob er uns verpfiffen hat?" fragte Betsy.

„Sicherlich. Er hat sich für die Schlappe gerächt. Nun aber schnell verschwinden. Säbelbeinjimmy holt Verstärkung, der alarmiert die ganze Wache", sagte Ned.

Sam erklärte Lizzy hastig, daß Jimmy der gefährlichste und gefürchtetste Polizist des Straßenviertels sei.

In die Versammelten kam Leben. Sie rückten das Bett des kranken Webbster beiseite und hoben aus dem Fußboden einige Bretter. Eine Luke wurde sichtbar. Eine Leiter führte in das Untergeschoß. Einer nach dem andern verschwand durch das Loch, aus dem ein kühler Luftzug nach oben drang. Nur Sam Butler und Lizzy blieben.

„Ein Notausgang", erklärte Butler dem Mädchen. „Das Haus muß früher ein Unterschlupf für Gesindel gewesen sein. Komm, Lizzy, lege die Dielen wieder hin und dann hilf mir, Vater Webbsters Bett schnell an die alte Stelle zu schieben."

Sergeant Jimmy machte ein verlegenes Gesicht, als er mit einigen Polizisten in das Zimmer drang und nur Lizzy Seymour antraf, die dem Kranken Medizin einflößte. In einem Nebengelaß fand Jimmy den fest schlafenden Sam. Er sei hundemüde, versicherte der Milchkutscher, nachdem er wachgerüttelt worden war. Kein Wunder, er müsse doch schon in der Nacht raus.

Erschöpft und entmutigt kehrte Marat am späten Nachmittag von seinen Krankenvisiten zurück. Wieder war er viel hilfloser Kreatur begegnet. Von schweißnassen Gesichtern hatte er die Angst vor dem Sterben abgelesen – den hippokratischen Blick, wie ihn die alten Lehrbücher beschrieben haben. Konnte man angesichts dieser Leiden unerschüttert seine Straße ziehen, wie einst jener Levit im Gleichnis vom barmherzigen Samariter?

Immer wieder gab es in den Armenvierteln Typhusfälle, Schwindsucht und Auszehrung, Hautausschläge, Fehlgeburten, Herzbeschwerden. Was für ein vergebliches Bemühen des Arztes. Er schrieb Rezepte, aber der Patient hatte zuwenig Mittel, um die Medikamente kaufen zu können.

Es müßten Gesetze erlassen werden, die den Armen die Arzneien verbilligten, und jede Spekulation mit Heilmitteln müßte unter Strafe gestellt werden.

Wie hatte aber das Oberhausmitglied Lord Castlereagh in seiner jüngsten Rede argumentiert? „Zuviel Menschen erzeugen zuviel Armut. Zuviel Krankenfürsorge bedeutet Abnahme der Sterblichkeit, ergo mehr Menschen, mehr Not – also keine Fürsorge."

Gegen diese barbarischen Auffassungen mußte man zu Felde ziehen. Hatte nicht Sam Butler von Zusammenkünften der Handwerker und Tagelöhner berichtet? Sollte er dort einmal aus den „Ketten der Sklaverei" vorlesen? Bestimmt würde er offene Ohren finden.

Für diejenigen Arztkollegen, die aus Krankheiten Geld schlugen, wie einst Moses Wasser aus einem Felsen, war es bequem und lukrativ, eine Praxis in Kensington der Bloomsbury zu unterhalten.

Ein solches Beispiel war dieser Doktor Green, der sich an einer Ecke etabliert hatte, wo der Verkehr flutete und gepflegte Häuser standen. Er hatte zwei Wartezimmer und zweierlei Behandlungsmethoden – für einflußreiche und für kleine Leute. Er war ein Arzt, der sich und seine Kunst verkaufte.

Nein! *Er* würde ein Helfer der Allerärmsten bleiben!

Er würde als Armendoktor von St. Giles ausharren, hineingehen in die lichtlosen Quartiere, wo Ungeziefer aus allen Ritzen kroch, wo der Regen in die Dachwohnungen troff, der Morast in die Kellerbehausungen drang. Ja, man traf auf menschliche Vertiertheit, die schaudern ließ. Eltern hausten mit Söhnen und Töchtern in einem Raum, die intimsten Verrichtungen spielten sich vor aller Augen ab.

„Der große Helfer", so nannten ihn die Anwohner seiner Straße mit Achtung. Er war stolz darauf. Und doch, welch ein Leben. Er hatte sich mit Krätze infiziert, hatte Läuse in das saubere Quartier der hurtigen Helen eingeschleppt, er litt bereits unter Atemnot und Hautentzündungen.

Eine Tasse Tee würde ihn aufmuntern . . . Er blätterte in seinen Aufzeichnungen.

Noch viele Rätsel barg die Natur: die gleiche Krankheit, die gleichen Medikamente – der eine Patient starb, der andere genas. Also seelische Kräfte? Wo aber zum Teufel war die Seele? Wo befand sich ihre Wohnung? Da hatte er in der Anatomie Dutzende von Gehirnen seziert und Schnitte unter das Mikroskop gelegt. Wo war in der grauen Masse jenes geheimnisvolle Etwas, das Energien auslöste, vor denen selbst der Tod kapitulierte? Marat blätterte in seinen älteren Schriften. Da hatte er aufgezeichnet: „Wenn der Körper ein wunderbares Ding ist, so ist es die Seele noch viel mehr. Aber es ist die Seele, die mit ihrem wunderbaren Mechanismus das wahre Leben gibt."

Die Treppenstufen knarrten. Als Marat die Tür öffnete, stand François Laval im Dämmerlicht des Stiegenhauses. Hastig löste er die Hülle von einem Rosenstrauß und hielt dabei ungeschickt einen Bücherpacken unter den linken Arm geklemmt.

„Kommen Sie herein, Laval", sagte Marat erfreut, „legen Sie ab, sonst fällt entweder die Literatur oder der Blumenstrauß."

„Es wäre ein Jammer für beides." Laval lachte vergnügt und sah sich in dem Ordinationszimmer um.

„Setzen Sie sich", Marat nötigte ihn auf den Besuchersessel, „gleich wird eine aparte Frau erscheinen. Missis Seymour erwartet Sie ja bereits. Seien Sie so reizend zu ihr, wie es nur ein Franzose sein kann."

Laval, der nach der Sitte der Zeit ein ausrasiertes schwarzes Bärtchen trug, eigentlich nur einen feinen Strich auf der Oberlippe, sprach hastig mit gedämpfter Stimme: „Wenn die Mutter so entzückend ist wie die Tochter, dann beneide ich Sie, Doktor. Zwei solche aimablen Wesen in Ihrer Nähe. Diese anmutige Lizzy, halb noch Kind, halb schon Frau."

„Sachte, Laval. Sie ist knapp vierzehn und ein Irrwisch. Ein ungebändigtes Füllen. Die Mama ist eine attraktive Frau. Nun, Sie sind ja zum Tee gebeten, und ich rieche schon – man röstet Toasts."

„Köstlich." François Laval küßte sich verzückt die Fingerspitzen. „Ich werde der Mutter die vollerblühten Rosen überreichen und Lizzy die Knospen. Was meinen Sie? Dann habe ich noch eine Novität. Das Buch nennt sich ‚Lenore', es ist von einem Deutschen namens Bürger. Ob es gefallen wird? Es sind Balladen, herrlich, Doktor, deliziös."

Marat betrachtete den Gast mit Zuneigung. Dieser schlanke Zwanzigjährige mit einem Gesicht, das an den jungen Rousseau erinnerte, mit dem gleichen flammenden Auge, dem wohlgeformten Mund, war von beneidenswertem Unbekümmertsein und seine Begeisterungsfähigkeit ohne Grenzen und Maßen, stets bereit zu lieben und sich in Abenteuer zu stürzen. Einmal stritt er für die Kunst des Malers Chardin, die er höher einschätzte als die Hogarths, dann wieder hatte er ein verzweifeltes Mädchen aufgefunden, dem von unehrlichen Anwälten das väterliche Vermögen vergeudet worden war und dem er mit Prozessen zum Recht verhelfen wollte. Er hatte auch die Absicht, trotz Geldmangels eine Streitschrift gegen Voltaires „Candide" herauszugeben. Einem Erfinder wollte er das Modell einer Farbenreibmaschine abkaufen und einem unbemittelten Chemiker ein Verfahren zur Gewinnung von Salpeter.

Literatur fraß er in sich hinein, und er konnte in seiner Apotheke mit Passanten stundenlang über einen Roman diskutieren und darüber Rezepturen vergessen. Natürlich schrieb er Verse, bezeichnete sich aber bescheiden als Dilettanten. Es sei das übliche Getändel mit Gefühlen, seiner Zeit entsprechend, der Rokokozeit, doch einmal werde er das große Versepos schaffen, es fehle ihm einstweilen nur an Erlebnissen.

Ja, das war François Laval, Sohn der Picardie, Kind des 18. Jahrhunderts. Ein wenig Neid stieg in dem Älteren auf, dessen Empfindungen bereits nicht mehr so glühten, der zu sehr mit den Widerwärtigkeiten des Lebens konfrontiert worden war, der sich aber in allen Dingen des Geistes mit dem Jungen verbunden fühlte.

Laval streichelte das Bücherpaket. Der typische Geruch nach Apotheke, der seiner Kleidung entströmte, war vermischt mit einem Hauch von Lavendel. Sein Halstuch lag, der neuesten Mode entsprechend, in Falten, das Haar war gepudert. Um aber zu beteuern, daß er ein Jünger Rousseaus sei und der Naturschwärmerei huldigte, trug er Schuhe aus ungefärbtem Leder und derbe Wollstrümpfe.

„Ehe Sie mir die Neuigkeiten aus Paris auf den Tisch blättern, Laval, was haben Sie so Eiliges?" fragte Marat.

„Hm ... Also, ehe die Seymours kommen. Es gibt unzählige Engländer mit einem Spleen."

Marat nickte und wunderte sich über diesen Redebeginn.

„Es besuchte mich gestern ein eleganter Herr. Er sammele Manuskripte, vor allem die von meinem Landsmann Marat. ‚Die Ketten der Sklaverei', vielleicht auch ähnliche Arbeiten interessierten ihn sehr. Er bot mir ein Pfund für die leihweise Überlassung Ihres Originalmanuskripts. Einstweilen habe ich ihn hingehalten."

„Kennen Sie den Herrn?"

„Es war Mister Bentham, von Lloyds. Kandidat für das Unterhaus, ein gewichtiger Mann. Vielleicht wird er sogar geadelt." Laval fügte lächelnd hinzu: „Er ist ein guter Kunde, kauft so viel Schönheitsmittel und Pflästerchen, daß man meint, er wolle ein ganzes Freudenhaus damit versorgen."

Marat sah grüblerisch vor sich hin. Wieso hatte ein solcher Mann soviel Interesse an ihm?

„Ist das die eilige Sache, von der Sie zu Lizzy sprachen?"

„Ja, aber es gehört noch etwas dazu. Können Sie sich vorstellen, daß am gleichen Tag ein schmieriges Individuum in unsere Apotheke kommt und mir zehn Schilling für ein Bündel erledigter Rezepte bietet? Er kaufe für einen Herrn, der Arzthandschriften sammle. Ich legte ihm nahe, sein Glück ein Haus weiter zu versuchen, aber er blieb hartnäckig. Da bot *ich* ihm fünf Schilling, wenn er mir den Namen des Kunstfreundes nennen würde. Er tat's. Was glauben Sie, wer es ist? Mister Howe, der Zuchtmeister in Bridewell."

„Laval!" Marat war emporgeschnellt. Ihm war, als habe ein eisiger Hauch seine Brust gestreift.

„Seien Sie ohne Sorge, er bekam kein einziges Rezept von Ihrer Hand."

„In einer anderen Apotheke wird man sie ihm geben."

„Aber nein, er wird gar nicht hingehen. Ich habe ihn eine Weile warten lassen, um die Papierchen zu holen, und währenddessen neue geschrieben und mit Ihrem Namen versehen. Falls die Herren hinter Ihrer Handschrift her sind – was mir ganz so scheinen will –, ohne mich!"

„Lieber Laval, Sie haben mir einen Dienst erwiesen, für den ich Ihnen zeitlebens dankbar sein werde." Der Arzt drückte seinem jungen Landsmann so heftig die Hände, daß dieser verlegen wurde. Soviel Aufhebens . . .

„Aber sagen Sie, Doktor, was will dieser Zuchthausbulle von Ihnen?"

„Später, mein Lieber, später . . ." Marat starrte abwesend auf die Blumenstöcke, die auf seinem Schreibtisch standen. „Vermutlich habe ich gewichtige Feinde."

„Doktor, Sie sind ein Mann der Wissenschaften, also auch ein Rebell; denn ist es nicht das Wesen aller wissenschaftlichen Forschung, nichts für gegeben, für feststehend anzusehen? Rebellierten Sie nicht, als Sie das Londoner Wasser analysierten? Nur dem Mutigen erschließt sich die Natur, und der Mutige hat seine Feinde."

„Ach, François, Sie sind sehr jung, das ist Ihr Vorzug."

„Die paar Jahre! Ich weiß – im lieben alten England schätzt man keine Empörer. Hat man nicht Cromwell sogar im Grab keine Ruhe gelassen, sondern ihn nachträglich gehenkt? Und dabei war er Englands größter Staatsmann. Es war eine stinkige Angelegenheit in doppelter Bedeutung."

„Zum Teufel, was will dieser Bentham? Ich habe ihn erst kürzlich zur Ader gelassen." Marat stieß das Fenster auf, die stickige Luft im Zimmer verursachte ihm Atembeschwerden.

„Sicherlich waren Sie unvorsichtig in Ihren Äußerungen." Laval beobachtete den Freund besorgt.

„Wenn ich schon Revolutionär bin, dann auf allen Gebieten, die Politik eingeschlossen."

Der Jüngere blickte Marat bewundernd an. „Ein zweiter John Wilkes sind Sie also. Ich dachte es mir schon, als ich Ihre Manuskripte ins reine schrieb. Nur vergessen Sie nicht, obgleich Mister Wilkes Parlamentsabgeordneter war, also angeblich durch Immunität geschützt, war es um ihn geschehen, als er seine ketzerischen Schriften gegen König und Minister veröffentlichte. Haftbefehl, Verbrennung der Flugschriften, Kerker. Des Königs Arm war länger als seiner."

„Und dennoch, François, das Volk stand auf seiten des Schriftstellers Wilkes. Man hat den Henker verjagt, es gab Aufruhr und Tumult."

„Aber die Königliche Garde hat geschossen. Zwanzig Tote, Mister Marat. Blut für Tinte. Wilkes mußte vor des Königs Wut nach Frankreich fliehen. Wer kann wissen, Doktor, was man Ihnen zugedacht hat."

„Wilkes ist zurückgekehrt, er fürchtete weder König noch Ministerrat. Und in diesem Jahr ist er Lord-Mayor geworden. Londons Bürgerschaft trotzt dem König und dem Parlament. – Was mich betrifft, so bin ich zwar in Wilkes' Fußtapfen getreten, aber mich würde kein englisches Volk schützen, denn ich bin Ausländer."

Laval meinte begeistert: „Sie sind ein Talent, Marat. Sie müßten schreiben! Und allen trotzen! Ihr Stil ist glänzend. Ich finde, daß Sie eine begabtere Feder führen als der Verfasser der Juniusbriefe."

„Ich glaube, Sie werden unkritisch, François. Überlegen wir lieber, was man unternehmen könnte."

„Ich denke, offen gar nichts. Obwohl ich erst zwei Jahre auf dieser Insel lebe, die sich so demokratisch gibt und doch so feudalaristokratisch regiert wird, soviel habe ich durch meinen Chef erfahren: Politische Gegner kauft man. Hat man aber Männer mit Charakter vor sich, erledigt man sie geräuschvoll, macht ihnen Prozesse und bewirft sie so lange mit Schmutz, bis sie erledigt sind. Soll ich Fälle nennen? Denken Sie an Ihren Berufskollegen Doktor Smith. Zwölf Kinder sagten aus, er habe sich an ihnen vergangen. Sie waren ja im Gerichtssaal, haben die Beschuldigungen gehört."

„Natürlich waren es Lügen!" rief Marat aufgebracht.

„Aber sie hatten Erfolg. Smith verlor seine Zulassung. Haben Sie übrigens gehört, daß er jetzt in Indien lebt und seinem Tod entgegenfiebert?"

Marat schwieg nachdenklich.

In diesem Augenblick wirbelte Helen Seymour ins Zimmer und begrüßte Laval mit gespielter Überraschung. Sie musterte ihn verstohlen, als er ihr die Hand küßte und die Blumen überreichte.

Ihr Blick für Männer war geschult genug, um zu erkennen, welch prächtiges Exemplar der Gattung vor ihr stand. Ein Freier für Lizzy?

„Sie müssen entschuldigen, meine Herren", sagte sie, „meine Tochter ist erst jetzt vom Einholen zurückgekommen. Sie werden sofort Krabbensalat bekommen und Toasts aus Weißbrot, wie man es in Soho bäckt. – Aber, lieber Doktor Marat, würden Sie einmal nach Lizzy sehen? Sie sitzt am Herd und redet ganz wirr von einem Säbelbeinjimmy, einem Charlie mit zerfressener Nase und einer Betsy, die Maschinen zerschlagen will. Haben Sie etwa dem Kind einen Roman gegeben, in dem es von Verbrechern wimmelt?"

Ehe Marat den Vorwurf zurückweisen konnte, war schon Laval hinausgestürmt.

Lizzy saß am offenen Herdfeuer und starrte in die Flammen. Als Laval ihr mit zarter Geste übers Haar strich, hob sie den Kopf und sah ihn mit tränenfeuchten Augen an.

„Was hast du, Lizzy?"

„Ich bin angefallen worden, François! Es war entsetzlich. So muß es sein, wenn man sich verirrt hat, und die Wölfe im Moor zerren an einem. Es war ein Tier, das an mir riß." Sie schüttelte sich.

Laval beugte sich herab, zog Lizzy an sich und küßte sie. Sie barg sich, rasch getröstet, in seinem Arm.

„Ach François, daß es soviel Elend gibt. Man baut Maschinen, die die Arbeit der Menschen machen. Und diese Menschen, die jetzt keinen Verdienst mehr haben, wollen die Maschinen zerschlagen. Aber Sam Butler ist ihnen in die Parade gefahren. Und dann hat mich Säbelbeinjimmy zur Wache mitgenommen. Es war schrecklich, François! Auf der Straße haben sie mich angespuckt und mit Straßendreck beworfen. Eine Taschendiebin sollte ich sein." Sie schluchzte auf. Laval nahm sein Kavalierstüchlein und tupfte ihr die Tränen von den Wangen.

„Aber ich habe nichts und niemanden verraten", beteuerte Lizzy.

„Später wirst du mir alles erzählen. Komm nun, deine Mama wartet und der Doktor", sagte Laval, der von Lizzys Erzählung wenig begriffen hatte.

„Ach der...", sagte sie wegwerfend, „ich gehe für ihn nicht mehr in die Armenquartiere."

Im Ordinationszimmer Marats fuhren zwei Köpfe auseinander, als Lizzy und François eintraten, und Helen rief in vorgetäuschter Geschäftigkeit: „Nun müssen Sie berichten, Mister Laval! Was tragen die Damen jetzt in Paris?"

Sie durchforschte das Gesicht der Tochter, rätselte, was sein könne, zudem auch auf Jean Pauls Zügen eine gewisse Verstörtheit zu bemerken war. Was, zum Teufel, verheimlichte man ihr?

Doch dann redete sie munter weiter: „Stimmt es, daß die Pariser Damen sich neuerdings in freier Luft ergehen? Daß sie Riesenmuffs und lange Spazierstöcke tragen? Auf den Schnürleib verzichten? Kein Mieder mehr tragen, sondern nur ein Mullfichu um die Brust schlingen? – Reden Sie schon, Sie waren doch dort."

François Laval lächelte und wollte gerade antworten, als Marat heftig ausrief: „Und was macht die Königin? Der König, der Hofstaat? Geht es weiter so mit der Verschwendung? Vergeudet man die Gelder des Volkes noch immer für Feste, Ballette und tausenderlei Firlefanz? – Ist das nicht wichtiger als der Modekram?"

„Als der König und die Königin nach der Krönung in Reims in ihre getreue Stadt Paris einzogen, saßen beide in einer vergoldeten Kutsche. Marie Antoinette lächelte huldvoll. Ich bitte den Ausdruck huldvoll zu beachten." Laval machte eine Reverenz, wie er sie bei Hofbeamten gesehen hatte, machte sie so komisch, daß selbst dem ernstgestimmten Marat ein Lächeln über das Gesicht huschte.

„Und denken Sie nur, Doktor Marat, mein Freund aus Arras, Maximillian Robespierre, durfte eine Huldigungsrede vortragen. Er ist einer der besten Schüler des Collège Louis le Grand. Mit siebzehn Jahren!"

„Welch eine Auszeichnung", sprach Helen lobend.

„Ganz recht. Er durfte bei strömendem Regen im Kot der Straße knien. Als die Kutsche weiterfuhr, bekam er noch einige Schmutzbatzen ab. Das war sein einziges Salär vom Hof. Aber ich kenne Maximillian, er wird die Stunde nicht vergessen. – Ja, Doktor Marat, dieser verfettete Monarch mit seiner leichtsinnigen Angetrauten, er schaukelt mit der Staatskarosse in den Staatsbankrott."

„Ist die Königin schön?" wollte Lizzy wissen.

„Es ist die gelackte Schönheit des Coiffeurs, Miß Seymour. Die Kunst der Schneiderin tut das Ihrige dazu. Momentan beschäftigt sich die höchste Dame mit dem Ausbau der Gärten von Trianon. Ganz im englischen Stil werden sie angelegt, was Sie sicher erfreuen wird. Sie streut das Geld des Staates hin wie Vogelfutter, lebt nur dem Vergnügen." Lavals Gesicht verzog sich zu einem bitteren Lächeln. „Sie tritt in Komödien auf wie eine Aktrice."

„Das leichte Blut der Österreicher bricht durch", meinte Helen entschuldigend und forderte Lizzy mit einem Blick auf, in die Küche mitzukommen, wo der Tee und die Toasts zubereitet werden sollten.

„François, ich bitte Sie, wollen Sie nicht die Bücher auspacken, die Sie mir aus Frankreich mitgebracht haben?" bat Marat.

„Ja, Doktor. Jede freie Stunde verbrachte ich in den Buchläden an der Seine. Mein Chef hat währenddessen Heilung bei Monsieur Mesmer gesucht. Vergebens übrigens, das Herzleiden schreitet fort. – Also, hier sind die Bücher."

„Nur in Frankreich ist der Geist daheim", meinte Marat, „nicht in dem verdammten England mit seiner Prüderie."

„Hier, Doktor, eine Schrift Diderots: ‚Systematische Widerlegung des Buches von Helvetius: »Vom Menschen«.' Und hier vom Minister Seiner Majestät, Monsieur Turgot: ‚Über den Freihandel'."

„Genug, Laval." Marat wog den Packen in der Hand und legte ihn auf das Bücherbord.

Helen bat zum Tee in ihr Wohnzimmer.

Man plauderte. Immer wieder mußte Laval erzählen. Er hatte den großen Rousseau gesehen, der im Café de la Régence Schach spielte. François war im Palais Royal gewesen, wo in Hinterzimmern die Philosophen und Schriftsteller kühne Projekte zur Weltverbesserung zimmerten; er hatte in Spielsalons die Steuerpächter und Bankiers beobachtet, wie sie Unsummen über den Tisch rollen ließen. Ingrimmig hatte er von der Äußerung des Spekulanten und Steuerpächters Foulon vernommen: „Wenn die Pariser Hunger haben, so mögen sie das Gras abweiden. Wenn ich erst Minister bin, sollen sie mir Heu fressen, das tun meine Pferde auch."

Marat schloß die Augen. Die widersprechendsten Gefühle tobten in ihm. Sollte er aller schriftstellerischen Tätigkeit entsagen, still und bescheiden irgendwo eine Landpraxis übernehmen, mit der anmutigen Helen als Lebensgefährtin? Sollte er seinen rebellischen Schriften abschwören, wie man es vermutlich von ihm fordern würde? Zu Kreuze kriechen? Ein braver Bürger werden, mit Hängebauch und verfettetem Kinn? Oder sollte er nach Amerika gehen, wo die Weite des Landes lockte und die demokratische Luft? Warum blieb er eigentlich in Londons Straßenschluchten, in dieser Stadt mit ihrer Nebelfeuchte, dem Lärm, dem Schmutz und Gestank?

Plötzlich sah er die Seine vor sich, wie sie durch Wiesen und Waldungen dahinströmte, überwölbt von einem reinen blauen Himmel, sah er die Schlösser in alten Parks, die Dörfer mit den strohgedeckten Häusern, sah er das geliebte Boudry und die eisfunkelnden Alpenberge, den spitzen Kegel des Montblanc, der hineinzackte ins Himmelsgewölbe. Das Heimweh überfiel ihn.

Ganz entfernt hörte er die Stimme Lavals.

Was für ein sonderbares Rauschen war um ihn? War es die Brandung bei Boulogne? Der Regen einer Herbstnacht in Bordeaux?

Eine Ohnmacht umfing ihn ...

Als er wieder zu sich kam, blickte er in bestürzte Gesichter. Laval hatte ihm eine scharfriechende Essenz unter die Nase gehalten, und Helen rieb mit einem feuchten Tuch die entblößten Füße. Lizzy kramte nervös in den Medikamenten.

„Es sind Herzbeklemmungen, Missis Seymour. Unser Freund braucht Ruhe", sagte Laval.

Ach ja, Ruhe ... Marat lächelte. Wann hatte er sich jemals Ruhe gegönnt? Er wollte sich erheben.

Da kam es wieder, das dunkle Rauschen. Und Möwenschreie waren darunter. Oder waren es die Schreie Damiens, den sie auf dem Grève-Platz vierteilten? Damals in Paris, als er, Jean Paul, stellungssuchend durch die Straßen strich?

Es gibt keine Ruhe, Jean Paul Marat. Ein Menschenfreund ist ein Revolutionär, und ein Revolutionär findet erst im Grabe Ruhe.

5

Beim Lord-Mayor von London

Böiger Wind pfiff über die Hafenmole von Le Havre. Weit draußen auf der Reede lagen einige Fregatten, die Geschützmündungen dem westlichen Kanalende zugekehrt. Unweit von ihnen ankerten Dreimaster; die Segel waren gerefft, so daß sich Masten und Rahen gitterförmig gegen den bleifarbenen Abendhimmel abzeichneten. Die buntgestrichenen Decksaufbauten waren die einzigen Farbflecke im Grau der heraufkommenden Dämmerung. Möwen flatterten, ein Albatros zog seine Kreise. Fischerboote mit geflickten Segeln dümpelten in der hohen Flut.

Am Molenkopf stand Marie Cabrol. Noch immer trug sie Burschenkleidung. Ein Radmantel schützte sie vor dem scharfen Wind. Neben ihr kauerte Forestier auf einem Poller und fluchte, weil die Stummelpfeife nicht brennen wollte.

„Verdammter Westwind", knurrte er hinter seinem hochgestellten Mantelkragen.

„Französischer Boden, Kapitän", rief Marie fröhlich, „französischer Wind! Spüren Sie es nicht? Eine Luft wie moussierender Wein."

„Das ist Ihre überquellende Phantasie, Mademoiselle. In Wirklichkeit stinkt's hier nach Tran und Teer. Mein Freund Lavoisier wäre jederzeit in der Lage, Ihnen analytisch nachzuweisen, wie unsere Atmosphäre zusammengesetzt ist."

„Ach, Sie sind selbst ein Analytiker, Kapitän. Sie zersetzen mir meine Freude. Trotz meiner Wunden möchte ich tanzen. Hier auf dieser Mole, denn sie ist ein Teil Frankreichs. Ich möchte mein Herz herausholen und vor mir herhüpfen lassen, meinetwegen bis Paris oder bis zum Genfer See."

„Sehr poetisch ausgedrückt." Forestier sah Marie mit seinen spöttischen Augen an. „Leider hat Ihre verehrte Sippschaft nicht einen Sou geschickt, damit Sie hüpfen können. Der Wirt zum ‚Löwen der Normandie' gibt Ihnen einstweilen Kredit, weil er mich kennt. Aber wenn der Brigant Forestier wieder in der Biskaya kreuzt, was dann?"

„Warum nehmen Sie mich nicht mit? Sie haben doch Ihre Entlohnung erhalten. Oder bin ich falsch unterrichtet?"

„Bis Le Havre. Jawohl. In guten französischen Livres. Mein Agent hatte einen Wechsel auf ein Genfer Bankhaus bekommen. Jedoch für Sie gab's keinen. Ich würde Sie mitnehmen, Mademoiselle, aber ich benötige die Kabine jetzt anderweitig. Schade, vielleicht wären wir uns doch nähergekommen."

Sie sah grüblerisch auf die graugrünen Wellen, die gegen die Quadersteine der Mole stürmten. „Es steht also fest, daß Sie einen neuen Passagier haben. Eine – Frau?"

Marie Cabrol wurde von Vorstellungen bedrängt, die der Eifersucht entsprangen. Sie sah die enge Kabine, den zupackenden Mann, eine entkleidete Frau . . .

„Sie irren. Wieder geht die Phantasie mit Ihnen durch. Soll ich anheizen, Ihnen von einer entlaufenen Nonne erzählen . . ."

„Kapitän, Sie verheimlichen mir etwas."

Er lächelte überlegen, und dieses Lächeln machte Marie wütend. Sie übersah, daß ein Schatten von Trauer in seinem Gesicht stand.

„Gut, Sie sollen es hören. – Ich war dabei, als man eine Nonne wieder einfing, die aus dem Ursulinerinnen-Kloster zu Bayeux entkommen war. Können Sie sich das arme Geschöpf vorstellen, gebunden auf einem Karren, bespien und mit Kot beworfen? Die härteste Klosterstrafe in Aussicht?"

„Ich habe Diderot gelesen", murmelte Marie. Sie schwieg erschrocken, als sie den aufsteigenden Haß in Forestiers Augen gewahrte.

„Literatur, Mademoiselle! Wollen Sie das Leben sehen? Hier . . .", Forestier riß sich den Mantel auf, den Überrock, das Hemd. „Hier, das Zeichen der Galeerensträflinge. Eingebrannt mit glühendem Eisen. Ich war es, der die Nonne befreite. Ich war ihr Verlobter, ehe ein Geistlicher ihr zum Schleier verhalf. Ich wurde verurteilt, sollte die rechte Hand verlieren. Gnadenhalber bekam ich Galeere – drei Jahre." – Aufgewühlt starrte Marie ihn an. – „Was wollen Sie, Frankreich wird von Pfaffen regiert, schon lange ist das Edikt von Nantes aufgehoben. Wobei ich glauben möchte, daß Ihre calvinistischen Glaubensbrüder die gleichen Zeloten sind." Forestier schwieg einen Augenblick und fuhr dann ruhiger fort: „So, und nun ganz ohne Leidenschaft. Die Kabine wird für einen Waffenhändler gebraucht, der für die Kolonisten in Nordamerika einkauft. Er ist Amerikaner und arbeitet mit einem Handelshaus zusammen, hinter dem ein Pariser Schriftsteller stehen soll."

„Schriftsteller und Waffenhändler? Wie reimt sich das zusammen?"

„Weiß ich's? Für mich ist er Waffenhändler. Doch nun zu Ihnen, Mademoiselle. Der Wirt hat bereits angedeutet, daß er einen Liebhaber für Sie hat. Einen Fischhändler."

„Forestier!"

„Demnach nicht. Auch gut. Kaufen wir zuerst ein solides Kleid, schon Ihre Männerhosen haben die Gefühle des ‚Löwen der Normandie' in Wallung gebracht. Dann belegen wir einen Platz in der Diligence, die morgen in der Frühe nach Paris abgeht. Und schließlich besorgen wir der Dame Cabrol ein Lehrbuch der Chemie. Es gibt eines von meinem Freund Lavoisier, der übrigens eine Sekretärin sucht."

„Ach, es wäre zu schön, Forestier. Aber was fange ich an, ich habe keinen Sou."

„Ich leihe Ihnen den Betrag. Sie werden mir die Summe zurückerstatten. Den Dank kassiere ich später. In einer guten Stunde laufen wir aus, ich muß den Wind nützen. Und jetzt wird das Geschäft besiegelt . . ."

Wie damals auf der Bark griff er Marie ins Haar, und mitten auf der Mole, von Windböen gezaust, küßten sie sich so heftig, daß ihre Lippen bluteten.

Verwirrt ging Marie neben Forestier her, als sie dem Geschäftsviertel zustrebten. Plötzlich sagte er: „Lavoisier ist reich, er betreibt den verachteten Beruf eines Steuerpächters. Das stört Sie hoffentlich nicht?"

Maries Züge verhärteten sich. „Schade, das mindert mir den Mann."

„In meinen Augen ist das ein Geschäft wie jedes andere. Oder glauben Sie, daß die Affären eines Bankiers moralischer sind? Daß der Marquis de Contades seinen Mammon redlicher erwirbt? Jedenfalls kann Antoine Lavoisier mit diesem Geld seine chemischen Experimente finanzieren. Wissen Sie es besser verwendet?"

„Verzeihen Sie, Kapitän. Und wie alt ist Ihr Freund?"

„Im besten Alter: knapp zweiunddreißig." Forestier lachte auf.

„Genau wie mein Cousin Marat." Marie sah den Kapitän forschend an, fragte aber nicht weiter nach Lavoisier.

In den Geschäftshäusern von Le Havre flackerten die ersten Lichter auf. –

Die Dunkelheit war vollends hereingebrochen, als Forestier in das schwankende Beiboot stieg, das ihn zur „Bretagne" zurückbringen sollte. Marie war es, als säße ihr ein Kloß im Hals.

Als der Matrose die Leine losmachte, übergab der Kapitän Marie einen gesiegelten Brief. „Für Lavoisier", sagte er langsam. „Verdammt, ich beneide ihn", fügte er hinzu und riß Marie an sich, sie im gleichen Augenblick wieder freigebend. Sachlich fuhr er fort: „Er hält sich in Rouen auf. Sie können im Gasthof ‚Zur Bourbonischen Lilie' nach ihm fragen. Und sehen Sie sich den Marktplatz von Rouen gründlich an. Da hat man eine Neunzehnjährige lebendig verbrannt, die Frankreich retten wollte. Sie war das erste Jungfräulein, das sich mit Politik befaßte."

„Ich weiß", sagte Marie leise.

„Auch damals sind's die Pfaffen gewesen, ein geistliches Gericht. Ziehen Sie die Lehren daraus. Lassen Sie die Finger von Staatsaffären, Marie. Ich denke, die englische Lektion brennt noch auf Ihrer Haut."

„Ich glaube, jeder muß seinen Weg gehen, Forestier." Marie spürte ein Schluchzen aufsteigen.

„Und wenn Sie bei Lavoisier angestellt sind, ihm die Retorten schwenken, dann bitten Sie ihn einmal, daß er die Tränen analysieren möge. Warum schmecken sie so salzig, selbst wenn es Freudentränen sind? – Ich habe nur zweimal geweint – das erstemal, als die kleine Nonne hinter der Klosterpforte verschwand, und das zweitemal, als ich von der Galeere freikam. Aber nun: die Leine los! Leben Sie wohl. Gehen Sie, und drehen Sie sich nicht um."

Das Boot verschwand in der Nacht. Weit draußen tanzten grüne und rote Signallampen, eine Fackel flammte auf und verlosch. Nebelhörner tuteten. Marie ging, ohne ein einziges Wort gesagt zu haben.

Im Gasthof überkam sie schmerzhaft das Gefühl der Verlassenheit. Der Wirt, klein, mager, mit einem Spitzbubengesicht, alles andere als ein normannischer Löwe, schnitt ihr ein Stück von der Hammelkeule ab, die sich brutzelnd am Spieß drehte, und stellte einen Topf Bohnen hin. Sein neugieriger Blick glitt über Maries Figur und über ihr blasses Gesicht. Das braune Tuchkleid aus flandrischer Wolle zeigte ihre anmutigen Formen. Forestier verstand etwas von Frauenkleidern. Sicher war das Fräulein einer seiner Hafenbräute.

Dem in einer Ecke lauernden Fischhändler raunte der Wirt zu: „Laß die Finger von ihr. Forestier hat für sie bezahlt. Du willst dich doch nicht mit ihm anlegen?"

Die Diligence rollte am zeitigen Morgen ostwärts, Rouen entgegen. Der Tag versprach heiß zu werden. Die Pappeln, welche meilenweit die Chaussee säumten, waren windwüchsig, ihre Wipfel neigten sich nach Ost, denn zu allen Jahreszeiten wehte hier ein scharfer Südwest. Auch die Strohdächer der Bauerngehöfte breiteten ihren Rücken dem Osten entgegen. Die Häuser duckten sich hinter Hügeln und in Talsenken.

Der Eilpostwagen war schwach besetzt. Neben Marie Cabrol saß ein Domherr, der in seinem Brevier las, obgleich das Stuckern und Stoßen des schlecht gefederten Wagens kaum ein andachtvolles Lesen gestattete. Auf den Hintersitzen hockten zwei Händler, die an der Küste Stockfische und Heringe aufgekauft hatten. Sie schliefen trotz Staub, Hitze und der unbequemen Plätze.

Die Straße war in einem schauderhaften Zustand. Die vielen ausgewaschenen Löcher waren mit Feldsteinen gefüllt, hier und da mit Reisigbündeln, und in sumpfigen Niederungen hatte man Knüppeldämme gelegt. Grünschleimiges Wasser quoll hindurch, sobald die Kutsche diese Stellen überquerte. Führte die Chaussee über eine Anhöhe, sahen die Reisenden in der Ferne die breit dahinfließende Seine mit den grünumbuschten Ufern.

Das Rattern und Schütteln war kaum noch zu ertragen. Seufzend steckte schließlich der Domherr sein Brevier in die Tasche. Marie ächzte. Ihr schien es, als wären alle Wunden wieder aufgebrochen.

Der geistliche Herr betrachtete seine Nachbarin mißtrauisch. Eine Dame reist nicht ohne Begleitung, erst recht nicht ohne Gepäck. Auch hatte er im Gasthof zu Le Havre erfahren, daß sie dort in Männerkleidung eingetroffen war. Eine Abenteuerin also? Eine Gefallene? Sorgfältig überlegte er, bevor er ein Gespräch begann.

„Auf dieser Straße sind schon die römischen Legionäre marschiert, Mademoiselle. Ich fürchte, daß man sie seitdem im gleichen Zustand gelassen hat."

Marie lächelte schwach, schwieg aber.

„Sie haben sicherlich ein Leiden? Gesunden Menschen verursacht diese Strecke schlimmstenfalls Kongestionen zum Kopf. Natürlich muß man sich des Lesens enthalten."

„Ich hoffe, Hochwürden, daß die Straße bald besser wird. Man sagte mir, hinter Beuzeville sei sie glatt wie ein gehobeltes Brett. Ich wünschte tatsächlich, dieses Stück der Reise sei zu Ende. Ich habe . . .", sie stockte, „eine Entzündung am Rücken, die mir große Schmerzen bereitet."

Der Domherr legte sein Gesicht in teilnahmsvolle Falten. „Gott schickt Prüfungen, meine Tochter. Ich darf Sie doch so nennen, falls Sie der alleinseligmachenden Kirche angehören?"

„Ich muß Sie enttäuschen, Hochwürden. Ich bin Schweizerin und Calvinistin."

Der Wagen passierte gerade eine Brücke. Die Räder polterten so hart auf den Bohlen, daß Marie die Entgegnung nicht vernahm. Sie verstand nur das Wort „Sakrilegium" und sah, daß sich eine Welle des Abscheus auf den Zügen des geistlichen Herrn ausbreitete.

„So sind Ihnen die Prüfungen zu Recht auferlegt", sprach er und wandte den Kopf nach der anderen Seite, damit andeutend, daß er das Gespräch für beendet ansehe.

Doch die rebellische Marie Cabrol konnte nicht schweigen. Sie entgegnete heftig: „Verzeihung, Hochwürden, es erscheint mir aber kleinlich von einem allmächtigen, allwissenden Gott, den schwachen, unwissenden Menschen für irgendwelche Fehler zu bestrafen. Die Kirche lehrt doch, daß Gott die Güte selbst ist."

Der Geistliche richtete sich steif empor, nahm das auf seiner Brust baumelnde silberne Kreuz und hielt es Marie entgegen.

„Apage, Satanas! Das ist Häresie, Mademoiselle! Sie plappern etwas nach, was Kirchenväter und Konzilien bereits widerlegt und verdammt haben. Wundern Sie sich nicht, wenn Ihnen Gott noch weitere Leiden schickt. Ich warne Sie. Zudem befinden Sie sich in einem Lande, in dem der Katholizismus Staatsreligion ist. Die einzige, wohlgemerkt."

Erschrocken schwieg Marie. Sie war zu weit gegangen. Schlecht war es um ihre Klugheit und Vorsicht bestellt. –

In Beuzeville nahm Marie Cabrol während des Pferdewechsels eine Suppe zu sich.

„Sehen Sie sich vor", sagte der Postmeister und musterte sie mit einem bekümmerten Blick, „die Straßen sind nicht mehr sicher. Bei Yvetot hat man die Postkutsche angehalten und die Passagiere ausgeraubt. Ganze Banden von Bauern ziehen umher." Er seufzte tief. „Von ihren Höfen haben die Grundherren und Steuereintreiber sie vertrieben."

„Ich habe nichts, was man rauben könnte", meinte Marie, doch der Posthalter erwiderte heftig: „Für einen, der nackt herumläuft, ist ein Überrock schon des Raubes wert, ja sogar des Totschlags. Der gnädige Herr de Vieuville hat einen neuen Galgen errichten lassen, hoch wie eine Pappel. Wenn Sie die Straße passieren, werden Sie sehen, welche schreckliche Last er bereits trägt."

Mit frischen Pferden versehen, rollte die Diligence weiter. Erleichtert stellte Marie fest, daß der Platz des Domherren leer geblieben war. Anscheinend war er zum Pfarrer gegangen, um die nächste Eilpost abzuwarten, die, wie der Posthalter versichert hatte, von einer bewaffneten Patrouille begleitet werden sollte. Marie hatte sich vom Pferdeknecht eine alte Decke erbeten, die zwar stark nach Stall roch, aber die Stöße des Wagens erheblich minderte. Vor sich den breiten Rücken des Postillons und das Auf und Ab der schweißigen Pferdeleiber, hinter sich die dösenden, von Fliegen umsummten Fischaufkäufer, über sich in der flirrenden Sonne ein kreisendes Sperberpärchen, hing Marie ihren Gedanken nach.

Würde sie bei diesem Lavoisier wirklich eine Beschäftigung finden?

Da drehte sich der Postillon um und deutete wortlos mit der Peitsche auf den Galgen, an dem zwei gebundene Männer im Winde schaukelten. Krähen saßen fraßgierig auf einer Eiche gegenüber.

Jetzt passierte der Wagen ein Dorf. Durch die Fensterhöhlen konnte man ins Innere der Häuser blicken. Nur schmutziges Stroh und Gerümpel lagen in den Räumen. Wie der Postmeister gesagt hatte, war viel Hausrat im letzten kalten Winter verheizt worden, sogar Obstbäume aus den Gärten, Dielenbretter und Fensterrahmen.

„Man spricht auch davon, daß die Winzer im Beaujolais den ganzen Wein ausgegossen haben, weil sie die Abgaben dafür nicht bezahlen konnten", hatte der verbitterte Mann hinzugesetzt.

Marie war erschüttert, hier sah sie die Wirklichkeit. Abgemagerte Kinder standen am Straßenrand und hoben mit bittender Gebärde die Hände empor. Eine Frau, mager wie ein Skelett, schrie etwas Unflätiges zur Postkutsche hinüber.

Der Postillon wandte sich um. „Die Männer sind in die Stadt gezogen, nach Rouen, sogar nach Paris, um Arbeit zu suchen, Mademoiselle."

„Halten Sie einen Moment, ich möchte den Kindern einige Sous schenken."

„Meinetwegen. Aber sehen Sie zu, daß Sie die Bälger wieder loswerden."

Bei der Fahrt durch die sommerliche Normandie wuchs – je mehr sie sich Yvetot näherten – ringsum das Elend. Die Bauernhäuser waren ohne Dach, die zerfallenen Stallungen ohne Vieh. Sogar einer Kirche fehlte das Schindeldach. Die Felder waren verödet.

Entsetzlich, dachte Marie. Wenn ich nur helfen könnte. Wo ist das blühende Frankreich von einst?

Die Straße wurde jetzt breiter und besser. Die Sonne stand bereits in Mittagshöhe. Das unaufhörliche Gerüttel des Wagens, die Hitze und die vielen Eindrücke hatten Marie ermüdet. Sie war eingenickt.

Plötzlich schreckte sie empor. Flintenschüsse und Geschrei vieler Menschen . . .

Der Postillon richtete sich hoch und schlug unausgesetzt auf die Pferde ein.

Also doch ein Raubüberfall, dachte Marie. Wieder krachten Büchsenschüsse. Die Postgäule galoppierten, daß ihre Hufe auf den Kopfsteinen Funken schlugen. Die Fischhändler jammerten, sie hielten sich mit aller Kraft an den Sitzen fest. Auch Marie fürchtete, aus dem Gefährt geschleudert zu werden. Schließlich verebbten Geschrei und Schüsse. Die erschrockenen Pferde aber liefen in gestrecktem Galopp weiter und ließen sich nicht zügeln.

Der Kutscher fluchte in seinem bretonischen Dialekt und rief die Jungfrau Maria und alle Heiligen an. Endlich – die ersten Häuser von Yvetot kamen bereits in Sicht – brachte er die Diligence zum Stehen. Er wischte sich den Schweiß von der Stirn und klopfte den Pferden beruhigend den Hals.

„Gottsdonner, meine Herrschaften, das konnte ins Auge gehen. Ich bin ein alter Soldat, aber noch nie hörte ich die Kugeln so dicht an meinem Ohr sausen. Die Bande hätte uns allen das Lebenslicht ausgeblasen."

Die beiden Händler zeterten. Man müsse schutzlos durch dieses verkommene Land fahren, weil die Soldaten des Königs faul auf den Strohsäcken herumlungerten.

Marie meinte, daß ja wohl jeder sein eigenes Risiko trage. Der Postillon zog eine Horndose aus der Tasche und stopfte sich Schnupftabak in die Nasenlöcher. Dann sagte er treuherzig: „Die Banditen hätten Ihnen das Risiko ausgezogen, Mademoiselle. Die hätten Ihnen das geraubt, was die meisten Damen freiwillig hergeben."

Bald rumpelte die Postkutsche durch das Stadttor, dessen Eichenholzflügel sich knarrend geöffnet hatten. Sie hielt vor dem Stadthaus, dem einzigen Gebäude, das von einem schmiedeeisernen Balkon geziert wurde. Die weiße Fahne mit den gestickten Lilien der Bourbonen hing schlaff vom Dach. Die gebuckelten Fensterscheiben blinkten in der Sonne. Ein älterer Mann in schwarzem Überrock und in Kniehosen stapfte die Freitreppe herab. Seine weiße Halsbinde war unsauber. In der Hand hielt er einen Gänsekiel. Es war der Bürgermeister.

„Was erzählen Sie da?" raunzte er den Postillon an, als dieser von dem Überfall berichtete, und versuchte seinem geröteten Gesicht amtliche Würde zu geben. „Räuberbande? Vor den Toren der Stadt? Flintenschüsse? Blödsinn! Sie sehen wohl weiße Mäuse – das kommt vom Schnaps."

„Erlauben Sie!" rief Marie Cabrol, und einer der Händler schrie empört, daß mindestens zwanzig Schüsse abgefeuert worden seien.

Der Bürgermeister wurde unsicher. Dann zeigten seine Züge Verständnis. Er hob beschwichtigend die Hand mit dem Gänsekiel und sagte: „Ich vermute, daß Leute des Herrn Marquis de Sombrieul ihren Spaß mit Ihnen getrieben haben. Seine Besitzungen liegen westwärts der Stadt."

„Schöner Spaß!" riefen die Passagiere fast gleichzeitig.

„Hören Sie bitte zu! Der Herr Marquis kommandierte eine Abteilung im Krieg gegen die verdammten Engländer, im fernen Amerika, als wir unser schönes Kanada eingebüßt haben. Damals gewann der Herr Marquis ein Gefecht. Seitdem sind zwanzig Jahre vergangen, aber in jedem Jahr um die Sommerzeit macht er Manöver. Alle Gutsnachbarn kommen und spielen mit. – Das wird's gewesen sein."

„Spielen?" empörte sich Marie.

„Ja, es ist ein Kriegsspiel. Sie wiederholen den Überfall auf Fort Duquesne, wo die Engländer vernichtet wurden. Die Bauern des Herrn Marquis müssen mitmachen, sie bekommen für den betreffenden Tag eine Flinte und eine Bezahlung von zehn Sou."

„Zehn Sou? Großmütig!" rief Marie Cabrol.

„Diejenigen, die britische Soldaten darstellen, bekommen sogar zwanzig Sou, Mademoiselle, weil sie gottserbärmlich verprügelt werden. Im Vorjahr hat einer danach drei Wochen im Spital gelegen."

„Für zwanzig Sou!" Der Postillon schüttelte den Kopf und begann die Pferde auszuspannen.

„Aber wie können Sie diese gefährliche Kriegsspielerei dulden, Herr Bürgermeister?" fragte Marie entrüstet.

„Was soll ich tun, Mademoiselle? Der Feudalherr besitzt die Gerichtsbarkeit und zahlreiche Regalien. – Doch wollen Sie nicht im

Gasthof absteigen? Drüben im ‚Goldenen Hahn'? Heute kommen Sie nicht weiter, die Gäule sind abgetrieben, und der Posthalter hat keine Ersatzpferde."

„Ich muß schnellstens nach Rouen, Herr Bürgermeister."

„Ich kann mir nicht vorstellen, daß jemand das liebe Rouen inzwischen an eine andere Stelle versetzt. Bleiben Sie, die Wirtshausküche ist in der ganzen Normandie berühmt."

Die beiden Händler schritten bereits zum Gasthof, und zum Erstaunen des Kutschers trugen sie einen Sack, der anscheinend Münzen enthielt, denn man hörte es deutlich klimpern.

„Darf ich Ihnen meinen Arm anbieten, Mademoiselle? Man hat so selten Gelegenheit zu einer Konversation mit einer gebildeten Dame. Ihr Gepäck kann der Kutscher hinüberbringen." Der Bürgermeister streifte die baumwollenen Ärmelschoner ab und hing sie übers Geländer der Freitreppe.

„Wenn der Herr Marquis erfährt, daß jene schmutzigen Viehkerle Sie erschreckt haben, läßt er sie einsperren und über die Prügelbank legen."

„Und wenn es seine gutsnachbarlichen Freunde waren?"

„Die Herren wissen, was sich bei Damen schickt", sagte der Bürgermeister würdevoll und schob sich an Maries Seite.

Während sie über den Marktplatz gingen, vorbei an einem plätschernden Brunnen, fragte Marie: „Ihr Städtchen hält wohl Mittagsschlaf, man sieht kaum einen Einwohner."

„Ach, Mademoiselle, die Not ist groß in der Normandie. Viele sind fortgezogen. Paris ist ein Magnet. Andere sind in die Kolonien ausgewandert, sie suchen dort besseres Brot. So bin ich eben Bürgermeister in einem Ort mit manchem leeren Bürgerhaus. Außerdem – zu Ihnen habe ich Vertrauen –, ich gelte beim Adel nicht allzuviel, dort bin ich liberaler Gesinnung verdächtig. Ich korrespondiere nämlich mit den Herren der ‚Enzyklopädie', bekam sogar einen Brief von Monsieur Diderot. Aber leider gelte ich bei den Bürgern auch nicht viel, denen bin ich dem Adel gegenüber zu tolerant. Die Pfarrer mögen mich ebenfalls nicht, ich stinke ihnen nach Freigeist und dem Schwefeldampf der Hölle. Kurzum, ich bin ein Mensch, der nicht in dieses Nest gehört. Ich müßte nach Paris mit seinen Salons, Kaffeehäusern und Debattierklubs. Hier versauere ich."

„Vielleicht kommt der Tag", meinte Marie Cabrol und betrachtete den unzufriedenen Beamten mit einem prüfenden Blick.

Er sah sie dankbar an und stieß die Tür zum Gasthof auf. „Leider bin ich zu früh geboren, Mademoiselle", schloß er.

„Das sagten viele Menschen in allen Epochen, Herr Bürgermeister", antwortete Marie lächelnd. –

„Seine Gnaden lassen bitten."

Der Ratsdiener in steif-zeremonieller Tracht öffnete die schwere Flügeltür zum Audienzzimmer des Lord-Mayors John Wilkes. Der getäfelte Raum lag im Lichte der Sonne, deren Strahlen sich in den bunten Butzenscheiben brachen und farbige Lichter auf die polierte Fläche des Konferenztisches warfen. Hochlehnige Stühle im Stil der Königin-Anna-Zeit ließen kein Behagen aufkommen, ebensowenig die rings an den Wänden hängenden nachgedunkelten Gemälde, aus denen starre Gesichter ausdruckslos vor sich hin blickten. Nur das Bildnis des Lordprotektors Oliver Cromwell wirkte bestürzend lebendig.

Der Lord-Mayor hatte Amtstracht angelegt, sein intelligenter Kopf ragte blaß und etwas hochmütig aus der Halskrause hervor. Er stand am Kopfende des Tisches und blätterte in einem Aktenstück. Etwas verärgert blickte er auf, als der Amtsdiener die Gemeldeten hereinführte und sie vorstellte.

„Der hochehrenwerte Doktor juris O'Connor, Generalanwalt beim Gericht zu Old Bailey; der hochehrenwerte Mister Bentham von Lloyds Versicherungen; der ehrenwerte Doktor medicinae Green; Mister Howe, Zuchtmeister zu Bridewell, und Doktor Porter, Gefängnisarzt zu Bridewell."

Der Amtsdiener las die Namen von einer Liste ab. Der jeweils Genannte machte eine tiefe Reverenz und verharrte in dieser Stellung, bis der Bürgermeister mit einer Handbewegung zum Sitzen einlud.

„Ich danke Ihnen, daß Sie erschienen sind", begann er und richtete einen abschätzenden Blick auf die Versammelten, „es geht um die verschiedenen Anzeigen gegen den Armenarzt Doktor Marat."

Der Generalanwalt kramte eine Stahlbrille hervor und vertiefte sich in das Aktenstück, das ihm John Wilkes über den Tisch zugeschoben hatte. Anscheinend hatte O'Connor noch gar keine Übersicht und schwieg daher. Da keiner der Anwesenden ihm vorgreifen wollte, entstand eine peinliche Pause.

Der Lord-Mayor lächelte dünn und sagte dann lässig: „Wenn ich nicht irre, hat dieser Arzt einige philosophische Schriften verfaßt. Kennt jemand den Inhalt? Man sagte mir, sie könnten auch aus meiner Feder stammen."

Er sah die schwarzgekleideten Männer ringsum mit seinen spöttischen Augen an. Vorerst antwortete niemand.

„Es ist ein Unterschied, Euer Gnaden, sagte schließlich Direktor Bentham verwirrt, „die Schriften Euer Gnaden sind verfaßt worden, als Euer Gnaden Mitglied des Unterhauses waren. Ein Parlamentsmitglied genießt bekanntlich Immunität."

Wieder der ironische Ton Wilkes': „Gewiß, gewiß, ich habe diesen Schutz genossen! Mit Gefängnis, Geldstrafe, Exil . . . Aber jetzt sitze ich hier."

Bentham schwieg verdrossen. Er wußte, daß die Sympathien Wilkes' auf der Seite der rebellischen Amerikaner waren, daß der Lord-Mayor mit dem so geschickten und verschlagenen Franklin oft genug konferiert hatte. Er betrachtete daher den hochgewachsenen Mann mit einiger Besorgnis. Ob der Schuß gegen Marat nicht nach hinten ging? Man mußte geschickt vorgehen . . .

Nun meldete sich Mister Howe. „Es geht mir nicht um Schriften, es geht mir um Tatsachen. Dieser französische Arzt versetzt die Bürger Londons in Unruhe. Ich kann Zeugen bringen. Hier, auch Doktor Porter wird es bestätigen. Marat läßt durch eine Halbwüchsige aus allen Brunnen Londons Wasser entnehmen, um es zu analysieren."

„Das dürfte doch aber nicht strafbar sein", meinte Doktor Green gedehnt und betrachtete das brutale Gesicht Howes mit Abneigung.

„Natürlich nicht", Mister Porter, der Gefängnisarzt, rutschte nervös auf seinem Stuhl hin und her, „aber wenn dieses Mädchen überall verbreitet, daß die Seuchen vom Wasser der öffentlichen Brunnen herrühren, so entsteht Unwillen, Unruhe, der Anfang einer Rebellion."

Der Generalanwalt verzog den Mund. „Das ist nicht beweisbar. Ein Mädchen holt Wasser, erzählt irgendwas irgendwem. Wie wollen Sie daraus eine Anklage konstruieren?"

Der Lord-Mayor nickte zustimmend. Doch jetzt polterte Howe: „Das Mädchen ist in den Franzosen verliebt, sie hat sich meiner Tochter anvertraut. Sie gehen zusammen zur Schule. Ich behaupte, daß Marat sich an dieser Minderjährigen vergangen hat und daß sie alles, was er sagt, nachplappert."

„Sieh mal einer an." Bentham wurde hellhörig.

„Das ist doch ebenfalls nicht beweisbar, Mister Howe." Der Bürgermeister klopfte mißvergnügt mit seinem silbernen Stift auf die Tischplatte.

„Geben Sie mir die Kleine einige Tage in Pflege, und ich lege Ihnen ihr Geständnis auf den Tisch", wandte Howe barsch ein.

„In Bridewell haben wir Mittel genug", ergänzte Doktor Porter.

„Danke, meine Herren", sagte John Wilkes mit scharfer Stimme. „Wenn ich erzwungene Aussagen benötige, werde ich mich an Sie wenden."

Doktor Green warf ihm einen achtungsvollen Blick zu. Das war immerhin ein Mann, ein ehrenhafter Charakter. Doch unerwartet bekam Howe eine Unterstützung, mit der er nicht gerechnet hatte. Der Lloyd-Direktor hob die Hand. „Ich möchte bemerken, daß die Mutter des Mädchens, eine Witwe Seymour, bei der Marat wohnt, sicherem Vernehmen nach ihre Gunst verkauft. Mehrere Herren ... Sie verstehen ... Es wäre also durchaus denkbar, daß die Tochter ..."

„Ein Apfel fällt nicht weit vom Stamm." Der Gefängnisarzt rieb sich die Hände. Endlich bekam die Sache das nötige Gewicht.

„Die Mutter ist demnach eine Hure?" Mit spitzem Crayon machte der Generalanwalt einige Notizen. Prostitution ist strafbar, dafür ist das Kriminalgericht zu Old Bailey zuständig. Er zimmerte bereits die Anklage.

Wieder hörten die Herren vom oberen Tischende die scharfe Stimme des Lord-Mayors:

„Ich hoffe, daß Mister Bentham seine Behauptung auch beweisen kann. Können Sie die Herren nennen? Sie wissen, daß diese Aussagen beeidet werden müssen und daß auf Meineid eine harte Strafe steht. Abhacken der rechten Hand, wenn ich nicht irre."

Wilkes beobachtete die Mienen der vor ihm Sitzenden. Greens Gesichtsausdruck war verschlossen; Howes Augen glitzerten in Erwartung weiterer Enthüllungen; Porter tat unbeteiligt, doch man spürte die Spannung, die ihn befallen hatte; über Benthams apoplektisches Gesicht huschte ein Erschrecken.

So ist das also, dachte der ehemalige Journalist und jetzige Bürgermeister, eine regelrechte Treibjagd gegen diesen Armenarzt, gegen seine angeblich ketzerischen Schriften „Ketten der Sklaverei" und „Von der Tyrannei".

Eigenes Erleben stieg aus dem Schoß der Vergangenheit. Die Erinnerungen überschwemmten sein Herz mit Bitternis. So wie hier gegen den Doktor Marat hatte auch gegen ihn damals die Meute gekläfft. Er hatte die Wochenschrift „Der Nordbrite" herausgegeben und war in kurzer Frist zugleich beliebt und verhaßt geworden; beliebt beim Volk als furchtloser Streiter für Demokratie und Freiheit, verhaßt beim König und seinen Ministern als Landesverräter, Rebell und Amerikafreund. Spitzbube – Narr – käufliche Kreatur, so hatte Georg III. ihn betitelt und Befehl gegeben, im Privatleben seines Widersachers herumzuschnüffeln.

Brach diese ganze widerliche Hetze wieder los? Diesmal sogar gegen einen Ausländer, einen französischen Arzt. – Ja, er, Wilkes, hatte sich gewehrt, als man die Ehre einer geliebten Frau durch den Dreck der Gosse schleifen wollte, gewehrt mit seinen Mitteln. Er hatte die Mitglieder des königlichen Kabinetts als Spielzeuge des Despotismus und der Korruption bezeichnet und dem Monarchen die 800 000 Pfund vorgerechnet, die dieser jährlich mit seinen Freunden vergeudete.

Dann hatte der Teufelstanz begonnen. In eine enge, feuchte und kalte Zelle des Towers hatte man ihn gesperrt und ihn den Quälereien des feisten Kerkermeisters ausgesetzt.

Wilkes war nach einer Woche freigekommen, da seine Immunität als Parlamentsmitglied vor Einkerkerung schützte. Doch die Hetze seitens der Königspartei ging weiter. Ein neuer Haftbefehl wurde erlassen. Flucht nach Frankreich und vierjähriges Exil. Aber in England hatte das Volk den inzwischen für vogelfrei Erklärten immer wieder ins Unterhaus gewählt. Immer wieder, bis er heimkehrte und sich dem Gericht stellte. Ja, das Parlament hatte sich selbst geohrfeigt, indem es seine Immunität aufhob. Nun, er war erhobenen Hauptes aus der Zelle ins Unterhaus zurückgekehrt und seit Jahresfrist Lord-Mayor von London.

Wilkes verscheuchte die Erinnerungen. Seine Gedanken waren wieder in der Gegenwart.

„Nun, Mister Bentham? Und sollten Sie selbst die Gunst dieser Witwe genossen haben, müßten Sie öffentlich darüber Zeugnis ablegen. Stimmt das, Euer Gnaden?"

Der Generalanwalt nickte. „Falls dafür bezahlt wurde, ja."

„Die Annahme einer Geldsumme ist noch längst kein Beweis für die Schuld einer Frau." Die Stimme Wilkes' klang schneidend. „Sie wissen, daß es im Oberhaus kaum einen Lord geben dürfte, der nicht eine Geliebte hat, welcher er zeitweise Zuwendungen macht. Macht eine Frau sich durch die Annahme einer solchen strafbar? Was meinen Euer Gnaden?"

„Selbstverständlich nicht", knurrte der Vertreter des Kriminalgerichts, der spürte, wie ihm ein Bissen entglitt.

„Sie sehen, Mister Bentham. Sie begeben sich auf Eis. Wollen Sie als Zeuge auftreten?"

Das Gesicht des Lloyd-Direktors war blaurot angelaufen. „Ich kann Kutscher, Diener und Reitknecht benennen, die beeiden werden, daß sie das Bett mit der Seymour geteilt haben."

„Das ist ein gewichtiges Argument", platzte Mister Howe dazwischen.

„Alle die genannten Zeugen sind bei Ihnen angestellt, Mister Bentham?" fragte der Lord-Mayor. Der Direktor nickte nur.

„Und bekommen ein Salär von wieviel Pfund jährlich?" fragte Wilkes weiter.

„Ein Kutscher zehn im Jahr, bei freier Station."

„Von welcher Summe er demnach eine Geliebte bezahlt, die doch – nach Ihren Angaben – zumeist Kundschaft in hochgestellten Kreisen hat? – Nein, meine Herren, ich bedaure, ich kann Ihnen nicht folgen. Gewiß, es liegen einige Anzeigen gegen den Arzt Jean Paul Marat vor. Er ist übrigens Ehrenbürger von

Newcastle und er hat – stimmt es, Doktor Green? – in Edinburgh promoviert. Glauben Sie, dieser Mann verführt eine Minderjährige? Für die Stadtväter von London bleibt von allen Anzeigen nur die Wasseranalyse. Ob aber die Bevölkerung mehr durch die Überhandnahme der Typhuserkrankungen als durch ihre geplante Beseitigung in Aufruhr gerät, das, meine Herren, entscheidet ein anderes Gremium."

Betretenes Schweigen lastete im Raum.

Der Generalanwalt räusperte sich. „Ich kann nur Anklage erheben, wenn Anzeige vorliegt. Wie steht es damit?"

Doch die Anwesenden hüteten sich, Anzeige zu erstatten. Sie hatten gemerkt, daß der mächtige Lord-Mayor bereits entschieden und seine Gunst dem abwesenden Marat geschenkt hatte. Wie zur Bestätigung erhob sich Wilkes und beendete die Sitzung. Wie Hohn klangen seine Worte: „Ich danke Ihnen, daß Sie sich bemüht haben. Sicherlich hat Sie die Sorge um das Wohl der Stadt und des Staates hergetrieben. Mich bewegt das gleiche Anliegen, deshalb habe ich Mister Marat für heute elf Uhr zu mir gebeten."

Mit seinem spöttischen Blick streifte der Bürgermeister nochmals die Versammelten, deren gemessene Verbeugungen erst endeten, nachdem er das Gemach verlassen hatte.

Sie saßen sich auf den steiflehnigen Stühlen gegenüber. Marat merkte mit einiger Überraschung, daß der hochgewachsene Lord-Mayor im Sitzen nicht viel größer war als er. Nur gut, daß ich wenigstens ein Sitzriese bin, dachte der Arzt, der seine kleine Statur wieder einmal peinlich empfunden hatte. Er hatte trotz der hohen Absätze an den Schnallenschuhen dem Bürgermeister nur bis zum Medaillon an der Amtskette gereicht und sehr wohl den belustigten Blick des Amtsdieners erspäht. Doch Wilkes hatte Marat mit vollendeter Höflichkeit empfangen. Der kluge Lord-Mayor wußte genau, daß kleine Leute oft besonders empfindlich und mit einer großen Portion Geltungsbedürfnis ausgestattet sind. So behandelte er den französischen Arzt sehr geschickt und nötigte ihn auf einen Stuhl, den ein dickes Brokatkissen zierte.

Das Glockenspiel auf dem Parlamentsgebäude kündete die elfte Stunde. Nachdenklich spielte der wortgewandte Politiker mit dem Federkiel, bis der letzte Ton dünnzitternd verklungen war.

Marat sah nervös auf ein Aktenstück, dessen Aufschrift er erkannt hatte. Dann hob er den Blick zu dem ihn musternden Wilkes.

Wirkte er nicht doch zu ärmlich in seinem flohfarbenen Quäkerüberrock, um als Mann der Wissenschaften imponieren zu können? Helen wollte ihn nicht so gehen lassen, aber er hatte nicht auf sie gehört. Doch schon überkam ihn wieder der Empörertrotz seiner calvinistischen Vorfahren. Er dachte an Diderot, der in gleichem Habit sogar vor der Zarin erschienen war.

„Sie haben viele Feinde, Doktor Marat", sagte Wilkes vorsichtig.

„Euer Gnaden verzeihen: Ich habe mir sagen lassen, wir beide zielten aus der gleichen Schanze auf den gleichen Gegner."

„Das mag stimmen, soweit ich über Ihre literarischen Arbeiten informiert bin. Aber es ist doch ein Unterschied. Sie sind Franzose, ich bin Brite. Sie sind Arzt, ich bin Bürgermeister."

Wilkes hüstelte und nahm eine wohlriechende Pastille. Die Dünste, die von der Themse herrührten, vertrug er schlecht.

„Es sind zwei Arten von Feinden", fuhr er fort, „dumme und gescheite. Ich habe in zeitweise stürmischer Karriere stets bemerkt, daß die Bornierten unsere gefährlichsten Gegner sind. Sie trotten immerzu im Kreise wie die Esel, die ein Schöpfrad bewegen, bilden sich aber ein, sie trabten vorwärts."

„Immerhin pumpen sie Wasser auf die Felder." Marat lächelte befreit. Er fühlte, daß dieser ehemalige Journalist ihm geistesverwandt und keinesfalls übelwollend gesonnen war.

„Sortieren wir die Dummen von den Gescheiten. Zuerst eine Eingabe der Ratsherren von Newcastle. Sie müssen ja die Ehrenbürgerschaft mit Undank gelohnt haben? Weiter . . ." Er hob die Hand, da Marat entgegnen wollte. „Da ist Howe, dumm und brutal. Warum haßt er Sie? Ferner der Gefängnisarzt Porter, der seinen Namen mit Recht trägt. Er ist ein Säufer. Doch nun die Gescheiten. Fangen wir mit Direktor Bentham an. Man spricht, er will gewählt werden. Augenblicklich biedert er sich bei den Torys an, zuvor sympathisierte er mit den Whigs. Nun müssen Überläufer bekanntlich doppelt eifrig sein, doppelt linientreu. So überschlägt er sich in Loyalität und ist königlicher als Majestät selbst."

„Und hat sich kein anständiger Gegner gefunden?" fragte Marat.

„Ein Arzt, Doktor Green. Aber er hat geschwiegen. Was wollen Sie, Marat? Karriere und Charakter — wann jemals befanden sich diese ungleichen Geschwister in Harmonie? Was soll ich Ihnen raten? Sie haben sich exponiert. Sie haben", Wilkes blätterte in dem Aktenstück, „gegen den Handel mit Sklaven tapfer losgelegt. Das verzeihen Ihnen unsere Handelshäuser niemals. Deren Sprecher ist Bentham. Dann haben Sie — das ist schlimmer — für die amerikanischen Rebellen Partei ergriffen. Und das mitten im Krieg, den wir mit ihnen führen. Das wäre bei einem Engländer Hochverrat, soll's bei einem Franzosen weniger sein? Was man Ihnen sonst andichtet und anhängt, ist mehr für Personen gefährlich, die Ihnen nahestehen, als für Sie selbst."

Wilkes hatte zuletzt leise gesprochen, als wäre er mit Marat im Komplott.

Marat saß wie betäubt. Gerade der letzte Satz war für ihn alarmierend.

„Muß ich noch deutlicher werden, Doktor? In unserer Stadt leben unter hunderttausend Anständigen einige Schufte. Sie schwören jeden Eid, daß beispielsweise Frau Helen Seymour . . . Gott, was ist Ihnen? Doktor!"

Wieder hatte den jungen Arzt eine seiner Ohnmachten befallen.

Als er nach kurzer Zeit wieder zu sich kam, hörte er, wie der erschrockene Wilkes den mit einem Wasserkrug hereinkommenden Ratsschreiber anwies, dem Ohnmächtigen Stirn und Schläfen zu befeuchten.

„Es ist gut jetzt", der Bürgermeister gab dem Manne einen Wink, „der Doktor ist wieder in Ordnung. Gehen Sie."

„Wäre es nicht klug, wenn der Arzt Marat selbst einen Arzt aufsuchte? Es soll Fälle geben, bei denen die Mediziner kränker als die Patienten sind. – Wie wäre es mit einer längeren Erholungsreise? Sie stammen aus der Schweiz. Dort macht man die feinsten Uhren, konstruiert die kostbarsten Mechanismen. Ob man nicht an den Ufern des Genfer Sees auch Ihren Organismus reparieren könnte?"

„Sehr liebenswürdig, Mister Wilkes. Dann wäre ich weit fort, hätte feige gekniffen", Marat erhob sich ein wenig matt, „hätte vor meinen Feinden den Platz geräumt."

„Sie sind ein Starrkopf, Mister Marat. Seit wann kneift man, wenn man sich krankheitshalber aus der Feuerlinie entfernt?" Wilkes schüttelte den Kopf.

„Und meine Patienten? Meine Forschungen?"

„Ist denen mit einem toten Arzt gedient? Irren Sie sich nicht. Ich bin nicht allmächtig, habe selbst gefährliche Feinde. Wenden sich solche skrupellosen Elemente wie dieser Howe unmittelbar an das Kabinett Seiner Majestät, schreibt Mister Bentham ein paar Zeilen an ein Oberhausmitglied, dann kann ich Ihnen weder Freiheit noch Leben garantieren."

„Ich hatte hier eine Heimat gefunden", sagte Marat gequält, „ich glaubte an englischen Kaminen jene Toleranz zu finden, die ich zu Hause vergeblich suchte. Und – ich habe mich auch an eine Frau gebunden, die ich achte und liebe."

Der Lord-Mayor blätterte gedankenschwer in Marats Aktenstück.

„Ich bin vier Jahre im Exil gewesen", sagte er schließlich.

„Für Sie ist die Situation nicht einmal so schlimm. Gütiger Gott, ich verstehe Sie doch so gut. Wir Politiker sind ja sowieso gewöhnt, in der Drecklinie zu stehen. Aber da hat man daheim jemanden, dem man den Schmutz ersparen möchte. Reisen Sie, ich bitte Sie! Ich bin überzeugt", er dämpfte seine Stimme, „daß wir den Krieg gegen die dreizehn Kolonien verlieren, trotz gekaufter deutscher Soldaten und allen Heldenmuts. Dann, lieber Marat, steht Ihnen wieder jedes Haus in London offen."

„Gut, ich löse auf und reise." Marat reckte sich. Sein Hirn war wieder klar. Er wußte seinen Weg.

„Das nächste Postschiff von Dover geht am Freitag. Ich wünsche Ihnen eine gute Überfahrt."

6

Heimkehr nach Frankreich

Lange stand Jean Paul Marat am Ufer der Themse. Möwen stießen kreischend auf im Wasser schwimmende Brocken herab. An den hölzernen Pollern rieben sich knarrend die Taue ankernder Schiffe. Segler trieben mit den Gezeiten stromabwärts, dem Meere zu.

Das Herz Londons pochte im Schlag der Wellen, im Pulsschlag von Ebbe und Flut. Gläsern tönte das mittägliche Glockenspiel herüber. Die Luft war bleiern schwül, der Horizont dunstverschleiert. Verschleiert war auch die Zukunft.

Marat setzte sich erschöpft auf einen Holzstapel. Seiner Entschlossenheit war tiefe Depression gefolgt. Gescheitert also? Heimkehren wie der verlorene Sohn? Er sah das von Sorgen gezeichnete Antlitz des Vaters, die früh gealterte Mutter mit dem gütigen Lächeln unter der weißen Haube, den um zwei Jahre jüngeren Bruder Henri, der mit so kindlicher Liebe und Verehrung zu ihm aufgeblickt hatte. Er bekleidete jetzt eine schlechtbezahlte Sprachlehrerstelle am Lyzeum zu Basel. Ach, und erst David, der in Genf Theologie studierte und so intolerant war, daß er sogar die Verbrennung des Arztes Miguel Serveto durch den Reformator Calvin gutgeheißen und verteidigt hatte.

Widerstreitende Gedanken verknüpften sich, rissen ab, versanken, tauchten wieder auf.

Konnte er es vor sich verantworten, die Wasseranalysen einfach abzubrechen? Sollte er dem heuchlerischen Ärzteklüngel, dem Haß der Bentham entfliehen?

War sein Gefühl der Geborgenheit, das Umsorgtwerden durch Helen, Lizzy, Laval und den verschwörerischen Sam Butler nicht so stark, daß er alles auf sich nehmen könnte, was da noch kommen würde?

Oder sollte er nach Frankreich reisen, in Paris praktizieren? Es müßte doch in der Welt hundsföttisch zugehen, wenn ein Arzt, der seine Kunst versteht, dort kein Auskommen fände. Die Schriften würde er in Holland drucken lassen, so hat es auch Rousseau gehandhabt, der damit aller pfäffischen Zensur ein Schnippchen schlug.

Ob er Helen nicht an die Seine verpflanzen kann? Ein verführerischer Gedanke – aber erst, wenn er Fuß gefaßt hat. Also Abschied ...

Er ließ den Blick schweifen, nahm das Stadtbild wie eine Kostbarkeit in sich auf. Immer würde dieses London ein Stück Heimat für ihn bedeuten.

Gegen Abend hatte er seine Gelassenheit wiedergefunden und einen Plan gefaßt.

Er sprach nur mit Laval offen und vertraute ihm an, was ihn zur schnellen Abreise trieb.

„Wissen Sie, Doktor", sagte Laval verlegen, „ich sah das Unheil kommen. Sie erinnern sich des schmierigen Kerls, der nach Rezepthandschriften fahndete und den ich hineinlegen wollte. In der Apotheke am Tempeltor bekam er für die gleiche Summe ein ganzes Dutzend Rezepte mit Ihrer Handschrift. Er hat meine Elaborate zurückgebracht und grinsend sein Geld zurückverlangt."

„Daher das unverschämte Auftreten Howes. Er weiß, daß ich den Brief wegen Marie Cabrol geschrieben habe, und ist sicher, daß ich noch weit mehr Angriffsflächen biete als er selbst durch seinen Handel mit den Gliedmaßen Gehenkter."

„Howe glaubt auch mich in der Hand zu haben. Das Subjekt drohte mir nämlich, es werde mich wegen Fälschung von Rezepten anzeigen." François lachte laut, und auf Marats bekümmerten Blick hin fuhr er fort: „Unbesorgt, ich habe die Papiere ja wieder."

„Das hat Sie viel gekostet, auch wenn Sie es abstreiten sollten. Ich werde Ihnen die Summe ersetzen, François. Wieviel? Bitte ..."

„Sie werden jeden Penny brauchen, Monsieur Marat. Die Reise bis Dover, das Schiff bis Calais, die Postkutsche bis Paris ... Ach, wenn ich nur mit Ihnen fort könnte."

„Und Lizzy?" fragte Marat. Er sortierte bereits die Manuskripte, einige konnten verbrannt werden.

Obgleich sorgsam vermieden wurde, Helen die volle Wahrheit zu sagen, ahnte sie am Umfang der Vorbereitungen und an der Fülle des Reisegepäcks, daß es sich nicht um eine Erholungsreise handelte, sondern um einen Abschied für immer.

Tränen der Wut und Enttäuschung tropften auf die weiße Schürze, die Helen für die Nachmittagssprechstunde angelegt hatte. Nichts war es mit Heirat und Landpraxis. Der bunte Vogel Hoffnung flatterte davon. Es blieb die Rookery St. Giles, es blieb der Alltag mit dem Milchkutscher und den Damen Hopkins und Evans.

So fand Marat die geliebte Helen in völliger Verzweiflung. Sie saß inmitten der Wäsche und Kleidungsstücke und versuchte Ordnung in das Chaos zu bringen, das Marat hinterlassen hatte, als er – ungeschickt wie er war – den Reisekorb und die Truhe hatte füllen wollen.

„Hier die Taschentücher, hier die Hemden und die Pantalons. Deine Mutter in Genf soll nicht sagen können, daß du eine englische Schlampe umarmt hast. Und überzeuge dich, Jean Paul, es fehlt kein Halstuch, kein Strumpf."

Unbeholfen und verlegen streichelte Marat die Weinende. Er sprach alle die Worte, mit denen man Zurückbleibende zu trösten versucht, und er wußte, daß sie ihm keines davon glaubte.

„Du kommst nicht zurück", flüsterte sie und sortierte mehrmals mechanisch den Stoß Taschentücher, ehe sie ihn im Reisekorb verstaute.

Lizzy hatte sich rascher mit Marats Reise abgefunden. Der Doktor solle ihr Pariser Parfüm schicken, neueste Romane und ein Modejournal, auch Bartpomade für François. Sie verschwand im Laboratorium, wo sie François beim Verpacken der Retorten helfen wollte.

„Übrigens", sagte Laval, „ist mir ein genialer Gedanke gekommen. Unser Doktor hat ein neues Verfahren entwickelt, wie man Lakritzensaft eindicken kann, um ihn mit Zucker vermischt zu Pastillen verarbeiten zu können. Mein Chef will Marat das Rezept abkaufen, da hat er Reisegeld. Denke dir, er wollte schon das Mikroskop an Green verkaufen, für einen Schundpreis."

„Du solltest selbst das Rezept kaufen", meinte Lizzy eifrig, „dann wären wir bald gemachte Leute. Du weißt doch, wie viele Londoner unter diesem Klima leiden und gottserbärmlich husten."

„Ich habe jetzt nicht genug Geld."

Lizzy gab sich schnell zufrieden, ein neuer Gedanke beschäftigte sie. „Ob er Mama nach Frankreich holt?" Sie seufzte.

„Vielleicht später. Erst muß er selbst auf eigenen Füßen stehen.

Was glaubst du wohl, wieviel Ärzte es in Paris gibt? Und jeder fürchtet die Konkurrenz."

Abends kam Samuel Butler.

„Ein studierter Doktor läßt seine Kranken im Stich", sagte er verdrossen und winkte ab, als ihm François die Gründe für die eilige Abreise auseinandersetzte.

„Mit einem eingekerkerten oder gar hingerichteten Arzt ist den Kranken gleich gar nicht gedient", schloß der junge Mann erregt.

Butler hielt den Kopf gesenkt. „Wo ist Freiheit?" fragte er. „Ist sie drüben über dem Meer? Ist sie im Urwald? Man sagt, die Rebellen in Neu-England wollen einen Freiheitsstaat errichten. Viele meiner Freunde wollen hinüber. Ob der Doktor mitkommen würde?"

„Demnach sind Sie nun selbst der Ansicht, daß er das Land verlassen muß, Butler. Lassen Sie ihn erst einmal in seine schweizerische Heimat ziehn, er ist krank. Aber gehen Sie nach nebenan, er sitzt bei Missis Seymour, die sehr niedergeschlagen ist."

„Zum Witwentröster bin ich wie geschaffen", murrte der Milchkutscher und verzog sich in die Küche, wo Helen in diesem Augenblick als Reiseproviant für den Scheidenden ein Huhn am Spieß briet.

Marat notierte für Laval und Helen Anweisungen zur weiteren Behandlung der Kranken. Zettel über Zettel bekritzelte er hastig, füllte Rezepturen aus, schrieb Briefe an andere Ärzte, deren Obhut er einige der Kranken empfahl.

„Um Webbster brauchen Sie sich nicht mehr zu sorgen, Doktor. Er ist für immer eingeschlafen", sagte der eintretende Butler. „Übrigens", Butlers Stimme wurde ganz fürsorglich, „um Missis Seymour werden wir uns kümmern. Sie hat so jähen Abschied schon zweimal erlebt."

Die junge Witwe stand in der Tür. Ihre Schultern zuckten, sie weinte lautlos vor sich hin. Marat blickte bekümmert zu ihr hinüber.

„Doktor, sollten Sie auf dem Weg nach Dover an Shooters Hill vorbeikommen, dann sehen Sie sich die Schenke ‚Zum fröhlichen Truthahn' etwas näher an. Sie ist seit gestern mein Eigentum." Butler lachte und schielte zu Helen. Die Besitzerfreude glänzte ihm aus den Augen.

„Was denn? Sie, Butler, als Schenkwirt?" rief Marat erstaunt.

„Sam! Sie scherzen wohl! Dazu ist kaum Anlaß jetzt." Missis Seymour schluchzte auf.

„Ich werde zu passender Zeit die Erbschaftsurkunde mitbringen. Ein Bruder meines Vaters hat die Herberge betrieben. Er ist gestorben, genauer gesagt, in der Trunkenheit im Moor ersoffen. Ich bin einziger Erbe, vorigen Sonntag bin ich auf meinem Patrick nach Shooters Hill geritten."

Helen Seymour hob den Kopf, ein törichtes Lächeln spielte auf ihren vergrämten Zügen.

„Sam", sagte sie stotternd, „ein Schenkwirt, ein Hauseigentümer?"

Lizzy, die inzwischen aus der Küche gekommen war, wollte sich ausschütten vor Lachen.

„Statt Milch wird Sam Whisky ausschenken. Nein, ist das komisch! Nun ist er selbst Besitzer, da wird er sich wohl nicht mehr um die Habenichtse kümmern." In ihr Lachen mischte sich Enttäuschung: Oh, diese Männer! Erst Marat, jetzt Butler! Beide hatte sie geachtet und verehrt. Sie waren es nicht wert gewesen. Lizzy lachte nicht mehr, verachtungsvoll drehte sie ihnen den Rücken zu. Marat ließ die Mutter, die Freunde, die Kranken im Stich, und Sam verkroch sich in eine Landstraßenschenke! Das war das Ende!

Da hörte sie Butler sagen: „Und wie ich meine Habenichtse schützen kann, Lizzy, dort draußen als Herbergswirt. Zwischen den Hochmooren und dem Nebeldunst sind wir vor Säbelbeinjimmy und den Häschern sicher."

Marat stand auf und drückte Butler wortlos die Hand. Lizzy aber maulte noch ein bißchen.

Von der Neugier getrieben, kamen Missis Hopkins und Miß Evans. Als Miß Evans von Sam Butlers Erbschaft vernahm, verbreitete sie sich in Berechnungen, was solch eine Herberge an der Poststraße nach Dover abwerfe.

„Ich kenne zufällig diese Schenke", erwiderte Laval. „Wer irgend kann, bekreuzigt sich und eilt vorbei. Das ist eine Spelunke, geeignet für Wegelagerer und Beutelschneider."

Sam Butler verteidigte seine Erbschaft. Er wolle einen anständigen Ausspann daraus machen. Er brauche nur etwas Geld.

Laval, wie immer bereit zum Projektieren, meinte: „Gut, wir werden einen Geldmann für die ‚Truthahn'-Renovierung besorgen. Einen Gastwirt werden Sie abgeben, Butler – in fünf Jahren haben Sie einen Schmerbauch und ein Bierherz."

Spät in der Nacht, als Marat neben Helen lag, strich sie ihm leise über die Lippen.

„Wer wird dich nach mir küssen, Jean Paul?"

„Helen, ich bitte dich . . ."

„Ob ich auf dich warten kann? Ich werde nicht jünger. Jedes Jahr wachsen hübsche Frauenzimmer heran. Wer weiß, welche Pariserin dir den Kopf verdrehen wird. Ich werde den Sam Butler nehmen, er wartet nur, daß ich zusage."

„Unterstehe dich! Wenn ich in Paris eingesessen bin, hole ich dich. Du bist schöner und klüger als alle Frauen dort."

„Ach, Jean Paul, du bist der dritte, um den ich weine."

Er bedeckte ihr glühendes Gesicht mit Küssen.

Ganz tief in ihr flatterte wieder der kleine Vogel Hoffnung.

Das Paketschiff zwischen Dover und Calais war breit gebaut, ein alter Kasten mit muffigem Salon und engen Kabinen, in denen der säuerliche Geruch von Erbrochenem schwebte, unvermeidliche Begleiterscheinung der Seekrankheit, von der die meisten Reisenden bei den Stürmen im Kanal befallen wurden. Viele Passagiere zogen es deshalb vor, obwohl die Überfahrt meist nachts vonstatten ging, an Deck zu bleiben. Sie betteten sich auf Liegebänke und genossen Meeresluft und Sternenhimmel. Auch Jean Paul Marat hatte darauf verzichtet, eine Kabine zu belegen.

In den Abendstunden war der Doktor zusammen mit Helen Seymour mit der Postkutsche aus London angekommen.

François und Lizzy hatten Marat nur bis zu Sam Butlers Schenke begleitet, wo sie übernachten wollten. Der neue Herbergswirt hatte seine besten Zimmer von altem Gerümpel gesäubert und mit reinlichem Stroh ausgelegt. Stroh war auch auf dem Boden der Postkutsche ausgebreitet worden, weil Missis Seymour über kalte Füße geklagt hatte. Trotz der Sommerwärme fror sie, ihr war heiß und kalt zugleich. Die Herberge hatte sie mit kritischen Blicken gemustert und ob der Verwahrlosung immer wieder den Kopf geschüttelt. Dann aber hatte sie Pläne gemacht, die Butler ein breites Grinsen ins Gesicht trieben. Helens Stimme klang befehlend, als wäre sie schon die Wirtin des „Fröhlichen Truthahns".

„Der Garten braucht Mist. Guter Gott. Dabei standen sicher oft fünfzehn Gäule im Stall. Und der Buchweizen sieht aus wie der grindige Kopf eines Bettlers. Ach, und der Speiseschrank! Küchenschaben marschieren, und Mäuse sind Stammgäste. Und erst die Sau im Kotter! Auf ihren Rippen kann man Harfe spielen. Und die Dienstmagd, das ist ein Trampel. An jedem Bierglas sieht man ihre Finger! Kann sie überhaupt ein Steak braten und Brot backen?"

Laval und Lizzy hatten sich auf einer Wiese gelagert. Seine Küsse wurden immer glühender. Doch Lizzy wehrte dem drängenden Freund. „Bald", flüsterte sie, „wenn Mutter den Sam Butler geheiratet hat. Ich merke es, dein Marat läßt sie ja doch im Stich. Ich bekomme dann die Wohnung und gehöre dir ganz."

Den beiden ganz mit Zukunftsplänen Beschäftigten war der Abschied von Marat nur noch eine Episode. Mit einem scherzhaften tiefen Knicks entledigte sich Lizzy der Aufgabe, während Laval einen Feldblumenstrauß ins Wageninnere warf.

„Helfen Sie Frankreich, daß es bessere Tage erlebt, Monsieur Marat", rief er. Doch als die Pferde anzogen, sprang er aufs Trittbrett und sagte mit gepreßter Stimme: „Vergessen Sie mich nicht, Doktor . . . Und hüten Sie Ihre Gesundheit."

In Dover mußte sich Marat mit Helen im Hotel „König Heinrich VIII." einquartieren. Wider Erwarten stach die „Dunkerque" erst in der Frühe des kommenden Tages in See. Widriger Wind verzögerte die Ausfahrt. Helen mit ihrem gesunden Sinn für die Realitäten des Lebens ließ das Gepäck des Doktors gleich an Bord schaffen, dann bestellte sie ein ausgiebiges Mahl. Bei einbrechender Dunkelheit bummelten sie durch die krummen Gäßchen. Sie wollten die Kreideklippen zum Strand abwärts klettern, wo das Meer anrollt und die Wellen an den Felsen zerstieben. Die Doverküste war Helen einigermaßen vertraut. Der verschollene Seekapitän Seymour hatte ihr einstmals die Hafenanlagen gezeigt, die Mole mit den Fischerbooten und den breitbordigen Paketschiffen, und hatte die Bewohner von Dover verflucht. Sie war mit dem Seemannsleben nicht so vertraut gewesen, um das zu verstehen. Jetzt begriff sie einiges mehr, denn als ihr kleiner Doktor eine Laterne verlangt hatte, um sich in der Finsternis der Gassen an der Steilküste zurechtzufinden, hatte der Hausdiener des Hotels dieses Ansinnen abgelehnt.

„Weiß der Herr Doktor nicht, daß man damit anständigen Leuten das Brot wegnehmen kann? Der Herr Doktor wird kaum ein Licht entdecken können von Dover bis nach Brighton." Er sah sich mißtrauisch um. „Noch immer gilt das alte Recht: Strandgut ist herrenloses Gut. Scheitert ein Schiff im Kanal, füllt es vielen Leuten den Bauch."

„Das heißt also", ereiferte sich Marat, „man hilft mit, daß Schiffe in Seenot geraten? Man duldet keine Lichter, die sie bei Stürmen leiten können?"

„Man liebt Leute mit Laternen nicht", antwortete der Hausdiener. „Es ist schon vorgekommen, daß sie von den Steilklippen abgestürzt sind. Sie verstehen . . ."

„Ich verstehe, daß es hier Strandräuber gibt", sagte Helen verächtlich. Nun wußte sie, warum Seymour die Küstenbewohner Banditen genannt hatte.

„Und das duldet die Behörde? Das Königliche Hafenamt?" fragte Marat.

„Herr Doktor, ich bin verheiratet, habe Kinder. Was geht mich die Behörde an? Wenn ein Schiff in Seenot ist, läuten wir die Glocken und beten für die Ertrinkenden."

„Und teilt euch dann das angeschwemmte Gut."

„Es ist uraltes Recht, mein Herr. Außerdem, der erste, der ein von der Mannschaft verlassenes Schiff betritt, ist neuer Eigentümer. Allerdings, es geht dabei manchmal recht rauh zu. Mit Äxten und Pistolen bekriegen sie sich wegen eines Wracks."

„Man sollte sie alle aufhängen", entgegnete Marat heftig und entfernte sich mit Helen.

Der Hausdiener sah ihnen mit verdrossener Miene nach. Für seine Warnung hätte er wohl einige Pennys verdient. Was wollte eigentlich dieser französische Doktor? Im wilden Irland ging's noch ganz anders zu. Dort schlug man die Schiffbrüchigen einfach tot, damit sie keine Ansprüche auf gerettetes Gut stellen konnten. –

„Am Tage sieht man bei klarer Luft die Küste Frankreichs", sagte Marat und suchte eine günstige Stelle für den Abstieg. Sie kletterten hinab und setzten sich auf einen großen Stein.

Marat nahm das Gespräch über die uralten Strandbräuche wieder auf. „Mag sein, daß einstmals die Not der Bevölkerung diese Gesetze diktiert hat. Aber jetzt sind daraus Räubereien geworden, nur durch Habsucht erklärbar."

„Ähnliches hat Kapitän Seymour oftmals geäußert", sagte Helen. Ihre Stirn lag in Falten, so angestrengt dachte sie nach, sie wollte doch Marats Ideen folgen.

„Ich sage dir, Helen, in den fünfzehn Jahren, seitdem ich das liebe Boudry verlassen habe, ist mir eines immer wieder eingehämmert worden: Der Gegensatz zwischen Armen und Reichen bestimmt das ganze politische Leben. Die Gesetze werden von Reichen gemacht, damit deren Herrschaft gefestigt wird. Begreifst du das, Helen? Jetzt, wo ich scheide, prophezeie ich dir: Reformen nützen gar nichts. Auch Sam wird scheitern, man wird keinen friedlichen Zusammenschluß der Handwerker dulden."

„Also denkst du an Gewalt?"

„Ja. Das einzige Heilmittel liegt für ein mutiges Volk im bewaffneten Aufstand. Das haben die Kolonisten in Nordamerika bewiesen."

Sie schwiegen und sahen den heranstürmenden Wogen zu. Nur wenige Sterne glimmten am Himmel. Immer wieder schoben sich Wolkenberge vor das Geflimmer. Ganz fern blinzelte ein Lichtfünkchen auf der dunklen Flut.

„Das ist ein französisches Licht", rief Marat erregt.

„Ach, Jean Paul", sagte Helen, „ich liebe dich so – und du gehst. Aber du mußt immer an mich denken, hörst du? Auch wenn ich den Sam nehmen sollte – ich bin immer bei dir. Verstehst du das? Ach, du verstehst mich nicht . . ."

In der Frühe stach das Schiff in See. Die Segel strafften sich, als der Wind hineinfuhr. Marat stand am Heck.

„Leb wohl, Jean Paul", rief Helen hinüber. Sie konnte kaum sprechen. Ihr Gesicht war von Tränen überschwemmt. Er winkte und winkte, bis die Frauengestalt am äußersten Molenkopf nicht mehr zu sehen war. Der Wind blies, am Bug schäumten die Wellen, das Schiff machte Fahrt.

Englands Steilküste verschwamm im Dunst des Julitags.

Zweiter Teil

Frankreich vor dem Sturm

Marie Cabrol bei Lavoisier

Die Diligence rollte Rouen entgegen. Am Horizont hoben sich die Türme der Kathedrale, des erzbischöflichen Schlosses und des Justizpalastes düstergrau vom hellen Abendhimmel ab. Als die Straße in Windungen hinab ins Seinetal führte, sahen die Reisenden die Stadt am Flußufer hingebreitet. Auf den Ziegeldächern malte die untergehende Sonne mit pastellfarbenem Stift zarte Tönungen. Die Seine war von kleinen Segelschiffen befahren, und rotes und blaues Gespinst, Abfall der Färbereien und Papiermühlen, trieb auf dem Wasser. Eine hölzerne Schiffsbrücke wurde hochgezogen, um Lastkähnen den Weg seewärts freizugeben.

Der Wagen ratterte über den alten Markt. Die Reisenden atmeten auf. Die lange Fahrt war für heute beendet. Interessiert betrachtete Marie die Bürgerhäuser mit den Renaissancefassaden, deren Giebelfronten dem Platz zugekehrt waren. Hier stand auch der Gasthof, den Forestier empfohlen hatte.

Marie mußte sich jetzt verabschieden. In Yvetot war ein Student zugestiegen, der zur Sorbonne wollte, um dort seine Studien fortzusetzen. Nur in Paris könne man leben, dort sei der Nabel der zivilisierten Welt, hatte der junge Mann gesagt. Er war sehr gesprächig gewesen. Eigentlich solle er Jurisprudenz studieren, Anwalt werden wie sein Vater in Bordeaux, doch ihn langweile diese verstaubte Wissenschaft. „Ich hasse die Pandekten, ich werde dem Vater zum Trotz Physik hören. Sie ist die einzig handfeste Wissenschaft außer der Medizin." Ihre Unterhaltung hatte eine lockere Bindung zwischen ihnen geschaffen. Der Student hatte Marie oft verstohlen betrachtet, an ihrem so verschlossenen Wesen gerätselt und sich bemüht, ihr die letzten Wegmeilen durch Witzworte zu verkürzen, wohl bemerkend, daß sie Schmerzen haben mußte.

Nun aber, angesichts des alten Marktes, der Türme und Mauern, wurde er wieder ernst und sagte: „Mademoiselle, an diesen Häusern hat einmal der Hugenotten Bürgerstolz gebaut."

„Aber ihre Erbauer haben das Land verlassen und an fremden

Ufern ihre Glaubensfreiheit gefunden", entgegnete Marie. „Und ich behaupte, Frankreich ist seitdem ärmer geworden."

Der junge Mann sprang aufs Pflaster und bot seiner Reisebekanntschaft die Hand, um ihr herabzuhelfen.

„Sehen Sie das schwarze Holzkreuz inmitten des Platzes?" fragte er dann.

„Jeanne?"

„Ja, hier hat man sie verbrannt."

Über dem Markt lagen bereits die Abendschatten. Marie Cabrol überkam ein Frösteln. Hatten diese Fenster, Giebel, Wasserspeier die Schreie Jeannes gehört? Müßte der Himmel nicht ständig verfinstert über dieser Stadt stehen?

„Vielleicht ist sie durch dasselbe Tor in die Stadt gekommen wie wir? In Ketten, auf einem Karren? Ob sie gewußt hat, daß sie die saftigen Wiesen ihrer Normandie nicht mehr wiedersehen würde?"

„Und niemand hat ihr geholfen." Marie starrte auf das Kreuz.

„Ich fürchte, Mademoiselle, im tiefsten Schmerz, in schlimmster Verzweiflung wird man immer allein sein", der junge Mann blickte zur Turmspitze empor, wo Dohlen kreisten, „allein, als säße man dort oben."

„Ich glaube das auch", erwiderte sie ernst.

„Ich habe übrigens die Prozeßakten studiert", fuhr er fort. „Sie liegen hier wohlverwahrt. Man wollte keine Märtyrerin. Der Henker mußte sorgfältig sammeln, was von dem Mädchen übriggeblieben war. Jedes Knöchelchen. Alles in den Fluß! Die Legende sagt, ihr Herz hätte nicht brennen wollen. Ich glaube nicht, daß dieses Herz nach fünfundzwanzig Jahren – als man sie rehabilitierte – gern wieder zu schlagen begonnen hätte."

Stumm ging Marie neben dem Studenten her. Über dreihundert Jahre in die Ewigkeit hinabgesunken, dachte sie. Bin ich nicht selbst gerade dem Scheiterhaufen entflohen? Ist es nicht noch die gleiche Welt? Sie dreht sich, diese Kugel – dreht sich . . . Wann endlich führt ihr Weg nach oben?

Der Student war ein viel zu quecksilbriger Bursche, um lange düsteren Gedanken nachzuhängen. Er sprach gern in Zitaten, um seine Belesenheit zu zeigen. Als Marie stolperte, half er ihr auf und zitierte dabei die ironischen Worte Voltaires: „Alles ist aufs beste bestellt in der besten der möglichen Welten."

„Strapazieren Sie den ‚Candide' nicht, Monsieur", sagte sie lächelnd. Als sie vor dem mit Skulpturen geschmückten Eingang zum Gasthof standen, zog Maries Begleiter seinen Hut.

„Für solch ein luxuriöses Gasthaus reicht es bei mir nicht, Mademoiselle. Ich steige in der Studentenherberge ab. Aber wenn Sie einmal nach Paris kommen, dann sollen Sie wissen, wo ich zu finden bin: Quartier latin, Schenke ‚Zum bissigen Hund'. Fragen Sie nach Jules Grenier. Sie werden dort auch meine Landsleute aus der Gegend der Gironde kennenlernen, meinen besten Freund Brissot, einen tollen Kerl! Hüten Sie sich vor ihm."

„An Weiblichkeit dürften die Herren in Paris doch keinen Mangel leiden", antwortete Marie leicht spöttisch. Sie betrachtete das geschmiedete Wirtshausschild mit den bourbonischen Lilien. Von den Türmen läuteten die Glöckner zur Abendmesse. Nonnen und Bürgerfrauen eilten über den Platz. In den Fensternischen und Schnitzwerken nistete schon die Finsternis.

„Was ich noch sagen wollte, Mademoiselle, der Wirt hier drinnen ist keine Lilie, er ist ein Frömmler. Alles, was er ausspioniert, trägt er ins Palais des Erzbischofs."

„Vielleicht passe ich zu dieser Lilie", sagte sie abweisend.

„Unmöglich, Mademoiselle. Wer Voltaire so gut kennt, der ist kein Pfaffenfreund."

„Ich wünsche Ihnen weiterhin gute Reise", entgegnete Marie, um den redelustigen und – wer konnte es wissen – sie womöglich aushorchenden Fahrtgenossen loszuwerden.

„Manchmal muß auch ich gehorsamer Sohn sein, Mademoiselle. Ein Bankhaus in Le Havre führt einen Prozeß mit einem Handelshaus bei uns daheim. Mein Vater braucht Informationen. Er vertritt die Rechte seines Klienten in Bordeaux, daher meine Reise und . . ."

„Oh, demnach müssen Sie auch spionieren! Wie sagt Voltaire? ‚Alles ist aufs beste bestellt in der besten der möglichen Welten.' Leben Sie wohl, Monsieur."

„Aber diesem Umstand verdanke ich Ihre Bekanntschaft, und das wiegt alles auf."

Marie verschwand im Innern des Gasthofes. Der Raum war düster. Ein wuchtiger, rauchgeschwärzter Kamin nahm eine ganze Wand ein. Ein eiserner Kessel, unter dem angekohlte Holzklötze lagen, hing an rußigen Ketten. Auf den Wandborden standen Zinnkrüge, Teller und Tassen aus buntem Ton, Humpen aus geschliffenem Glas. Mitten in der Gaststube stand eine holzgeschnitzte Madonnenfigur, überragt von einer Dornenkrone.

Der Wirt kam dienernd aus einem Seitengemach. Sein Kopf war birnenförmig, die Backen hingen wie bei einem Hamster in Wülsten herab, seine Glatze war wie poliert. Mit schielenden Augen tastete er die Angekommene ab.

„Ein Zimmer, Mademoiselle? – Eine ganze Etage können Sie bekommen." Er lachte fistelig. „Es ist jetzt kein Kirchenfest . . . Oh, an Monsieur Lavoisier sind Sie empfohlen? Das ist für mich das beste Akkreditiv. Gestatten Sie, daß ich das Gepäck in Empfang nehme? Ach so, ich verstehe, es kommt erst mit der eskortierten Diligence. Die unsicheren Zeitläufte ... Erst vor einigen Tagen war sogar hier eine Revolte. Seine Eminenz ist sehr empört. Man wird die Rädelsführer auspeitschen und auf die Galeere schicken. Sie brauchen sich nicht zu ängstigen."

Der Wortschwall des Lilienwirtes hätte angedauert, wenn Marie nicht gefordert hätte, ihr Zimmer zu sehen. So eilte der Wirt dienstfertig zu einem Schlüsselbrett.

„Mademoiselle! Die besten Räume hat Monsieur Lavoisier. Aber hier, ein schönes ruhiges Zimmer mit Blick ins Grüne. Wenn ein paar Gräber dort unten sind, nun, die Toten ruhen gut in Gottes Hut. Und Ihre Tür ist schräg gegenüber von Monsieur Lavoisiers Räumen."

„Das ist nicht wichtig für mich, aber ich nehme das Zimmer. Und ist Monsieur Lavoisier zu sprechen?"

„Ich bin untröstlich, Mademoiselle. Er ist augenblicklich in den Färbereien von Monsieur Lenormande. Die Herren wollen ein neues Verfahren zum Färben von Baumwolle ausprobieren. Monsieur Lavoisier hat Farben mitgebracht, einfach deliziös, sage ich Ihnen. Morgen wird er Eminenz seine Aufwartung machen. Eminenz braucht seinen Rat. Die Klöster ringsum leiden an schlechter Beleuchtung. Das Studium der heiligen Schriften wird erschwert. Monsieur Lavoisier soll in Paris segensreich gewirkt, die ganze Riesenstadt heller gemacht haben. Übrigens, Mademoiselle, heute abend können Sie den berühmten Mann noch sprechen, er speist mit Freunden bei mir. Er hat sich Enten bestellt, wie man sie nur in Rouen zubereiten kann."

Endlich verschwand der geschwätzige Wirt. Nach einer Weile kam ein Mädchen, das Marie mit einem Handkuß seine Dienste anbot. Es deckte das Bett auf und öffnete die Fenster. Milde Abendluft drang herein, Wiesenduft und der herbe Geruch des Schilfs vom Seineufer.

„Man sagte mir, hier hat es Revolten gegeben?" Marie, die wißbegierige Rebellin, forschte in des Mädchens Zügen.

„Der Patron mag es nicht, daß wir darüber reden. Er fürchtet, es könnte die Gäste beunruhigen und ihren Aufenthalt verkürzen." Das Mädchen wollte gehen.

„Mir darfst du vertrauen."

Das junge Ding warf mit einer trotzigen Bewegung die schweren Zöpfe über die Schultern zurück. „Es weiß sowieso die ganze Stadt, das ganze Land. Es war in der Butterwoche ... Ach so, Sie wissen nicht, was das ist?"

Marie verneinte.

„Es ist hier Sitte, daß die Bauern, die an Fasttagen Butter gegessen haben, Buße zahlen müssen. Ein Turm der Kathedrale ist ganz von Sühnegeld erbaut worden. Aber die Bauern hatten diesmal gar keine Butter zu essen – wo sie nicht einmal genug Brot haben, Mademoiselle! Was muß der Bauer nicht alles zahlen? Steuern für den König – da sitzen ihm die Steuerpächter im Nacken. Abgaben für den Herrn Marquis, ein Drittel der Ernte! Dann der Zehnte, den die Herren Bischöfe und Äbte bekommen. In guten Jahren langt es gerade, da hat der Bauer zu seinem Apfelmost eine Scheibe Speck auf dem Brot. Aber in schlechten . . ."

„Du bist vom Land?"

„Ja." Die Magd sah nachdenklich auf die eingesunkenen Gräber. „Denen dort unten tut kein Zahn mehr weh", sagte sie. „Die Bauern hatten nur Dreschflegel mit und Sensen. Beim Bäcker Laurent haben sie den Laden gestürmt, alles Brot an sich genommen, sogar das heiße Halbausgebackene haben sie verschlungen. Einer hat sich am Sauerteig gütlich getan, dem hat's die Gedärme zerwürgt, er ist gestorben. Den Bäcker warfen sie in die Seine. Schiffer haben ihn mit Stangen herausgeholt, er lebt seitdem im Klosterstift. Der Herr Erzbischof hat die Glocken läuten lassen, des Königs Soldaten sind angetreten und haben geschossen. Gleich war Ruhe. Ein paar Rädelsführer sind im Turm."

„Aus welcher Gegend stammst du?" fragte Marie.

„Ich bin aus der Gegend von Elbeuf." Das Mädchen setzte sich nach einladender Geste Maries widerstrebend auf die Stuhlkante. „Mein Vater hat mich hier abgeliefert. Wir waren elf Geschwister. Wie er mit mir vom Hof gefahren ist, hat er nur gesagt: ,Ein Fresser weniger.'"

„Es geht dir gut hier?"

„Ich bekomme mein Essen und habe meine Schlafkammer. Das ist schon was. Ich serviere auch bei Tisch und kriege ein paar Kupferstücke von den Gästen. Dafür muß ich mir aber manches gefallen lassen. Man ist wehrlos, wenn man in beiden Händen Teller und Schüsseln trägt."

„Der Wirt duldet das?"

„Ja, wenn keine Geistlichkeit beim Mittagsmahl ist." Das Mädchen lachte zornig auf. „Sind geistliche Herren da, geht's sittsamer zu. Aber nicht sittsam ist, was der Patron anstellt. Herrenrecht, sagt er. Der Herr nimmt, die Magd hält still. Doch was rede ich. Man sagt, es gibt kein Wirtshaus in der Normandie, wo die Dienstmägde ein besseres Leben führen. – Nun muß ich aber gehen. Der Patron . . ."

„Wie alt bist du, Mädchen?" fragte Marie. Die dumpfe Trostlosigkeit dieses jungen Menschenkindes brachte sie in Erregung. „Dem Wirt werde ich sagen, ich habe dich benötigt."

„Zu Michaelis werde ich siebzehn, Mademoiselle. Aber wenn ich zwanzig bin, wird's auch nicht anders sein. Armut ist über die Welt gekommen, weil die Menschen sündig sind, sagt Abbé Noriot. Aber warum dürfen die Reichen alle Gebote übertreten, ohne arm zu werden? Und warum war unser Herr Jesus so arm, daß er nicht einmal Haus und Bett hatte, und war doch ohne Sünden? – Doch nun muß ich wirklich gehen, es speisen heute vornehme Herren bei uns." Sie stand auf und strich sich hastig die Schürze glatt.

„Ich weiß. Hier nimm, mehr habe ich nicht."

„Das Land ist reich, aber die darauf schaffen, Mademoiselle, die sind es nicht."

Vom Flur war die Stimme des Wirtes zu hören.

„Bei der Jungfrau Maria", das Mädchen zitterte, „Monsieur der Patron." Sie huschte hinaus.

Wieder läuteten die Glocken. Aus den Kirchenfenstern gegenüber drang purpurrotes Licht. Die Orgel tönte, ein Chor sang.

Mit dem Abendwind kamen kleingeflügelte Falter ins Zimmer, flatterten ums Licht, versengten sich die Flügel und fielen auf die polierte Tischplatte.

Marie befühlte ihre Wunden. Der sorgliche Forestier! Die englischen Pflaster hielten, aber sie halfen nicht zur Heilung.

Ein Wundarzt mußte helfen. Doch konnte sie es wagen, ohne ausreichende Legitimationen in einer fremden Stadt einen Arzt aufzusuchen? Was mußte der denken? Eine ausgepeitschte Dirne? Eine am Pranger gestäupte Diebin? Wer garantierte, daß er sie nicht den Behörden von Rouen übergab?

Sie saß und sann ... Lavoisier? Aber durfte sie sich ihm anvertrauen? Was wußte sie von ihm, dem weltberühmten Chemiker, dem Mitglied der Französischen Akademie der Wissenschaften, dem Generalsteuerpächter, der drei Advokaten beschäftigen sollte, die ihm die fälligen Abgaben einzutreiben hatten? Könnte ein solcher Mann ihre rebellische Haltung in London verstehen?

Sie hörte einen hastigen Schritt auf dem Gang, jemand klopfte an. Der Wirt flüsterte in devotesten Tönen durch die verschlossene Tür, daß Monsieur Lavoisier zusammen mit Monsieur Lenormande und Abbé Noriot speise und Mademoiselle eingeladen sei. Monsieur habe den übergebenen Brief mit größtem Interesse gelesen.

Maries Bedrückung wich. Der große Gelehrte bekundete, daß er ihr mit Achtung begegnen wollte.

Eilig kleidete sie sich an, frisierte sich sorgfältig – das lange lockige Haar ließ sie offen über den Rücken fallen – ja, sie, die prüde

Genferin, strich sogar etwas Rouge auf die Lippen und hielt ein Hölzchen in die Kerzenflamme, um damit die Augenbrauen nachzuziehen. So, nun war sie bereit.

Das also war Lavoisier. Kein gertenschlanker Jüngling mehr, er neigte bereits zur Fülligkeit, überragte aber seine Tischpartner um Haupteslänge. Sein Gesicht war schmal, das Profil von fast klassischer Schönheit, die graublauen Augen verrieten Intelligenz, aber auch ein hohes Maß von Geltungssucht. So war auch sein Benehmen nicht frei von Eitelkeit, als er, die Serviette in der Hand, Marie entgegentrat. Der lange Schoßrock aus schilfgrüner Seide, mit Silberstickereien üppig verziert, bildete einen starken Kontrast zur einfachen Kleidung des Färbereibesitzers und zur Soutane des Herrn Abbé. Auf der weißschimmernden Damasttischdecke standen Porzellanleuchter. Die Kerzen flackerten leicht.

„Mademoiselle Cabrol! Sie sind mir von meinem Freund Forestier empfohlen. Darf ich Sie bitten, an unserem bescheidenen Mahl teilzunehmen? Das ist Monsieur Lenormande, der alle Baumwolle in bunteste Farben taucht, das ist unser verehrungswürdiger Abbé Noriot von der Saint-Vincent-Kirche. Mademoiselle kommt aus England und ist Schweizerin. Da sie bei den Briten nur halbgares Fleisch bekommen hat und die schreckliche Hafergrütze, so soll sie heute abend Ente à la Rouennaise speisen."

„Einen Calvados zuvor", rief der Abbé, „zwei Gläschen zwischenhinein und drei hinterher. Trinkt man in der Schweiz nur Wein?"

„Nein, Hochwürden", Marie lächelte und nippte an dem Schnaps, „es gibt bei uns auch delikate Liköre."

Man trank ihr zu, witzelte, und Lenormande rief vergnügt, Forestier habe wieder einmal seinen guten Geschmack bewiesen.

„Ein Teufelskerl, der Forestier." Lavoisier lachte und hob sein Glas. „Schon auf der Sorbonne hat er kein Mädchen ungeküßt gelassen. Dabei war er uns in allen Examen voraus. Sie müssen mir später berichten, Mademoiselle, wie und warum er sich Ihrer angenommen hat."

„Mademoiselle Cabrol ist Schweizerin. Auf die Schweiz!" Das Gesicht Lenormandes glühte, als er sein Glas hob.

„Auch mir ist die Schweiz ein sympathisches Land", der Abbé wischte sich das Fett aus den Mundwinkeln, „der Heilige Vater läßt sich von Schweizern bewachen."

„Auch Seine Majestät in Versailles", stieß Marie hervor, „meine Landsleute sind treffliche Wachhunde." Außer Lavoisier hatte niemand diesen bissigen Ausfall beachtet. Marie bemerkte, daß ihr Gastgeber sie mit neugierigen Augen betrachtete. Sie errötete bis unter die Haarwurzeln. Sein Blick wanderte prüfend über ihren Körper, entkleidete sie gleichsam.

„Die Schweizer haben auch noch andere Eigenschaften", sagte er, „sie bauen vortreffliche Apparate, genau gehende Uhren."

„Aber sie bauen auch Weltsysteme wie jener Genfer Uhrmachersohn. Als ob unsere heilige Kirche geschlafen hätte." Der Abbé redete sich in Hitze. „Naturrechte, Gesellschaftsvertrag, der Mensch wird frei geboren ... Phrasen, Messieurs! ‚Freiheit und Gleichheit', sagte dieser Rousseau. Als ob es eine andere Freiheit gäbe als die im Schoß unserer alleinseligmachenden Kirche."

Der Birnenschädel des Gastwirts tauchte im Hintergrund auf.

Nach einer Pause sagte der Färbereibesitzer, schon mit etwas schwerer Zunge: „Ich habe es längst aufgegeben, mir mit Weltverbesserungsplänen Verdauung und Nachtruhe zu stören. Mein Interesse gilt der exakten Wissenschaft. Nehme ich Indigo, wird die Baumwolle blau, nehme ich Krapp, wird sie rot. Warum das so ist? Hochwürden, das soll unser Monsieur Lavoisier erforschen. Er hat ja auch das saure Stöffchen gefunden, ohne das kein Kaminfeuer brennt. Wie heißt das Zeug, Doktor Lavoisier, von dem man bisher annahm, es stecke im Feuer?"

Lavoisier lachte geschmeichelt. „Das war eine Irrlehre. Ein deutscher Chemiker namens Stahl glaubte, es gäbe eine Substanz, er nannte sie Phlogiston, die bei jeder Verbrennung entweiche. Schade um den klugen Mann – ich habe ihn entthront."

Alle stießen mit ihm an. Als er Marie zutrank, lächelte er hintergründig.

Lenormande zog ein Holzkästchen hervor und bot braune Tabakrollen an.

„Zigarren nennt man dieses Erzeugnis. Versuchen Sie! Freunde aus Virginia schickten sie mir."

„Und ohne Sauerstoff brennen sie nicht. Sauerstoff – ohne ihn kein Feuer. Das ist meine Entdeckung, Mademoiselle. Und nun, auf Ihre schönen Augen! Und über Ihre Anstellung reden wir morgen beim Frühstück." –

Lavoisier empfing Marie im Schlafrock. Der Frühstückstisch war nach der Sitte der Normandie überreich mit Speisen versehen. Es gab Schokolade und Weißbrot, Omeletten, mit Geflügelleber gefüllt, und die berühmten Würstchen aus Vire. Es gab Muscheln und kleine Krebse, in Weißwein gesotten, und schließlich mehrere Sorten Käse.

„Und nun, Mademoiselle, beichten Sie. Forestier schreibt, man habe Ihnen übel mitgespielt. Sie hätten den englischen Liberalismus ausgekostet. Ich kenne diese Sorte. Die Welt wäre arm, hätten John Locke oder Isaac Newton nicht gelebt. Was wäre ich ohne Newtons Forschungen? Aber der Welt ginge es besser, wenn dieser Georg III. mit seinen leichtsinnigen Lords verschwinden würde."

Aber als sie vom Zuchthaus Bridewell berichtete, spürte sie bald Lavoisiers Zurückhaltung. Trotz alledem – er sagte Hilfe zu.

„Ein Wundarzt wird kommen", versprach er, „nur sagen Sie ihm beileibe nicht, wo Sie diese entehrende Züchtigung erhalten haben. Sie sind überfallen worden, landflüchtige Bauern haben sich an Ihnen vergangen."

Sollte ihr neuer Lebensabschnitt mit Lügen beginnen? Sie wollte aufbegehren, doch Lavoisier sprach schon mit kühler Stimme weiter.

„Meine künftige Sekretärin hat nie an einem Prügelpfahl gehangen, weder in England noch anderswo. So. Und nun meine Bedingungen. Sie begleiten mich auf meinen Reisen. Sie erledigen meine Korrespondenz in den Sprachen, die Sie beherrschen. Sie sind meine Gehilfin in meinen Laboratorien. Mit Einverständnis meiner Frau werden Sie an unserem Tisch speisen und in meinem Haus an der Rue Royale wohnen. Sie haben also eine gesellschaftliche Stellung, die der einer Erzieherin vorzuziehen ist. Als Salär zahle ich Ihnen monatlich zwanzig Livres. Sind Sie einverstanden?"

Marie nickte. Endlich wieder festen Boden unter den Füßen, eine Tätigkeit, die interessant zu werden versprach.

Lavoisier fuhr fort: „Ich weiß natürlich nicht, ob Sie sich eignen, Mademoiselle Cabrol. Ich fordere harte Geduldsarbeit. Manchmal habe ich bis zu dreihundert Experimente in meinen Laboratorien mit immer negativem Ergebnis durchgeführt, bis endlich eine neue Erkenntnis gewonnen wurde."

Marie wurde verwirrt durch Lavoisiers intensiven Blick.

„Die Natur will umworben sein wie eine spröde Dame. Sie läßt sich nicht im Sturm erobern. Hat man sie aber, dann offenbart sie alle ihre Geheimnisse und Reize."

Der Doppelsinn dieser Worte stürzte die soeben engagierte Sekretärin in noch größere Unruhe.

„Übrigens, der Doktor wird um die elfte Stunde kommen. Ist es recht? Er ist ein geschickter Bursche, sieht übrigens aus wie ein Faun. Keine Sorge, er ist keiner. Und noch etwas. Der Wirt hat mir anvertraut, daß Sie ohne Gepäck gekommen sind. Das ist nicht gut, Forestier hätte daran denken sollen, daß eine Dame nicht so reist. Hier, nehmen Sie, es reicht für eine Reisetasche, Musselinkleid, Pantöffelchen, Nachtgewand, Spitzenhäubchen, Wäsche, Strümpfe, Poudre d'or sowie Parfüm. Und bitte einen breitrandigen Strohhut mit Bändern. Schade nur, daß ich Sie nicht begleiten kann. Ich muß . . .“

„In die Klöster, damit es dort heller wird.“ Marie konnte wieder lächeln.

„In der Tat.“ Jetzt lachte auch Lavoisier. „Sie erfüllen bereits die erste Pflicht einer Sekretärin, alles schneller zu wissen als Gott selbst.“

2

Prinz Karl, Graf von Artois

Prinz Karl, Graf von Artois, war beim Lever. Er saß mit verschlafenem Gesicht auf der Bettkante und kratzte sich die behaarten Beine. Noch war er allein, konnte sich so animalisch benehmen, wie ihn gelüstete, rülpsen, gähnen, sich jucken und recken, daß die Gelenke knackten. Er kroch noch einmal unter die Daunendecke und genoß für eine kurze Weile die Wärme des Lagers. Bequem war das Bett und angenehm breit. Der Hofmöbelfabrikant Barbier hatte die gleichen Maße verwenden müssen wie für das Prunkbett der schönen Schwägerin Marie Antoinette. Der Prinz betrachtete mit halbgeschlossenen Augen den goldgestickten Alkoven, der purpurfarben über ihm schwebte, er betrachtete das Wappen mit den bourbonischen Lilien am Fußende der Lagerstätte und Watteaus Gemälde „Einschiffung nach Kythere“, dessen Anbringung an der Kaminwand er bei seinem königlichen Bruder durchgesetzt hatte.

„Duckmäuser“ – „keuscher Josef“ – „Dickwanst“. Mit diesen Schimpfworten belegte Prinz Karl den König, der nach seiner Ansicht so wenig auf Würde hielt und soviel auf die Tugend seiner Umgebung.

Graf von Artois blinzelte in den jungen Tag. Draußen bellten Hunde, ein Wagen ratterte über das Pflaster, Mägde kreischten – vermutlich hatte ein Lakai einen Witz über den Schloßhof geschrien. Jetzt vernahm er den gleichförmigen Tritt der Wache und das Aufstampfen von Gewehrkolben.

Blaßblau zeigte sich der Himmel an dem Maimorgen des Jahres 1776. Die Morgensonne warf flirrende Muster auf das gelbe Parkett. Der Tag versprach angenehm zu werden. Ausritt nach Trianon, Besuch bei der Schwägerin, etwas Konversation mit den Damen? Vielleicht eine kleine Liaison mit der entzückenden Marquise von Montbéliard? Vielleicht eine etwas handfestere mit Mademoiselle Faviloir, die bei Madame Bertin neueste Modeschöpfungen vorführte? Sie war selbst sehr in Mode, diese reizende Faviloir mit ihren nußbraunen Augen und dem weißen Busen, der dank der Vorschrift englischer Journale so offen gezeigt werden konnte.

„Einschiffung nach Kythere". Mit wieviel Frauen, wieviel Mädchen hatte er nicht selbst die Fahrt nach der sagenhaften Liebesinsel angetreten, ihnen allen echte Liebe vorgegaukelt. Ein zauberhaftes Spiel – man ließ sich treiben – ein Spiel seit den Augusttagen vor drei Jahren, als der alte König noch lebte und ihm die Dubarry die letzten Tage versüßte.

Prinz Karl erinnerte sich genau: Bei einem Theaterspiel im Versailler Schloß hatte er den Kriegsgott Mars gespielt, viel königlicher und göttlicher, als seinem Bruder Ludwig der Neptun gelungen war. Unbeholfen hatte der dicke Ludwig als Meeresgott mit seinem Dreizack herumgefuchtelt und aus lauter Bosheit dem alten Herzog von Richelieu damit in den Hintern gepikt. Damals hatte die Dubarry ihm, dem Fünfzehnjährigen, eine Lehrmeisterin geschickt, ihm und seinem Bruder Xavier. Aber bei dem Dikken war sie abgeblitzt, der hatte sich bereits als künftiger König von Frankreich gefühlt und nur seine österreichische Gemahlin hofiert, jene Habsburger Pute, die nicht einmal einwandfrei Französisch sprechen konnte.

„In Hinterindien und bei königlichen Familien verheiratet man Kinder . . ." Hatte das der häßliche Voltaire gesagt? Oder der teuflisch schlaue Diderot?

Der Prinz kicherte amüsiert vor sich hin. Ja, diese Lehrstunden von damals im Petit Trianon mit der raffinierten Mademoiselle Dupé. Superb, superb. Und jetzt die Faviloir mit ihrer blendendweißen Haut. Charmant, charmant.

Ob der Juwelier Boehmer die Ohrgehänge rechtzeitig liefern würde? Mademoiselle Faviloir war gierig auf Schmuck.

Es klopfte. Das Windspiel vor dem Kamin knurrte leise.

„Ruhe, Désirée!"

Durch die halbgeöffnete Flügeltür schob sich der Kammerdiener Maurice. Er trug das angewärmte Hemd auf dem Arm, die gelbe Lederhose, Seidenstrümpfe und den Galanteriedegen. Das Waschwasser schwappte im kupfernen Becken.

„Ich werde ausreiten, Maurice. Bring mir die Stiefel und den roten Rock."

„Im Vorzimmer warten bereits Graf Guibert, Stallmeister Mister Kean und der Hofjuwelier Boehmer. Auch der Schriftsteller Prosper de Crébillon ist gekommen."

„Zuerst den Grafen. Und bring mir die Schokolade. Etwas Biskuit. Ein Ei."

Die Tür zum Vorzimmer wurde aufgestoßen, Graf Guibert trat ein, verbeugte sich tief und wünschte einen angenehmen Morgen. Der Prinz gähnte und musterte den Eintretenden aus noch müden Augen. Wie immer war der Graf mit Eleganz gekleidet, sein gelbseidener Frack saß faltenlos, dem Spitzenjabot entströmte Moschusgeruch.

„Versailles ist alarmiert, mein verehrter Prinz! Soeben hat Majestät, Ihr Herr Bruder, den widerlichen Turgot zum Teufel gejagt. Endlich! Mir war der Kerl in tiefster Seele verhaßt. Immerzu das Gejammer über Defizit, drohenden Staatsbankrott und Verschwendung."

Prinz Karl sprang mit einem Satz aus dem Bett. „Graf! Also doch! Lange hat es mit dem superklugen Herrn Finanzminister nicht gedauert. Er wollte unsere Privilegien antasten, er hat die Fronden unserer Bauern aufgehoben und die Zünfte beseitigt. Ja, er wollte über den Leib Frankreichs einen englischen Rock stülpen! Nun ist er auf die Schnauze gefallen. Wie mich das freut!"

Während des Gesprächs hatte der Prinz die Fingerspitzen in das Becken getaucht und sich die Mundpartie gesäubert. Der Diener puderte indessen die rötlichen Haare des Prinzen.

„Verfassung nach englischem Vorbild! Der König einem Parlament von Schwätzern verantwortlich!" Graf Guibert war von seinem Taburett aufgestanden, tief befriedigt, daß er die Nachricht von Turgots Entlassung als erster zum Lever hatte servieren können. Nun sprach er weiter: „Majestät hat Turgot nicht mehr empfangen. Man sagt, er habe ihm ein hohes Ruhegehalt geboten, aber Monsieur Turgot habe es abgelehnt. Er wolle dem Staat nicht zur Last fallen! Dem Staat, mein Prinz, nicht dem König. Merken Sie was? Turgot vertritt bereits die konstitutionelle Monarchie, wie sie vom Marquis von Condorcet erhofft wird."

„Eigentlich gehört der Mensch in die Bastille." Prinz Karl stippte ein Hörnchen in die Schokolade, aß, gab dem Windspiel einen Brocken, aß wieder und wischte die Finger an der Weste des Lakaien sauber. „Wer wird der Nachfolger sein?" fragte er lauernd.

„Kein anderer als dieser Necker, mein Prinz."

„Da kommen wir vom Regen in die Traufe. Erstens ist der Mann Bankier und bürgerlich, zweitens ist er aus Genf, dem Saunest, drittens ist er Protestant. Mein königlicher Bruder hat keine glückliche Hand."

Das Gesicht des Grafen Guibert verzog sich zu einem Lächeln. „Jedenfalls soll dieser Necker ein Zauberkünstler sein, er will mit einem ordentlichen und einem außerordentlichen Haushalt jonglieren. Er wird Anleihen aufnehmen und damit Geld in die Kassen fließen lassen."

„Ja, man sagt, er sei geschickt. Lieber Graf, für Geldgeschäfte sind diese Krämerseelen wie ausersehen. – Übrigens, wie hoch ist meine Spielschuld vom gestrigen Abend? Ich weiß nichts mehr, der Wein und diese Montbéliard . . ." Umständlich stieg der Prinz in die gelblederne Reithose, die der Diener bereithielt.

„Es sind dreihundert Louisdors, mein Prinz, und Sie schulden sie dem Prinzen Rohan."

„Eine hübsche Summe. Da werde ich heute noch meinen Bruder aufsuchen müssen. Schlossert er wieder? Studiert er historische Wälzer?"

„Soviel mir bekannt wurde, hat er einen bedeutenden Mann bestellt: den Wissenschaftler Lavoisier. Majestät beunruhigt sich, weil die Porzellanbrennereien in Sèvres keine hohen Temperaturen erzeugen."

Prinz Karl lachte erheitert. Das war also das Tagewerk seines Bruders, des Königs Ludwig XVI. Er kümmerte sich um das Feuer in Sèvres. Aber das Feuer seiner Marie Antoinette ließ ihn gleichgültig. Ob es sich lohnte, hier nachzuschüren?

„Lavoisier ist zugleich Generalsteuerpächter für eine ganze Provinz", sprach der Graf. „Endlich einmal ein Chemiker, der auf normale Weise Gold schürft."

Der Diener öffnete die Flügeltüren zur Terrasse. Man hörte Harfenspiel und Frauenstimmen.

„Die Polignac singt wieder artige Romanzen, und die Duthé von der ‚Comédie-Française' begleitet sie. Eine hübsche Morgenmusik. Sollten wir nicht die Hunde loslassen? Es gäbe eine deliziöse Balgerei." Prinz Karl schnalzte mit der Zunge in Vorfreude auf das Spektakel.

„Eine Neuigkeit noch, mein Prinz. Majestät hat befohlen, keine Blitzableiter mehr anzubringen. Er haßt die Erfindung dieses Franklin. Majestät sagt, wenn Gott ein Gebäude durch den Blitz treffen will, soll ihn der Mensch nicht hindern."

Der Prinz lachte. „Das ist beinahe Calvinismus, liebster Graf, Glaube an Vorherbestimmung. Aber diesen Franklin mag ich auch nicht. Ich hasse das Gebaren der Rebellen in Nordamerika, die sich gegen die gottgewollte Ordnung auflehnen."

„Trotzdem habe ich mein Schloß mit Blitzableitern versehen lassen."

„Sie sind also doch ein Freigeist, Graf. Hoffen wir, daß Monsieur Necker unser Blitzableiter wird. Ich brauche Geld. Meine Schwägerin braucht auch Geld, sie will ihre Trianon-Gärten ausbauen. Einhunderttausend Livres sind nichts in ihren zarten Händchen.

Herr Necker muß tief in die Tasche greifen, wenn er Madame gefallen will."

Prinz Karl schlug seinem Kammerdiener auf den Rücken. „Lauf, hole den Engländer herein. Er soll mir Esmeralda satteln lassen. Kommen Sie mit, bester Graf?"

„Unmöglich, Prinz. Ich sehe mir einige Bilder an, die man mir verkaufen will. Einen Holländer, einen de Troy, einen Fragonard."

„Da kann ich nur wie dieser Shakespeare sagen: ‚Tu Geld in deinen Beutel.'"

„Ich muß außerdem nach Schloß Guibert reisen, mein Prinz. Meine Pächter sind so im Rückstand, daß ich den Büttel zum Eintreiben benötige. Werde einige der Kerls in den Turm sperren lassen. Darf ich mich entfernen? Ich wünsche viel Vergnügen bei jeglicher Verrichtung."

Der Graf tänzelte hinaus. In der Tür stieß er fast mit dem englischen Stallmeister zusammen. Kean meldete ohne Förmlichkeit mit verkniffenem Mund in seinem miserablen Französisch, daß im Marstall eine Seuche ausgebrochen sei.

„Ich habe Esmeralda bereits zum Schlächter bringen lassen, Hoheit, die Stute war nicht zu retten. Auch Hannibal hat Rotz, ferner sind zwei Kutschpferde angesteckt. Man muß die Ställe ausräuchern."

„Euch alle müßte man ausräuchern", brüllte der Prinz. Er brüllte so sehr, daß die Hündin am Kamin in ein klägliches Geheul ausbrach, der Kammerdiener hereineilte, ebenso der erschrockene Schriftsteller. Mit zittriger Hand legte er ein Manuskript auf den Kaminsims und stand dann – der fast siebzigjährige Mann – in devotester Haltung vor dem neunzehnjährigen Bourbonenprinzen, der mit verächtlicher Gebärde das Papierbündel beiseite schob.

„Mister Kean, ich befehle, daß man die Stallknechte, dieses faule Gesindel, über einen Sattel legt und so mit Reitstöcken traktiert, daß sie eine Lektion fürs ganze Leben haben."

„Diese Lektion haben sie bereits in anderer Form", der Engländer sprach langsam, „sie sind an Blattern erkrankt. Es ist fraglich, ob sie durchkommen. Zudem . . ."

„Zudem?" Die Stimme Karls überschlug sich. „Was kommt denn noch?"

„Es gibt keinen Arzt für das Personal. Doktor Dumenil ist gestorben. Auch er hatte die Blattern, er konnte sich selbst nicht kurieren."

„Zum Teufel, habe ich einen Pferdestall oder ein Seuchenspital? Wann ist das alles geschehen, Kean? Sie sind mir als Fachmann empfohlen, aber anscheinend verstehen Sie von Frauenzimmern mehr, Sie englischer Hengst."

Der Prinz fegte mit seiner Reitgerte Spielkarten, Puderdosen und Parfümflaschen vom Tisch und schlug in seinem Ingrimm auf das Manuskript des ängstlichen Crébillon ein.

„Weg mit der Sudelei, Crébillon! Ich werde Ihren Roman nicht finanzieren. Meine Gäule krepieren, meine Leute erkranken. Am Ende steckt mich einer an? Du...", er faßte den Kammerdiener an der Halskrause, „du gehst mir nicht in die Ställe. Nochmals, wie kam das alles?"

„Ich habe seit drei Tagen um eine Audienz nachgesucht, Hoheit. Ihr Stallmeister...", zum ersten Male schwang Bitterkeit in Keans Stimme, „stand inmitten von Bittstellern, Juwelieren, Spekulanten und Kupplern. In England dagegen gehörte ich beim Herzog von Salisbury zu dessen Hofstaat und saß neben seinem Butler. Ich kann Referenzen aufweisen, Hoheit, meine Pferde gewannen jedes Rennen. Darf ich also um meine Entlassung bitten?"

Im Schlafgemach wurde es still. Der Prinz warf sich unwirsch in einen Sessel und starrte vor sich hin. Er kannte den Wert des englischen Stallmeisters, der sofort wieder eine Stelle bekommen würde.

So bezwang er seine Wut und blätterte überlegend in einem Journal.

„Was schlagen Sie vor, Mister Kean?" fragte er, ohne auf den Entlassungswunsch des Stallmeisters einzugehen.

„Ein neuer Arzt muß her!" Der Stallmeister war noch immer gereizt.

„Natürlich muß einer her, Mister Kean. Für meine Dienerschaft, die Kutscher, Reitknechte, Ofenheizer, Gärtner und Kuriere. Ich selbst brauche keinen, ich bin gesund."

„Für einen prinzlichen Haushalt", meldete sich jetzt der verschüchterte Schriftsteller, „ist der beste Arzt gerade gut genug. Er muß den heutigen Stand der Wissenschaft kennen, alle Heilmethoden anwenden können – Magnetismus, Elektromagnetismus – er muß Physiker und Chemiker sein."

„Sehr gut, Crébillon. Solche Kerle erfinden Sie in Ihren Romanen. Man sagte mir übrigens, daß Ihr letzter leider viel zu romantisch geworden ist. Sie werden senil, mein Lieber. Pfeffer muß in die Zeilen gestreut werden, sonst liest man lieber die ‚Memoiren einer Kokotte'." Der Prinz lachte über seine eigenen Worte und fuhr dann fort: „Gut, Crébillon, machen wir einen Handel. Sie besorgen mir einen Doktor für meine Leute, und ich finanziere den Roman – aber nur, wenn Sie noch einige Dutzend verfängliche Stellen einarbeiten."

„Aber die Zensur?" Crébillon stand zagend vor dem königlichen Prinzen.

„Was ich protegiere, verbrennt kein Henker. – Nun, der Arzt, kennen Sie einen?"

„In der Straße ‚Altes Taubenhaus', Hoheit, hat sich ein Doktor Jean Paul Marat niedergelassen. Er ist Arzt aus Leidenschaft und Wissenschaftler aus Überzeugung, ein Spezialist für Seuchenbekämpfung. Zuletzt hat er in London praktiziert. Er spricht sieben Sprachen, hat in Edinburgh promoviert und ist in Newcastle Ehrenbürger geworden. Mich hat er von meinen Gallensteinen befreit."

Mister Kean horchte auf. Das waren Empfehlungen! So leicht wurde man nicht Arzt im lieben alten England. Auch der Prinz schien beeindruckt.

„Und wird dieser Wunderdoktor seine Selbständigkeit aufgeben?"

„Er versteht es nicht, Geld zu verdienen. Er lebt von Hafersuppen und haust wie Diogenes in der Tonne. Im Winter hat er ganz erbärmlich gefroren. Er wird also Ihr Angebot kaum ablehnen, mein Prinz."

„Gut, bestellen Sie den Marat zu mir. Er ist doch Franzose?"

„Er stammt aus der Schweiz, Hoheit, aus Neuchâtel."

„Natürlich! Aus der Heimat aller Ketzer. Und sicherlich ist er Protestant?"

Crébillon schwieg. Neue Einwände, neue Schwierigkeiten.

Kean mischte sich in das Gespräch. „Bei uns fragt man nach dem Können eines Mannes und nicht nach dem Bekenntnis. Man spricht davon, daß Majestät, Ihr Herr Bruder, den Schweizer Bankier Necker berufen will. Wenn also die Finanzen von einem Protestanten kuriert werden sollen, warum nicht auch die Reitknechte?"

Der Kammerdiener Maurice stand mit offenem Munde da. Solch eine lange Rede hatte der Stallmeister noch nie gehalten.

„Gut", der Prinz reckte sich, „ich stelle den Marat ein. Er soll sich bei mir melden. Du wirst noch heute zu ihm gehen, Maurice. Und um die Gäule kümmern Sie sich, Kean. Ich bin Ihnen wie immer wohlgesonnen. Noch etwas, Maurice?"

„Der Juwelier, Hoheit. Er bringt die Boutons für Mademoiselle Faviloir."

„Laß dir das Kästchen geben. Und verständige Mademoiselle, daß ich ihr heute abend das Ohrgehänge eigenhändig anlegen möchte. Und nun, Kean, sorgen Sie für einen Gaul, ich will ausreiten. Leben Sie wohl, meine Herren."

Der Prinz ging und ließ drei etwas ratlose Männer zurück: Crébillon, der nicht wußte, ob der Roman erscheinen würde; Kean, der um seine Pferde bangte; Maurice, dem der Hofjuwelier Boehmer nur gegen bare Zahlung die Boutons aushändigen wollte.

Noch immer spielte die Gräfin Polignac, sang die Duthé. Versailles deklamierte, tanzte und sang. Wo gab es Sorgen?

Das Laboratorium Lavoisiers lag am Ende eines Parkes, der von der Rue Royale bis zur Rue d'Anglaise reichte und dessen alte Bäume eine Fülle von Marmorstatuen beschatteten – Liebesgötter, Heldengestalten, Meergetier. Dunkler Efeu rankte sich um eine üppige Aphrodite. Zur Zeit des Sonnenkönigs hatte das kreisrunde, tempelartige Gebäude dem Bildhauer Coysevox als Atelier gedient. Hier hatte er alle die Dianen und Nymphen geschaffen, zu denen die jeweiligen Mätressen des Herrschers Modell stehen mußten.

Halbgeformtes lag noch umher: der Kopf der Montespan, die Rückenpartien der Maintenon ... Vergangene, entthronte Göttinnen.

Der Chemiker liebte diesen verwucherten Garten und duldete nicht, daß die Hand eines Gärtners diese Wildnis ordnete. Nur am anderen Ende des riesigen Grundstücks hatte Lavoisier, sich den Wünschen der Gattin fügend, eine Anlage im Stil englischer Gartenkunst errichten lassen. Dort waren Terrassen aufgeschüttet, Grotten und Nischen erbaut worden. Ein Zwerg-Trianon, wie er bissig lachend diese gezirkelte Pracht bezeichnete.

Im Laboratorium brannten Holzkohlenfeuer unter Kupfergefäßen und Öllampen unter Glasretorten. Stickiger Qualm stieg zur Decke empor, wo noch immer, obschon in verblassenden Pastellfarben, der Gott Triton – mit dem Antlitz Ludwigs XIV. – in einer Muschel über das blaue Meer ritt. Niemand interessierte sich noch für das Gemälde. Tempi passati ...

Lavoisier kauerte vor einer Kupferpfanne und beobachtete mit gerunzelter Stirn, wie das Wasser verdampfte. Neben ihm, auf einem Schemel sitzend, blies Marie Cabrol mit einem handlichen Blasebalg in die Kohlenglut. Sie sah angespannt auf den Dampf, der, durch eine Glasröhre entweichend, in einer Retorte aufgefangen wurde.

Beide warfen keinen Blick auf das im lauen Maiwind zum Fenster hereinwippende zarte Blattgewirr der Birkenzweige, beide hörten nichts von dem schmeichelnden Vogelgezwitscher.

„Mehr Gebläse, Mademoiselle. Das ist kein Fächeln wie bei einem Hofball. Sie müssen Sturm produzieren!" Lavoisier wischte sich über die schweißige Stirn, von der schwärzliche Rußstreifen herabliefen.

Marie antwortete nicht. Sie kannte schon seine Heftigkeit und verzieh sie ihm, da sie der Ungeduld seines Forscherdranges zuzuschreiben war.

„Sauerstoff, Mademoiselle Marie, Quelle allen Lebens! Ich entréiße der Natur ihre Geheimnisse. Ohne Sauerstoff lebt keine Pflanze, kein Tier, kein Mensch. Konzentrat von Sauerstoff ins Feuer – die Hölle brennt nicht so! Sauerstoff, dich werden wir zerlegen, zersetzen, zerblasen! Es brennt selbst nicht, dieses verdammte Gas, aber nichts brennt ohne es. Kommen Sie mit, ich werde Ihnen etwas zeigen."

Er ging mit hastigen Schritten in ein Seitengemach, wo in Holzkästen Ratten und Mäuse herumrannten. Er faßte eine quiekende Ratte mit einer Holzzange und setzte sie in ein leeres Glasgefäß, das er mit einem aufgelegten Deckel luftdicht abschloß.

„Noch atmet sie Luft ein, also Sauerstoff, und atmet Kohlensäure aus. In kurzer Zeit muß sie verenden. Dies gilt für alle Lebewesen. Sehen Sie nun. Kohlensäure ist giftig, ist schwerer als Luft, sie liegt am Boden, die Ratte macht Sprünge, will dem Gifttod entrinnen."

Marie riß den Deckel hoch. „Ich kann das nicht sehen, auch wenn es nur eine Ratte ist."

Lavoisier lächelte dünn und setzte das Versuchstier in die Kiste zurück. „Sie sind zu empfindsam, Mademoiselle. Das sollten Sie bei einem Forscher nicht sein. Ich würde mich selbst in einen Glaskasten setzen, um das Experiment der Erstickung durch ausgeatmete Kohlensäure zu beweisen."

„Das glaube ich Ihnen nicht. Sie lieben das Leben, außerdem haben Sie eine Frau."

„So? Habe ich?" Lavoisier starrte finster in die Kiste, wo die Ratten sich tummelten. „Gehen wir ins Laboratorium zurück. Ich jage jetzt Wasserdampf über hocherhitztes Eisen. Was entsteht da?"

Marie lachte. „Ist das eine Preisfrage der Akademie? – Freier Wasserstoff."

„Es ist *meine* Preisfrage. Und was geschieht im menschlichen Körper, wenn er atmet?"

„Ein Verbrennungsprozeß geht vor sich, Monsieur Lavoisier. Der Körper erzeugt Wärme."

„Bravo! Sie haben einiges gelernt."

Sie arbeiteten wieder. Wasserdampf schoß durch das Glasrohr über glühendes Eisen. Es knallte und zischte in dem hellen Raum, der sich mit Dampf gefüllt hatte. Lavoisier stand breitbeinig da und hielt das Eisenstück in der Zange. Marie mußte in einer Retorte den freien Wasserstoff auffangen. Das Experiment war nicht ganz ungefährlich.

Aufatmend setzten sie nach einigen Minuten die Geräte ab. Es wurde still im Laboratorium. Die Tür zum Garten pendelte im Morgenwind. Marie lauschte dem Flöten einer Amsel.

„Kommen Sie, Marie, wir haben uns das Frühstück verdient. Finden Sie nicht, daß die Chemie eine revolutionäre Wissenschaft ist?"

Sie eilte leichtfüßig vor ihm her. Sie wußte, daß sie ihm gefiel, wußte es nicht erst seit heute. Zehn Monate lang war sie nun schon seine Gehilfin, zehn Monate lang spürte sie seine begehrlichen Blicke.

Am Frühstückstisch wartete Jacques, der Diener der Lavoisiers. „Die gnädige Frau ist noch beim Lever", meldete er.

„Wir beginnen trotzdem, Jacques. Unser Lever mit Monsieur Sauerstoff war anstrengend genug."

Nachdem der Diener sich entfernt hatte, brach Lavoisiers Unmut durch: „Meine Liebe. Schon längst schulde ich Ihnen eine Erklärung. Meine Frau ist in Saint Cyr erzogen worden. Sie wissen, daß dieses Stift für adlige Damen von der alten Betschwester Maintenon gegründet wurde, und Sie können sich denken, welcher Geist noch heute dort herrscht. Was haben die jungen Damen nicht alles gelernt: Spinett und Harfe, Menuett und Rezitation, Gesang, Romanzen und Handarbeiten. Aber sie haben nichts über den Mann gelernt. Sie wissen kaum, daß es zweierlei Geschlechter gibt. Als mein verehrter Lehrer, Professor Lefort, über die Befruchtung der Bienen – ich bitte Sie, der Bienen – sprechen wollte, mußte er das Stift auf der Stelle verlassen. So, da haben Sie meinen Roman, Marie. In den fünf Jahren meiner Ehe hätte ich ebensogut mit einem Modejournal ins Bett gehen können."

Marie Cabrol sah nicht auf, sie träufelte Honig auf ihre Weißbrotschnitte.

„Verfluchtes Geld! Ich besaß davon zuwenig, keinesfalls genug, um dem König die Steuern einer Provinz zu bevorschussen. Mein Schwiegervater hatte bereits die Salzsteuer gepachtet, längst ehe ich seine Tochter heiratete. So bekam ich alles auf einmal: Mitgift, Steuerpacht und eine schöne Frau."

Marie hob den Arm und machte eine undefinierbare Geste, halb Bedauern, halb Betroffenheit drückte sie aus.

„Oh, halten Sie still! So möchte ich Sie gemalt sehen. Wissen Sie, daß Sie eine allerliebste Einbuchtung haben, dort wo der Busen beginnt?"

Sie sah in seine flackernden Augen.

Auf dem Gartenweg knirschte der Kies. Frau Lavoisier kam vom Wohnhause her. Sie hatte einen zierlichen Sonnenschirm aufgespannt. Ihr elegantes weißes Kleid war, der neuesten Mode entsprechend, nicht geschnürt, und ihr leichter Schuh war ohne Absatz. Diese Novität hatte Marie Antoinette eingeführt.

„Nun, Antoine, du warst bei Majestät in Versailles?" fragte Madame Lavoisier und begrüßte Marie mit einem leichten Neigen des Kopfes.

Lavoisier nickte nur und stopfte sich eine Käseschnitte in den Mund.

„Antoine, so rede doch. Hast du Majestät beraten können?"

„Der König wäre ein guter Handwerker geworden. Sofort nachdem ich ihm erklärt hatte, was seinen Öfen in Sèvres fehlte, hat er sich hingesetzt und ein Gebläse aufgezeichnet, wie es kein Fachmann besser könnte."

„Er ist eben von Gottes Gnaden." Frau Lavoisier nahm mit spitzen Fingern ein Hörnchen und bestrich es mit Butter.

Marie beobachtete die junge Ehefrau, wie sie es schon oft getan hatte. Wie eine mit großer Kunst bemalte Porzellanpuppe saß Madame in dem rohrgeflochtenen Gartensessel, und ihre graublauen Augen sahen gelangweilt auf das Tulpenblühen ringsum. Ihr Gesicht mit der feinen Nase über dem kleinen Mund war durch die Kunst des Coiffeurs so raffiniert geschminkt, daß sogar die winzigen Äderchen nachgezeichnet in den Schläfen verliefen. Das Haar war toupiert. Weißer Puder ließ das Kunstgebilde wie aus Watte getürmt erscheinen. Inmitten der Frisur trug Madame Lavoisier ein Medaillon mit dem Bildnis des Dichters Beaumarchais. Für ihn schwärmte sie augenblicklich.

Sie trank ihre Schokolade, tupfte sich den Mund ab und sagte noch einmal betont: „Er ist eben von Gottes Gnaden."

„Ich möchte dir nicht widersprechen, Madeleine, aber er ist ein dicker, unbeholfener junger Mann. Etwas schmuddelig angezogen ist er auch. Und für seine zweiundzwanzig Jahre hat er schlechte Manieren. Er kaute an den Fingernägeln. Dennoch, er ist für einen König erstaunlich wißbegierig. Ich mußte ihm auseinandersetzen, was Weinsteinöl ist."

„Und was ist Weinsteinöl?" Madeleine Lavoisiers Frage klang so gleichgültig, daß ihr Gatte gar keine Notiz davon nahm, sondern einen Zitronenfalter betrachtete, der über dem Frühstückstisch taumelte.

„Ach, Mademoiselle Cabrol, mein Fächer liegt noch im Salon, bitte . . ."

Marie beeilte sich, diesem allmorgendlichen bedrückenden Zusammensein zu entrinnen. Sie vernahm aber noch, wie Madame in ihrer gelangweilt-lässigen Art sagte: „Warum mußtest du vor dieser schweizerischen Kuhmagd so lästerlich über Majestät sprechen? Es sind Leute von Stand wegen harmloserer Reden in die Bastille gekommen." –

Später, im Laboratorium, sagte Lavoisier abrupt: „Ich bin wie ein Ackergaul, der drei Wagen gleichzeitig zieht."

„Deshalb bekamen Sie wohl schon mit sechsundzwanzig Jahren den Preis der Akademie?" fragte Marie lächelnd.

„Ich begreife immer weniger, wie ein Mensch so ohne Pflichten dahinleben kann – aber lassen wir das – Sie wissen, was ich meine. – Da fällt mir übrigens ein, Ihr Vetter Marat hat mir doch seine Forschungsarbeit über das Feuer geschickt. Wann sehen Sie ihn wieder? Richten Sie ihm aus, daß ich mich gerne mit ihm unterhalten würde. Vielleicht im Café de la Régence? Dort sitzen doch die Philosophen."

„Und was werden Sie ihm über seine Arbeit sagen? Ich vermute, daß sie Ihnen nicht gefällt?" Marie sah Lavoisier erwartungsvoll an.

„Ein Arzt sollte nicht auf fremden Äckern pflügen. Die Medizin ist doch ein weites Feld, hat er daran nicht genug?"

Jetzt flammte Marie auf. „Von Ihnen hätte ich solch eine Ansicht nicht erwartet. Aber ähnliches sagte auch die Akademie der Wissenschaften. Man weigerte sich sogar, Marats Schrift überhaupt zur Kenntnis zu nehmen."

„Ich werde mit Doktor Marat reden, Mademoiselle. Schon um Ihnen eine Freude zu machen." Er trat dicht an sie heran, doch sie entglitt ihm.

„Sie ziehen drei Wagen gleichzeitig, machen es meinem Vetter aber zum Vorwurf, wenn er das gleiche tut. Spricht man nicht davon, daß Sie sich auch mit medizinischen Forschungen beschäftigen? Was ist zum Beispiel mit dem Friedhof der ‚Innocents'?"

„Sie sind klug, Marie. Seien Sie nicht verwundert, wenn ich mich scheinbar verirre. Ich soll gutachten, wie man den mit Leichen vollgestopften Friedhof leeren kann, ohne daß Seuchen entstehen."

„Sehen Sie, das gerade wäre eine Aufgabe für Jean Paul Marat."

Lavoisier gab darauf keine Antwort, und Marie schürte weiter die Kohlenöfen für kommende Experimente, ein wenig Bitternis im Herzen.

Um die Mittagsstunde wurde es so heiß in dem runden Raum, daß die Arbeit unterbrochen werden mußte.

Marie setzte sich im Park auf eine Marmorbank, die in bizarren Linien mit allerlei Ranken umwunden war. Hinter ihr, fast völlig zugewuchert, stand ein Silen, dessen Faunsgesicht ihr die Erinnerung an den Wundarzt von Rouen ins Bewußtsein brachte.

Rouen . . . Waren erst dreihundert Tage seitdem vergangen? War sie nicht schon ausgelöscht, die Stunde im Gasthof „Zur bourbonischen Lilie", wo der zynische Doktor ihr mit allerlei Wundsalben Rücken und Schenkel behandelt hatte?

Dann war sie in Lavoisiers Begleitung in Paris angekommen, in der Dämmerung eines Augusttages, und die Glocken von Notre-Dame hatten geläutet, als der Wagen in die Rue St. Honoré eingebogen war.

Empfang durch Madame Madeleine Lavoisier. – Verschlagene Unnahbarkeit, die auch in zehn Monaten immer noch nicht geschmolzen war. – Dummer Stolz einer beschränkten Frau, deren Vater ihr einen Adelstitel für eine bedeutende Summe gekauft hatte.

Lavoisiers Haus in der Rue Royale war von einem angesehenen Architekten eingerichtet worden, und in der Bibliothek des Hausherrn fehlte kein wesentliches Werk der Zeit. In Nebenräumen arbeiteten Rechtskundige, sie trieben Steuern einschließlich hoher Zinsen ein. Die Küche Lavoisiers war berühmt, und sein Haus stand vielen Gästen offen.

Briefe aus Genf waren gekommen – man habe sehr um sie gebangt. Doch hinter diesen Zeilen versteckte sich Erleichterung darüber, daß sie der Familie nicht zur Last fallen wolle.

Marie hatte Vetter Marat gleich nach seiner Ankunft in Paris aufgesucht. Seitdem war sie oft bei ihm in dem engen Gäßchen gewesen, in dem er sich angesiedelt hatte. Er war der arme Philosoph und Arzt geblieben, war noch galliger und ungeselliger geworden. Nur das Schachspiel im Palais Royal und Waldspaziergänge hinaus nach Passy bis zum Bois de Boulogne lockten ihn. Über seine letzte Zeit in England sprach er wenig. Sie merkte, daß ihn mancherlei bedrückte, womit vermutlich auch die überhastete Abreise zusammenhing. Ab und zu erhielt er Briefe aus London und wurde dann jedesmal noch einsilbiger. Sie ahnte, daß die Auflösung der Londoner Praxis, das Verhalten der Behörden, die fluchtähnliche Überfahrt, daß dies alles mit ihrer Person zu tun hatte, obgleich Marat beharrlich darüber schwieg. Sie bewahrte ihm daher eine tiefe Dankbarkeit, die sich in einer Vielzahl von Gefälligkeiten äußerte ...

Der Diener Jacques riß sie mit einem Hüsteln aus ihren Gedanken.

„Ein Päckchen, Mademoiselle, soeben mit der Post aus Marseille angekommen."

Der Diener entfernte sich lautlos, sein Schatten zitterte über den sonnigen Weg. Aus Marseille! Die Handschrift Forestiers! Marie öffnete hastig das Päckchen. Ein seidenes Tuch, weiß mit türkisblauer Malerei und ein flüchtig beschriebenes Billet waren der Inhalt.

„Mademoiselle Marie! Wenn ich, wie der hinkende Teufel des Dichters Lesage, die Dächer von Paris abdecken könnte, wo wären Sie zu finden? Sittsam und allein in einem Bettchen, das nach Lavendel duftet? Einen schlüpfrigen Roman lesend von Crébillon, einen züchtigen von Marivaux? In einer Schenke des Quartier latin, wo man Villon rezitiert und den Mädchen in den Busen greift? In Hinterzimmern des Palais Royal, wo der Umsturz die Köpfe entflammt? Ach Marie! Meine Bark ist nur wenige Tage in Marseille. Ich fahre für das Handelshaus Roderique Hortalez & Co. Waffen für Amerika. Ein einträgliches Geschäft und zugleich eine Tat für ein junges demokratisches Volk. Sie sehen, daß ich noch immer beides verbinden kann. Anbei ein seidenes Tuch, das in den Händen einer schönen Puritanerin wie ein Nessusgewand brennen wird. Geschickte Hände der Siamesinnen haben alle Arten der Liebe hineingezeichnet. Ich kann mir denken, daß Sie rot bis unter die Haarwurzeln werden, das Tuch ins nächste Gebüsch werfen, um es – desto gründlicher zu studieren. Schade, daß der Unterzeichnete die empörten Herztöne der liebenswürdigen Empfängerin nicht persönlich abhorchen kann. Es küßt Sie aber auf diese Stelle Ihr Forestier."

Das seidene Tuch flog tatsächlich ins Gebüsch und blieb an dem Silen hängen. Als Marie dann doch die fernöstliche Malerei betrachtete, erglühte ihr Gesicht, und sie spürte, wie jeder Nerv an ihr flog. Es grinste der Silen aus dunklem Efeu.

So saß sie noch, als Lavoisier ihr mitteilen ließ, er speise bei dem Direktor der Porzellanmanufakturen und bedürfe daher für den Nachmittag ihrer Dienste nicht.

Quartier latin . . . Durch Forestiers Zeilen war sie wieder daran erinnert worden. Der kecke Student von Yvetot – wie hieß er doch gleich?

Sie eilte aus dem Hause, nach der Rue St. Honoré, ließ sich im Menschengewühl treiben. Es war ein weiter Weg bis zur Place Saint Michel. In düsteren Gassen stank es nach Kohl, Zwiebelsuppe und Fisch. Trotz aller Anordnungen und Befehle zur Sauberhaltung lag überall Schmutz umher. „Die Pariser Straßen werden zur Kloake", hatte Lavoisier gewarnt. Wenigstens etwas war geschehen. Gruppen von Arbeitern sammelten die Exkremente in Kübeln und entleerten diese vor den Toren der Stadt auf den Feldern. Jede Postkutsche, die nach Paris rollte, mußte diese Zone des Gestankes passieren.

Die Gassen wurden noch enger. Zwischen den vierstöckigen Häusern war kaum ein Fetzen Himmel zu sehen. Kinder mit mageren bleichen Gesichtchen spielten im Staub. Aus den Schenken drangen Geschrei und Gelächter, die Menschen betäubten ihre Not.

Marie kannte ähnliches Elend aus England, aber hier schien es noch krasser zu sein. Waren die Steuern schuld? War es die Absatzkrise?

Marie entdeckte im Handwerkerviertel Werkstätten, an deren Türen der verhängnisvolle Stempel des Pfändungsbeamten klebte. Tischler mit grünen Schürzen, Buchdrucker in blauen Blusen, Schmiede mit dem ledernen Schurzfell, verhärmte Frauen – alle standen beschäftigungslos herum.

Endlich erreichte Marie die Seine, deren gelbgrünes Wasser träge dahinfloß. Am Quai St. Michel fuhren in sechsspännigen Karossen die großen Kurtisanen spazieren. Die Damen mit den turmhohen Frisuren trugen Damastroben und glitzernden Schmuck, dessen Erlös die Hungernden eines ganzen Stadtviertels für einen Tag gesättigt hätte. Kavaliere in seidenen Reitfracks und rehledernen Hosen ritten nebenher. Man plauderte, lachte, machte Konversation. Die Damen knabberten gesüßte Pistazien, und ab und zu mußte der auf dem Rücksitz hockende Lakai Parfüm zerstäuben.

„Sehen Sie unsere Jeunesse dorée, Mademoiselle?" sagte ein Buchhändler, der seinen Karren am Quai entlangschob. „Keine Kundschaft für mich. Elegants lesen keine Bücher, sie lesen nur in des Teufels Gebetbuch, den Spielkarten."

Marie mußte plötzlich in biblischen Vorstellungen und Gleichnissen denken: Wie war das mit dem König Belsazar, dem in Flammenschrift das nahende Unheil verkündet wurde? Jenes Menetekel an der Wand? Wo waren die Flammenzeichen in dieser Riesenstadt?

Sie bereute bereits ihr Unternehmen. Was sollte sie bei den Studenten? Sie kam sich auf einmal alt vor, alt wie eine würdige Matrone.

Sie erreichte die Gebäude der Sorbonne und fragte einen jungen Mann.

„Sie suchen die Kneipe ‚Zum bissigen Hund', Mademoiselle? Ich führe Sie. Die Gasse ist so schmal, daß die Flöhe von einem Haus ins gegenüberliegende springen können. Die Flöhe – und die Liebhaber schöner Mädchen." Der junge Mann blinzelte keck.

„Machen Sie sich keine Sorgen, ich habe dort Freunde."

„Wie Sie wollen, Mademoiselle. Die Schenke gehört der Studentengenossenschaft. Alles besitzen die Studierenden selbst, kein Wirt kann sie betrügen. Sollten Sie selbst aber der Genossenschaft leichtgeschürzter Damen beitreten wollen, warne ich Sie! Auch deren Preise sind durch Tarif genau festgelegt." Er lachte sie an.

Marie wollte zuerst auffahren, doch dann ging sie auf den frivolen Ton ein und meinte ironisch: „Ich begreife, Sie haben Psychologie studiert."

„Mon Dieu, Mademoiselle, welche Verdächtigung! Aber ich sehe, ich habe Sie beleidigt. Pardon einem kleinen Schüler des großen Meisters David, der hier seine Modelle sucht. – Übrigens, ‚Der bissige Hund' ist gleich hier in der Gasse hinter Saint-Séverin. Sollte er Sie beißen, wäre ich entzückt, Ihre Wunden heilen zu dürfen. Mein Name ist Breullon."

Die Schenke war so voll, daß Marie zurückprallte. Blauer Tabaksrauch nahm ihr die Sicht, auch der Schwaden, der vom Kamin aufstieg, wo ein verkrüppelter Junge den Bratspieß drehte. Auf jeder Bank, jedem Schemel hockten Studenten, viele mit Mädchen auf den Knien. Der Lärm brandete zur Decke, von der eiserne Ketten herabhingen, an denen die Tischplatten befestigt waren. Sie schaukelten so, daß der Wein in den Zinnbechern überschwappte. Eine dicke, vollbusige Bedienerin schenkte ihn aus; sie keifte und kreischte, wenn die Burschen ihren Übermut an ihr ausließen.

„Grenier? Dort sitzt er mit seinem Freund Brissot. Die ganze Bande aus der Gironde. Aber stören Sie ihn jetzt nicht, er wird ein neues Lied singen, wenn der Hund ihn gebissen hat." Das Mädchen, an das Marie sich gewandt hatte, nötigte sie auf einen Schemel. „Sie werden's gleich sehen, das ist eine alte Sitte hier."

Tatsächlich! Auf einem Faß hockte Grenier, und er war offensichtlich nicht mehr ganz nüchtern. Ein anderer Student, in einem gutsitzenden Rock, trug einen ausgestopften Hund auf dem Arm; das Fell war räudig, und eine lange rote Stoffzunge hing ihm aus der Schnauze.

„Brissot! Laß ihn endlich bellen!" – „Er soll Grenier tüchtig in den Hintern beißen, ehe Dorette ihn küßt." – „Singe, Grenier, sonst melden wir, daß du nicht an das Fallgesetz glaubst." – „Er fällt ja jede Nacht – erst vom Wein, dann über ein Mädchen." Rufe aus allen Ecken.

Brissot, er war der gutangezogene Student, bellte und ließ zum Gaudium aller Anwesenden die Hinterseite Greniers von dem Hundetier beißen und belecken. Dann schwang sich das dicke Kellnermädchen aufs Faß, und indes sie den zappelnden Grenier küßte, begoß sie ihn aus einer Kanne über und über mit Wasser.

Jules Grenier! Wo sind deine gescheiten und ketzerischen Sätze? dachte Marie. Du bist nur ein betrunkener Student. Doch dann geschah es. Grenier schien auf einmal nüchtern zu werden. Er nahm seine Laute und begann:

> „Der König ist jung, doch alt ist der Thron,
> So alt wie die Zehnten und Lasten.
> Das Volk will endlich die Konstitution
> Und nicht mehr länger so fasten."

Jetzt sprang auch Brissot auf das Faß und sang in die aufhorchende Menge:

> „Madame Defizit, wir sind mit dir quitt!
> Du hast Trianon, und wir nur das Non.
> Du hast ganz Versailles und das Volk kaum ein Ei.
> Wir sind quitt, Madame Defizit."

Alle sangen den Kehrreim mit, bis Grenier Ruhe erbat und trokken sagte: „Das alles hat der bissige Hund verursacht."

Plötzlich erkannte er Marie. „Oh, das Fräulein aus Rouen", rief er. „Welch ein Glückstag für mich! Brissot, he, du Frauenfresser, die Jungfrau von Rouen ist gekommen."

Marie versank in einem Wirbel von Zurufen, Händedrücken und Zutrünken, sie wurde zum Mittelpunkt der ausgelassenen Runde. –

Der alte Charles war noch auf, als Marie heimkehrte, er löschte gerade die Lichter. Mit einem verstehenden Schmunzeln leuchtete er ihr die Treppen hinauf in ihr Zimmer.

Auf dem Bett lag ein Fliederstrauß; eine Karte war beigefügt: „Ich habe auf Sie gewartet. Schade. Lavoisier."

3

Der Tod im Moor

Dieser verdammte Nebel! Dick wie Watte war er, verwehrte die Sicht und verschluckte die Stimmen. Nicht drei Schritt weit konnte man sehen. Nur die tastenden Füße signalisierten, ob man noch auf der Landstraße nach Preston oder schon an einem der tückischen Moore war, deren Tiefe noch kein Christenmensch ermessen hatte. Säbelbeinjimmy fluchte vor sich hin.

Pflastersteine verhießen noch Straße, Gräser waren bereits verdächtig. Der Nebel kam von der See. Da obendrein kalter Ostwind wehte, schätzte jeder die Geborgenheit einer Schenke mit prasselndem Kaminfeuer und heißem Bier. Säbelbeinjimmy schmeckte es schon auf der Zunge.

Die Landstraße führte über Sittingbourne nach Canterbury und bog von dort in scharfem Knick nach Dover ab. Doch der Polizist wollte nur bis Preston. Er war seit den frühesten Morgenstunden auf dem Marsch. Ein Frachtfuhrwerk hatte ihn ein Stück Wegs mitgenommen, doch nun mußte er laufen, wenn auch die Sohlen brannten. Kurz hinter Preston lag die Herberge Sam Butlers, und dorthin wollte Sergeant Jimmy Carton. Der naßkalte Nebel tröpfelte in Perlen an seinem strohgelben Schnurrbart hinunter. Ab und zu schüttelte Jimmy den vollgesogenen Filzhut aus.

Säbelbeinjimmy fluchte. Warum mußte gerade er, ein britischer Polizeisergeant, in dieser Einöde Exkursionen unternehmen? Gab es dafür keine berittenen Konstabler, die, einen Gaul unterm Hintern, die Gegend bequemer und gefahrloser durchstreifen konnten? Nur ein mißgünstiger Vorgesetzter in Scotland Yard konnte ihm diesen Mist eingebrockt haben.

Der Wind nahm zu und riß den gelben Nebel auf. Der Sergeant konnte nun rascher ausschreiten. Ein paar armselige Lichter in der Ferne ließen das Nest Preston vermuten. Dort würde ja wohl in der Schenke eine Pinte Rum zu haben sein, den Magen angenehm zu erhitzen.

Da hatte der Sergeant an soviel Werk- und Feiertagen an der Ecke des Temple-Tors gestanden. Alle kannten ihn. Die Marktweiber ließen ganz aus Versehen ein geschlachtetes Täubchen fallen, die Fleischer eine Wurst. Ging er in eine Schenke, stand für ihn ein Gläschen Genever oder Rum bereit, betrat er den Tabakladen von Mister Swineburne, steckte der ihm ein Päckchen Virginia zu.

Und jetzt dieses Geschäft. Er hatte allerdings bereits seit Jahren nach Verschwörungen gefahndet. Sein robuster irischer Schädel war immer dort aufgetaucht, wo sich Arbeitsleute trafen. Er wußte um die Unzufriedenheit der Handwerker, meldete jede verdächtige Äußerung an seine vorgesetzte Behörde und lächelte selbstgefällig, wenn Unvorsichtige in Bridewell Hanf klopfen mußten oder gar auf königlicher Fregatte kostenlos nach der Barbados-Insel reisen durften.

Jetzt aber war man mit ihm unzufrieden. Immer mehr hatte sich der Verdacht verstärkt, daß eine geheime Organisation bestand, die immer umfangreicher wurde.

„Aber Sie wissen nichts, Sergeant", hatte der Generalanwalt gebrüllt und angedeutet, man werde ihn zum Dezernat Pferdediebstahl versetzen. Solche Versager wie er seien für den höheren Kriminaldienst ungeeignet.

Jimmy hatte also die Spur wiederaufgenommen, die er vor einem Jahr verloren hatte.

Da war diese Lizzy Seymour aus der Rookery St. Giles. Seit der Heirat ihrer Mutter hatte sie die Zimmer an ihre Lehrerin vermietet. Aber diese eingetrocknete Mumie sah nicht wie eine Umstürzlerin aus. Anders der Apothekergehilfe Laval, dessen freches Gesicht oft genug in Kaffeehäusern auftauchte, wo über den Krieg in Amerika oder über die Reden Lord Chathams debattiert wurde.

Da war diese Betsy, die in Bethnal-Green in einer Spinnerei arbeitete. Im Winter hatte er sie ertappt, als sie Zettelchen verteilte, auf denen die Worte standen: „Gebt einen Penny für die Opfer der Jenny." Sie mußte dafür drei Monate Bridewell absitzen, denn die Sammlung für arbeitslose Spinnerinnen war nicht genehmigt gewesen.

Da war dieser Nadelmacher Ned, der jetzt im Hafen Gelegenheitsarbeit machte, dazu der Straßenreiniger Jim, der mit seinem Karren durch die Parker-Street trottete, und da war Sam Butler. Als der Sergeant diesen Namen in Scotland Yard nannte, lachte man ironisch. Ein Schenkenbesitzer und Landeigentümer soll ein Konspirateur sein? Der wird sich bestimmt seine früheren Kumpane vom Leibe halten.

Aber der Sergeant wußte es besser. Hatte nicht Betsy schon öfter an der Straße nach Dover gestanden, um von einem Frachtfuhrwerk mitgenommen zu werden? Hatte nicht Ned schon einige Male in der Schenke von Sittingbourne übernachtet? Und war Jim nicht für einige Tage spurlos verschwunden gewesen?

Während Säbelbeinjimmy an diesem naßkalten Oktobertag nach der Schenke von Shooters Hill stapfte, wurde ihm bewußt, daß er zum ersten Male seit vielen, vielen Jahren die Uniform gegen ziviles Zeug ausgetauscht hatte, weil er nicht auffallen wollte. Er trug einen blauen Tuchrock, der viel zu weit um seinen Bauch schlotterte, und eine braune Kniehose, die er von der Witwe eines Schreibers beim Kriminalgericht billig erworben hatte. Den Hut hatte ihm ein Aufseher von Bridewell geliehen. Nur die Stiefel waren fiskalisches Eigentum und wohl daher so hart und ungefügig, daß er bereits kurz hinter Chatham Blasen an den Fußsohlen spürte.

Endlich sichtete er die schilfgedeckten Häuser von Preston. Vorbei an stinkenden Misthaufen und Jauchegruben stolperte er zum Markt, wo das blecherne Schild des Wirtshauses im Winde scheppte.

In der Schenke brannte eine Unschlittkerze und erhellte kärglich den herrlich warmen Raum. Im Kamin glühte ein dicker Baumstumpf. Der Ortspfarrer saß an einem runden Tisch und legte Patiencen. Ein Mann mit eingeschlagenem Nasenbein und nur einem Auge hatte seinen Stuhl an den Kamin gerückt und wärmte sich die Füße.

Die Wirtin, schmuddelig, mit Tränensäcken unter den Augen, brachte dem neuen Gast eine Pinte Rum und heißes Wasser. Dann wandte sie sich dem Geistlichen zu und fragte: „Geht's auf, Hochwürden?"

„Ich sage noch nichts. Wenn es aufgeht, predige ich über die törichten Jungfrauen, die kein Öl auf ihre Lampen gegossen haben. Geht es aber nicht auf, predige ich über die Speisung der Fünftausend, wie es bei Matthäus im 14. Kapitel steht. Dann werde ich euch den Mund wässerig machen von gesottenen Karpfen und geschmorten Kaninchen in saurer Sahne."

Der Mann am Kamin zog ächzend seine Beine vom Feuer fort und sagte: „So schlecht lebt man doch hierzulande nicht, Herr Pfarrer. Ich ziehe im Land umher und kaufe Felle auf. Heute erst habe ich im ‚Fröhlichen Truthahn' dreißig Kaninchenfelle eingehandelt, zwei Rehdecken und ein Otterfell. Das muß doch ein Geschäft sein, diese Kneipe in Shooters Hill."

Säbelbeinjimmy hatte die Ohren gespitzt.

Die Wirtin prustete los: „Dreißig Karnickel? Das ist doch Schwindel! Wann steigt denn schon ein angesehener Fremder dort ab?"

„Außerdem ist bekannt, daß die Jagd noch immer dem gnädigen Herrn auf Devonshire gehört", sagte der Pfarrer. „Hoffentlich hat Mister Butler . . ."

Er konnte den Satz nicht vollenden, denn die Wirtin kreischte dazwischen: „Das Wild ist Missis Butler in die Küche gelaufen, Hochwürden! Dreißig Kaninchen! Gütiger Gott! Darüber sollten Sie predigen, damit kann man die Hungrigen speisen, wenn auch keine fünftausend."

„Nun, nun", der Fellaufkäufer schüttelte den Kopf, „er hat immer Gäste, der Butler. Alte Freunde, sagte er mir. Und die Felle . . . Ich kann's ihnen nicht ansehen, ob sie die Tierchen in Schlingen gefangen oder ob Hunde sie aufgestöbert haben. Jedenfalls sind sie verzehrt worden."

Nachdenklich starrte Säbelbeinjimmy in sein Glas. Alte Freunde, wahrscheinlich aus London, so, so. Und der Jim war vor Jahren wegen Wilddieberei ins Gefängnis gekommen, das war aktenkundig.

Der Kriminalist in Jimmy erwachte wieder. Jetzt aber schleu-

124

nigst nach Shooters Hill. Er sei Schiffszimmermann und müsse in Dover an Bord, sagte er, als er der Wirtin seine kleine Zeche bezahlte.

„Halten Sie sich immer auf der Straße, Herr", rief der Pfarrer. „Es gibt südlich unserer Gemeinde einen meilenweiten Sumpf, im Vorjahr ist ein Kirchenratsmitglied mit Pferd und Wagen dort versunken."

Der Fall lag für Säbelbeinjimmy bereits völlig klar. Dort in der einsamen Herberge war der Sammelpunkt der Verschwörer. Dort würde er die Beweise finden, die man in Scotland Yard benötigte. Vielleicht hatte die jetzige Frau Butler noch mit dem Arzt Verbindung, der bei ihr gewohnt hatte, diesem Marat, der nach Paris geflüchtet war? Das war sehr leicht möglich, denn diese gottverdammten Franzosen halfen den nordamerikanischen Rebellen, für die auch Leute vom Schlage Butlers soviel Sympathien empfanden.

Säbelbeinjimmy stutzte – war er von der Straße abgekommen? Aber nein, unter seinen Füßen waren Steine. Die Nebelwand war wieder dick und flutend. Eine Wegstunde bis Shooters Hill – verteufelt, er mußte schon länger unterwegs sein. Der Wind war eisig, die Hände wurden klamm. Er hörte weder Hundegebell noch sonst einen Laut. –

Sam Butler sagte zu seiner Helen, die neben ihm am Kaminfeuer saß und getrocknete Erbsen auslas: „Ein solcher Nebel ist für einen Schenkwirt kein Geldscheißer. Wer sollte sich auch bei dem Wetter auf die Landstraße trauen? Machen wir uns einen schönen Abend, Helen."

Helen lächelte, sie entzog sich ihrem Mann aber, als er sie um den Leib fassen wollte.

„Laß das, du närrischer Kerl! Hilf mir lieber. Die Erbsen werden nicht weniger. Übrigens habe ich heute bereits Geld eingenommen, ich habe die Felle verkauft. Joe aus Preston war hier. Fünf Schilling, zwanzig Penny. Bin ich nicht tüchtig?"

„Unvorsichtig bist du." Sams Züge verschatteten sich. „Kannst dir doch denken, daß sie über uns reden werden, unseren Verdienst nachrechnen. Und gerade jetzt, wo Betsy und Jim hier sind. Ich hab' ein dummes Gefühl."

Helen sprang auf, die Erbsen kullerten über den Boden. „Deine Freunde kommen, essen, trinken und gehen wieder, ohne einen Penny zu zahlen. Ein andermal kommen Laval und Lizzy. Soll ich ihnen etwa Geld abnehmen? Ich kann doch keine Mahlzeit hinstellen, wenn nichts da ist. Kaninchen laufen genug herum, kann ich dafür, wenn Nero eins in der Schnauze hat? Ach, Sam, du bist kein Mann."

Sam stand betreten da. Diesen Zornausbruch hatte er nicht erwartet. Plötzlich spürte er einen Biß der Eifersucht. War nicht ein Brief von Marat gekommen? Helen hatte ihm nur ein gedrucktes Heft gegeben. Es enthielt eine Rede, die Marat in Paris gehalten hatte. Er wollte seinen Londoner Freunden daraus vorlesen. Aber den Brief Marats, den hatte Helen ihm vorenthalten, und das war schlimm.

Er ging bedrückt ins Nebenzimmer, wo der alte steifbeinige Jim bei einem Öllämpchen Zeile um Zeile der Schrift Rousseaus „Contrat Social" mit dem Finger nachfuhr und der ihm gegenübersitzenden Betsy in feierlichem Tonfall vortrug: „Bei der Untersuchung, worin denn eigentlich das höchste Wohl aller, welches der Zweck eines jeden Systems der Gesetzgebung sein soll, besteht, wird man finden, daß es auf zwei Hauptgegenstände hinausläuft, Freiheit und Gleichheit; Freiheit, weil jede Abhängigkeit des einzelnen eine ebenso große Kraft dem Staatskörper entzieht, Gleichheit, weil die Freiheit ohne sie nicht bestehen kann."

Betsy, die den Kopf über eine Näharbeit gebeugt hielt, seufzte. „Das ist mir zu hoch. Man muß mit den Menschen einfacher reden. Die Bergpredigt, die Zehn Gebote, die versteht man. Die Philosophen reden zu ihresgleichen, Jim. Man muß einen finden, der zu den Werkleuten so spricht, wie ihnen der Schnabel gewachsen ist." Sie richtete sich auf und blickte sinnend ins Licht der Ölfunzel.

„Solltest nicht so trübselig sein, Betsy." Sam versuchte seine eigene Besorgnis hinter gespielter Munterkeit zu verbergen. Er blickte Jim über die Schulter und las: „,Der Mensch wird frei geboren, und überall ist er in Banden.' Verstehst du das auch nicht, Betsy? Das ist mir lieber als die Bergpredigt."

„Ja, ich habe die Bande gespürt", entgegnete Betsy. „Drei Monate Bridewell – zweimal in den Bock gespannt, weil ich aufmuckte. Die Herren Philosophen sind besser dran, sie sitzen in ihren Studierzimmern, sogar an den Kaminen der Adeligen, und schreiben schöne Worte. Aber die Gefängnisse, das Blut und den Tod, das alles überlassen sie den kleinen Leuten."

„Denke doch an solche Gelehrten wie unsern Freund Marat. Hat er hier in London nicht genug riskiert? Und wer weiß, was ihm in Frankreich noch blüht. Hier ist eine neue Schrift von ihm. Es ist der Entwurf für eine Strafgesetzgebung. Laval hat ihn ins Englische übertragen. Mir gefällt nicht alles. Aber eines steht fest: Das Heft ist wie Schießpulver in den richtigen Händen."

„Auch Marat hat sich davongemacht", sagte Betsy abweisend. „Ich mag alle diese gelehrten Leute nicht."

„Du redest Unsinn, Betsy. Ein Schiff braucht einen Kapitän und einen Steuermann. Wenn es nach dir ginge, würde es nur Matrosen geben", sprach Jim bedächtig. „Hört zu, ich werde euch etwas aus Marats Schrift vorlesen", sagte Sam. „Jeder Diebstahl setzt das Recht auf Besitz voraus, aber wovon wird dieses Recht abgeleitet? Der Usurpator führt es auf das Recht des Stärkeren zurück, so, als könne die Gewalt jemals unantastbare Ansprüche errichten."

„Jawohl, deshalb Gewalt gegen Gewalt", rief Betsy und schlug mit beiden Fäusten auf den Tisch. „Vereinigen wir die Werkleute und machen Schluß mit Maschinen und Fabriken. Wieder Handarbeit, und alle haben auskömmliches Brot."

„Du hast nichts gelernt", sagte Sam Butler verärgert. Plötzlich horchte er auf. „Der Hund bellt ja so laut. Bei dem Nebel und um diese Zeit kann doch kein Reisender gekommen sein."

„Er wird wieder mal ein paar Ratten jagen", meinte Jim.

„Der Nero bellt nicht um ein paar Rattenviecher", antwortete Sam. „Es können Räuber sein. Erst vor einer Woche haben sie bei Chatham einen Schenkenbesitzer ausgeplündert. Los, wir müssen nachsehen." Er nahm seine mit grobgehacktem Blei geladene Flinte. „Hört nur, der Hund ist ja wie rasend."

Im Nebenzimmer war Helen bereits dabei, die schwere Pistole mit Pulver und Blei zu laden. „Löscht nicht das Licht", rief sie, „es könnten doch Gäste sein, die sich im Nebel verirrt haben."

Sam und Jim traten vor das Haus und riefen in die Finsternis. Plötzlich verstummte das Hundegebell.

„Dort liegt Nero", rief Jim und beugte sich nieder. „Sie haben ihn mit dem Messer erledigt", schrie er auf.

Die Stalltür knarrte, ein Schatten huschte davon.

„Steht!" rief Sam, und nochmals: „Steht!" Dann schoß er die Flinte ins Dunkel ab, aber die tapsenden Schritte des Flüchtenden waren weiterhin zu hören.

„Schuft, verdammter!" brüllte Jim. „Los, wir müssen ihn fangen."

Sie jagten in den Nebel hinein, dem Hall der Schritte nach. Jäh ein Schrei. Ein Mensch brüllte um Hilfe.

„Der ist ins Moor gerannt", rief Betsy, die neben Sam dahinhastete.

Nochmals der Schrei in Todesangst: „Helft mir, helft mir!"

„Wenn ich nicht wüßte, daß Säbelbeinjimmy am Temple-Tor in London steht, ich würde schwören, daß es sein Organ ist. Los, lauft, wir brauchen Leitern und Stricke, vielleicht kann man helfen."

„Zu spät", sagte Sam Butler.

Jetzt waren auch der alte Jim herangekommen und Helen, die den dreien nachgeeilt war. „Gott sei seiner Seele gnädig", sagte sie.

Als der Morgen dämmerte, suchten die vier Leute aus Shooters Hill den Garten und den Rand des Moores ab. Sie fanden ein langes Messer, wie es die Polizeibüttel von Scotland Yard bei sich trugen. Auf dem Moor schwamm ein Hut, den sie mit einer Stange herausfischten. „Bridewell" war ins Futter gestickt und dazu die Nummer 55.

4

Dr. Marat, der Leibarzt

„Seine Hoheit befiehlt, daß Doktor Marat an der Vorführung des Grafen Cagliostro teilnimmt", hatte Kammerdiener Maurice ausgerichtet. Nun saß er wartend auf einem damastbezogenen Sessel im Zimmer des Arztes und blickte mit seinen greisen Augen gleichmütig zum Fenster hinaus. Was waren ihm die Gartenterrassen im herbstlichen Verblühen, die Wasserspiele, von denen erquickende Kühle herüberfeuchtete, der Pavillon des Fleurs, wo sich eine fröhliche Gesellschaft mit Pfänderspielen amüsierte . . .

Das gehorsame Dienergesicht wandte sich fragend Marat zu.

„Ausgeschlossen, Monsieur Maurice! Sie wissen, daß ich nur Arzt der prinzlichen Leibwache und Dienerschaft bin. Warum geht nicht der Leibarzt des Prinzen mit, mein Kollege Poisson? Soll er sich diesen italienischen Scharlatan ansehen. Mir ist die Zeit zu schade."

„Aber, Monsieur Marat, ein Befehl des Prinzen!" Der alte Mann war blaß geworden. Seine mit knolligen blauen Adern bedeckten Hände zitterten.

„Befehl des Prinzen! Ich komme soeben von einer höheren Majestät, Monsieur Maurice, vom Tode. Eine Kammerzofe hat zu früh entbunden. Kind und Mutter waren nicht mehr zu retten. – Außerdem habe ich bei den Reitknechten einen Fall von Gelbsucht festgestellt. Ich muß das Blut des Mannes untersuchen."

„Monsieur Marat, ich kenne Sie nun schon so lange. Sie haben mir einen schmerzenden Furunkel weggebracht und Sie haben mir geholfen, daß ich jetzt wieder Wasser lassen kann wie ein junger Bursche. Wenn Sie doch nur auf mich hören wollten! Doktor Poisson . . ."

„Was ist mit ihm? Hat er sich den Zorn Seiner Hoheit zugezogen? Hat er ihm kein Purgativ gegeben?"

„Doktor Poisson ist in Ungnade, er dürfte den Abschied bekommen." Maurice flüsterte und blickte ängstlich nach dem geöffneten Fenster. „Die reizende Mademoiselle Faviloir hat Prinzliche Hoheit vorübergehend kampfunfähig gemacht."

„Teufel auch!" Marat lachte lauthals, wie man in der Taubenhausgasse lachte. Der Diener legte erschrocken den Finger auf den Mund.

Richtig! Man war in Versailles, logierte in einem Zimmer des Dienertraktes – mit etwas mehr Luxus als ein Stallmeister oder Hofkoch. Man mußte auf Etikette achten, sonst konnte man in diesem Bourbonenquartier mancherlei Zurechtweisung erfahren.

Aber lachen mußte Marat noch immer, wenn auch leiser. In den Kreis seiner vergnüglichen Gedanken fiel jener erste Morgen im Schloß, als er einer seltsamen Prozession begegnet war. Die peinliche Tatsache nämlich, daß es trotz der luxuriösen Gemächer keine intimen Örtlichkeiten gab, verursachte den allmorgendlichen Marsch der Lakaien mit den Nachttöpfen ihrer erlauchten Herrschaften durch die langen Korridore hindurch hin zur einzigen Abortgrube des Gebäudes.

Wenige Tage danach hatte Marat aber über Monsieur Mansart, den Erbauer des Schlosses, getobt, der so wenig an die Hygiene der Bewohner gedacht hatte.

Der alte Maurice sagte jetzt erklärend: „Es gehört zu den Pflichten des Leibarztes, die von Hoheit ausgewählte Favoritin so zu betreuen, daß Hoheit mit ihr ohne Gefahr verkehren kann."

„Und dieses charmante Amt soll vermutlich ich jetzt übernehmen." Marat schlug grimmig das Fenster zu. „Übrigens ist Doktor Poisson tüchtig, das ist nicht nur ein Stuhlbeschauer, wie sie haufenweise in diesen Gemächern herumlungern, er hat studiert."

Der Diener trat an den Arzt heran. „Monsieur Marat, ein Erster Lakai bei einem königlichen Prinzen erfährt mehr als ein Ministerpräsident. Auch der Leibarzt von Majestät ist momentan in Ungnade . . ."

„Was kümmert mich der Hofklatsch, das ganze Intrigenspiel?"

„Monsieur Marat, seien Sie kein Dickschädel. Der Leibarzt meines Prinzen bekommt im Jahr dreihundert Louisdors bei freier Kost aus der Küche Seiner Hoheit, bei freiem Quartier. Ich hörte, Sie haben Schriften verfaßt, die im Ausland gedruckt werden sollen? Ich hörte, Ihre Familie daheim in Genf ist nicht auf Daunen gebettet? Ich hörte, daß Sie arme Teufel oft umsonst kurieren? Wenn Sie da dreihundert Goldfüchse . . ."

„Sie sind ein Versucher, Monsieur Maurice. Gut, ich komme zur

Séance des Grafen Cagliostro. Aber wegen Poisson ... Ich nehme niemandem ein Amt weg."

Doch der Kammerdiener ließ noch nicht locker. „Er ist bereits entlassen, der Doktor Poisson. Was ich noch sagen wollte – Sie müßten natürlich als Leibarzt auch die Speisen Seiner Hoheit vorschmecken. – Sie wundern sich?" fügte er hinzu, als Marat das Gesicht verzog. „Diese Order besteht noch aus Zeiten des seligen Königs, Monsieur. Sie wissen, man hat Seiner Majestät nach dem Leben getrachtet."

Marat wurde wütend. „Eine herrliche Insel ist dies Versailles, Monsieur. Die Königin deklamiert, versucht sich als Aktrice, spielt in ihrem Theater draußen in Trianon. Der König reitet zur Jagd und läßt seine Minister tagelang antichambrieren. Wenn er Lust hat, konstruiert er Türschlösser. Der Prinz Karl lernt Seiltanzen, was er besser dem Ministerpräsidenten Monsieur Maurepas überlassen sollte, und beglückt seine Favoritinnen. Glückliches Frankreich! Deine Großen haben große Sorgen!"

„Monsieur Marat, was die Séance betrifft, es nimmt auch Monsieur Lavoisier teil. Er soll gesagt haben, dieser Graf Cagliostro ende entweder am Galgen, in der Bastille oder in den päpstlichen Gefängnissen zu Rom."

„Lavoisier kommt? Diese Nachricht hätten Sie voranstellen sollen. Dieser Mann ist ein wirklicher Goldmacher."

Prinz Karls neueste Marotte war der Seiltanz. In einem unbenutzten Pavillon hatten die Lakaien ein Seil aufgespannt, etwa fünfzehn Fuß über dem Marmorboden. Die Balancierstange in den Farben der Bourbonen lehnte an dem Leitergerüst, wo Madame Bellefleure in anmutiger Haltung mit einer kleinen Peitsche schmitzte und einige Reitknechte sich mit derben Witzen über Madames gewagte Kostümierung lustig machten. In einer Gruppe von Hofdamen saßen die Prinzessinnen Rohan und Lamballe und bewunderten die Beweglichkeit des Prinzen, der in scharlachroter römischer Tunika, mit weißen Sandalen an den Füßen Sprungübungen machte und bei tiefen Kniebeugen seine muskulösen Schenkel spielen ließ. Madame Bellefleure spornte ihn mit kehligen Lauten zu immer höheren Sprüngen an und ließ die Peitsche kreisen, als dressiere sie ein gefährliches Raubtier. Es roch nach Männerschweiß und nach dem Maiglöckenparfüm der Damen.

Die Bellefleure, eine Italienerin, war zusammen mit dem Grafen Cagliostro nach Paris gekommen. Unter elf Bewerberinnen hatte sie die ehrenvolle Aufgabe erlangt, dem Prinzen die Kunst des Seillaufens beizubringen. Die Bedenken Ludwigs XVI. gegen die Extravaganz seines Bruders waren durch seine Frau zerstreut worden. Marie Antoinette, die alles bestaunte, was ihr Schwager unternahm, hatte dem König versichert, daß Theodora, die Kaiserin von Byzanz, sogar als Kunstreiterin aufgetreten sei.

Es ging das Gerücht, Madame Bellefleure sei eine römische Spionin, man wisse nur nicht, ob sie für oder gegen die französische Polizei arbeite. Vielleicht stehe sie im Dienst der päpstlichen Inquisition, die schon lange den Abenteurer Cagliostro beschatten ließe.

Nachdem Madame den hellen Schrei der Artisten ausgestoßen hatte, war sie in zwei Sprüngen auf dem Seil, ließ sich die schwere Stange reichen, prüfte mit der Fußspitze, ob die Spannung genüge, dann tänzelte sie los. Nach ein paar Balletteusenbewegungen stand sie auf Fußspitzen, wippte, daß das Seil schwankte, lief bis zu seiner Mitte, um niederzuknien und ins Spagat zu rutschen. Dann schob sie sich wieder hoch und ging rückwärts zu ihrem Stand zurück, wo sie einem Kammerdiener die Balancierstange übergab.

„Bravo", rief die kleine Lamballe, und ihr Mund stand offen vor Bewunderung.

Marat, der auf Befehl des Prinzen als ärztlicher Beistand anwesend sein mußte, saß indessen etwas gelangweilt auf einem Taburett.

Abgeschmacktes Spiel, dachte er, das macht jeder Schausteller.

„Jetzt ich werde zeigen Attraktion, die hat bereits gemacht mein Urahn vor Seiner Heiligkeit Papst Alexander VI., Salto auf Seil", kündigte die Bellefleure an.

Sie schnellte sich vor, stieß wieder den hellen Schrei aus, ließ das Seil federn und sich dabei mehrmals hochschnellen, riß sich dann hoch in die Luft, wirbelte herum und stand.

Prinz Karl rief „Bravo", als sie mit einigen Sprüngen wieder auf dem marmorglatten Fußboden landete und tätschelte mit vertraulicher Zärtlichkeit ihren geschmeidigen Körper.

Nun stieg der Bourbonenprinz, angefeuert von den Rufen der Damen, auf das Seil. Es war beachtlich, wie der schwere, untersetzte Mann sich Schritt um Schritt über das Seil schob. Die Damen jubelten, als er die andere Seite erreicht hatte. Auch die Lakaien und Reitknechte klatschten. Jetzt schien der Ehrgeiz Prinz Karl zu kitzeln. Statt der haltspendenden Stange nahm er ein buntes Sonnenschirmchen, das die Rohan ihm hochreichte, und begann seinen Lauf. Die Bellefleure rief bereits ihr kehliges „He, He", da trat der Prinz fehl und stürzte mit dumpfem Prall auf die Marmorfliesen herab.

Die Hofdamen schrien auf. Der Prinz versuchte sich forsch zu erheben, doch man sah ihm an, daß er sich verletzt haben mußte.

Zwei Lakaien schleppten ihn zu einem Sessel. Madame Belle-fleure wurde angebrüllt: „Scheren Sie sich! – Das Seil war zu schlapp. – Sie sind eine Pfuscherin. – Man sollte Sie mit Ruten-hieben aus Versailles jagen."

Marat war bereits dabei, dem Prinzen die Sandalenschnüre los-zubinden und die Strümpfe abzustreifen. Vorsichtig tastete er die Gelenke ab. Der Prinz zuckte zusammen. Ach, er hatte viel von seiner römischen Imperatorenwürde eingebüßt . . .

„Der Knöchel des linken Fußes ist gebrochen, Hoheit. Es wird notwendig sein, das Gelenk zu bandagieren, später in Gips einzu-betten." Noch immer befühlte und betastete Marat die Gliedma-ßen. Auch das rechte Bein schien böse verstaucht.

„Sie sind jener Marat, den mir Maurice empfohlen hat?" fragte Prinz Karl. „Hören Sie zu, Doktor. In vier Wochen findet in den Räumen Ihrer Majestät der Königin der erste Ball der Saison statt. Bis dahin muß ich wieder tanzen können. Schaffen Sie das, so sind Sie mein Leibarzt. – Und den Gipsfuß so diskret wie mög-lich." –

Auf die Kunde von dem Sturz des Prinzen war Graf Guibert herbeigeeilt. Die Königin hatte ihren Vaudreuil geschickt. Man überbot sich im Bedauern.

Der Prinz lag auf einem Ruhebett, der Fuß war dick in Gips verpackt. „Sparen Sie sich die schönen Worte, mein lieber Graf", sagte er und verzog das Gesicht. „Ganz Versailles freut sich; hätte ich den Hals gebrochen, würden sie sogar tanzen! Berichten Sie mir lieber, was von diesem Cagliostro Rühmliches zu melden ist."

Graf Guibert spielte mit seinem Lorgnon. „Er macht Gold und Diamanten. Vor den Augen eines kritischen Publikums. Prinz Ro-han will ihm sofort ein Laboratorium einrichten. Frankreichs Staatsschulden gehen in die Milliarden, da kommt uns doch dieser italienische Alchimist, der aus dem Nichts blanke Louisdors zau-bert, gerade recht. Warum sperren wir das Hühnchen nicht in die Bastille, damit es nur für uns goldene Eier legt?"

„Weil weder mein königlicher Herr Bruder noch Sie selbst an die Zauberei glauben."

„Das superbe aber ist, er heilt auch Kranke, läßt Lahme gehen und Halberblindete sehen. Meine Schwester hat ihre Leibschmer-zen verloren, die Lamballe ihre Migräne", sagte der Graf.

„Sehr aufschlußreich. Freuen wir uns an der Komödie. Cagliostro soll meiner Schwägerin ein ganzes Kollier Diamanten verspro-chen haben. Sie hat ihm tausend Livres Vorschuß gegeben." Der Prinz ächzte, der Fuß schmerzte.

„Ja, Versailles muß sparen . . . Ich sprach dieser Tage Schloßoffi-ziere, jeder ein Marquis, die bisher im Küchendienst tätig waren und nun zur Marine kommandiert sind. Sie haben schrecklich gejammert."

„Da haben Sie die Sparsamkeit; statt Bratenduft Seeluft – auch eine Delikatesse." Das Gesicht des Bourbonenprinzen verdüsterte sich. „Dabei nützt das alles nichts. Es kommt mir vor, als wollten sie den Montmartre mit einem Suppenlöffel abtragen. Leben wir in den Tag hinein! Das Ende? Wer fragt danach." –

Die Séance des Grafen Cagliostro fand in den Gemächern des Prinzen Xavier statt. Alle Fenster des geräumigen Empfangssaales waren schwarz verhangen. Kerzen flackerten in goldenen Leuchtern. Auf einem runden Marmortisch hatte der Magier eine ganze Sammlung alchimistischer Gerätschaften und Symbole der Magie aufbauen lassen: einen kleinen Dreifuß, unter dem bereits eine helle Flamme brannte; buntschimmernde Mineralien, Zangen und Tiegel; Menschenschädel, Skelette von Affen, Schlangen und Fischen; in einem Glasgefäß schwamm ein mißgestalteter Embryo, in einem anderen ein Chamäleon. Über alten Folianten und Pergamenten hing eine ausgestopfte Eule mit ausgebreiteten Flügeln, die mit ihren gelben Augen die illustre Gesellschaft, die sich nach und nach an den Wänden entlang aufreihte, zu mustern schien. Einige Sessel in der Mitte des Saales waren den Angehörigen des Königshauses vorbehalten. Man erwartete die Königin.

Prinz Karl war auf Krücken hereingehumpelt. Er wehrte mißmutig ab, als man ihm eine Ottomane anbot. Unbeholfen nahm er in einem Sessel Platz. Es war eine erlauchte Gesellschaft: Prinzen, Herzöge, Marquis, Prinzessinnen, Mätressen, soweit sie an diesem nach außen hin so moralischen Hof geduldet waren.

Der Prinz ließ Champagner servieren. Einige der Damen löffelten Eis. Die Goldstickereien der Fräcke blitzten im Kerzenschimmer, und im Haarschmuck der Damen blinkten die Diamanten.

Noch war der berühmte Goldmacher nicht erschienen, wohl aber der Chemiker Lavoisier und Doktor Marat. Doch man nahm von ihnen keine Notiz. Nur der Beichtvater der Königin schlug hastig ein Kreuz und murmelte, zum Prinzen Rohan herabgebeugt: „Die Ketzerei ist in den Palast eingedrungen: zwei Freigeister."

Ein Kammerherr klopfte mit dem Stab auf: Marie Antoinette.

Ihr hübsches Gesicht war gerötet, und es blieb den spähenden Augen der Hofdamen nicht verborgen, daß es die Röte des Ärgers war. Man tuschelte. Monsieur Necker, der Sparsamkeitsminister, wird immer filziger ... Es hat wieder Krach gegeben ... Die Königin ist von Duplessis gemalt worden, hat ihm zehntausend Livres bewilligt. Necker aber hat nicht bewilligt ... Peinlich, peinlich ...

Sobald die Königin Platz genommen hatte, trat Cagliostro ein, begleitet von seiner schönen jungen Frau. Der Goldmacher, klein und fett, hatte dunkle, mißtrauische Augen, die hurtig an der Mauer von Gesichtern entlangliefen. Die Damen konstatierten: gelber Frack, von einem englischen Schneider gearbeitet, stämmige Beine in weißseidenen Strümpfen und Kniehosen, etwas zu plumpe Hände.

„Achten Sie auf den Burschen, Monsieur Marat", flüsterte Lavoisier, „das ist ein raffinierter Schwindler, mehr nicht. Es gibt keine Umwandlung der Elemente." Marat nickte nur, für ihn war Alchimie gleichbedeutend mit Scharlatanerie.

Cagliostro gab seiner Frau einen Wink. Aus dem Tisch schossen blaue Flammen empor, gelbe folgten in Funkengarben, und Qualm stieg zur Decke. Schreckensschreie der Weiblichkeit, als der scheußliche Embryo im Glas sich bewegte und sein ungestaltes Gesicht den Anwesenden zuwandte. Gleichzeitig begann die Eule mit mächtigem Flügelschlag ein mißtönendes Gekreisch. Der Magier stand unnatürlich blaß inmitten seiner Utensilien; die Augen geschlossen, schien er in eine Art Entrücktheit versunken. Jetzt stieg das Chamäleon im Glas auf und nieder, und eine Schlange schob sich aus einem Kasten, stand steif wie ein Stock.

Der Goldmacher murmelte geheimnisvolle Sprüche. Marat flüsterte: „Kabbala", Lavoisier antwortete: „Stimmt." Die Hofgesellschaft schwieg wie gelähmt.

Cagliostro ließ sich die Augen verbinden. Seine Frau reichte zuvor das schwarze Tuch umher. Jeder konnte die Dichte des Gewebes prüfen. Die Herzogin von Polignac übernahm es, Cagliostro die Binde umzulegen. Ihre Hände zitterten so sehr, daß es ihr kaum gelang, den Knoten zu schürzen.

Nun gewahrte man in den Fingern von Cagliostros Gattin ein Glasstäbchen, das sie auf die Damen des Hofes richtete. Marie Antoinette, die kühl und überlegen schien, nahm ihre Lorgnette und musterte die junge Frau.

Das Glasstäbchen Frau Lorenzas schwankte eine Weile hin und her und kam dann, auf eine Hofdame gerichtet, zur Ruhe.

„Ihre Hoheit die Prinzessin von Lamballe", sagte Cagliostro prompt, dann bekam er einen Anfall, zitterte und stöhnte. Die Lamballe mit ihrem nichtssagenden Puppengesicht verfärbte sich. Der Magier hatte sich schon wieder gefangen und beugte sein Knie vor ihr. „Ich sehe um den Hals der Dame einen rubinroten Streifen."

Prinz Karl mit seinem Fuhrmannslachen rief: „Gratuliere! Ein neuer Halsschmuck."

Cagliostro küßte der Prinzessin die Hand. „Hoheit werden die erste sein, die diesen Streifen trägt, die erste, nicht die letzte."

Er tastete sich zurück. Das Stäbchen zeigte jetzt auf den Prinzen Karl.

„Eine Reisekutsche. Ich sehe immer wieder eine Reisekutsche. Sechs Pferde in rasendem Galopp."

Der Prinz wies auf seinen gebrochenen Fuß. „Sie trauen mir viel zu, Graf. Und wie lange dauert die Reise?"

„Mehr als das Viertel eines Jahrhunderts, Hoheit."

Marie Antoinette durchbrach das nach dieser Prophezeiung aufgekommene beklommene Schweigen des Hofes. „Und was prophezeien Sie mir, Herr Graf?"

„Majestät, es ist mir verwehrt, das Schicksal gekrönter Häupter zu deuten."

„Reden Sie. Ich erteile Ihnen Absolution."

Cagliostro hob die Hände. „Gnade, Majestät! Ich sehe eine lange Straße. Sie führt von einer großen Stadt in eine kleinere mit einem großen Palais. Viele Menschen sind vor diesem Palais, sie wollen es . . . Majestät, Pardon . . . Das Bild verwischt sich . . ."

Die Königin gab sich gleichmütig. „Zeigen Sie uns, wie Sie Gold machen, das ist amüsanter", verlangte sie.

Cagliostro verbeugte sich. Die Binde hatte er abgenommen.

„Was meinen Sie, Monsieur Lavoisier?" Marat war etwas beeindruckt.

„Jahrmarktskunststücke", antwortete der Chemiker, „etwas Menschenkenntnis."

Nach stummer Verbeugung nahm Cagliostro einen eisernen Tiegel und reichte ihn herum. Man gab das Gefäß von Hand zu Hand – lachend oder mißtrauisch. Ein Klumpen Steinkohle lag darin. Lavoisier zerstückelte ihn mit seinen knochigen Händen. Marat untersuchte den Tiegel. Halblaut meinte er zu Lavoisier: „Vermute, daß der Tiegel einen doppelten Boden hat und einen geschickt eingepaßten Pfropf, der bei hohen Hitzegraden schmilzt. Dann fließt der goldene Segen."

„Wir werden sehen." Lavoisier nahm eine reservierte Haltung ein, immerhin war er Akademiemitglied und sollte ein streng wissenschaftliches Gutachten abgeben. „Selbstverständlich kann er aus Steinkohle kein Gold machen. Ich bin recht neugierig, wie er zaubert . . .

Die Flamme inmitten des Tisches züngelte hoch. Vermutlich betätigte Frau Cagliostro einen versteckten Blasebalg. Der berühmte Mann schob den Tiegel mit den Steinkohlenstücken über das Feuer.

Tiefe Stille im Raum. Dann rief die Königin in ihrem österreichisch gefärbten Französisch: „Solche Tiegel in den Händen von Monsieur Necker, und die Sorgen um mein geliebtes Trianon wären geschwunden wie Schnee in der Märzsonne."

Man lachte pflichtschuldigst, obgleich man nicht wußte, ob Marie Antoinette scherzte oder im Ernst sprach.

Cagliostro verzog keine Miene. Er starrte auf den Inhalt des Tiegels. Die glühenden Kohlestücke zerfielen. Ein Gluthäufchen bildete sich, bläuliche Flämmchen spielten.

„Macht jeder Dorfschmied", sagte Marat so laut, daß die Hofdamen in seiner Nähe protestierend murrten.

Die Spannung stieg. Einige Damen benutzten ihre Riechfläschchen. Der Abbé schlug das Kreuz – man konnte nicht wissen, ob der Teufel hier sein Spiel trieb.

Da – das Wunder! Cagliostro gab auf italienisch einen Befehl. Seine Frau brachte einen irdenen, mit Wasser gefüllten Krug, und – Marie Antoinette stieß einen ansteigenden spitzen Schrei aus, die Damen und Herren klatschten frenetisch – ein goldschimmernder dünner Faden floß aus dem Tiegel in das aufzischende Naß.

„Gold", ächzte der Prinz Rohan, „Gold", jubilierte die Herzogin von Polignac. Die Königin, mit törichtem Lächeln, patschte immer wieder in die Hände – ein beschenktes Kind.

Der Goldmacher angelte mit einer Pinzette ein Stückchen Metall aus dem Krug und legte es auf einen kleinen Amboß, wie ihn die Goldschmiede von Paris benutzten, nahm einen Hammer und formte in großer Geschwindigkeit ein Medaillon, das er mit feierlicher Verbeugung der Königin überreichte.

„Post nubila Phoebus", las Antoinette glückselig. Cagliostro hatte diesen Spruch in das runde Stück Gold gestanzt.

„Es ist Gold, meine Herren Wissenschaftler, reines Gold", rief Prinz Karl und drehte das Medaillon hin und her. Die Damen rissen sich darum, es in die Hand zu nehmen, ja die Lamballe küßte die Inschrift: „Nach Wolken die Sonne".

„Es ist tatsächlich Gold, Majestät", sagte Lavoisier, „reines Gold, wie es schöner und edler nicht von Mexiko oder Peru kommen könnte."

Er lehnte sich im Sessel zurück und lächelte undurchdringlich. Marat neben ihm versteckte seine Zweifel unter einer verbindlichen Maske.

Cagliostro fixierte die beiden Herren feindselig.

„Eine Bitte habe ich, Majestät. Ich möchte als Fachmann den Tiegel nach dem jetzigen Versuch nochmals untersuchen." Lavoisier beobachtete, wie ein blitzartiger Schreck die Züge des Alchimisten durchjagte. Nur er schien es wahrgenommen zu haben.

Doch Marie Antoinette – vielleicht fürchtete sie, aus Illusionen gerissen zu werden, vielleicht war ihr Lavoisiers Wissensdrang unsympathisch – rief herrisch: „Mir genügt das Experiment, Messieurs und Mesdames. Erfreuen wir uns am Genie des Grafen." Sie reichte Cagliostro die Hand, raffte ihre Röcke und ging, ohne die beiden Sachverständigen zu beachten.

Als sie verschwunden war, wandte sich Marat an Cagliostro. „Bitte, Herr Graf, ich bin Arzt. Würden Sie *mir* den Tiegel zu einer Untersuchung anvertrauen? Ich bin kein Adept, werde nie einer sein."

Mit temperamentvollem französisch-italienischem Wortschwall entgegnete Cagliostro, es gebe Berufsgeheimnisse. Er hüte die Goldmacherkunst, deren Väter an den Universitäten von Bologna und Salamanca lehrten. Niemand könne ihn zwingen, Ergebnisse preiszugeben, die von den alten Ägyptern und Indern stammten.

Prinz Karl winkte ab und ließ sich hinaustragen. Auch die anderen Mitglieder des Königshauses zogen sich zurück, nachdem jeder dem großen Zauberer Huld und Vertrauen ausgesprochen hatte.

Regen tröpfelte, als Lavoisier und Marat über den Schloßhof zum Hauptportal gingen. Das Plätschern der Wasserspiele war verstummt. Auf Anordnung des Königlichen Intendanten mußten aus Haushaltsgründen bei Einbruch der Dunkelheit die Springbrunnen abgestellt werden.

In den Gemächern des Königs brannten nur wenige Kerzen. Auch hier war der Sparsamkeitserlaß gültig. Finanzminister Nekker versuchte die Schuldenflut auch mit primitivsten Maßnahmen einzudämmen.

„Sie wohnen also bereits hier?" fragte Lavoisier. „Sie sind demnach auf dem besten Wege, Leibarzt des Prinzen zu werden? Wie verträgt sich das mit Ihren Ansichten?"

Marat hörte aus den Worten des geschätzten Chemikers nur Spott. So antwortete er gereizt: „Ich werde aus den gleichen Gründen Leibarzt, aus denen Sie Steuerpächter sind. Verdammt, Lavoisier, ich brauche Geld. Nicht für mich – ich kann täglich Brotsuppe löffeln. Aber ich muß Instrumente kaufen, optische Geräte für meine Augenbehandlungen, elektrische, um damit zu experimentieren. Ich möchte dem Magnetismus dieses Mesmer nachspüren. Ist der Mann ein Betrüger? Ein Quacksalber?"

„Verzeihen Sie, Doktor. Ich wollte Sie nicht beleidigen. Nur zu gut weiß ich, daß die Wissenschaft ohne Experiment nicht bestehen kann. Man kann und darf nichts als gegeben, als feststehend betrachten, nicht einmal in der Physik und Mathematik."

„Und in der Chemie?" fragte Marat, der rasch besänftigt war.

„Da gärt und brodelt es. Ich sage Ihnen, das kommende Jahrhundert wird uns Chemikern gehören." Er packte Marat am Arm. „Glauben Sie mir, in meinen Retorten rumort der Zeitgeist. – Übrigens, Ihre Cousine hat ein kluges und liebenswürdiges Wesen. Liebenswürdig im besten Sinn des Wortes. Außerdem hat sie eigene Ansichten über Bücher und Menschen, was ich bei einer Frau schätzenswert finde."

„Es macht mich glücklich, Monsieur, daß Sie Freude an ihr haben." Mit diesem doppeldeutigen Wort wollte Marat das Gespräch beenden. Ihm war nicht unbekannt, daß Lavoisier sich seit Monaten um Maries Gunst bemühte und daß sie auf dem besten Wege war, seinem Drängen nachzugeben. Gewiß hatte sie Forestier deswegen nicht vergessen, der wieder einmal den französischen Behörden viel Scherereien machte, weil er den Waffenschmuggel nach Nordamerika zu offen betrieb. Es waren Waffen aus staatlichen Arsenalen, die mit Genehmigung des Außenministers Vergennes geschmuggelt wurden. Der Kapitän sollte den Briten in die Hände gefallen sein und in New York in Gewahrsam sitzen.

Reiß ihn aus deinem Herzen, hatte er der weinenden Marie geraten. Und Lavoisier? Für ihn war sie doch nur ein bequemer Zeitvertreib.

„Was sagen Sie zu dem Schwindler Cagliostro?" fragte der Chemiker. „Sie sind wohl doch beeindruckt. Oder haben Sie noch Ihre Ansicht vom Tiegel mit doppeltem Boden?"

„Ohne Zweifel ist die Goldmacherei purer Schwindel. Aber die Prophezeiungen? Hier möchte ich auf seelische Kräfte schließen, auf Übersinnliches. Ich war tatsächlich beeindruckt."

„Seele?" Lavoisier lachte schneidend und ließ seinen Kavaliersstock durch die Luft sausen. „Ich habe auf der Sorbonne vielen Sektionen beigewohnt, als Gutachter in Giftmordprozessen. Habe gesehen, wie man menschliche Kadaver zerstückelte und Gehirnmassen zerlegte. Eine Seele? Wo ist sie? ‚Alles Materie', hat schon Monsieur Lamettrie gesagt. Der Mensch ist eine gutorganisierte Maschine."

Am Haupteingang salutierte der Posten mit dem Degen. Vor dem großen schmiedeeisernen Tor hielt Lavoisiers Kutsche. Der Regen hatte zugenommen, die Tropfen sprühten gegen die Fenster.

„Und doch gibt es seelische Kräfte, Monsieur Lavoisier. Ich hoffe sie Ihnen beweisen zu können." Marat ging ins Haus zurück.

Der Regen plätscherte auf das Ziegeldach. Es klopfte. Kammerdiener Maurice trat ein, verstört und aufgeregt. „Monsieur Marat! Was sagen Sie? Heute ist Nachricht gekommen: Die amerikanischen Rebellen haben eine ganze englische Armee zur Übergabe gezwungen. Bei Saratoga. Majestät sucht den Ort auf allen Atlanten. Der österreichische Gesandte ist bei ihm. Ihre Majestät die Königin hat ihre Freunde um sich versammelt. Alle wollen ja, daß England geschlagen wird. Nur Majestät wünscht nicht, daß Rebellen die Sieger sind."

„Saratoga?" fragte Marat erregt. „Merken Sie sich den Namen, Maurice. Wenn ich eine Tochter hätte, ich würde sie Saratoga nennen! Begreifen Sie, Maurice: Amerika ist befreit!"

5

Begegnung mit Robespierre

Nochmals war der Winter zurückgekehrt. Eisiger Wind pfiff über Paris, ließ flaumiges Weiß von den Dächern aufstieben und die Pfützen auf Plätzen und Gassen mit splittriger Kruste zufrieren. Eisschollen türmten sich an Brückenpfeilern und Lastkähnen. Aus den Schornsteinen wirbelte der Rauch zahlloser Öfen. Die Luft roch nach Ruß, Qualm und Frost.

Sonntag vor Karneval 1781. Wenn die scharfe Kälte anhalten sollte, würde wohl kaum bei Aschermittwochanbruch die vom Quartier latin gewählte Königin des Festes auf den Schultern übermütiger Jurastudenten zum Saint-Michel-Brunnen getragen und mit dem Hintern ins eisige Naß getunkt werden.

Marie Cabrol, die dickvermummt am Seine-Quai entlanglief, dachte an diesen derben Studentenbrauch, der alljährlich die durchtollte Nacht beendete. Das Mädchen beeilte sich, an das wärmende Kaminfeuer Vetter Marats in der Taubenhausgasse zu gelangen.

Er war nur noch selten in seinen Pariser Arbeitsräumen anzutreffen; seine Tätigkeit als Leibarzt des Prinzen hielt ihn im Versailler Schloß fest. Die kleinen Beschwerden dieses verwöhnten Herrn mußten zu ernsten Leiden aufgebauscht werden, auf daß er sich vom höfischen Treiben distanzieren und desto ungenierter amourösen Abenteuern widmen konnte.

Marie seufzte, als sie an die kostbare Zeit dachte, die Marat dadurch verlor. Aber war es nicht das Schicksal vieler genialer Männer ihrer Epoche, diesem verderbten Adel als Zeitvertreiber zu dienen, bestenfalls als Zierde seiner Salons, angestaunt wie Weltreisende oder Löwenbändiger?

Mit Lavoisier war es nicht so. Forschungseifer, Entdeckerglück und immer wieder Wagnis – das alles band sie aneinander.

Es band sie noch anderes. Verweht waren Maries Hemmungen, erstickt ihre Skrupel, nicht mehr bedeutete ihr die Zuneigung zu diesem Manne die schlimmste aller Sünden. – Sie liebten sich.

Würde es dauern?

Niemals wird er die rechtmäßige Angetraute verlassen, die Frau, die alle seine Erfolge für sich verbucht . . .

Forestier? Sie spürt, daß ihr Gefühl für ihn nur vom Gegenwärtigen überflutet ist.

Noch immer soll er im Gefängnis sitzen. Es wird zwar gemunkelt, er werde gegen englische Offiziere ausgetauscht, die seit Saratoga in Kriegsgefangenschaft sind, doch die Verhandlungen ziehen sich hin. Englands König hält fest, wen er hat.

„Marie, wenn ich nochmals beginnen könnte, mit dir würde ich die Welt aus den Angeln heben", hatte Antoine Laurent Laviosier schon oft gesagt und auf den Mammon, den er verwünschte und doch so dringend brauchte – der ihm weder vom König noch von der Akademie gegeben worden war –, geflucht. „Für seine Jagdhunde braucht dieses dicke Bourbonenschwein mehr, als er mir für Experimente mit Chlorsilber zahlt! Für Schwindler wie diesen Cagliostro wirft er Gold hin und bekommt Blech! Ein Physiker wie Professor Charles muß um sein kümmerliches Salär betteln, aber ein Kammerherr braucht nur den königlichen Nachtstuhl zu visitieren, um das Zehnfache zu erhalten! Diese Ungerechtigkeit!"

Marie lächelte vor sich hin. Heute war sie von jeder Arbeit befreit: Lavoisier war bei Professor Charles eingeladen. Die Forscher waren mit Experimenten beschäftigt. Sie hatten Kartonblätter mit Silbernitrat, später mit Silberchloridlösung getränkt und sie dem Tageslicht ausgesetzt. Eine Büste Julius Cäsars, vor eine der präparierten Pappen gestellt, hatte sich – wie von Menschenhand gemalt – darauf abgehoben. Ein Wunder der Chemie!

Maries neue Schuhe knirschten im verharschten Schnee. Aus dem bleifarbenen Himmel stahl sich eine blasse Sonne.

Vor den Bücherkarren standen nur wenige Kunden. Die Buchhändler froren, stampften sich warm. Ein Holzkohlenöfchen brannte. Einer der Händler rief Neuerscheinungen aus und sparte dabei nicht mit deftigen Witzworten:

„Tagebuch einer entlaufenen Nonne."

„Die Abenteuer einer Kurtisane."

„Die Frauen des guten Königs."

„Mademoiselle", sagte er mit heiserer Stimme zu Marie, „kaufen Sie. Es ist das letzte Exemplar. Nur im Nachthemd zu lesen."

Zufällig drehte sich ein Käufer um, und sie erkannte Grenier, der ihr zuwinkte. Ein blasser junger Mensch, im dünnen Mantel der Kollegschüler, stand neben ihm.

„Mademoiselle Marie! Welch ein Zufall! Ich wollte Sie aufsuchen und zu unserem Maskenfest in den ‚Bissigen Hund' einladen. Die ganze Meute wird da sein. Brissot weint nach Ihnen. – Und hier ein neuer Freund, ein Rechtsverdreher. Studierte im Collège Louis le Grand, stammt aus dem Artois, wo nur traurige Leute leben, und heißt . . ."

„Er schwatzt Unsinn, Mademoiselle. Ich bin Maximilian Robespierre und höre an der juristischen Fakultät, das stimmt. Daneben arbeite ich bei einem Staatsanwalt. Doch das dürfte Sie kaum interessieren."

„Sagte ich es nicht, Mademoiselle? Ein Pedant, ein trockener. Denken Sie nur, er wäscht sich die rechte Hand nicht mehr, seitdem sie von Meister Jean Rousseau gedrückt wurde. Solche Musterschüler kommen aus Arras, dem nebelverhangenen Nest."

Marie sah, wie sich das feingeschnittene Gesicht Robespierres verfinsterte.

„Schweig doch endlich, Grenier. Ich will nicht, daß man darüber spricht. Jawohl, ich war in Ermenonville und habe mit dem größten Mann des Jahrhunderts gesprochen wie mit einem Vater. Sie wissen, Mademoiselle, daß Rousseau nicht mehr unter den Lebenden weilt, aber er lebt in uns allen."

Grenier schlug dem mageren jungen Menschen auf die Schulter. „Du kannst noch genug philosophieren, künftiger Advokat. Aber übermorgen ist Karneval. Binde dir einen Turban um den Schädel, kostümiere dich als Mekkapilger oder – als Henker mit einem roten Hemd."

„Ich werde als Römer kommen", sagte Robespierre und verzog keine Miene.

„Dann hülle dich in deine Toga." Grenier lachte laut und rief: „Ich sage Ihnen Mademoiselle Cabrol, der Robespierre wird es einmal weit bringen, er glaubt an das, was er sagt."

Es dauerte eine Weile, bis Marie ihr Erstaunen überwunden hatte.

„Sie etwa nicht, Grenier?"

„Ich bin Naturwissenschaftler, glaube nur an deren Gesetze, Mademoiselle."

„Und eines derselben lautet, daß Lebewesen bei großer Kälte erfrieren", erwiderte sie und wollte sich verabschieden. Doch der Musterschüler bat verlegen um die Ehre, sie begleiten zu dürfen.

Grenier schloß sich an, und so stapften sie zu dritt durch frisch herabglitzerndes Flockengewirbel der Taubenhausgasse zu. In der Rue Platrière deutete Grenier auf ein Gebäude und witzelte: „Da hier die Behausung Jean Jacques' war, ist anzunehmen, daß unser Römer oft genug im Eingang gelauert hat, um einen Blick des großen Philosophen zu erhaschen. Vielleicht durfte er auch Madame Levasseur den Einkaufskorb mit den Zwiebeln tragen."

Robespierre blieb ernst. Sein Blick glitt hinauf zum fünften Stockwerk, in dem Rousseau gewohnt hatte. Von der Dachrinne hingen Eiszapfen herab.

„Einmal wird man die Gedanken, die dort oben zu Papier gebracht worden sind, zu Taten werden lassen" – dozierend hob er den Zeigefinger der rechten Hand –, „dann wird der Wille der Allgemeinheit das Glück der Allgemeinheit erzeugen."

„Puh", rief Grenier, „Staatsrecht bei grimmiger Kälte! Ich gehe. Solche Primusse haben mich schon im Gymnasium angeödet. Die wissen alles besser. Kommen Sie mit, Mademoiselle Cabrol, zu Glühwein und gerösteten Kastanien?"

„Sie wissen doch, wohin ich will."

„Ja, richtig. Übrigens, der Wissenschaftler und Schriftsteller Marat ist mir sympathischer als der Leibarzt des Prinzen. Das können Sie Marat ruhig sagen."

„Ich habe die ‚Ketten der Sklaverei' gelesen. Ein mutiges Buch, ein mutiger Mann. Im antiken Rom hätte Marat wie einst Gracchus gehandelt", sagte Robespierre.

Greniers hübsches Gesicht war plötzlich zornig überflammt. Ihn schien die Eifersucht auf diesen korrekten Jüngling mit den billigen Schnallenschuhen zu plagen.

„Da fällt mir ein", rief er dann und zeigte eine triumphierende Miene, „ich bin ja bei den Gebrüdern Montgolfier eingeladen. Das sind tüchtige Physiker, Mademoiselle. Experimentieren mit heißer Luft, füllen damit kleine Seidenballons und lassen sie zur Zimmerdecke steigen."

„Eine ungeheure Entdeckung", spottete Marie. „Wenn ich im Laboratorium auf eine Leiter steige, merke ich auch, daß die heiße Luft in die oberen Regionen schwebt. Was ist da schon . . ."

„Warten Sie es ab, Mademoiselle. Eines Tages kann man in den Himmel fliegen. Dann wird untersucht, wo die Engel sitzen. Sie sollten mitkommen, bei Montgolfiers gibt es Rehrücken. Nein? Aber Dienstagabend erscheinen Sie doch? Sie werden die schönste Frau des Festes sein."

„Damit man mich in den Brunnen tauchen kann! Eine schöne Sitte!"

Grenier in seinem pelzgefütterten Überrock wirbelte sein Spazierstöckchen, verabschiedete sich von Marie und bog in eine Seitenstraße ein. Der blasse Student mit den schmalen Lippen und der gewölbten Stirn blieb an Maries Seite. „Ich mag diese Rauhbeine nicht", sagte er nachdenklich. „Obwohl Grenier gescheit ist, edle Gedanken und Gefühle hat, verbirgt er sie, als schäme er sich ihrer."

Marie betrachtete heimlich ihren Begleiter. Sie wußte keine rechte Entgegnung. Eine Weile liefen sie schweigend nebeneinander her. Schließlich fragte sie nach seinen Angehörigen und nach Arras, seiner Heimatstadt.

Oh, die Mutter habe er schon mit fünf Jahren verloren – den Vater, einen angesehenen Advokaten, habe er kaum gekannt. In einem Anfall von Schwermut hatte er seine Kinder verlassen, nie mehr hätten sie etwas von ihm gehört.

„Ich hatte eine Freistelle an der Pariser Knabenschule Louis le Grand. Sechshundert Schüler waren wir, aber ich war viel allein. Die Examina habe ich mit Auszeichnung bestanden. Ich will mich dessen nicht rühmen – im Gegenteil, man hat keine Freunde, wenn man alle überflügelt."

Marie nickte. Sie verstand ihn und sah ihn mitleidig an.

„Oft sitze ich bei den einfachen Leuten draußen in der Vorstadt Saint Antoine. Ein Glas Wein, eine Kastaniensuppe, ein paar Apfelsinen. Das Glück besteht in der Genügsamkeit. Lesen Sie Epiktet, Mademoiselle. Die Stoiker sind meine Vorväter: Diogenes, Herakles. An Voltaire schule ich meinen Geist. Aber Rousseau ist mir mehr als alle zusammen. Sein ‚Gesellschaftsvertrag' ist das erhabenste Dokument menschlichen Geistes."

Marie blieb stehen. „Wir sind angelangt."

Das spitzgieblige Haus mit den überhängenden oberen Stockwerken ragte etwas wunderlich und verschachtelt, wirklich wie ein Taubenhaus, in den Himmel. Gerade öffnete sich die schwere Eichenholzpforte, und ein junger Mann in brauner Redingote und mit Stulpenstiefeln schlug sie zornig hinter sich zu. Eine gestickte Reisetasche baumelte an seinem Arm, ein kleiner schwarzer Schnurrbart glänzte pomadisiert.

„Laval!" schrie Robespierre. „François, bist du es wirklich?"

„Maximilian! Alter Junge! Kaum eine Stunde in Paris und schon einer aus Arras! Pardon, Mademoiselle ... Ich komme aus London, das auch solche Gassen hat, den gleichen Nebel."

„Und willst zu Doktor Marat? Dies ist Mademoiselle Cabrol, seine Cousine."

„Ich bin entzückt, Mademoiselle. Ich weiß bereits viel von Ihnen. Schließlich hatte ich die Ehre, der Vertraute Ihres Vetters in Londoner Tagen zu sein. Aber ich stehe vor verschlossenen

Zimmern. Der Hausgeist dort drinnen keift und verwehrt mir den Zutritt."

„Doktor Marat ist nicht da?" Marie pochte energisch mit dem Türklopfer.

„Nein, Mademoiselle Cabrol, obgleich die Diele geheizt und voller Patienten ist. Sogar am heiligen Sonntag."

Jetzt wurde ein Fenster im oberen Stockwerk aufgerissen, Schnee stiebte herab. Eine alte Frau mit einer winzigen Haube auf wirren grauen Haarsträhnen rief mit krächzendem Organ: „Ich sagte doch, daß der Doktor niemand mehr annimmt. Mir noch mehr das Haus zu verdrecken! Daraus wird nichts."

„Aber Madame Massillon! Sehen Sie denn nichts mehr? Ich bin es doch, Marie Cabrol. Und das ist kein Patient. Es ist Besuch aus London."

Das Fenster klirrte zu. Nach einigen Augenblicken stand die Beschließerin Marats mit verlegenem Lächeln vor den Eintretenden. Sie hatte sich schnell eine weiße Schürze umgebunden und nahm dienstfertig die Reisetasche Lavals in Empfang. „Es ist mir eine Ehre, Monsieur." Sie eilte den dämmrigen Flur entlang.

Maximilian Robespierre zog höflich den Hut. „Ich möchte mich empfehlen. Bei solch einem Wiedersehen stört ein Fremder. Und dich, François, sehe ich doch heute abend im Quartier latin? Wirst sehen, wie sich die Mädchen freuen. Warst doch dort immer gern gesehen."

„Die Zeiten ändern sich, mein Freund. Ich bin mit meiner jungen Frau hier, du wirst sie kennenlernen, Maximilian. Mademoiselle Cabrol, ich sage Ihnen, es ist das süßeste Geschöpf, das London hervorgebracht hat. Und so herrlich jung, frisch wie ein Tautropfen im Mai."

„Du bist wie immer beneidenswert." Robespierre ging mit eingezogenem Genick in das Schneetreiben hinaus.

„Mein Vetter ist demnach noch nicht hier", sagte Marie und stieg, gefolgt von Laval, die steile Treppe empor.

„Sieh da, die Stahlstiche aus London und auch der bekannte Totenschädel mit der Tabakspfeife – seid mir gegrüßt!"

Das Arbeitszimmer war geheizt, die Eisblumen an den Fenstern begannen abzutauen.

„Der Doktor kommt immer mit einem Wagen aus Versailles. Aber er gönnt sich keine Ruhe, kaum daß er anrührt, was ich ihm koche. Und ich koche gut! Nur die Kranken, die Kranken, die Kranken! Immer wieder diese triefäugigen Kinder! Und die alten Kerle, die von der Gicht geplagt sind. Haben eben zuviel gesoffen. Geschieht denen ganz recht." Die alte Massillon kramte im Zimmer herum, saß mißtrauisch auf Laval, der es sich im Sessel bequem gemacht hatte und in Marats auf dem Tisch liegenden Schriften zu blättern begann. Von unten tönten das Geschrei und Getobe der Kinder, Husten und Räuspern.

„Lassen Sie nur, Mama Massillon. Heute helfen wir dem Doktor, da sind Sie entbehrlich. Hoffentlich haben Sie etwas im Topf für uns alle?" fragte Marie.

„Frikassee vom Huhn, Mademoiselle. Das reicht für drei. Aber daß ich stets für die Kinder Haferbrei mit Milch, Zucker und Zimt kochen muß, weil der Doktor sagt, Sattsein ist auch Medizin, das danken sie ihm doch nicht." Mürrisch schlurfte die Hausbesorgerin hinunter, man hörte sie mit den Kindern schimpfen.

„Ich wußte bisher noch nicht, wie Cerberus ausgesehen hat", sagte Laval lachend.

„Spotten Sie nicht über die alte Frau. Sie hat ein schweres Schicksal. Ihr Mann war Drucker, sitzt bereits zehn Jahre in der Bastille, weil er etwas verlegte, was der Dubarry mißfallen hat."

Laval sah finster in das Schneetreiben hinaus.

Marie wollte das Unbehagen nicht anwachsen lassen, sie zwang sich ein Lächeln ab. „Wo haben Sie denn Ihre Frau gelassen? Noch dazu bei dieser ekelhaften Kälte? Sie hatten vermutlich einen zwingenden Grund zur Reise. Aber bitte, ich möchte nicht neugierig erscheinen."

„Es gibt Situationen, Mademoiselle, da muß der Sohn dem Vater beistehen. Über unserem Handelshaus waltet ein Unstern. Eine Schiffsladung Virginia-Tabak ist gekapert worden; die Versicherung zahlte nicht. Eine Baumwollsendung aus Domingo ist in Marseille durch Betrüger unter dem Preis verkauft worden. Guthaben in New York wurden von britischen Behörden beschlagnahmt, man behauptet, sie stammten aus Waffenlieferungen. Das alles . . ."

„Glauben Sie helfen zu können?"

„Ja, indem ich Freunde suche, die meinem Vater das Stillhalten erleichtern. – Doch Sie fragten nach meiner Frau. Sie ist bei meinen Eltern, um aufzutauen. Wird eine lustige Unterhaltung werden, denn Lizzys Französisch ist erbärmlich, und das Englisch meiner Mutter klingt wie Botokudisch. Die Überfahrt war abscheulich. Das Paketboot hatte soviel Eis an der Takelage, daß man eine mittlere Brauerei damit hätte versorgen können. Glücklicherweise hatte Lizzy von ihrer Mama Fuchspelze bekommen, mit denen wir den Reisemantel füttern konnten. Missis Butler ist übrigens die frühere Wirtin von Monsieur Marat. Damals war sie verwitwet und hieß Seymour."

Ein Wagen hielt mit knirschender Bremse.

„Der Doktor kommt."

145

Marat stapfte mit ärgerlichem Gesicht, einen Bernhardinerhund auf den Armen, die Treppen empor.

„Leibarzt und Hundedoktor", rief er. „Das Vieh wird Würmer haben, bekommt zuviel Delikatessen. Nehmen Sie mir das Biest ab, Mama Massillon!"

„Doktor Marat!" Laval sprang ungestüm die Stufen hinab. Der Hund knurrte gefährlich, riß sich los und sprang den jungen Mann so jäh an, daß er taumelte. Marat faßte den Bernhardiner am Halsband und zerrte ihn zurück.

„François Laval", sagte Marat erfreut, „welcher Wind hat Sie denn hergeblasen?"

„Seit wann sind Sie Dompteur?" antwortete Laval und wischte sich den Schaum der Hundeschnauze vom Anzug ab, „bisher haben Sie doch nur Seuchen gebändigt."

„Sie haben sich schon mit Marie bekannt gemacht? Laßt mich erst dieses Kalb irgendwo einsperren und meine Patienten registrieren. Hoffentlich sitzen sie warm. Da werden sie heute ein bißchen warten müssen, erst wollen wir zusammen speisen. – François, Sie kommen über den Kanal? Bei diesem Wetter!"

„Mit Lizzy, die sich freut, Sie wiederzusehen, und die Ihnen Grüße mitbringt. Sie wissen ja, von wem." –

Bei Tisch erzählte Marat vom letzten Hofball in Versailles und von der Schwärmerei Marie Antoinettes für den Dichter Beaumarchais.

„Ab und zu ist diese Österreicherin zu etwas nützlich, wenn sie schon keinen Dauphin ausbrütet", meinte Laval.

„Dieser Beaumarchais liefert Waffen an Amerika", sagte Marat, „hat eigens dafür ein Handelshaus gegründet."

„Wenn Amerika siegt, triumphieren die Ideen Rousseaus, die Gedanken Voltaires, dann taumelt auch hier das ganze verfaulte Aristokratengeschmeiß in den tiefsten Hades", sprach Laval und erging sich in wütenden Betrachtungen darüber, daß ein Wissenschaftler von der Bedeutung Marats, der mit Lamarck und Franklin korrespondiere, von einem arroganten Adeligen zum Hundekurieren gezwungen werde.

„Sie vergessen, daß ich die Heilung in Rechnung stelle und mit dem Honorar mindestens zehn Kindern die gefährdeten Augen retten kann. Vor dreißig Jahren operierte David hier in Paris zuerst mit Dauererfolg den grauen Star. Ich folge seinen Methoden. Aber die Instrumente muß ich erwerben, die sind leider nicht umsonst zu haben." Er aß hastig, die Kranken warteten.

„Mademoiselle, merken Sie es? Er ist noch der gleiche wie vor sechs Jahren in der Rookery St. Giles: ein Arzt, der Geld von den Reichen nimmt und dafür die Armen kuriert. Wenn ich einmal hunderttausend Pfund besitze, richte ich ihm ein Spital ein, Prosit, Doktor."

„Ich fürchte nur, daß ich das nicht mehr erlebe." Lavals Widerspruch mit der Hand fortwischend, erhob Marat sein Glas mit dem billigen Landwein, den er bevorzugte.

„Übrigens, Marie, dein weltberühmter Lavoisier hat mich ins Café de la Régence eingeladen. Er will mit mir Schach spielen und mir dabei vermutlich mitteilen, warum die Akademie meine Arbeit über das Feuer zurückgewiesen hat. Unter seiner Beratung und Assistenz. Ich sage Ihnen, François, Künstler sind schon eitel wie die Pfauen, aber Wissenschaftler erst! Wie Spinnen im Topf. Fressen sich gegenseitig auf, weil keiner dem anderen den Erfolg gönnt." Marie senkte stumm den Kopf, ihr war dieser Gelehrtenstreit verhaßt. –

Am späten Nachmittag, als der letzte Patient das Haus verlassen hatte und Marie in der Küche wirtschaftete, saß Laval dem verehrten Doktor gegenüber.

„Und nun, François, was macht Frau Helen? Ist sie fröhlich in ihrer Schenke?" fragte Marat.

Das offene Gesicht Lavals bekam einen Anflug von Düsterkeit. „Sie läßt Ihnen bestellen, daß das Kaminfeuer im ‚Fröhlichen Truthahn' Tag und Nacht brennt, eine Kammer für einen französischen Gast ständig hergerichtet ist. Ach, Doktor, ich glaube, es brennt nicht nur das Feuer im Kamin."

Auch Marats Züge waren von Traurigkeit umschattet. „Es ist wahr, der Abschied ist mir schwergefallen. Ich bin kein Typ, der die Frauen hofiert. Draußen in Versailles bin ich entsetzlich allein, mitten im Treiben leichtlebiger Weiblichkeit. Auch – und das weiß niemand außer Ihnen – ich bin kränker geworden. Herzstörungen, Hautausschläge, oftmals Fieber. Ein Leibarzt, der selbst einen Leibarzt benötigt."

„Ich dachte es mir gleich, wollte nur nicht vorlaut sein. Ihr Gesicht verrät, daß Sie leiden."

„Reden wir von anderen Dingen, François. Rentiert der ‚Fröhliche Truthahn'? Was macht Sam Butler, unser Milchkutscher? Ist er ein guter Gastwirt geworden?"

„Aber Doktor! Das wissen Sie nicht? Demnach sind Briefe in Verlust geraten. Sam bekam eine Kugel ins Bein. Er war immer der Ansicht, daß die Jagd auf Hasen und Fasanen kein Herrenrecht sei. Das hat er bezahlen müssen. Irgend solch ein Herr hat auf ihn geschossen, vor etwa einem Jahr. Sams rechtes Bein ist steif, die Wunde will sich nicht schließen. Und er darf nicht einmal einen Arzt holen, weil er Anzeige fürchten muß."

Marat brütete vor sich hin.

„Vielleicht können Sie mir Medikamente nennen, Behandlungsmethoden?"

„Ich gebe Ihnen etwas für ihn mit. Aber nun was anderes: Da las ich neulich in englischen Blättern, daß man eine Konspiration britischer Arbeiter aufgedeckt hat? Der Name einer Betsy fand sich unter den Deportierten."

„Leider stimmt die Nachricht. Einer hat Verrat geübt. Die mutige Betsy ist bereits seit Wochen auf hoher See. Verschickung nach der Barbados-Insel. Auf Lebenszeit."

„England, Hort der Freiheit . . .", höhnte Marat. Er wühlte in seinen Schriften. „Als ob man das alles umsonst geschrieben hätte! Hat ein Schriftsteller überhaupt einen Einfluß auf seine Zeit? Ist er nicht eine Trompete, die nur er selbst vernimmt?"

„Aber dennoch schreiben Sie! Ich habe mir erlaubt, in Ihren Manuskripten zu blättern. Sogar über die Reform des Strafrechts. Erstaunlich . . ."

„Können Sie einer Seidenraupe verwehren, daß sie spinnt?"

„Man müßte diesen Mummenschanz verbieten!" Der Polizeiminister Seiner Majestät fuhr durch die engen Straßen des Quartier latin. Ein junger Leutnant neben ihm sah amüsiert auf das Maskentreiben. Er wäre durchaus bereit gewesen, sich selbst in den Trubel zu stürzen, ihm war nicht nach Verboten zumute.

Sein Vorgesetzter schob die Gardine zurück und hob das Lorgnon.

„Das geht zu weit!" Er klopfte ans Fenster, damit der Kutscher anhalte. Die Menge nahm keine Notiz von dem Wagen. Die Menschen schrien, lachten und warfen bunte Papierschnipsel auf ein kostümiertes Paar, dessen Benehmen den Minister so empört hatte. Ein feister Braunbär mit einem Wappen des Königshauses auf der Brust wurde von einer Savoyardin an der Kette geführt. Zog das Mädchen fester am Nasenring, bequemte sich das Tier zu einem plumpen Tanz und schlug mit der Tatze nach der aufkreischenden Weiblichkeit. Da die hübsche Bändigerin mit der anfeuernden Peitsche ein Kleid in den Farben Österreichs – schwarzgelb – trug, war unschwer zu erkennen, was hier dargestellt werden sollte: der dicke König an der Kette Marie Antoinettes zum Knall ihrer Peitsche tanzend. Zu allem Überfluß schüttelte der Bär in seiner Tatze einen leeren Geldbeutel, auf dem das Wort „Defizit" zu lesen war.

„Soll ich einschreiten, Herr Marquis?" Der Leutnant betrachtete trotz seiner amtlichen Frage die Szene mit Vergnügen. Schließlich drückte sie nur das aus, was ohnehin alle Welt wußte.

„Man wird doch nichts machen können – im Vorjahr haben die

verrückten Studenten den Wagen meines Vorgängers umgestürzt", sagte der Minister auf einmal resigniert.

In einer anderen Straßenzeile wieder ein Menschenauflauf. Ein in Lumpen gehüllter Mann mit einem Bündel auf dem Rücken, aus dem Heu herausquoll, schrie in durchdringenden Tönen: „Delikatesse für die Pariser! Heu, frisch von den Scheunen des Monsieur Foulon! Eßt Heu, und ihr werdet satt!"

„Weiter", knurrte der Minister. „Monsieur Foulon hätte besser den Mund gehalten. Wenn ein Steuerpächter solch ein Tölpel ist, nicht weiß, daß er die hungernde Bestie durch derartige Äußerungen aufputscht, sollte man ihn absetzen."

Die Karnevalsstimmung auf den Straßen stieg.

„Das schlimme an der Maskerade ist der Umstand, daß Söhne der allerbesten Familien beteiligt sind. Mir haben Agenten berichtet, daß der Abbé von Périgord als hinkender Teufel hier herumtollt, und sein Freund, der Neffe des Herzogs von Choiseul, ihn als gefallener Engel begleitet. Dabei soll Herr von Périgord noch in diesem Jahr zum Bischof geweiht werden."

„Er hinkt wirklich", antwortete der Leutnant, „ich kenne ihn, er braucht sich gar nicht zu verstellen."

Tatsächlich konnten sie einen scharlachroten Teufel beobachten, der mit einer zweigezackten eisernen Forke den davonstiebenden Mädchen unter die Röcke fuhr.

„Man ist wahrhaftig in einer abstrusen Situation! Verbiete ich den Spaß, toben die Pariser, verbiete ich nichts, tobt Majestät! Die Königin wird mich einen Trottel nennen, sie kann das so liebenswürdig verletzend."

„Lassen Exzellenz doch ein paar Huren festnehmen und einige Weinwirte bestrafen. Exzellenz werden sehen, daß man in Versailles damit zufrieden sein wird."

Der Minister wollte schon die Gardine zuziehen und dem Kutscher das Signal zur Heimfahrt geben, als er so empört vom Sitz auffuhr, daß seine kunstvoll gerichtete Perücke ans Wagendach stieß.

„Hölle, Arsch und Teufel!" brüllte er wie einst als Kommandeur der Königlichen Leibgarde, „das ist Insubordination. Die Kerls sind reif für die Bastille."

Aus einem Seitengäßchen kam ein zweirädriger Karren, wie ihn die Straßenarbeiter zur Abfuhr der Gemüsereste verwendeten, darauf hochgetürmt drei Gestalten übereinander. Zuunterst ein Mann in zerschlissenem Schoßrock mit hohlwangigem, bleichem Antlitz, der ein Schild mit der Aufschrift „Dritter Stand" trug; auf dieser schmächtigen Elendsfigur, sie fast erdrückend, hockte ein unwahrscheinlich dicker Mönch, dessen Gesicht fast nur aus Bak kenwülsten bestand; auf ihm kniete ein Adliger in Hoftracht mit Allongeperücke, reich geschmückt mit Orden und einer goldschimmernden Kette. Bürger, Mönch und Edelmann waren durch Bildhauerkunst hergestellte Attrappen.

Das Volk begriff und jubelte. Das ist die Wahrheit! Ja, auf dem dritten Stand lastet der fette Bauch einer unersättlichen Kirche, lastet der Feudaladel, aussaugend, ausschweifend, faul und korrupt.

„Eingreifen, Leutnant", schrie der Minister, „feststellen, wer das Machwerk hergestellt hat und wer das Fuhrwerk zieht."

Der Offizier faßte den Degen fester, riß den Wagenschlag auf. Parbleu! Nun mußte er doch noch einschreiten! Beim Aussteigen verfingen sich seine Sporen im Trittbrett, er stürzte, schlug sich das Knie auf und zerfetzte sein Samtbeinkleid. Ein Gaudium für die Umstehenden. „He, schaut her, Don Gil mit den geplatzten Hosen!" Man hielt ihn für einen kostümierten Studenten und fand seine Aufmachung besonders originell. Gegen seinen Willen wurde er in einen Kreis tanzender Mädchen gezogen. Niemand hielt sein Toben, seinen Leutnantsrang für echt. Schließlich fanden sich einige robuste Gerbergesellen, die ihm den Rücken patschten, so daß die gepuderte Perücke davonflog.

„Gibst ja, gibst ja einen stinkfeinen Aristokraten ab, Bruderherz", brabbelte ein angetrunkener Böttcher, und eine Maske stülpte dem Wütenden die Perücke verkehrt auf den Kopf, so daß der Zopf vorn über die Nase hing.

Plötzlich rief ein ehemaliger Soldat: „Vorsicht, der ist echt! Ich kenne seine lausige Visage vom Exerzieren auf dem Marsfeld her. Laßt ihn laufen, es gibt sonst Scherereien!"

Doch die Studenten wollten ihre verbrieften Rechte auf den Karnevalsulk beweisen. Das Quartier latin ist ein Staat im Staate.

„In den Brunnen von Saint Michel mit ihm! Der soll sich abkühlen! Was steckt er seine Polizeinase in unsere Suppe?"

Sie schleppten den um sich schlagenden Leutnant ein Stück Wegs dorthin, bis Stadtsergeanten ihn aus seiner grotesken Lage befreiten. Aber auch sie sollten noch einige Unannehmlichkeiten spüren: Fausthiebe, höhnische Zurufe, aus den Häusern kippte man Wannen mit Spülicht auf sie herab, Eisklumpen und Schneebatzen flogen.

Endlich hatte der Polizeioffizier den Wagen des Ministers erreicht.

„Sehen derangiert aus, Leutnant", sagte sein Vorgesetzter kalt, „stelle fest, ein Offizier Seiner Majestät, der einen Degen trägt, läßt sich mißhandeln. Es wird gut sein, wenn Sie sich in die Kolonien versetzen lassen, sonst kann ich nicht für Ihr Portepee garantieren."

Der Leutnant wischte sich den Schmutz ab und schwieg. In diesem Augenblick verwünschte er den hochmütigen Aristokraten mehr als das temperamentvolle Völkchen draußen, obwohl es ihm so übel mitgespielt hatte.

Die Wagentür wurde aufgerissen, und ein vollbusiges Mädchen rief: „Alter Nußknacker! Mach dich fort, sonst befördern wir dich in die Anatomie!" Ein zweites Mädchen warf dem Marquis eine Handvoll Schnee und Straßenschmutz ins Gesicht und sagte verächtlich: „Alter Kater! Unsere Mediziner werden dich kastrieren."

Weder der Kutscher auf dem Bock noch der Lakai auf dem Rücksitz hinter dem Wagendach dachten daran einzuschreiten. Erst als der Minister außer sich vor Wut gegen das Fenster pochte, trieb der Kutscher die Pferde an, und der Wagen rollte davon. Wenn der Marquis das zufriedene Grinsen seiner Bedienten hätte sehen können – ein neuer Wutausbruch wäre die Folge gewesen.

„Das ist eine Emeute, Leutnant", sagte er, „hier hört der Spaß auf. Ich muß Majestät informieren. Man wird die Garnison verstärken. Das ist bereits Rebellion."

Der Leutnant saß bedrückt in seiner Ecke. Am liebsten wäre er zu Fuß gegangen.

„Übrigens, während Sie in den Händen dieser Studentenliebchen waren, haben mir Zivilagenten die Namen der Übeltäter zugetragen. Die Figuren hat ein gewisser Breullon im Atelier von Monsieur David hergestellt. Der Karren wurde gezogen von einem Studenten der Physik, Jules Grenier, soll Assistent bei Professor Charles sein, und einem Jurastudenten Jacques Brissot aus Chartres. Der eine ist als Galeerensträfling kostümiert – sehr passend – mit phrygischer Mütze; der andere läuft als Policinello herum, soll aussehen wie einer Komödie des Monsieur Goldoni entsprungen. Noch heute abend lasse ich die Kerls festnehmen, mag auch die ganze Sorbonne randalieren."

„Der Rektor wird auf die Rechte der Universität hinweisen, eigene Gerichtsbarkeit."

Der Polizeiminister schwieg und hüllte sich in seinen Biberpelzmantel. Für ihn war der Fall abgeschlossen.

Marie stand wie betäubt, umgeben von Geschrei, Ausgelassenheit und dem wirbelnden Tanz vieler Paare. Staub stieg empor und lag wie Nebel über den erhitzten Köpfen. Starker Parfümgeruch mischte sich mit Weindunst. Die Kerzen qualmten und tropften.

„Dies ist kein bissiger, eher ein tollwütiger Hund, Mademoiselle."

Jetzt erkannte sie den Sprecher, der an einem der schaukelnden

Tische saß. Er hatte sich mit einem Bettlaken umwunden und es durch kunstvoll gelegte Falten zur römischen Toga verwandelt. Die mageren Beine waren kreuzweise mit Bändern umschlungen, die leichte Sandalen hielten.

„Monsieur Robespierre!" rief sie, froh darüber, nicht mehr allein in dem Bacchanal zu sein.

Robespierres feingeschnittenes Gesicht mit den starken Bakkenknochen, den wasserhellen Augen und dem schmalen Mund – der Kopf eines Asketen – ragte aus der weißen Toga.

„Wollen wir nicht auch tanzen?" fragte sie, wunderte sich aber gar nicht, als dieser versponnene junge Mann erklärte, er tanze aus Prinzip nicht. „Später vielleicht, Mademoiselle. Wenn die Zeit gekommen ist, von der die Philosophen träumen. Ein Volk mit solchen Lasten auf dem Rücken sollte nicht tanzen."

„Aber die Menschen hier tun es! Sehen Sie nur, sogar Klosterfrauen vertragen sich mit Teufeln." Sie setzte sich neben den Römer mit den grüblerischen Augen und nippte von dem billigen Wein, den er ihr anbot. Ein wenig Vorsicht mußte sie auf ihr Kostüm verwenden. Es war nur ausgeliehen. Nach Madame Massillons Aussage sollte die Robe – kostbare flämische Seide, reich mit Spitzen und Stickereien verziert – einer Hofdame, der Montespan, gehört haben und mit allerlei Trödelkram zum Leihamt gewandert sein. Marie, obschon ein wenig behindert durch die starre, knisternde Pracht, war zum Tanz gekommen und nun doch ein wenig enttäuscht, an diesen steifleinenen Gesellen geraten zu sein.

Als habe Robespierre ihre Gedanken gelesen, sagte er schuldbewußt: „Ich bin ein schlechter Gesellschafter. Fragen Sie mich nach den Saturnalien der Römer, nach dem Forum Romanum, ich kann Ihnen jeden Stein beschreiben, obgleich ich niemals dort war. Fragen Sie mich nach Julius Cäsar, ich sage Ihnen, wieviel Ellen Stoff er für seine Toga benötigte."

Ein vorüberschlendernder schlanker junger Mensch hatte die Worte gehört. „Ich kann es bestätigen, Mademoiselle", sagte er. „Er ist ein Römer und trägt sich wie sein Vorbild Cato. Die Unmoral unseres Jahrhunderts läßt ihn erschauern." Er beugte sich zu Marie hinab, um ihr die Hand zu küssen. Dabei stieß die auf seinem Rücken befestigte lange Eisenstange gegen den Wandleuchter mit den Unschlittkerzen.

„Pardon", er lachte übermütig, „das ist unvermeidbar. Da ich als Blitzableiter fungiere, müssen sogar harmlose Kerzenfeuer verlöschen. Huldigung für Mister Benjamin Franklin. Ihm zu Ehren trage ich auch diese Pelzmütze aus kanadischem Otterfell und diesen häßlichen Quäkerrock."

„Dieser Blitzableiter ist mein Schulfreund Camille Desmoulins", stellte Robespierre den jungen Mann vor. „Er saß zwei Klassen unter mir. Jetzt will er auch die Pandekten wälzen, obgleich er ein Mundwerk hat, das einem Zeitungsschreiber gemäßer wäre."

Der Student sah Marie keck in die Augen.

„Ich würde die Eisenstange ablegen", sagte sie errötend, „sonst werden Sie auch so steif neben mir sitzen wie jemand anders . . ."

„Natürlich haben Sie recht", er schnallte den ungefügen Ballast ab, „ich möchte auch keinesfalls, daß dieses Instrument die Blitze Ihrer schönen Augen ableitet. Und nun? Tanzen Sie mit mir?"

Sie nickte und erhob sich. Desmoulins lenkte sie geschickt durchs Gewühl der tanzenden Paare. „Überlassen wir es Maximilian, über die Liebe zu philosophieren", flüsterte er Marie zu. „Er kennt sie ja in Wirklichkeit nicht." Sie fühlte seine begehrlichen Blicke auf ihrer Haut.

Als sie zum Tisch zurückkehrten, wirbelte gerade ein neues Menschenknäuel durch die geöffneten Türen herein. Laval war dabei und Lizzy. Als Gärtnerin mit strohgeflochtenem Schutenhut sah sie reizend aus. Ihr Mann, wie ein Arzt aus der Zeit Malières gekleidet, bespritzte die Mädchen aus einer riesigen Klistierspritze mit parfümiertem Wasser.

„Es lebe die Medizin", schmetterte er dabei, „sie verhilft euch Mädchen zu Kindern oder befreit euch von ihnen, wie es euch gefällt."

Lizzy gab ihm einen Klaps auf den Mund. Doch Laval, in seiner geliebten Vaterstadt, im ausgelassenen Faschingstreiben alle Sorgen des väterlichen Geschäftsunternehmens vergessend, tollte weiter und versuchte Küsse zu erhaschen. Lizzy ließ sich von dem leicht entflammbaren Desmoulins umherwirbeln. Ein Ländler wurde getanzt, alle juchzten und schrien so laut, daß nur noch das Schrumm-Schrumm des Kontrabasses den Lärm durchdrang.

„Ich bin entzückt, Madame, oder soll ich Missis sagen? Sie tanzen wie eine Pariserin und sprechen ein bravouröses Französisch, ja, ich lese es von Ihren Lippen ab. – Außerdem verehre ich England als älteste Demokratie, als Hort der Freiheit! Ich kenne jede Rede, die im Unterhaus gehalten wird. – Und das englische Tuch, die Londoner Schneider . . ."

Desmoulins schwatzte unaufhörlich, hauchte verliebte Worte in Lizzys Ohr, die gleichen galanten Redensarten, die er Marie zugeflüstert hatte.

„Und Englands Sklavenhandel? Englands Unterdrückung der Kolonisten in Amerika? Und Ihre Verehrung für Monsieur Franklin, dem die englische demokratische Aristokratie übel genug mitgespielt hat? Sie sind ein widerspruchsvoller Geist, Camille Desmoulins." So hatte Marie geantwortet, während Lizzy mit einem etwas törichten Lächeln die ungewohnten Schmeicheleien einschlürfte.

„Die englischen Frauen haben etwas Geheimnisvolles. Ihr Seelenleben ist so verschlossen wie der Alkoven ihres Bettes. Dabei entschleiern sie sich in der Mode offener als unsere Damen, die ihren Körper noch immer schnüren."

„Die Pariser Damen gehen aber elegant einher", erwiderte Lizzy verwirrt, „natürlich nur die, deren Geldbeutel es gestattet. Aber" – hier brach etwas von Marats Erziehung und Lavals Einsichten durch – „die Armut ist hier größer. Sie sollten etwas über diese Unterschiede schreiben, wie es unser Doktor Marat getan hat, über Reichtum und Armut, über den Fluch des Überflusses und des Mangels."

Der Tanz war zu Ende. Sie kehrten an den Tisch Robespierres zurück. „Sitzt dieser Maximilian nicht da wie sein eigenes Monument? Ich mag diese Tugendbolzen nicht."

Laval hatte Camilles Worte gehört und meinte mit verweisendem Unterton: „Ohne solche Bolzen wäre das Schiff unserer Zivilisation schon längst auseinandergefallen."

Durch das Maskentreiben drängten sich zwei Polizeisergeanten. Sie fixierten die Gesichter, musterten die Kostüme, ließen das weibliche Geschlecht aber unbeachtet, was allgemein auffiel. Sonst fischten sie bei solchen Razzien ein paar Dirnchen heraus, um sie ins Spinnhaus abzuführen. Während die Polizisten durch das Gewühl strichen, einigen Vermummten hinter die Larven spähten, kam die dralle Schenkmagd an den Tisch Robespierres.

„Eine Mademoiselle Cabrol soll hier sitzen. Sie wird gebeten, ins Hinterzimmer zu kommen. Dort stecken zwei, die um ihre Haut bibbern. Der Grenier und der Brissot."

Marie ließ sich von der Magd zu den abgelegenen Kammern führen. Die beiden Freunde saßen auf einem umgestülpten Weinbottich und blickten keineswegs so übermütig drein, wie Marie es sonst von ihnen gewohnt war. Die Kostüme hatten sie bereits zu einem Bündel zusammengerollt. Weder ein Policinello noch ein rotbemützter Galeerensträfling – nur zwei bekümmert aussehende Studenten hockten da.

„Mademoiselle Marie", flüsterte Grenier, „nur Sie können uns helfen!"

„Wir sind von einem Individuum erkannt worden, als wir den ,dritten Stand' vorführten", ergänzte Brissot. „Der Bursche arbeitet für die Polizei. War früher hier Hausknecht. Wir haben ihn einmal verprügelt, als er die Hand in einer fremden Tasche hatte. Ich habe bemerkt, wie er an die Kutsche des Polizeipräfekten geschlichen ist.

„Sie suchen uns bereits überall", Grenier machte eine Handbewegung, um dieses Überall anzudeuten. „Unser Freund Breullon, der die Figuren so herrlich echt modellierte, hat schon den Weg nach Meudon unter die Sohlen genommen. Dort ist sein Onkel Pfarrer. Eine magere Pfründe, Breullon wird Biersuppe und Rübengemüse bekommen. Doch er hofft, daß ihn dort keiner findet. Aber wir . . ."

„Dieser Pfarrer gehört zu den Armen in der Rangliste Gottes", spottete Brissot, der Marie seine Unbekümmertheit beweisen wollte, so kläglich ihm auch zumute war. „Er glaubt mehr an ein kommendes Reich der Gerechtigkeit als an das unseres dicken Ludwigs. Bei ihm ist Breullon in Sicherheit." Brissot wurde dringlich: „Uns droht die Bastille! Dort hilft mir die Justitia nicht und nicht mein Vater in Chartres."

„Ich kann mir Ihren Zustand vorstellen", sagte Marie, „ich kenne Gefängnisse. Wie soll ich aber helfen?" Sie war niedergedrückt. Sie mußte an Bridewell denken.

„Reden Sie mit Robespierre! Reden Sie mit diesem Apotheker aus London und mit Desmoulins. Sie müssen bezeugen, daß wir keinen Augenblick auf der Straße agiert haben, daß sich der Spion geirrt hat. Würden Sie das tun? Sie selbst, Mademoiselle?" drängte Grenier.

„Wie ich es sehe", meinte Marie bedenklich, „kann Robespierre nicht lügen. Und Monsieur Laval ist erst vorgestern aus London gekommen, er kennt Sie noch gar nicht. Bleiben Desmoulins und ich."

„Verflucht!" Brissot nahm die Kostüme, öffnete das Fenster und warf sie in den Hof.

„Ich werde trotzdem mit Robespierre sprechen." Kaum war es gesagt, vernahmen die drei das Stapfen genagelter Schuhe, Husten und eine quarrige Kommandostimme.

„Zu spät", zischte Brissot. Grenier war blaß geworden. Im Licht einer trüben Laterne standen die beiden Sergeanten in der Tür. Ein grinsender Kerl mit rotblondem Backenbart drückte sich ins Dunkel des Flurs, wo das Schenkmädchen ängstlich die Hand an den Mund preßte.

„Messieurs", der eine Sergeant zog ein Schreiben aus dem Ärmelaufschlag seiner Uniform, „der Herr Minister gibt Ihnen freies Quartier im Gefängnis Saint-Lazare. Kommen Sie."

„Haben Sie richtige Haftbefehle?" Brissot atmete auf. Das war demnach nicht die gefürchtete „lettre de cachet", ohne Gerichtsurteil ausgestellt, ohne Berufungsmöglichkeit, ohne Verteidiger, das war eine polizeiliche Maßnahme.

„Aber gewiß, Monsieur. Ich sagte doch, der Herr Polizeiminister will Ihnen Gastfreundschaft gewähren. Wenn Mademoiselle will, kann sie mitkommen." Es folgte eine zweideutige Geste.

Ohne ein Wort ging Marie Cabrol an den Polizisten vorbei und raffte dabei verachtungsvoll ihr Kleid.

„Ihre Freunde sind soeben arretiert worden", sagte sie zu Robespierre, „man muß ihnen helfen."

Maximilians Gesicht wurde hart. „Mit zur Schau gestellten Puppen macht man keine Politik."

Desmoulins protestierte heftig: „Nur Puppen machen bei uns Politik."

Lizzy, die erhitzt am Arm ihres Mannes vom Tanz kam, erstarrte. Alle waren ernüchtert. Das Fest war aus für sie.

Auf der Straße spürten sie erschauernd den eisigen Wind und den nassen, glitschigen Schnee. „Schade", sagte Desmoulins, „Brissot wollte Mademoiselle Cabrol zur Ballkönigin wählen lassen."

Marie schritt hastig aus. Ihre Gedanken kreisten um Möglichkeiten einer Rettung für ihre Freunde.

Als sie den Quai St. Michel erreichten und auf die im Fluß treibenden Eisschollen blickten, zog Laval den „Mercure de France" aus der Tasche.

„Ehe ich es vergesse, Mademoiselle Cabrol, achten Sie bitte auf die Schiffsnachrichten. In New York ist die Dreimastbark ‚Fortune' in See gegangen. Bestimmungshafen Fort de France auf Martinique. An Bord Franzosen, die gegen englische Offiziere ausgetauscht wurden. Ich fand dabei den Namen des Seekapitäns Forestier. Ich denke, es wird Sie interessieren."

„Mein Gott, Mademoiselle", Lizzy griff nach Maries Hand, „fehlt Ihnen etwas?"

Ohne ein Abschiedswort lief Marie Cabrol davon.

6

Im Café de la Régence

Maiwind strich um die Hausfassaden von Paris, ließ im Park Monceau die Knospen der Rosenbüsche aufbrechen und lockte die Menschen ins Freie. Fliegende Händler, Brezel- und Wurstverkäufer, Kaufleute in langen Schoßröcken – Spitzen, Kupferstiche, Burgunderweine, Moschusessenzen oder arabische Räucherstäbchen feilbietend – überboten sich in Anpreisungen. Kuppler fischten für das eine oder andere öffentliche Haus Kunden. Modedamen, Kokotten und Geldwechsler – den Spielern bis in die obersten Etagen des Palais Royal folgend, dorthin, wo das Glücksspiel „trente et quarante" geduldet war – schlenderten umher.

Vor dem Café de la Régence stellte ein alter Hausdiener Tische und Stühle auf den Bürgersteig. Zeitungsjungen riefen die neueste Nummer des „Mercure de France" aus und zwängten sich an schachspielenden Gästen vorbei. Mit Fausthieben wehrten sie ein paar Burschen ab, Konkurrenten, die am „Journal de Paris" des Monsieur Linguet auch einige Sous verdienen wollten.

„Lesen Sie das, Monsieur Lavoisier", sagte Marat und warf unwillig ein Zeitungsblatt auf einen leeren Stuhl, „vielmehr, lesen Sie es nicht, es ist Zeitverschwendung! Dieser Linguet ist ein widerliches Subjekt. Er wechselt seine Überzeugungen rascher als seine Hemden. Ich erinnere mich noch, wie er schrieb, der Arbeiter habe keinen Anteil an dem Überfluß, den er durch seine Arbeit erzeuge, und von der Aufhebung der Leibeigenschaft habe er nichts profitiert, als die Freiheit zu verhungern."

„Behauptet er jetzt das Gegenteil?" Lavoisier gähnte unmerklich und ließ seine Blicke auf der Straße umherschweifen.

„Er beschimpft die Philosophen und ist gegen Neckers Sparsamkeitspolitik. Was ist die Folge? Heute ist der Adel der eifrigste Leser seines Journals, der Hof, die Königin. Man freut sich in Versailles über seine Behauptung, der Arbeiter habe seine Lage selbst verschuldet, weil er über seine Verhältnisse lebe. Bei Zwiebelsuppe und trockenem Brot, Monsieur Lavoisier . . ."

„Wenn Linguet gegen den geizigen Necker vom Leder zieht, stimme ich zu. Dieser tugendstolze Bankier mit seinem frühreifen Töchterchen – ich kenne ihn genauer, ihn und die ganze puritanische Familie. Er braucht mich als Steuerpächter. Ich muß aus meinem Gebiet herausholen, was irgend möglich, ja sogar unmöglich ist. Herauspressen, Doktor! Ich bekam außerdem eine Absage von ihm, als ich um ein Stipendium für die Fabrikation von Kohlensäure bat."

Beide Männer hatten sich wieder zu einem Gespräch zusammengefunden, obgleich Marat sich noch immer über die Behandlung empörte, die ihm seitens der Akademie zuteil geworden war, wofür er Lavoisier mitverantwortlich machte. Marie Cabrol hatte inzwischen vermittelt und eine gewisse Aussöhnung zuwege gebracht.

„Sie können sich trotzdem nicht beklagen, Lavoisier. Ich weiß nicht, wer berühmter ist, Sie oder Ihr englischer Kollege Priestley." Marat nannte mit Absicht den großen britischen Gelehrten. Es ging das Gerücht um, der französische Chemiker systematisiere nur die Entdeckungen Priestleys. Dieser habe den Sauerstoff als erster entdeckt. Schon wieder schwelte zwischen den beiden Gesprächspartnern eine gereizte Atmosphäre.

„Gewiß, ich bin ein Fortsetzer, Doktor Marat, genau wie Sie. Wir entwickeln weiter, was andere bereits erforscht haben. Die Chemie hat eine Vielzahl Väter bis zu Empedokles und Aristoteles. Es ist keine Schande, neuzuentdecken, was schon einmal Allgemeingut war, auf den Schultern anderer zu stehen, weiterzuwühlen und Irrlehren entgegenzuwirken. Oder ist es Ihnen unangenehm, wenn man behauptet, *Sie* würden Zweiterhand-Ideen verbreiten?" Lavoisier hatte ziemlich scharf gesprochen.

Marat winkte ab. Schon war ihre Unterhaltung festgelaufen wie eine ungeschickt gesteuerte Bark auf einer Sandbank. Er brauchte doch die Fürsprache des gewichtigen Forschers, um seinen eigenen wissenschaftlichen Arbeiten die Anerkennung der Akademie zu verschaffen – einmal mußte es gelingen! Nun hatte er ihn verstimmt. Aber auch Lavoisier war ärgerlich über sich selbst. Er hatte sich vorgenommen, die Empfindlichkeit von Maries Vetter zu respektieren; schon oft hatte sie ihn darum gebeten. Aber mußte er überhaupt noch Rücksicht auf sie nehmen?

Lavoisier wechselte das Thema. „Man sieht Monsieur Diderot nur noch selten hier an seinem Schachbrett. Er sei leidend. Wissen Sie als Arzt etwas Näheres?" Er wollte zeigen, daß er die medizinischen Kenntnisse Marats schätze.

„Meines Erachtens hat Diderot zuviel und zu gut gegessen. Jetzt stellen sich gastrische Leiden ein. Der Fluch unseres epikureischen Jahrhunderts: üppiges Leben. Die Armen sind allerdings davor gefeit. Oder sollten Sie noch nichts von Hungerrevolten in den Gebieten der Picardie gehört haben?" Wieder der aggressive Ton Marats.

„Wir sprachen von Diderot", antwortete Lavoisier ruhig. „Ich glaube, Sie irren. Soviel mir bekannt ist, wohnt er im fünften Stock der Rue Taranne und lebt so einfach, wie Rousseau es tat, der auch zu denen zählt, die ich verehre. Schmerzerfüllt denke ich daran, daß Jean Jacques nun schon im dritten Jahr unter der Erde ruht."

Marat schwieg lange. Eine Saite seines Gemütes war angerührt, eine Saite, die weiterschwang hin zu Gemeinsamem, hin zu harmonischerem Gedankenaustausch.

„Die Königin war einmal in Ermenonville, auf Einladung der Madame de Girardin. Glauben Sie, daß sie das Grab Rousseaus auch nur eines Blickes gewürdigt hätte? Sie sprach von neuen Toiletten, von Trianon."

Lavoisier nickte stumm. War anderes zu erwarten? „Und mit welchen Neuigkeiten wartet uns der König auf?"

„Eine umfangreiche Bibliothek über geographische Entdeckungen hat er sich angelegt. Nichts dagegen – aber jetzt baut er einen Wandschrank mit kompliziertem Schloß." Marat schlürfte seinen Kaffee und blickte düster auf das Menschengewühl der Straße.

„Eine tolle Welt, Marat! Der König betätigt sich als Schlosser."

„Ich höre von der Neuen Welt, daß sich drüben Schlosser mit der Staatsführung beschäftigen. Einen solchen Zustand würde ich begrüßen."

Lavoisier wehrte mit beiden Händen ab. „Ich kann mir keinen Staat vorstellen, in dem Schlosser, Bäcker oder Gerbergesellen regieren, wohl aber einen, der von gebildeten Bürgern geleitet wird. Die Gesellschaft, der Rousseau die Bahn ebnen wollte, wird von einem Willensakt freier Individuen zusammengehalten. Diese schließen bewußt einen Vertrag miteinander ab, um sich gegenseitig die Ausübung ihrer natürlichen Rechte zu sichern. Das eben ist der Contrat Social, mein lieber Marat!"

„Aber zum Teufel, dann müssen die Vertragskontrahenten doch völlig gleich sein! Jeder Partner muß auf seine eigenen Rechte und Freiheiten gänzlich verzichten, muß sie auf die Gesellschaft übertragen, das ist dann die Konsequenz. Unterwerfung unter den allgemeinen Willen. Da wollen Sie die Arbeiter ausschließen?"

„Ja, zum Henker! Soll ein Straßenreiniger die gleichen Rechte haben wie ein Akademiemitglied?"

„Sie reden wie ein Aristokrat, Monsieur Lavoisier."

„Und Sie predigen Anarchie!"

„Ich zitiere Jean Jacques, den ich vermutlich gründlicher studiert habe als Sie, der Sie sich wohl besser in der Chemie auskennen: ,Die Demokratie ist ein Staat, in welchem das souveräne Volk, geleitet durch Gesetze, die sein Werk sind, durch sich selbst alles tut, was es gut tun kann, und durch Beauftragte, was es nicht selbst tun kann.' Auch ein Straßenreiniger kann ein solcher Beauftragter sein."

Verdrossen schwieg Lavoisier, zündete sich umständlich eine der neumodischen Zigarren an. Solche Dispute haßte er, er fühlte sich außerdem in staatsrechtlichen Fragen diesem hitzköpfigen Marat unterlegen.

„Es ist Ihnen doch bekannt, welch großen Einfluß die Lehren Rousseaus auf die Farmer und Pflanzer Amerikas haben? Auf die Entstehung der Vereinigten Staaten? Und wer hat dort drüben die bildhafteste, die zündendste Sprache gefunden? Der Miedermacher Thomas Paine! Und diese Handwerker wollen Sie von der Arbeit an der Gesetzgebung ausschließen?"

Marat stieß in der Erregung die Kaffeetasse um. Ein Kellner eilte herbei und wischte die Platte sauber.

Lavoisier fand seine Gelassenheit wieder. „Ich finde, daß wir uns unnötig erregen. Noch regiert unser König absolut. – Aber Sie erwähnten Amerika. Können Sie Ihrer Cousine nicht die wahnwitzige Idee ausreden, nach Martinique auszuwandern? Auf diese Insel will sie, wohin wir einst Deportierte schickten? Wo das Fieber herrscht? Wo sie von der Tropenglut ausgedörrt wird?"

Marat lächelte trübe. „Schon die Bibel sagt, wo dein Schatz ist, dort ist auch dein Herz. Kann man dem Herzen gebieten? Dort jenseits des Ozeans gibt es einen Magneten . . . Sie werden davon wissen. Es ist mir sehr schmerzlich, Marie zu verlieren. Sie ist der gute Geist meines Hauses."

„Mir ist sie noch mehr! Marat, ich verstehe sie nicht – wie kann sie hier alles im Stich lassen, bedeutet ihr unsre gemeinsame Arbeit gar nichts?"

„Sprechen Sie noch einmal mit ihr. Nur – Forestier bietet ihr Sicherheit, Haus, Plantage . . ."

„Sicherheit hatte Mademoiselle Marie auch bei mir", grollte der große Chemiker. „Die Garantien des Kapitäns Forestier dagegen sind fragwürdig genug. Solch eine kluge Frau wirft sich einem Vagabunden an den Hals! Das begreife, wer will!"

„Ach, Lavoisier, Sie kennen sich in Retorten und Formeln aus, ich mich in Muskeln, Sehnen, Seuchen, kennen wir aber die weibliche Seele? Marie will im Juli nach Marseille reisen, von dort mit einem Segler nach den Antillen. – Ob wir sie wiedersehen? Niemand kann das beantworten."

„Gehen wir hinein", sagte Lavoisier. „Mich fröstelt. Sehen Sie den Himmel an. Dunkles Gewölk. Passend für unsre Stimmung. Es ist schon so, man darf sich keiner Freude hingeben. Stets hagelt es in die Blüten."

Im Kaffeehaus war jeder Tisch besetzt, nur die Schachecke der Philosophen traditionsgemäß reserviert. Hier harrte das Brett mit den aufgestellten Figuren der Spieler. Rousseau hatte hier gesessen und d'Alembert. Diderot kam selten, ihm fehlte der Partner.

„Setzen wir uns hierher", meinte Lavoisier, „die ehemals hier spielten, werden nichts dagegen haben." Während sie die Figuren rückten, fragte Lavoisier: „Hat eigentlich Ihre Intervention für die beiden Studenten genützt, die man beim Karneval arretierte? Marie erzählte mir davon."

„Ja, manchmal kann das Blasenleiden eines Polizeiministers

nützlich sein. Nicht für ihn, aber für andere. Indes ich ihn von den Schmerzen befreite, stellte ich ihm diese Affäre als Streich übermütiger Akademiker hin. Der Katheter hat seine Wirkung getan. Monsieur stöhnte und schwitzte, er hätte mir eigenhändig einen Mörder vom Galgen geschnitten. So bekam ich das Entlassungsdekret, konnte mich selbst von den Rattenlöchern überzeugen, von der Feuchtigkeit und dem Gestank dieses Staatsquartiers." Marat rückte einen Bauern vor. Er beobachtete Lavoisiers Nervosität, der eilig seinen König in Sicherheit brachte.

„Sie versuchen, den König mit Bauern matt zu setzen? Das ist noch keinem geglückt, Monsieur Marat." Der Chemiker lächelte hintergründig.

„Mit Gelehrten allein dürfte es kaum gelingen. Die sind bestenfalls Rössel, die andere überspringen dürfen, die aber nie gerade, sondern stets nur um die Ecken spazieren."

Lavoisier wurde ärgerlich. Dieser Marat mit seinen Anzüglichkeiten! Er konnte es nun einmal nicht verwinden, daß die Pariser Akademie seine Arbeiten als unwissenschaftlich abgelehnt hatte. Immer das gleiche mit ihm.

Wieder ein Zug Marats. Diesmal war Lavoisiers Dame bedroht.

„Sie haben eine aggressive Spielart, Monsieur Marat, gefährlich für die Damen."

„Sie irren, mein Bester. Ich lebe wie ein Säulenheiliger. – Aber mich würde etwas anderes interessieren. Sie hatten sich doch auch wegen der beiden Studenten bemüht . . ."

„Ja, bei allen Teufeln! Ich war bei Minister Vergennes und bei Vaudreuil, dem Intendanten Ihrer Majestät. Sie lächelten liebenswürdig, versprachen Prüfung, Rücksprache mit dem Justizminister. Nichts geschah. Hätte Brissot eine hübsche Schwester gehabt, Grenier eine charmante Fürsprecherin – ja, dann . . ."

Marat war befriedigt. „Da hatte mein Blasenkatheter also mehr Erfolg. Die Burschen sahen übrigens sehr mitgenommen aus: Bärte, in denen die Läuse kletterten, verfilzte Haarschöpfe, entzündete Augen, schmutzige Hemden. Grenier arbeitet bereits wieder bei Professor Charles. Brissot ist ins Vaterhaus zurückgekehrt wie der verlorene Sohn in der Bibel. Ob man ihm ein gemästetes Kalb schlachten wird?"

Im Kaffeehaus entstand plötzlich Bewegung. Die Köpfe der Schachspieler fuhren empor. Kellner eilten dienstbeflissen einem beleibten Manne voraus, der mit souveräner Geste auf die Schachecke deutete.

„Wer sitzt an meinem Tisch? Ist das nicht Lavoisier?"

Die beiden in der Philosophenecke erhoben sich, Marat murmelte: „Lupus in fabula. Es ist tatsächlich Diderot."

Ringsum wurde getuschelt: „Diderot! Der große Diderot!"

Der Schriftsteller legte seinen Mantel ab und setzte sich mit einem Aufseufzen, die Hände auf den Stock gestützt.

„Lassen Sie sich nicht stören, Messieurs. Die Partie ist sowieso gleich zu Ende. Weiß verliert mit dem dritten Zug. Ich vermute, daß Sie der Verlierer sind, Lavoisier? Ihr Partner greift rabiat an."

Die dunkelbraunen Augen Diderots wanderten vom Schachbrett hinweg über die Gesichtszüge Marats. Wieder einmal wirkten sie überanstrengt und bleich.

„Tatsächlich, verehrter Diderot, Sie sind auch auf diesen Brettern zu Hause. Ich gebe das Spiel auf. Das ist übrigens Doktor Marat, Leibarzt des Grafen von Artois und . . ."

„Armenarzt in der Taubenhausgasse", ergänzte Marat.

„Ich kenne Ihren Namen, habe von Heilungen gehört. Echten Heilungen, wie mein Hausarzt versichert. Mit Ärzten ist das wie mit den verschiedenen Religionen, jede behauptet, die alleinige Wahrheit zu besitzen."

„Mit den Philosophen soll es ähnlich sein", entgegnete Marat. Er war nicht gekränkt, sondern beglückt, daß der große Mann seinen Namen kannte.

Diderot strich sich die gestickte Weste glatt. „Ich bin zu dick geworden. Meine Tochter Nanette glaubt, es lasse sich bei vollen Schüsseln leichter philosophieren. Ich leugne nicht, daß ich gern und gut esse – zum Ärger meines Herzspezialisten, Ihres Kollegen Dr. Vanannes. Er rät zur Mäßigung. Ich habe vorsorglich testamentarisch verfügt, daß mein Korpus der Anatomie zur Verfügung gestellt wird, eine postume Operation, zur Warnung der Fresser."

Die spottlustigen Augen des Achtundsechzigjährigen, dessen enzyklopädisches Wissen bereits Weltruf hatte, dessen literarische Leistung dem Jahrhundert das Gepräge gab – Jahrhundert der Aufklärung –, musterten Lavoisier.

„Blicken Sie nicht so entsetzt, Genius der Chemie. Schon die Alten haben bei ihren Gastmählern ein Skelett aufgestellt. Mahnung an den Tod. Sollten wir es anders halten?" Diderot lachte. Doch schien es den beiden am Schachtisch, als sei in dieses Lachen ein wehmütiger Akkord verwoben.

„Ich mag nichts vom Tod hören." Lavoisier hob abwehrend die Hand. Marat wollte entgegnen, daß er diese Sentenzen für unnütz halte, doch Diderot fuhr unbeirrt fort: „Wundern Sie sich nicht, wenn ich manchmal elegisch werde. Wo sind sie, die mit mir jung und unternehmend waren? Voltaire, der zuletzt einem verzauberten alten Schloß glich, das auf allen Seiten einstürzt, dem aber eben ein Zauber innewohnt; Rousseau, mit dem ich gemeinsam aufgebrochen bin und der so unbegreiflich die Fahne der reinen Vernunft eingerollt hat; d'Alembert starb und der kluge Turgot. Ach, und die geistreichen Frauen mit ihren Salons: Madame d'Epinay, Baronin Holbach... Die Maler... Mein Freund Chardin – wie oft war ich in seinem Atelier. – Verzeihen Sie, Messieurs, im Alter wird man geschwätzig." Diderots Kinn lag auf der Krücke seines Stockes.

„Ein Mann wie Sie, Monsieur Diderot, wird nie geschwätzig wirken", sagte Lavoisier höflich. Sein Gesicht aber blieb verdüstert.

„Danke für das Kompliment. Wissen Sie, wie mir zumute ist? Ich war vor einigen Tagen in meinem geliebten Wäldchen von Montmorency. Wo einst hohe Buchen zum Himmel ragten, fand ich einen Kahlschlag, wie der Forstmann so etwas nennt. Aber mitten in der Waldwiese hatte man eine Eiche verschont. Allein stand sie, der Blitz konnte sie treffen, der Sturm sie zerzausen. Aber eines tröstete mich: Die Vögel suchten Schutz in ihren Zweigen, und die Tiere des Waldes bargen sich in ihrem Schatten. Da war es mir, als sei ich dieser Baum. Übriggeblieben..."

Der Schriftsteller blinzelte ins sinkende Tageslicht – abgekehrt der Gegenwart. – Plötzlich wandte er sich Marat zu: „Glauben Sie nicht, Doktor, daß ich Ihre Schriften nicht kenne. Ich hasse die Ignoranten, die aus lauter Voreingenommenheit bestimmte Werke nicht zur Kenntnis nehmen. Das sind die Pharisäer im Garten der Literatur. – Ich las Ihre Abhandlungen ‚Über den Menschen' und ‚Die Ketten der Sklaverei'. Irre ich, oder haben Sie nicht auch eine Untersuchung über ‚Feuer, Elektrizität und Licht' veröffentlicht?"

In der Erregung begann Marat zu stottern. Endlich fand er Anerkennung und Ehrung durch den größten Mann der Aufklärung. Und das im Beisein des Mitglieds der Akademie der Wissenschaften Lavoisier...

„In meinem – Heimatland Neuchâtel ist eine – eine neue Arbeit erschienen. Ich nannte sie ‚Grundriß der Strafgesetzgebung', Monsieur Diderot."

Sie ergingen sich in Einzelheiten.

Der Chemiker räusperte sich vernehmlich. Wurde er nicht mehr beachtet? Gleichsam Lavoisiers Unmut erratend, fragte Diderot: „Übrigens, Lavoisier, von Ihnen hört man Wunderdinge. Sie sollen zwei Tage lang an Stricken über den Abortgruben der Stadt geschwebt haben, um die aufsteigenden Gase zu untersuchen? Drei Abortgrubenreiniger sollen kürzlich bei ihrer Arbeit erstickt sein. Gefährliche Gase demnach?"

„Ja, ohne Zweifel. Ich fing die Faulgase auf. Sie sind brennbar, ja explosibel, und ich rate niemandem, sie einzuatmen. Das Experiment ist geglückt. Jetzt arbeite ich an einer Methode, die Gruben zu entgiften."

„Bravo, Lavoisier. Das ist mehr wert als ein paar Seiten Enzyklopädie schreiben. Sie werden Menschenleben retten."

Diderot beugte sich vor und drückte dem Chemiker die Hand. Auch Marat verbeugte sich leicht. Sein Gegenüber, elegant gekleidet – die Spitzen rieselten aus den Ärmeln des seidenen Fracks, die Kniehosen wurden von silbernen Schnallen gehalten –, hatte der Wissenschaft wegen über stinkenden Abortgruben gehangen.

Vom Eingang des Kaffeehauses schrillte eine Stimme: „Extrablatt! Extrablatt! Majestät hat den Generaldirektor der Finanzen, Monsieur Necker, zur Demission aufgefordert. Necker erhielt Demission!"

In dem überfüllten Lokal trat eine geradezu beängstigende Stille ein, als sei eine nationale Katastrophe verkündet worden.

„Begreifen Sie das, Messieurs?" Diderot sah von einem zum andern, schien völlig konsterniert. „Necker hat als Finanzkünstler ein Plus von zehn Millionen für den Staatsschatz hereingeholt und versucht, Ordnung in die verfahrene Finanzwirtschaft zu bringen, zum Dank bekommt er die Entlassung. Man spürt wieder einmal die Hand der Königin." Bedrückt verabschiedete er sich.

Auch Marat brach auf. „Das ist eine schlimme Nachricht, Monsieur", sagte der alte Hausdiener, der ihm in den Mantel half. „Als ob wir armen Leute nicht genug Sorgen hätten. Also hat nun doch die Österreicherin gesiegt. Jetzt kann sie wieder Feste feiern und die Louisdors zum Fenster hinausschmeißen." Er flüsterte, sich ängstlich dabei umschauend.

Marat sah sinnend in die Abendsonne, deren Verglühen in den Fenstern flammte. „Neckers Nachfolger wird das Schiff durch gefährliche Klippen zu steuern haben, vielleicht bricht es an einem Felsen auseinander", sagte er schließlich. Er wollte auf die Straße treten. Der alte Mann hielt ihn zurück.

„Monsieur sind Arzt, ich habe es mir sagen lassen. Der Mann meiner Tochter ist verunglückt, am Boulevard des Italiens vom Gerüst gestürzt, dreißig Fuß tief auf das Straßenpflaster. Doktor Malgrasse hat gesagt, da könne er nicht helfen. Nur noch den Totenschein ausstellen. – Herr Doktor, ich flehe Sie an ... Er lebt doch noch ..."

„Wo befindet sich der Verletzte?"

„Die Wohnung ist in der Rue du Sanslieu. Meine Enkelin kann Sie hinführen. Ach, Monsieur, vielleicht ist noch Rettung? Aber das Honorar, Monsieur ..."

„Habe ich danach gefragt?"

„Verzeihen Sie. Bis jetzt hat sich jeder zuerst danach erkundigt.

He, Henriette! Begleite Monsieur, zeige ihm den Weg nach Haus."

Ein Mädchen von etwa fünf Jahren kam aus dem dunklen Flur des Kaffeehauses gerannt und faßte Marats Hand.

Lavoisier saß allein vor dem Schachbrett und rückte mechanisch die Figuren hin und her. Ohne Frage, die Dame war eine Gefahr für den König. Kein Turm konnte ihn retten, kein Läufer.

Als der Chemiker endlich aufbrach, war es finster geworden. Finster war auch sein Gemütszustand. Zum erstenmal spürte der Mann, der sich unantastbar wähnte, eine gefahrvolle Zugluft wie auf einem Grat. Stürzte Frankreich in den Abgrund, riß es ihn mit hinein, ihn: Lavoisier, Generalsteuerpächter Seiner Majestät, Aktienbesitzer neugegründeter Färbereien, Webereien, Pulvermühlen . . .

Die kleine Henriette eilte mit Marat die Rue St. Honoré entlang. Das Mädchen war schnell zutraulich geworden und plauderte. Marat konstatierte wieder einmal, daß die stetige Entbehrung diese Kinder der Armut altklug und frühreif machte.

Ins Gespinst seiner Gedanken – durch Henriettes Geplapper hervorgerufen – waren auf einmal die Londoner Tage verflochten. Lizzy Seymour – jetzt schon junge Frau, bald junge Mutter – und Helen. Helen . . . Eine Spur Wehmut stand in seinen Zügen.

Henriettes Hand lag wie eine Flaumfeder in seiner Faust. „Mein Papa ist der stärkste Mann von Paris. Wenn er beim Gerüstebau eine Leiter hochstemmt – und die ist dreißig Fuß lang –, dann steht er auf den obersten Sprossen und wartet, bis man ihm die nächste zureicht. Das ist gefährlich. Und Mama sagt, der Bauunternehmer hat morsches Holz genommen. Und jetzt ist Papa gestürzt, er spuckt Blut, Monsieur. Nicht wahr, Sie machen meinen Papa wieder gesund? Auch Frédéric, der Maurer, ist einmal vom Gerüst gefallen, seitdem schmeckt ihm kein Branntwein mehr. Mein Papa trinkt keinen Branntwein, nur Zider."

Henriette machte in ihren leichten Segeltuchschuhen einen kleinen Sprung über eine Pfütze, die der linde Mairegen hinterlassen hatte.

„Mein Papa hat mich einmal in die Gärten des Palais Royal mitgenommen. Waren Sie schon einmal dort, Monsieur? Da war ein Mann mit einem Äffchen, das bettelte um Zuckerbrot und Nüsse. Und ein Degenschlucker war da, der seinen Degen ganz tief in den Schlund steckte, und ein anderer verschluckte ein weißes Mäuschen und holte es am Schwänzchen wieder hervor. Brrr – ich ekelte mich. Möchten Sie das machen, Monsieur?"

Henriette blickte ihren Begleiter aufmerksam an. Mit kindlichem Einfühlungsvermögen spürte sie, daß er mit seinen Gedanken weit fort war. Aber er sollte ihren Papa gesund machen, sie mußte sich sputen, noch mehr von ihm erzählen . . .

„Monsieur, denken Sie nur, der Zauberkünstler wollte auch eine Uhr verschlucken, aber niemand hatte eine. Mein Papa auch nicht. Aber dann hat Papa mir einen Sou gegeben für Süßholz. Er ist sehr lieb, mein Papa. In den Läden dort gibt es auch Seidenschals zu kaufen. Wenn ich groß bin, kaufe ich mir auch einen solchen Schal. Aber da muß ich ganz viel Geld verdienen."

Marat nickte nur.

Sie bogen in die Rue de Sanslieu ein. Winklige Häuserzeilen rückten zu lichtlosen Schluchten zusammen, in denen die Regenlachen selbst im Hochsommer nicht austrockneten, Kinder in Schlamm und Urin wateten. Die Fundamente der Häuser schwitzten Salpeter und Schimmel aus, die Mauern zerbröckelten. Manches Fenster war ohne Scheibe, mit vergilbtem Papier verklebt.

Vor einigen Türen saßen Hausfrauen auf strohgeflochtenen Stühlen, Salat putzend, Kastanien schälend, strickend oder stopfend. Männer, im Mundwinkel die erkaltete Pfeife, schlenderten umher. Schon längst reichte das Geld nicht mehr, um Tabak zu kaufen – es gab nur gelegentlich Arbeit –, man konnte nur dem bitteren Geschmack des Suders am Mundstück nachspüren.

Henriette näherte sich einem der verwahrlosten Häuser. „Dort steht meine Tante Nanon im Tor. Sie ist immer gut zu mir, Monsieur. Sie macht bei Monsieur Moulon Margeriten und Maiglöckchen für die Hüte der Damen. Aber Mama sagt, Monsieur Moulon ist ein Filz. Mögen Sie Margeriten?" Dann rief sie mit ihrer hellen Stimme, der Doktor sei gekommen, und er nehme nicht einmal etwas dafür, habe Großpapa gesagt. Noch ehe der überrumpelte Marat Einhalt gebieten konnte, nahmen die Männer die Mützen ab und die Pfeifen aus dem Mund. Sie grüßten respektvoll. Auf den verhärmten Gesichtern der Frauen spielte ein Lächeln . . .

Ein Arzt war in die Vorstadt Saint Antoine gekommen zu einem von ihnen, und er verlangte kein Geld für die Untersuchung.

Vor der Tür stand auch die Schwester des Verletzten, eine junge Frau von etwa zwanzig Jahren. Sie hatte eine tiefgebräunte Haut, unter der das Blut pulste, eine Haut, die an pralle Süßkirschen erinnerte. Nanon Simonet stammte aus Arles, wo unter der südlichen Sonne die Menschen dazu neigen, rascher zu handeln als zu denken. Das Blut römischer Legionäre, die einst auf den Straßen dieses Landstrichs marschiert waren, mochte in den Adern der jungen Provenzalin fluten.

Sie musterte Marat mit großen Augen und rief ins Innere des Hauses: „Charlotte, he, ein Doktor ist da."

Frau Simonet, dem Aussehen nach eher eine Bäuerin, gab dem ins Zimmer tretenden Arzt vertrauensvoll die Hand, nicht ohne einen ängstlichen Blick auf die klobige Bettstatt zu werfen, wo der Verletzte lag. Er atmete angestrengt. Sein Gesicht war bleich. Bei einem Hustenstoß sickerte hellrotes, schaumiges Blut wie ein dünner Faden durch seinen Bart. Das Kind stand unbeachtet in einer Ecke des dumpfen Raumes und betrachtete seinen Vater unverwandt mit verstörten Augen.

Der Verletzte stöhnte auf, als Marat ihn abhorchte und abtastete. Simonet war wirklich ein Hüne, vor dem Unfall hätte er einem Michelangelo als Modell für die Skulptur eines muskelbepackten Sklaven dienen können. Der Gesichtsausdruck des Verunglückten war nicht furchtsam, nur müde und traurig.

Marat erschauerte in der modrigen Stube. Er sah die lichtdurchfluteten Säle von Versailles vor sich ...

Was würde die Königin empfinden, wenn sie mit ihren Atlasschuhchen hier über die feuchten Fliesen stöckeln müßte, was die verzärtelte Lamballe bei dem penetranten Gestank nach Kohl, Zwiebeln, Abfall und Exkrementen? Hatte man nicht in Trianon für den Hofstaat ein Dorf en miniature ohne Misthaufen aufgebaut, mit Schäferinnen, deren Kleider von Rose Bertin entworfen worden waren? Wurden nicht die Euter der Kühe mit duftenden Essenzen eingerieben, ehe Marie Antoinette im launigen Schäferspiel sich zum Melken niedersetzte, in einem Stall, der heller und gesünder war als die Kammer, in der Simonet lag?

Marat erhob sich vom Krankenbett. „Vermutlich ein Lungenriß. Frau Simonet, Sie müssen dafür sorgen, daß Ihr Mann ganz still liegt. Wenn kein Blutgerinsel ein Gefäß verstopft, wenn der Patient nicht hustet, wenn er keine Aufregung hat, wenn er sich ruhig verhält, so hoffe ich, daß er zu retten ist."

„Viele ‚Wenn', Herr Doktor, da weiß ich nicht ..." Nanon hatte es gesagt; Frau Simonet war zu aufgeregt, sie brachte kein Wort heraus.

„Kommen Sie zu mir, holen Sie sich Arzneien ab. Ich gebe Ihnen etwas gegen den Husten, auch ein schmerzstillendes Mittel, damit der Kranke ruhig schlafen kann. Hoffen wir vor allem auch auf die robuste Konstitution des Verletzten."

Vor der Haustür hatten sich die Bewohner der Gasse angesammelt. Sie wollten alle den Doktor sehen, der kein Geld von den Armen nahm.

„Wenn Sie unseren Pierre gesund machen, feiern wir ein Fest

und tanzen auf der Straße, wie es bei uns Sitte ist. Aber Sie müssen mittun, Herr Doktor, sonst macht es keinen Spaß!"

Marat drückte schweigend viele schwielige Hände und hastete davon.

Versailles wartete – das verfluchte Versailles.

7

Ein Brief aus Martinique

Martinique, 20. August 1781

Lieber, sehr verehrter Vetter Jean Paul!

„Treiben auf den Wogen des Glücks ..." Ich weiß nicht mehr, welcher Dichter diese Metapher gebraucht hat, vielleicht ist es auch der Vers eines Liedes.

Aber wenn ich Ihnen meinen Seelenzustand beschreiben soll, kann ich es am besten mit diesen Worten.

Genau ein Monat ist vergangen, seit unsre Bark „Königin der Meere" hier am Pier von Fort de France festgemacht hat. Kaum hatte ich die Wogen des Ozeans verlassen, da schlugen die Wogen des Glücks über mir zusammen ...

Gustave Forestier – Sie wissen es nur zu gut, ich brauchte es gar nicht zu schreiben – ist der Urheber dieses Jubilierens meines Herzens. Ach, dies törichte Herz, das ich ihm schon vor sechs Jahren bei der Überfahrt nach Le Havre geschenkt hatte und das sich gefangen wähnte – vorübergehend – durch einen anderen Mann! Sie wissen, wen ich meine. Aber mich erschreckt, daß dieses Gefühl für Lavoisier, das ich doch für echt hielt (wenngleich immer ein wenig mit Wehmut verwoben), einer so grauenhaften Kälte gewichen ist, als hätte dieser Mann niemals existiert. Erloschen ist jedwedes Gefühl.

Nur Ihnen sage ich es: Ich schäme mich einer solchen Wandelbarkeit des Herzens.

Aber zurück zu Gustave und – chronologisch:

Er stand im weißen Tropenanzug am Ufer und winkte mit seinem Strohhut. Braungebrannt war er, schlanker sogar als einst. Noch immer blitzten die goldenen Ohrringe, baumelte auf der Brust sein silbernes Medaillon. Ich sah nur ihn! Was interessierten mich die Pflanzer, die Offiziere mit ihren Frauen. Er hob mich lachend wie einen Federball über die Reling und trug mich durch die Menge zu seinem Gefährt. Niemand wagte einen Witz oder eine anzügliche Bemerkung. Jeder kannte Gustaves Fäuste, kannte auch die Treffsicherheit seiner Pistole. Erst im Wagen küßte er mich. Ach, lieber Vetter, mir wurde so schwindlig wie auf der „Königin der Meere" bei hohem Wellengang.

Während wir landeinwärts fuhren, an Palmen und Agaven entlang, konnte ich ihn betrachten, ihn immer wieder betrachten. Der alte Neger auf dem Kutschbock schnalzte mit der Zunge, die Maultiere liefen Trab. Es war mir, als säße ich bereits in einer Hochzeitskarosse. Ja, das war der Kapitän Forestier, aber nicht mehr der Waffenschmuggler und Sklavenhändler, das war Monsieur Forestier, Plantagenbesitzer zu Morne Rouge! Graue Haare hat er bekommen und sein Gesicht tiefe Furchen. Doch die Augen sind noch so gut und so schlimm wie einst, man kann in ihnen alles Wilde und alles Zarte seines Wesens aufspüren. Das Gefängnis von New York hat ihn nicht gebrochen, obwohl man ihn gezwungen hat, bei drei Hinrichtungen von sogenannten französischen Spionen zuzusehen – als Generalprobe, wie die Herren Engländer gesagt haben. Zweimal hat er selbst unter dem Galgen gestanden, zweimal wurde er in letzter Stunde begnadigt. Diese Schandbarkeiten, lieber Vetter Marat, müssen angeprangert werden! Solche Erlebnisse lassen das Haar eines jeden Mannes bleichen.

Unsere Pflanzung liegt am Fuße des Mont Pelé, und Sie werden an Hand Ihrer Atlanten feststellen, daß er etwa viertausend Fuß hoch und ein heimtückischer, ehemals feuerspeiender Geselle ist. Der Urwald klettert bis zur Baumgrenze empor und liegt wie ein grüner Kranz um das düstere Grau seines Gipfels. Er erinnert mich an die Schweizer Berge, nur daß es daheim keine Vulkane gibt. Sie werden auch einen Fluß finden, den man Roxelane nennt. In ihm stehen die gleichen goldschimmernden Forellen wie bei uns in der Reusse bei Boudry. Der nächste Ort heißt Morne Rouge und ist so klein, daß ich bereits jedes Haus und jedes Kind kenne.

Doch lassen Sie mich noch über die Seereise berichten. Die Überfahrt hat genau sechsundvierzig Tage gedauert, und es waren nicht immer Wogen des Glücks, auf denen wir trieben. Sie wollen bitte bedenken, daß Frankreich sich im Kriegszustand mit England befindet. Unser schönes Schiff wäre eine willkommene Prise für britische Kriegsschiffe gewesen, hätten wir uns nicht wie Diebe in der Nacht unter den Kanonen von Gibraltar in den Atlantik gestohlen. Dessen sturmgepeitschte Wellenberge überfluteten das Vorderschiff, trieben uns unter Deck. Keiner blieb von

Neptuns Tücken verschont. Wir lagen festgezurrt, wie der Seemann sagt, in unseren Kojen, und uns war sterbensübel. Sogar
Matrosen opferten dem Meergott und wetteiferten in dieser
Kunst mit uns Landratten. Der Vicomte du Giron versicherte, daß
er eine solche Seereise noch nicht erlebt habe, und er fahre immerhin zum fünften Male nach den Antillen. Es waren auch Verwandte des Vicomte de Beauharnais an Bord, zwei Damen mittleren Alters, die zuerst eitel wie buntgefiederte Pfauen einherstol-
zierten, aber nach Gibraltar wie die gerupften Hennen aussahen.
Einige Kaufleute aus Marseille und Lyon lagen auf den Knien und
beteten um besseres Wetter. Es wirkte erheiternd auf mich, denn
in Gesprächen an Deck – im stillen Wasser des Marseiller Hafens – hatten sie sich als Materialisten und Verfechter der Lehren
Voltaires und Lamettries vorgestellt. Hinter Madeira bekannten
sie sich erneut zu dieser Philosophie. Kein Wunder! Der Himmel hatte aufgeklart, die See lag ruhig, und es wehte eine südliche
Brise.

Bei dem Sturm hat sich übrigens etwas Entsetzliches ereignet:
Ein Deckmatrose wurde über Bord gespült. Der Kapitän ließ sofort beidrehen, aber er wagte nicht, Rettungsboote auszusetzen.
So konnte nur noch eine Seelenmesse für den Ärmsten gelesen
werden.

Kurz hinter Gibraltar begegneten wir einer britischen Fregatte,
die gut und gern mit zwanzig Geschützen bestückt war. Doch es
war wie bei den von Ihnen so anschaulich beschriebenen Hofbäl-
len, wo sich ja auch die schlimmsten Feinde kavaliersgemäß begegnen, wenn auch die Degen sprechen möchten. Die Fregatte
hatte mit dem gleichen Sturm zu kämpfen, sie tanzte auf den Wel-
lenbergen – sollte sie da mit uns einen Tanz beginnen?

Schließlich tauchte Martinique auf. Wir waren alle froh, denn
wir hatten das ewige Rauchfleisch und den Dörrfisch satt. Die Palmen spiegelten sich in der Flut des Hafens, die weißgekalkten
Häuser hätten auch an der Côte d'Azur stehen können. Es roch
wie dort nach Olivenöl und Knoblauch.

Sie wissen doch, daß Gustave nach seiner Entlassung aus dem
Gefängnis vom amerikanischen Kongreß eine Abfindungssumme
für das verlorene Schiff und die beschlagnahmte Ladung bekommen hatte, genug, um eine Plantage zu erwerben: eine herabge-
wirtschaftete Pflanzung für Kaffee, Baumwolle, Zuckerrohr und
Tabak. Im Wohnhaus sollen sich Schlangen und Ratten ein Ren-
dezvous gegeben haben, denn es hatte seit Jahren leer gestanden.
Der vorige Besitzer war an Gelbfieber gestorben, seine Witwe ist
nach Frankreich zurückgekehrt. Nun, Gustave hat angepackt ...
Das Haus ist wieder bewohnbar, wenn auch Josua, unser Kutscher

und Hausdiener, mehrmals täglich mit einem Bleiknüppel auf Schlangenjagd gehen muß.

Lieber Vetter, Ihr Buch „Die Ketten der Sklaverei" könnten Sie bei uns um einige Kapitel erweitern. Ich sehe hier täglich so viel Grausamkeit, Brutalität und Unmenschlichkeit, daß ich oftmals ganz verzagt bin. Unser nächster Nachbar haust knapp eine Meile von uns entfernt. Es ist der schon erwähnte Vicomte de Beauharnais, der aber jetzt mit seiner jungen Frau Rose in Paris weilt. Sein Verwalter Lenotre ist eine üble Kreatur, er hat die gleiche Visage wie jener Zuchtmeister Howe in Bridewell. Auch er peitscht. Hier sind es die bedauernswerten Negersklaven, die auf allen Plantagen schwerste körperliche Arbeiten leisten müssen. Das ist landesüblich, und üblich ist auch, daß sie für das geringste Vergehen unbarmherzig geschlagen werden. Bei uns wird kein Schwarzer geschlagen. Wir haben zwar nach Landessitte zehn Sklaven, aber Gustave peitscht nicht, schreit auch nicht. Deshalb wird es bei uns keinen unzufriedenen Neger geben. Ich werde mit dafür sorgen! Bin ich nicht Ihre und Rousseaus Schülerin?

Auf dieser Insel leben rund fünfundachtzigtausend Menschen, davon etwa zwölftausend Weiße und dreiundsiebzigtausend Negersklaven. Oftmals denke ich, was geschehen würde, wenn sich diese Sklaven empörten, wie einst im alten Rom die Sklaven unter Spartakus. Was bliebe übrig von dem adeligen Gesindel, das diese Insel bevölkert? In den Augen der Neger glimmt der Haß. Ich sehe die Striemen bei Männern und Frauen . . .

Nachts stehe ich manchmal am Fenster, wenn der bleiche Mond auf dem Gipfel des Mont Pelé liegt und aus dem Urwald die Schreie der Affen und Schakale dringen. Man sagte mir, daß vor vierzig Jahren die Erde gebebt hat, die Kakaopflanzungen verwüstet wurden. Wann wird ein nächstes Beben kommen? Durch die Neger? Durch die Vulkane? Es beunruhigt mich. Ich flüchte mich dann stets zu Gustave, der mich an seine breite Brust drückt. Dann schwinden alle Schatten und Ängste der Nacht – es bleibt „die Woge des Glücks".

Übrigens hat die Trauung nicht stattfinden können. Mischehen sind nicht erlaubt. Gustave ist römisch-katholisch, die Ehe mit einer Calvinistin wurde ihm daher vom Pfarrer in Saint Pierre als schlimmste Ketzerei untersagt. Ich bin dennoch Frau Forestier, und niemand nimmt Anstoß. Wir gehen ja nicht zu den offiziellen Bankketten und Festen, sind uns selbst genug. Gustave, der Sie übrigens von ganzem Herzen grüßen läßt, meint, es habe hier Aristokraten geregnet wie Frösche, wie es die Bibel beschreibt. Der Grund sei erklärlich: Nirgendwo finde ein adeliger Hohlkopf eine so mühelose Pfründe.

Abends besucht uns oft der Doktor Levasseur von der Marineverwaltung in Saint Pierre. Dann sitzen wir hinter Moskitonetzen auf der Veranda, trinken selbstdestillierten Rum und sprechen von daheim. Der Doktor wollte die Leprakrankheit studieren, bekam das gelbe Fieber und blieb hier. Wie er sagt – lebenslänglich. Er trinkt Rum wie andere Leute Wasser und kann dann philosophieren. Voltaires Schriften sind für ihn himmlisches Manna. Ich sage Ihnen, Vetter Marat, die beiden Männer bauen bei einem Tonkrug Rum das ganze Weltsystem um. Sie suchen die vollendete Staatsform, verdammen die Kirche und den Aberglauben und schwärmen von der freien Liebe. Wenn sie bei diesem Punkt angelangt sind, ziehe ich mich mit einem Roman zurück.

Später kommt ein reuiger Forestier und erküßt sich Absolution. Wie geht es Ihnen, lieber Vetter Marat? Sorgt die alte Massillon noch für Sie? Ich fürchte nein. Haben Sie Lavoisier gesehen? Wie ich höre, soll er auch noch Direktor des Königlichen Pulvermagazins geworden sein.

Übrigens hatte ich in Marseille noch vor der Abfahrt Ihre Zeilen bekommen, worin Sie mir die staunenswerte Heilung des Gerüstbauers Simonet mitteilten. Der erste Lungenriß, den Sie völlig ausheilen konnten? Ich gratuliere Ihnen herzlich. Soeben kommt Gustave mit einer Korallenkette. Er will sie mir um den Hals legen. Kann man da weiterschreiben? Er hat außerdem festgestellt, daß er bis jetzt dreizehnmal in diesem Brief genannt wurde. Das ist eine schlechte Zahl, und so schreibe ich nochmals, daß Gustave Forestier die große Liebe meines Lebens ist. Nun sind es vierzehn Gustaves. Bleiben Sie gesund, lieber Vetter Jean Paul. Das Postschiff geht noch heute ab.

Es umarmt Sie mit aller Zärtlichkeit

Marie Cabrol, die jetzt Marie Forestier ist.

P. S. Sollten Sie in dem verdorbenen Versailles einen fleißigen Adeligen finden, expedieren Sie uns dieses seltene Exemplar hierher.

Ergebenst Ihr Forestier.

„Was sagen Sie nun, bester Graf! Der Friede zwischen den verdammten Engländern und den amerikanischen Rebellen wird in diesen Tagen hier bei uns im Schloß besiegelt. Ein welthistorisches Ereignis. Den Kindern wird dieses Datum eingebleut werden. Majestät hat den 3. September für die Unterzeichnung angesetzt. Monsieur Franklin und Monsieur Adams sind Bevollmächtigte der Vereinigten Staaten."

Prinz Karl löffelte seine Morgenschokolade und sah verdrießlich in den nebelverschleierten Park hinaus. Tauperlen hingen an den Sträuchern, aufgereiht wie Perlen am Halsschmuck einer Frau.

„Viel gewinnt Frankreich bei diesem Friedensschluß nicht, mein Prinz. Nur Landfetzen in Afrika und Indien. Dabei haben wir bei der Geburt des jungen Staates Hebammendienste geleistet und bald zwei Milliarden verpulvert."

Graf Guibert hatte sein blasiertes Gesicht der Kaminwand zugekehrt, wo ein neuerworbener Kupferstich von Saint-Aubin hing, in der kecken Manier des Rokoko gehalten. Eine halbnackte Schöne, auf einem Ruhebett sitzend, verglich im Spiegel eine Rosenknospe mit den Knospen ihrer entblößten Brust.

„Deliziös, Hoheit. Sie sind ein Kenner. Ob in Bildern, ob bei Frauen – stets haben Sie einen beneidenswert guten Geschmack."

Obgleich Prinz Karl solche Schmeicheleien gern hörte – diesmal waren sie sogar echt –, hellte sich sein unausgeschlafenes Gesicht nicht sonderlich auf. Gereizt meinte er: „Jetzt sind unsere ‚Helden' zurückgekommen, mit goldenem Lorbeer geschmückt. Man hat ihnen Ovationen bereitet wie einst Rom dem heimkehrenden Cäsar. Ich möchte nur wissen, wofür! Was haben sie schon getan? Hebammendienste? In Rhode Island haben sie gesessen, Bälle veranstaltet und Theater gespielt. General Rochambeau hat Frauenherzen, aber keine Städte erobert. Ich habe Briefe von General Washington gelesen, in denen er sich bitter beschwert, daß er Yorktown ohne unsere Militärs erobern mußte, daß unsere Untätigkeit dem britischen Schlagetot Lord Cornwallis erlaubt habe, die südlichen Teile der Staaten barbarisch zu verwüsten. Trotzdem – Sieger kehren heim!"

„Sie vergessen Lafayette, mein Prinz. Er hat wirklich wie ein Offizier gekämpft."

„Dafür hat ihn der Pariser Pöbel auf schmutzigen Schultern ins Palais Royal getragen. Das ist eine offene Demonstration, bester Graf! Nicht einer der Dreckskerle hat ‚Vive le roi' gerufen, ‚Vive Lafayette' hat die Bande gebrüllt, ja, ein paar Schreier haben die Einführung amerikanischer Zustände bei uns gefordert. Der Teufel hole diese politischen Klubs mit ihren Debatten über die amerikanische Verfassung: unveräußerliche Rechte auf Leben, Freiheit, Streben nach Glück. Alles Phrasen aus unseren Salons. In Lafayette sieht man die Personifizierung dieser Ideen, daher seine Popularität. Aber wenn Aristokraten wie er mit der Gasse fraternisieren, dann bange ich um den Bestand des Thrones. Ein Kerl von hünenhafter Figur soll sogar gerufen haben, man müsse die Feudalrechte abschaffen, vor allem die Steueredikte. Ich begreife nicht, wo unsere Polizeisergeanten steckten."

Indigniert spielte der Graf mit seinem Lorgnon. Ihm war bei

den Worten des Prinzen nicht ganz wohl. Er war mit dem Marquis de Lafayette befreundet und wollte gerade heute dessen Rückkehr bei einem Souper feiern.

„Ich möchte mich für den Marquis verbürgen", sagte er schließlich, „aber – ist nicht tatsächlich die Zeit für gewisse vorsichtige Reformen gekommen? Monsieur de Calonne, der so unglücklich in den Fußtapfen Neckers einherwandelt, hat mir verraten, daß er mit seinem Latein bald zu Ende ist. Man muß . . ."

„Nichts muß man, bester Graf." Der Prinz wurde laut. „Rüttelt man an den Fundamenten, stürzt die ganze Pyramide unseres staatlichen Gefüges zusammen. Gewiß, ich weiß, daß wir sparen müssen. Ich habe mich schon eingeschränkt, drei Koppeln Jagdhunde verkauft! Und an wen? An einen Pariser Seifenfabrikanten. Das sind die neuen Herren! Zum Exempel, dieser Emporkömmling Beaumarchais, Sohn eines Uhrmachers, baut sich gegenüber der Bastille ein luxuriöses Palais, aber ich muß zwei Reitknechte entlassen."

Prinz Karl schwieg lange. Im Gemach wurde es düster, der Herbstregen klatschte gegen die Scheiben.

„Läuten Sie bitte dem Maurice", sagte er schließlich, „es wird kalt." Der Kammerdiener legte im Ofen nach.

„Übrigens, mein Prinz, sind Sie mit Ihrem Leibarzt Marat zufrieden? Er soll ja ein guter Mediziner sein . . ., aber er hat auch Ideen, den Staatskörper kurieren zu wollen. Und zwar sehr radikale Ideen, sie machen einen schaudern. Zufällig fand ich bei einem Buchhändler unter den Arkaden des Palais Royal eine merkwürdige Schrift. ,Ketten der Sklaverei' nennt sich die Sudelei. Verfasser Jean Paul Marat. Und dann bot mir der Händler noch eine Veröffentlichung an. ,Über den Menschen', drei Bände von demselben Autor. Erschienen in Amsterdam, wo alle diese Volksverderber ihre Elaborate verlegen lassen."

Die Augen des Prinzen bekamen einen tückischen Ausdruck. „Sie wissen, wie ich alles Gedruckte hasse. In die Bastille mit allen Literaten! Die Bücher dem Henker überliefern, soll er sie verbrennen! Das Volk braucht nur ein Buch: die Bibel. Steht das, was die Schriftsteller erfinden, in der Heiligen Schrift, so ist es überflüssig, steht es nicht darin, ist es doppelt überflüssig. Ich bin für allerstrengste Zensur!"

Jetzt lachte der Graf amüsiert. „Seit wann sind Sie so zelotisch? Literatur kann doch Amüsement bereiten. Denken Sie an Crébillons Roman – wie Kaviar und Sekt. Würden Sie diese ergötzlichen Dinge nicht vermissen?"

„Ich sagte Zensur." Der Prinz beherrschte sich kaum noch. „Lesen Sie mir etwas von dem Zeug vor, das Marat fabriziert hat."

Der Graf war verwirrt, er zögerte. Keinesfalls wollte er dem Prinzen Anlaß zu einem seiner Zornesausbrüche geben, bei denen er unberechenbar tobte. Doch die fette Stimme befahl: „Ich warte, bester Graf, ich warte."

Guibert schlug widerwillig Marats Schrift auf. Er war wütend auf sich selbst. Hätte nicht ein anderer dem Prinzen die Beweisstücke seines rebellischen Leibarztes vorführen können? Es würde nur Unannehmlichkeiten geben. Während des Vorlesens beobachtete er sorgenvoll, wie die Backenmuskeln des Prinzen zu mahlen begannen, Vorzeichen eines heraufziehenden Wutanfalls.

„Durch Furcht eingeschüchtert, durch Hoffnung getäuscht und durch Habsucht verdorben, jagen uns jene, die die Geschichte schreiben, durchaus keinen Schrecken vor der Tyrannei ein. Stets loben sie begeistert die Unternehmungen der Fürsten, sobald sie großartig und kühn und außerdem etwas unheilvoll sind, als gälten sie der Freiheit; stets heben sie verbrecherische Handlungen, die der Todesstrafe würdig wären, in den Himmel, stets propagieren sie sorgfältig die niedrigen Gesetze der Knechtschaft."

Schon brüllte der Prinz: „So? Verbrecherische Handlungen? Dieser Untertan behauptet, ein Fürst begeht verbrecherische Handlungen? Weiter! Mehr! Was denn noch!"

„Eine andere Stelle aus demselben Kapitel: ‚Schütteln einige Provinzen das Joch ihres Tyrannen ab, so erscheinen die Völker in ihren Berichten darüber stets als revoltierende Sklaven, die man wieder in Ketten legen muß... Sie stellen die edelsten Empörungen gegen die Tyrannei als verbrecherische Rebellionen hin und...'"

„Genug!" Prinz Karl überschrie sich. „Ich verstehe sehr gut, was dieser Marat sagen will. Ein anderer Leibarzt muß her! Schließlich will ich dem Herrn nicht zumuten, einem ‚Tyrannen' zu dienen! Aber bitte vorläufig Diskretion. Ich brauche ihn momentan. Es hängt mit diesem Schreiben zusammen. Lassen Sie jetzt mich vorlesen: Die Gebrüder Jacques und Joseph Montgolfier geben sich die Ehre, Ew. Majestäten und die Mitglieder des Königlichen Hauses untertänigst zu dem Schauspiel des Aufstiegs eines mit heißer Luft gefüllten Ballons auf der Place d'armes am 19. September 1783 einzuladen. In tiefster Ehrfurcht Charles Montgolfier."

„Was soll Ihr Marat dabei, mein Prinz?"

„Der Aufstieg ist ein erster Versuch. Es sollen Tiere hinaufgeschickt werden, angeblich ein Lamm, eine Gans, eine Ente. Nun wünscht Majestät, daß seine Ärztekommission den Gesundheitszustand dieser Tiere untersucht. Dann erst gibt mein Herr Bruder die Erlaubnis, daß eventuell Menschen aufsteigen dürfen. Dieser verdammte Marat soll einer der Experten sein."

„Also zuerst untersuchen, dann fliegen!" Belustigtes Lachen des Grafen.

„Jawohl, hinausfliegen!" rief der Prinz. „Die Bücher überlassen Sie mir, vielleicht hat der Oberste Zensor Interesse. Oder der Herr Polizeiminister."

Nachdem der Graf die Gemächer Prinz Karls verlassen hatte und in seiner Kutsche dem Souper mit Lafayette entgegenrollte, zerriß er ein Briefchen in winzige Schnitzel, die er zum Fenster hinausstreute. Mit diesem Brief hatte Monsieur Lavoisier die Bücher Marats dem Grafen zugeleitet.

Wissenschaftler untereinander, dachte der Graf.

Welch ein Festtag für Versailles!

Die weißen Lilienbanner flatterten, die schwarzen Helmbüsche der vorbeitrabenden Leibgardisten wehten. Alle Boulevards, die radial zum Schlosse führten, waren von Menschen umsäumt. Der Wind spielte mit den Gobelins und Teppichen, die als Schmuck aus den Fenstern hingen. Tausende füllten die Place d'armes, wo die Tribünen für die königliche Familie aufgebaut waren. Tausende harrten auf abgelegenen Straßen und Plätzen des kommenden Ereignisses: Ein Ballon sollte in den bleichen Herbsthimmel emporsteigen. Die Gebrüder Montgolfier wollten ihr Experiment vorführen.

Die Wasserspiele plätscherten unter dem Gesträuch der Parks, die Blumenrabatten waren so bunt gemustert wie die Seidenkleider der Damen auf den Estraden. Das schlichte Schwarz der Wissenschaftler wirkte in diesem fröhlichen Menschenteppich wie eingewebte Traurigkeit.

Unmittelbar vor dem Schloß war die Tribüne für das Königspaar, die Prinzen, die Schwester Ludwigs XVI., Madame Elisabeth, und den Hofstaat. Lakaien boten ihnen Leckereien an.

Hinter den Sesseln der Majestäten standen die Damen der Königin, die Lamballe, die Polignac. Der Intendant Ihrer Majestät, Graf Vaudreuil, tänzelte umher. Er erklärte wichtigtuerisch die im Schloßhof sich abspielenden Vorgänge: „Große Hitze wird benötigt. Man entzündet unter der leeren Seidenhülle ein Feuer, die heiße Luft füllt den Ballon und läßt ihn emporschweben."

Marie Antoinette puderte sich und sah mit vergnügtem Lächeln zu dem Grafen auf.

„Wie wäre es, wenn man alle Philosophen in den Korb unter den Ballon setzen würde, und alle Zeitungsschreiber dazu? Vielleicht flögen sie auf eine unbekannte Insel und fräßen sich gegenseitig auf." Die Umgebung lachte und applaudierte pflichtschuldigst.

Der König sprach kein Wort. Er beobachtete interessiert die Arbeit der beiden Physiker.

„Eigentlich ist das alles antiquiert", sagte Lavoisier, der inmitten der Akademiemitglieder stand, die man selbstverständlich hinzugezogen hatte. „Hier steht Professor Charles. Er wird bestätigen, daß Wasserstoff zehnmal leichter als Luft ist. Warum also dieses Kunststück mit heißer Luft?"

Die Professoren runzelten unwillig die Stirnen. Dieser Lavoisier – soll er es doch selbst versuchen! Schließlich hat schon das Wasser keine Balken, erst recht nicht die Luft.

In der vordersten Reihe saß Condorcet, der berühmte Mathematiker und Mitarbeiter an der Enzyklopädie. Neben ihm Diderot, dem das Stehen sichtlich schwerfiel; doch in Anwesenheit der Majestäten war einem Bürgerlichen das Sitzen nicht gestattet. Marquis de Condorcet stach dozierend mit dem Zeigefinger nach der rotseidenen Kugel hinüber. Sie blähte sich, wurde praller und zerrte an den Haltetauen.

„Es war klug von den Montgolfiers, einen solch geschützten Platz zu wählen. Ja, es ist wahr, jedes Jahr, jeder Monat, jeder Tag ist durch neue Entdeckungen und Erfindungen ausgezeichnet. Nun erobert der Mensch die Luft! Die Künste und die Wissenschaften, die sind es, die uns der Himmel als wertvollstes Gut geschenkt hat. Der Aberglaube, die Unwissenheit werden besiegt. Triumphieren wird die Vernunft."

„Gut gebrüllt, mein lieber Marquis", sprach Diderot, „aber ein bequemer Sessel für mein schweres Hinterteil wäre mir jetzt der größte Sieg der Vernunft. Und – etwas kaltes Huhn aus Ihrer so vortrefflichen Küche."

Lavoisier, der die Bemerkung vernommen hatte, schälte aus einer Papierhülle mehrere geräucherte Gänsebrüste und reichte sie herum. Professor Charles, kräftig zubeißend, meinte: „Das Geschnatter *dieser* Gans tut unsren Ohren nicht mehr weh. Ich bin wirklich froh, wenn das Geblöke und Geschnatter vor uns endlich aufhört und die Dreieinigkeit von Schaf, Gans und Ente gen Himmel fliegt. Gänse haben bekanntlich das Capitol gerettet. Ob sie auch diesmal *unser* Capitol retten? – Sehen Sie nur die Menschenmassen. So friedlich sah ich die Versailler nie."

„Ich sehe dies Schauspiel nicht ohne Genuß", sagte Diderot, „und er wird noch gesteigert durch Ihre vorzügliche Gänsebrust, Lavoisier. Ich finde, daß wir doch nicht umsonst gelebt und gearbeitet haben. Der Göttin der Vernunft müßte man ein Opfer bringen. Noch vor fünfzig Jahren hätte man die beiden Montgolfiers eingesperrt, vor hundert Jahren als Hexenmeister lebendig verbrannt – heute jubelt man ihnen zu."

„Also ein denkwürdiger Tag, Monsieur Diderot", rief Lavoisier ironisch. Er schenkte aus einer Kristallflasche bernsteingelben Wein in einen Becher, den er dem alten Gelehrten reichte.

„Auf das Jahrhundert der Wissenschaften", sprach dieser feierlich und trank.

Condorcet bemerkte: „Unsere Schulen müssen noch mehr Erfinder und Entdecker hervorbringen. Schon jetzt wissen unsere jüngsten Studenten mehr als die größten Denker der Antike."

„Und sind deshalb tausendmal überheblicher, als diese es jemals waren."

Marat, der unterhalb der Tribüne stand, aber dem Gespräch gefolgt war, hatte diesen kritischen Satz gesagt. Ihm, als zur Akademie nicht Zugelassenen, war auch der Platz auf der Gelehrtentribüne verwehrt. Er stand auf einem Prellstein und fixierte Hofgesellschaft und Akademisten mit kalten Blicken. Bei dieser Musterung begegnete er viel abweisenden Gesichtern. Was galt er schon bei diesen Seigneurs und Damen? Was bei den Herren der Akademie?

Nur Diderot winkte ihm freundschaftlich zu, und Condorcet rief mit weitschallender Stimme: „Seien Sie nachsichtig, Monsieur. Auch Sie waren einmal Student und haben an den Brüsten unsrer Alma mater gesaugt."

„Er hat wenig davon profitiert." Ein klappriger Professor der Medizin fügte diese bösen Worte hinzu. „Aber zum Hundekurieren und Purgieren der Bandwürmer von Leibgardisten reicht sein Wissen."

Da Diderot unwillig abwehrte, versickerte das spöttische Lachen ringsum.

Marats bleifarbenes Gesicht hatte sich gefährlich gerötet. Er mußte sich bezwingen, seine Wut nicht zu verraten. Und während sein Blick von Gesicht zu Gesicht wanderte, überkam ihn plötzlich eine abgrundtiefe Traurigkeit. Woher kam diese Ablehnung? Diese Gelehrtenüberheblichkeit? Hatte er nicht die Doktorwürde der Universität Edinburgh? War er nicht in England als Forscher anerkannt? Wieder brach bei ihm jener Ehrgeiz durch, der ihn zeitlebens nicht mehr verlassen sollte; Ehrgeiz, entstanden durch vielerlei Kränkung, durch Mißachtung seitens der Zunft Pariser Ärzte und der Wissenschaftler aus den Reihen der Akademie.

Jetzt nur Haltung bewahren, Jean Paul Marat ... Die Zeit wird kommen, da werden sie sich unter deinen Blicken ducken. Braucht eine künftige Gesellschaftsordnung dieses Gelehrtengeschmeiß? Gelehrte ja, aber zum einfachen Volk müssen sie gehören. Dort in seinen rauchigen Schenken und dumpfen Kellerquartieren, dort nur ist Uneigennützigkeit und Brüderlichkeit. Einmal wird dieses Volk ihn, den Philosophen Marat, auf den Schultern tragen, und die dort oben werden vergessen sein.

Er stapfte mit triumphierendem Schritt über die klirrenden Steinplatten des Schloßhofes davon. Keinen Blick warf er zurück zu den Akademiemitgliedern.

Das war die offene Kriegserklärung.

Diderot sah dem Davonstürmenden mit trauerndem Blick nach. Er verstand Marat, er selbst hatte zu oft eine ähnliche Diskriminierung erlebt.

Marat mußte sich durch die Menschenmassen drängen. Überall herrschte turbulente Fröhlichkeit. Händler boten ein neues Spiel an. Man ließ einen Kreisel in drehender Bewegung über eine Schnur gleiten, schnellte ihn hoch in die Luft und versuchte ihn wieder aufzufangen. Ein Spaß für groß und klein. Ein findiger Bäcker hatte Kuchen in Form des Ballons geformt und mit rotem Zuckerguß überstrichen. „Zu teuer", murrten viele, kauften aber doch. Die Kinder sollten sich freuen.

Immer wieder bekam Marat Püffe und Stöße, seine kleine Statur war ihm wie schon oft von Nachteil. Da sah er mitten im Gewühl die herkulische Gestalt Pierre Simonets, an dessen Arm seine Schwester Nanon hing. Als sich Marat gerade zu seinem ehemaligen Patienten hindurchzwängte, ertönte tausendstimmiges Geschrei, und Bravorufe mischten sich mit Händeklatschen. Die rotseidene Kugel hob sich über die Dächer der Häuser, höher, immer höher. Nur noch winzig klein war der Korb mit den Tieren. Jetzt war der Ballon wie eine kupferne Münze am bleichen Himmel, dann zog er, vom Westwind getrieben, langsam dem fernen Horizont entgegen.

Pierre hatte keine Miene verzogen, auch nicht applaudiert. Nanon jedoch schwenkte ein Tuch und rief immer wieder „Vive Montgolfier".

„Sieh doch, Nanon, Monsieur Marat", sagte Simonet und stieß die Schwester an. „Kommen Sie, Doktor, hier stehen Sie sicher."

Nanon wandte ihr Gesicht dem Ankommenden zu; ihr sengender Blick traf ihn.

„Sie sehen gesund aus, Pierre", sagte Marat rasch, um seine Verlegenheit zu verbergen, „für einen Mann mit Lungenriß erstaunlich gut."

„Er geht aber nicht mehr auf ein Gerüst", sagte Nanon mit ihrer tiefen Stimme. „Sie haben ihm doch schwere körperliche Arbeit verboten."

Pierre lachte grimmig und schlug sich auf die Brust, daß es dröhnte.

„Der Kasten ist in Ordnung, Doktor. Aber was das Weib will,

das will Gott. Und bei mir sind es gleich zwei Frauenzimmer, die ihren Willen haben wollen. Ich machte jetzt Gelegenheitsarbeiten. Mehr Gelegenheit meinerseits als Arbeit. Helfe einem Monsieur Parmentier. Der hat Erlaubnis, auf dem Marsfeld eine amerikanische Pflanze anzubauen. Erdapfel nennt er das merkwürdige Gewächs. Man ißt nur die Knollen. Die sollen gekocht wie eingeschlafene Füße schmecken."

Er lachte über seinen Witz, doch Nanon unterbrach ihn. „Natürlich wird Doktor Marat diese Pflanze kennen. In England soll man mit den Knollen die hungrigen Mäuler stopfen." –

Die Menschenmassen warteten auf weitere Sensationen.

Bald würden die Karossen mit den Adeligen vorüberrollen, heimwärts nach Paris. Auch die Gebrüder Montgolfier würden erscheinen, denn der Ballon sollte glücklich auf einer Wiese gelandet sein.

„Denken Sie nur, das Schaf hat ruhig weitergefressen", berichtete ein junger Bursche, „als ob nichts gewesen wäre."

„Es war ja auch nichts", äußerte Simonet und zuckte die Achseln. „Warum dies alles, Doktor? Haben wir hier unten nicht Sorgen genug? Wissen Sie, das Getue schmeckt mir nicht. Die Wissenschaft in Ehren. Aber sie muß uns satt machen. Wenn erst jeder Pariser zwei Paar ganze Hosen und zwei Bettlaken hat, dann steigt von mir aus in den Himmel. Wissen Sie, wie viele von uns kleinen Leuten ohne Beruf, ohne Erwerb sind? Ich habe eine Schule stets nur von außen gesehen, nie eine Lehre gehabt. So geht es Hunderttausenden. Aber die Montgolfiers fliegen hoch hinauf, und das Volk schreit vivat, sogar Nanon."

„Hören Sie nicht auf ihn, Monsieur Marat. Ohne Ihre Wissenschaft wäre er bereits mausetot. Ich glaube an den Fortschritt, an die Zukunft der Menschheit, ich möchte nur noch viel mehr wissen und die Zeiten des Glücks erleben."

„Wenn Sie wollen, Mademoiselle, hier gibt es ein kleines Weinhaus, ich würde Sie gern beide einladen. Da könnte ich Ihnen und Ihrem Bruder erzählen, was echte, uneigennützige Wissenschaft vermag."

Nanon nickte erfreut, und ohne auf den Bruder zu achten, ging sie mit Marat voran. Pierre murmelte etwas von dem weiten Weg bis Paris. Doch die Schwester war wie verwandelt. Sie behauptete, zur Not die fünf Stunden bis Paris tanzend zurücklegen zu können, ja, wie bei einer Springprozession immer drei Schritte vor und zwei zurück.

„Kenne sich einer in den Weibern aus, Doktor", sagte Pierre kopfschüttelnd. „Als wir aus Paris abmarschieren wollten, war sie froh, daß uns Parmentiers Kutscher für eine Flasche Wein mitgenommen hat. Jetzt will sie heimhüpfen!"

180

Er zog sich die vielfach geflickten Hosen hoch. Verdammt – ob aus den beiden am Ende ein Liebespaar wird?

Pierre blieb absichtlich ein Stück zurück. Doch als er nach einer Weile die beiden mit seinen langen Beinen wieder eingeholt hatte, war er enttäuscht. Kein Liebesgeplänkel, kein Geflüster. Marat erzählte von einem Engländer James Watt, der eine Dampfmaschine konstruiert habe.

Dampfmaschine! Ja, ist denn der Doktor bei Sinnen? Dampfmaschine – und nichts von Liebe!

Da war es bei mir anders, abends an der Seine, dachte Pierre. Ich habe nur die Angel ausgeworfen, schon zappelten sie an meiner Leine. –

Spät in der Nacht erst kam Marat ins Schloß zurück. Trotz der vorgerückten Stunde erwartete ihn Maurice. Der Prinz sei ungehalten, ausgesprochen ungnädig. Irgendein Denunziant habe Monsieur angeschwärzt. Beim Lever werde es wohl zum Krach kommen, vermutlich werde Monsieur hinausgefeuert. Die Nachricht erschütterte Marat nicht.

Auf dem Kamin lagen zwei Briefe. Der eine, mit schwerem Amtssiegel des englischen Unterhauses, enthielt die Mitteilung Mister Wilkes', daß nach dem Friedensschluß mit den Vereinigten Staaten von Amerika nunmehr Großbritanniens Hauptstadt dem geschätzten Mister Jean Paul Marat wieder offenstehe, daß Mister Bentham, sein damaliger Widersacher, an einem Schlagfluß verstorben sei und daß Mister Howe selbst eine Zelle in Bridewell bewohne.

„Besuchen Sie mich, Mister Marat", schrieb Wilkes abschließend, „wir werden bei Portwein und gutem Tabak über die künftige Staatsordnung philosophieren. Es gibt mir eine grimmige Befriedigung, daß alle meine Prophezeiungen eingetroffen sind: Die Amerikaner haben gewonnen. Aber wann jemals hat man eine Kassandra angehört? In Troja nicht und nicht im englischen Unterhaus."

Das zweite Schreiben war mit den krakeligen Schriftzügen Helen Seymours bedeckt. Der seelengute Sam Butler sei nun doch dem Wundbrand erlegen. Ob Marat nicht kommen könne, vielleicht vermöge er Trost zu sprechen. Sam habe noch auf dem Totenbett von ihm gesprochen.

Die Schrift war an vielen Stellen verwaschen, Tränen mochten das Papier genäßt haben.

Als Marat die Kerze löschte, glaubte er an der Themse zu stehen und die Möwenschreie zu hören, roch er die Nebelfeuchte Londons. Helens Gesicht und das Nanons, beide mischten sich in seinem Traum.

181

Die Glocken der Pariser Kirchen läuteten die Silvesternacht ein. Das Jahr 1785 begann mit Nieselregen. Jean Paul Marat saß allein in seinem Studierzimmer. Madame Massillon war vor einer Stunde aus dem Haus gehuscht, um die Nacht bei Verwandten zu verbringen. Für den vereinsamten Marat hatte sie noch einen irdenen Topf mit Glühwein in die Ofenröhre geschoben sowie Kastanien und Äpfel bereitgestellt.

Die Stille tat Marats überreizten Nerven gut. Vor ihm lagen die geschnittenen Federn, stand ein bleiernes Tintenfaß ... Er wollte einen Brief an Marie Forestier schreiben. Mehrmals zögerte er anzufangen, doch dann griff er entschlossen zur Feder.

Paris, Neujahrsnacht 1785

Liebe Marie!

Eigentlich sollte ich Ihnen heute nicht schreiben. Ich bin in keiner guten Verfassung. Und doch möchte ich mich mit Ihnen unterhalten – gerade in diesen Stunden des Rückblicks und Ausblicks.

Wissen Sie eigentlich, mit wem Sie korrespondieren? Mit einem davongejagten Leibarzt, dem man das Betreten des Versailler Schlosses verboten und dessen Gepäck man vor das Portal geworfen hat. Einen Pfuscher geruhte Prinz Karl mich zu nennen.

Die Wut frißt noch an mir.

Ein Pfuscher bin ich also, dessen ärztliche Lizenz überprüft werden muß. Was gilt schon der Doktorhut einer schottischen Universität? Was gelten meine Experimente mit Heilmagnetismus? Hat Prinz Karl wirklich vergessen, daß ich sein Fußgelenk heilte? Daß ich die Marquise de Laubespine von ihrem Hüftleiden befreite? All die vielen anderen Heilerfolge – sind sie gar nichts wert?

Ich weiß durch den Kammerdiener des Prinzen, daß es in Wahrheit um meine Schriften geht, daß alles andere Vorwände sind. Dennoch kränken sie mich schwer.

Mit der Degenspitze habe der Prinz Buch um Buch aufgespießt und ins Kaminfeuer geworfen. Mag er ... Wer aber hat ihm die Schriften zugesteckt? Graf Guibert? Jedenfalls soll der gesagt haben, der Henker müsse meine Bücher öffentlich verbrennen.

Über all diese Demütigungen komme ich schwer hinweg.

. Liebe Cousine, in einigen Monaten werde ich zweiundvierzig Jahre alt – und was habe ich erreicht?

Gewiß, ich kann jetzt mit ungeteilten Kräften in der Taubenhausgasse praktizieren. Patienten genug – nicht immer Honorare. Das Wartezimmer ist stets überfüllt. Zu wenig Zeit habe ich für meine philosophischen und staatsrechtlichen Studien. Zu wenig Zeit für wissenschaftliche Experimente. Ich muß endlich den Ursachen bestimmter Hauterkrankungen auf die Spur kommen, auch wenn ich mich selbst infiziere. Und mein Herz braucht Drogen, selbst wenn es hin und wieder mit Krämpfen antwortet. Ich bin also mein eigener, mein bester Patient . . .

Sie fragten, ob ich nicht zuviel allein sei. Das mag stimmen – und auch wieder nicht. In der Praxis hat einige Male eine sympathische junge Frau geholfen, die mich an meine Wirtin in England erinnert und auch ein wenig an Sie, Marie. Das tut gut – aber sehr viel Depression ist noch im Tiefsten.

Neulich habe ich geträumt. Ich sah Almwiesen, mit Enzian übersät, ein überraschendes Blau, das die Augen blendete – sah daneben tiefes Rot der Alpenrosen. Gletscherbäche rauschten und stürzten in grüne Dämmerung hinab. Da veränderte sich plötzlich das Bild. Der Engel Cherub stand mit dem Flammenschwert vor mir, den Eingang zur Akademie der Wissenschaften bewachend. „Ins Nichts zurück!" So lautete sein Spruch, und der Engel trug das Antlitz des Akademiepräsidenten Fleuris. „Gewogen und zu leicht befunden!" Die Engel tanzten. Einer, er sah aus wie Lavoisier, trug eine überdimensionale Retorte und rief: „Faulgas für Monsieur Marat, damit er still wird für immer!"

Ich frage mich oft, warum wohl hat die Akademie der Wissenschaften meine Aufnahme abgelehnt? War ich zu kühn? Bin ich nicht lammfromm genug? Früher verbrannte man die Ketzer, jetzt röstet man sie am langsamen Feuer der Erfolglosigkeit. Meine Arbeiten lagen doch vor . . ., drei Bände „Vom Menschen" und „Die Ketten der Sklaverei". Und hat nicht Brissot mein Buch „Über die Strafgesetzgebung" in seiner Bibliothèque philosophique herausgegeben? Hat nicht der große Diderot meine Arbeit „Über das Feuer" gelobt?

Nur eine lichte Stunde hat es gegeben, eine einzige! Die Akademie zu Rouen hat meine Arbeit „Über die Heilkraft der Elektrizität" preisgekrönt . . . Ich hatte sie unter einem Decknamen eingereicht, denn auch dort ist der Einfluß Lavoisiers spürbar. Ich halte ihn für meinen Feind. Oder sollte ich mich irren?

Da steht die andere Frage offen: Wer mag wohl meine Aufnahme in die neugegründete Spanische Akademie der Wissenschaften hintertrieben haben? Freund Romme aus Saint-Laurent hatte mich warm empfohlen. Die spanische Regierung hatte bei mir angefragt, ob ich für das Amt des Präsidenten kandidieren wolle. Jubelnde Zustimmung, kein Überlegen! Zum Teufel, ja! Tausendfaches Ja!

In meiner Freude hatte ich diese Kunde an das Elternhaus in Boudry weitergegeben. Präsident der Akademie zu Madrid! Und dann habe ich auf den Postkurier gewartet ... Nichts ... und immer wieder nichts. Und schließlich eine Absage. Die Wahl sei auf einen anderen Gelehrten gefallen, einen gläubigen Katholiken, der in seinen Schriften von jeglicher Freigeisterei abrücke. Auch seien die Empfehlungen für Monsieur Marat nicht überzeugend genug gewesen. Die Französische Akademie der Wissenschaften habe sich bedauerlicherweise nicht geäußert.

Nicht geäußert! Diese Ignoranten! Können Sie verstehen, Marie, was das für ein Schlag war? Und mein Vater hatte schon eine Hymne auf mich verfassen und in Töne setzen lassen. Eine Komposition für zwei Frauenstimmen mit Klavichordbegleitung. In diesem Hymnus war sogar der Gott Äskulap bemüht worden, den Doktor Marat auf den Präsidentensitz zu geleiten.

Sie werden begreifen, wie peinlich mir das dann war. Welche neue Demütigung. Warum nur soviel Mißgunst und Mißgeschick? Habe ich mir widerrechtlich Genüsse verschafft? Sie kennen mich, Marie, kennen meinen Charakter. Meiner Mutter verdanke ich, daß mein Herz für die Menschlichkeit und Gerechtigkeit aufblühte. Meine Mutter hat mir aber auch eine große Portion Ehrgeiz mit auf den Weg gegeben.

Nun, ich raffte mich von diesem Schlag wieder auf, ich wollte die Scharte auswetzen. Ist nicht Neuchâtel eine preußische Enklave? Ist nicht unser kleines schweizerisches Land dem König Friedrich II. untertan? Hatte nicht dieser Monarch einem Voltaire Gastfreundschaft geboten? Spricht man nicht davon, daß er für bestimmte Ämter Franzosen bevorzuge? Ich habe ihm meine Übersetzung von Newtons „Optik" zugeschickt, eine Arbeit, die der große Franklin gelobt und die Professor Charles als werkgetreu empfohlen hat. Ob der Preußenkönig einem Gelehrten helfen würde? Das waren meine Gedanken.

Wieder habe ich gewartet, gewartet. Dieser Friedrich hatte einem Rousseau sofort geantwortet, als der um Asyl bat. Aber ich bin nicht Rousseau, ich bin ein unbedeutender Arzt – ein Nichts aus der Taubenhausgasse.

Endlich ließ mir der Preußenkönig mitteilen, daß ich im Lande Neuchâtel praktizieren könne. Wenn ich an die Kasse des Gouverneurs die gesetzlich vorgeschriebenen Sporteln zahle, wolle mir der König ein wohlaffektionierter Monarch sein!

Ich war verzweifelt – ich bin es noch.

Sehen Sie, wie recht ich eigentlich getan hätte, diese Zeilen nicht zu schreiben?

Ich habe so lange geschwiegen, weil ich immer hoffte, Ihnen

die eine oder andere freudige Botschaft senden zu können. Nun aber ist es ganz anders gekommen.

Verzeihen Sie Ihrem Vetter, der Sie von Herzen grüßt.

Ihr Jean Paul Marat

8

Fahrt auf der Seine

„Der König soll die Generalstände einberufen haben", sagte Madame Lavoisier, lässig hingelehnt im Heck des auf der Seine dahintreibenden Ruderbootes. „Wie erklärst du dir das? Warum?"

Lavoisier beobachtete gespannt das Spiel eines auf den Wellen hüpfenden Korkens, der hin und wieder untertauchte, um ebenso rasch wieder emporzuschnellen, meist ehe der Angler zu reagieren vermochte. Träge plätscherte der Fluß. Es roch nach Schilf und Algen. Im Ufergestrüpp wuselten junge Wildenten, ein grober Hecht strich mit mächtigen Schwanzschlägen ab. Mehrere gefangene Barsche und Schleie lagen zappelnd im Fischkasten.

Im Bug des Bootes rekelte sich ein Mädchen, das entzückt die wechselreiche Flußlandschaft betrachtete und dabei die Enden seiner dicken blonden Zöpfe flocht.

Auf die Frage Madame Lavoisiers verzog sich das Gesicht des Mädchens, und sie antwortete spöttisch: „Die Generalstände, Madame, werden versammelt, damit unser König neue Steuern bekommt."

„Seien Sie nicht vorlaut, Juliette. Ich habe Monsieur gefragt und nicht Sie. Er wird mir bestimmt eine wissenschaftlich fundierte Antwort geben. Nicht wahr, mein Lieber?" Der Ton der verwöhnten Frau war leicht gereizt.

„Einstweilen suche ich eine wissenschaftliche Begründung, weshalb trotz voluminöser Regenwürmer die Fische nicht besser beißen. Es geht ihnen anscheinend wie den Notabeln, die den Köder Seiner Majestät nicht schlucken wollten, weil sie fürchteten, von der Angel nicht mehr loszukommen."

„Du sprichst unverständlich", klagte Madame und blickte wie hilfeheischend zum Aprilhimmel empor.

„Ich finde, man kann Monsieur recht gut verstehen", sagte Juliette. Als sie sich vorbeugte, um das Ruder zu bewegen, sah Lavoisier im Ausschnitt ihres Kattunkleides die jugendlich festen Brüste, die zärtlichen Buchtungen des Halses.

Frau Lavoisier bemerkte sehr wohl den gierigen Blick ihres Mannes. Sie preßte die Lippen zusammen. Ein bitterer Geschmack stieg ihr auf die Zunge und steigerte ihr Unbehagen. Sie verfiel bedrängenden Gedanken.

Eigentlich habe ich alles falsch gemacht. Wie erleichtert war ich doch, als diese Cabrol nach Martinique auswanderte, dieses intelligente Biest, das den wetterwendischen Lavoisier so behext hatte. Ach – anscheinend sind Männer so, und Antoine macht keine Ausnahme. Viel schlimmer wäre es allerdings gewesen, wenn er sich mit den zweifelhaften Venuspriesterinnen vom Palais Royal abgegeben hätte. Natürlich habe ich geglaubt, klug zu handeln, als ich Juliette ins Haus nahm. Aus Guise stammt sie, hat einen Bruder, der Advokat ist, und eine geldhungrige Mutter, die glücklich war, als ich ihre Tochter engagierte. Brauchte ich eine Gesellschafterin? Unsinn, aber es war schon richtig, ich suchte Antoine aus, was ihm frommt. Die kluge Dubarry hatte es für den verblichenen König ebenso gehandhabt. Männer sind anscheinend polygamer als Frauen, und Antoine ist ein besonders leidenschaftlicher Typ. – Aber es ist nicht alles in Ordnung. Juliette Montmartin nimmt sich zuviel Freiheiten heraus, sie redet zuviel hinein, gibt wieder, was sie in den Schenken des Quartiers latin oder bei ihrer ordinären Tante, dieser Fischhändlerin, aufgeschnappt hat. Und Antoine? Begreife einer diese Hengste – ein quicklebendiges junges Füllen ist ihm ins Haus und ans Herz gehüpft, und er blüht auf, als gebe es für ihn einen ewigen Frühling.

Schlimm ist vor allem, daß diese Juliette eine übergroße Portion Ehrgeiz hat. Ich muß wachsam sein. Schon manche Ehefrau ist von solch jungem Frätzchen verdrängt worden.

„Fahren wir noch ein Stück", rief Lavoisier und wischte sich die Fischschuppen von den Fingern.

Juliette griff wieder zum Ruder. Nach einer Weile lenkte sie das Boot zum Anlegesteg einer Wassermühle, die mit einem Gasthaus verbunden war. Lavoisier war dort gut bekannt.

Der Wirt lief herbei, den Gästen aus dem Boot zu helfen. „Was sagen Sie, Monsieur! Die Generalstände sind einberufen. Welch eine Freude, welch glücklicher Tag! Erst die Zurückberufung von Monsieur Necker, dann diese Botschaft. Der Herr Pfarrer sitzt schon mit einigen Landleuten zusammen. Die Beschwerden sollen aufgezeichnet werden, alle unsere Forderungen und Notstände. Wir werden unseren Geistlichen wählen, er ist der einzige Mann, der mit dem Gänsekiel hantieren kann."

„Ich bin auch sehr froh", sagte Lavoisier und gab dem Gastwirt das Netz mit den Fischen, „endlich kommt wieder Ordnung in das Finanzwesen. Es war ein Augiasstall."

Frau Lavoisier runzelte ärgerlich die Stirn. Immer diese Vertraulichkeiten mit primitiven Leuten, mit Hausknechten, Kutschern, Ofenheizern, Wirten.

„Mein Bruder Charles sagt, das Volk wird zum Herkules werden, der diesen Stall ausmistet", rief Juliette, die das Boot festgebunden hatte und nun durch das hohe Riedgras schlenderte, wobei sie den Rock – nach Ansicht von Frau Madeleine – höher als schicklich raffte.

Als der Wirt die gebratenen Fische brachte, fragte er treuherzig: „Stimmt es, Monsieur, man sagt, einhundertundfünfundsiebzig Jahre seien die Generalstände nicht einberufen worden?"

„Sie haben ganz recht, so lange ist es her."

„Dann ist ein Wunder geschehen", rief der Wirt enthusiastisch, „Jesus, Maria und Joseph! Es geschehen doch noch Wunder, meine Herrschaften. – Aber lassen Sie die Fische nicht kalt werden, wünsche guten Appetit." Er schlurfte davon.

„Man könnte diese Zusammenkunft der Stände auch Parlament nennen. Alle drei sollen mit gleichem Stimmrecht vertreten sein", wandte sich Lavoisier an seine Frau. „Adel, Geistlichkeit, dritter Stand oder, besser gesagt, Bürgertum."

„Aber, Monsieur Lavoisier, das wäre ein himmelschreiendes Unrecht", rief Juliette. „Mein Bruder sagt, der dritte Stand wird doppelt an Zahl sein, es müßte eine Abstimmung nach Köpfen stattfinden, nicht nach Ständen."

„Monsieur braucht Ihre Belehrungen nicht, Juliette. Sie sind zudem noch viel zu jung, um mitreden zu können. Und vergessen Sie gefälligst nicht, daß ich selbst dem Adel entstamme."

Um das entstandene peinliche Schweigen zu überbrücken, sagte Lavoisier: „Am 4. Mai schon sollen die Gewählten in Versailles zusammentreten. Das ganze Land rüstet bereits, um nur die besten Vertreter hinzubeordern. Die Wahlen erfolgen allerdings indirekt, durch sogenannte Wahlmänner."

„Und warum stellte man dich nicht auf?"

„Aber, Madeleine! Einen Steuerpächter? Soll ich dir an den Fingern aufzählen, was ich für die königliche Kasse eingetrieben habe? Brückengelder, Wegegelder, Salzsteuer, staatliche Grundsteuern, Abgaben der Mühlen und der Weinbergbesitzer. Ich bin froh, wenn mich die Gewählten ungeschoren lassen."

Die hübsche Juliette starrte auf das Tischtuch. Sie war regelrecht böse über die Zurechtweisung und insbesondere darüber, daß Antoine sie nicht in Schutz genommen hatte.

Inzwischen waren einige Bauern in die Gaststube getreten, bärtige Männer, die Gesichtshaut von Sonne und Wind gegerbt, die Kleidung aus handgewebtem Tuch. Die Holzschuhe hatten sie an der Tür ausgezogen. Ein weißhaariger Mann in der einfachen Soutane des Landgeistlichen begleitete sie. Seine Augen strahlten Klugheit und Güte aus. Sie ließen sich an einem Nebentisch nieder. Der Wirt brachte billigen Apfelwein und Brot.

Einer der Bauern nahm ihr Gespräch wieder auf: „Hochwürden, es muß untersagt werden, daß die Taubenschläge des Herrn Marquis zur Zeit der Saat offen sind."

Der Pfarrer nickte und kritzelte in einem dicken Heft, das er aus der Tasche seines langen Rockes gezogen hatte.

„Und es muß untersagt werden, daß die Wildschweine unsere Äcker zerstampfen", forderte ein zweiter Bauer.

„Das ist gut", rief ein anderer, „wer Wildschaden verursacht, muß ihn bezahlen."

„He, du Klugscheißer, dann laß die Wildschweine mal blechen!" Ein krummgearbeiteter Bauer lehnte sich über den Tisch und lachte aus vollem Hals.

„Die Schweine im Schloß müssen berappen, du Idiot! Und aufhören muß es mit Spanndiensten, mit Treiber stellen und all dem Kram bei den Jagden des Herrn Marquis."

Die Lavoisiers hörten zu. Frau Madeleine mit sichtbarer Empörung, Juliette mit Freude, Lavoisier mit steigender Besorgnis.

„Schreiben Sie, Hochwürden: Schluß mit dem Saatzins, Schluß mit den Steuerpächtern. Der König soll die Blutsauger auf die Galeeren schicken. Das muß unbedingt ins Heft, Herr Pfarrer!"

Lavoisier war blaß geworden. Er legte die Gabeln hin und wischte sich übers Gesicht. Auf der Stirn stand Schweiß. Jetzt nur nicht erkannt werden ...

Juliette beobachtete ihn spöttisch. So benahm sich also der vielgerühmte Mann? Angst vor ein paar Bauern?

„Es hat bereits Unruhen in einigen Provinzen gegeben", sagte Lavoisier gepreßt. „In der Picardie haben Bauern einem Steuerpächter das Haus angezündet."

Der beleibte Wirt trat an den Nebentisch. „Schreiben Sie auf, Hochwürden, daß die Fischereigerechtsame verschwinden müssen, daß ich kein Wassergeld mehr an den Marquis zu zahlen brauche. Die Seine fließt für uns alle."

„Laßt uns unauffällig verschwinden", raunte Frau Madeleine, „jetzt sind diese Banditen noch nüchtern."

Die Bauernrunde hatte schon mehrfach hinübergeschaut, den dreien aber keine weitere Beachtung geschenkt. Im Heft des Herrn Pfarrers durfte man nichts vergessen, das war das wichtigste, es sollte den Wahlmännern übergeben werden.

Da überkam Juliette ein tollkühner Gedanke. Wie würden sich wohl diese Bauern verhalten, wenn sie erfuhren, daß sogar ein Generalsteuerpächter anwesend war? Ob sie revoltierten? Ihn zusammenschlugen? Sie würde sich schützend vor ihn stellen, wenngleich er es nicht verdiente. *Sie* würde das tun und nicht seine Frau, diese Pute, der man hoffentlich den Hintern versohlte.

Laut und deutlich, daß alle es hören konnten, sagte sie: „Ihre Anwälte, Monsieur Lavoisier, bitten, daß Sie noch heute einige Unterschriften leisten. Es sind Pfändungsanweisungen wegen Steuerschuldungen."

Frau Lavoisier sprang auf und zischte: „Giftkröte." Sie stürmte aus dem Zimmer, noch ehe die bäuerliche Versammlung etwas begriffen hatte. Lavoisier warf hastig mehrere Münzen auf den Tisch und folgte eilig seiner Frau.

Juliette ging mit törichtem Lächeln hinterher.

Madame Massillon hantierte im Wartezimmer. Sie hatte Erfahrung. Stets begann sie mit einer „Auslesung", wie sie sich ausdrückte. Sie nannte die leichten Fälle ordinäre, die schweren extraordinäre, die Hauterkrankungen oberflächlich und unterflächlich. Die Kinder waren für sie allesamt gutartige Wucherungen. „Wer hat euch nur in die Welt gesetzt?" brummte sie oft vor sich hin.

Vor einigen Wochen hatte Nanon einen besonderen Kinderwarteraum eingerichtet. Sie hatte mit angehört, welche unsittlichen Reden ungeniert vor den Ohren der Kleinen geführt wurden, und die Massillon mit sanfter Gewalt veranlaßt, ein kleines Nebengelaß herzurichten. Ein paar Bänke standen darin und ein Tisch, den bunte Tuchfetzen aus der Blumenfabrik Moulons bedeckten. Etliche erkrankte Schulmädchen hatten Mademoiselle Simonet die Herstellung von Maiglöckchen abgeguckt und verkürzten sich damit die Zeit, bis Doktor Marat zur Behandlung aufrief.

In diesen letzten Junitagen des Jahres 1789 stöhnte Paris unter der zunehmenden Teuerung und dem Mangel. Mama Massillon schimpfte, weil sie beim Bäcker nach Brot anstehen mußte und der Grünkramhändler keinen Salat heranschaffte.

„Nein, diese Preise, Mademoiselle Simonet", räsonierte sie, „wie kann denn ein Brot fünf Sou das Pfund kosten, wo doch ein Straßenpflasterer am Tag nur fünfzehn Sou verdient? Das reicht ja nicht mal mehr für die Zwiebel. Was zahlt Ihnen denn dieser dämliche Moulon?"

„Ich komme auf fünfundzwanzig Sou, Mama Massillon, da muß ich mich aber sputen, darf von der Arbeit nicht aufsehen. Jetzt hilft meine Schwägerin mit, sonst könnte ich mich nicht hier um die Kinder kümmern."

„Sie sind ein Engel", sagte die Haushälterin und setzte den Korb mit Wäsche ab, „das hat übrigens auch der Doktor behauptet. Nun ja, die Nachbarschaft zerreißt sich ein bißchen die Zunge. Ein Junggeselle – ein schönes Mädchen – ob die abends Romane lesen? Na, na, nur nicht so rot werden . . ."

Nanon machte eine unwillige Bewegung. „Dummes Geschwätz der Leute. Der Doktor verfaßt eine neue Schrift. Da bittet er mich oft, abends länger zu bleiben und ihm Notizen herauszusuchen."

„Nicht gleich grantig sein, Mademoiselle. Warum auch nicht? Ich habe mir Ihre rechte Hand angesehen: Die Venuslinie deutet auf Sinnlichkeit."

„Nun werde ich aber wirklich böse, Mama Massillon." Nanon eilte ins Hinterzimmer, wo die kranken Kinder warteten. Ihr Gesicht brannte. Die Vermutungen der Leute aus der Taubenhausgasse stimmten. Welch eine Welt hatte sich ihr eröffnet!

Nanon war mehr als Marats Geliebte, sie war seine Vertraute. Er sprach zu ihr von seinen Forschungen und Plänen, nannte Namen, die ihr so fremd waren wie chemische Formeln, zitierte Diderot und Montesquieu, Plato und Aristoteles. Sie lag dann still, ließ sich von seiner Beredsamkeit zu unbekannten Gestaden treiben, in ferne Welten mit vorbildlichen Staatssystemen und großmütigen Bewohnern.

„Was die Kirche vergeblich versuchte", hatte er gesagt, „wir werden es schaffen: Brüderlichkeit, Glück für alle guten Menschen, Freiheit des Geistes und der Geister."

Welch ein Mann! Nanon war berauscht und machte aus jeder Hingabe ein Fest.

Kindergeschrei ließ sie zusammenfahren, gleichzeitig schrie sie selbst auf. Harte Hände hatten sie gepackt und preßten ihr die Arme an den Leib. Dröhnend erklang das Lachen ihres Bruders Pierre, der solche Scherze liebte. Ihm bereitete es Vergnügen, Frau oder Schwester mit derben Liebkosungen zu bedenken, die blaue Flecke hinterließen. Hinter ihm her hastete Marat die Treppe empor.

„Heute ist keine Sprechstunde", rief er und riß sich den Hemdkragen auf, „schickt die Kranken fort, auch die Kinder. Ich habe Wichtigeres zu tun."

Nanon schüttelte den Kopf. „Es sind mindestens dreißig Patienten im Wartezimmer, ich kann doch nicht . . ."

„Und ob sie kann, was Doktor?" rief Pierre. „Begreifst du nicht, altes Mädchen, die Zeit der großen Purgation ist gekommen. Was gehen uns hier die Kranken an, was, Doktor? Die ganze Nation ist krank."

„Kommen Sie, Nanon." Marat eilte in das Behandlungszimmer. „Ich komme vom Hôtel de ville. Alle Wahlmänner waren da. Der König in Versailles ist eine Wetterfahne, ändert stündlich seine Meinung. Er war einverstanden, daß die drei Stände gemeinsam tagten und nach Köpfen abstimmten. Natürlich wären die Abgeordneten des dritten Standes dabei in der Majorität gewesen."

Nanon hörte alles nur mit halbem Ohr. Sie lauschte auf das Geschrei der Kinder.

„Jetzt erfahren wir, daß dem König seine verdammte Verwandtschaft so zugesetzt hat, besonders Prinz Karl, daß er alles zurückziehen will."

„Der Dicke ist vernagelt, Nanon. Ich will dir das erklären. Er will, daß wieder nach Ständen abgestimmt wird. Dabei weiß jeder Maurer, daß ein Faß Kalk schwerer ist als ein Eimer voll. Der Adel ist ein Eimerchen, die Pfaffen sind's auch, aber der dritte Stand ist ein Faß."

„Ich erwarte Doktor Grenier, Assistent am Physikalischen Institut", Marat wühlte in Manuskriptstößen, „er muß mir helfen. Wir werden eine neue Schrift entwerfen, die wie ein Funke ins Pulverfaß fällt."

„Also schicke die Kranken heute fort, Nanon. Du siehst, der Doktor hat keine Zeit. Hast du denn keine Soldaten auf den Straßen gesehen? Ganze Regimenter! Lauter Deutsche, die uns für dreckiges Geld zusammenhauen sollen. Sogar Kroaten sind über den Boulevard St. Michel geritten."

„Erledigen Sie bitte alles, Nanon. Ich muß mich mal um andere Dinge kümmern. Schließlich hat mich der Bezirk mit dem Amt eines Wahlmannes betraut, und die öffentlichen Angelegenheiten gehen jetzt vor."

Nanon eilte in die Wartezimmer. Es dauerte eine geraume Zeit, bis alle Kranken das Haus verlassen hatten. Als sie zurückkehrte, saß bereits Doktor Grenier bei Marat. Simonet las gerade eine Stelle aus dem „Moniteur" vor. „Die Knopffabrikanten kündigen an, daß sie die Löhne herabsetzen müssen. Sie begründen ihr Vorhaben mit Absatzschwierigkeiten."

„Nanon", sagte Marat, „das ist Doktor Grenier. Er versorgt uns mit den neuesten Informationen. Vor ein paar Jahren saß er im Rattenloch Saint-Lazare, ich habe ihn damals herausgeholt."

„Mademoiselle, ich hatte die Wanzenbisse noch lange am Körper. Doch zur Sache! Der König zieht Truppen zusammen. An der Straße nach Sèvres liegen ganze Regimenter. Es geht das Gerücht, daß die Versammlung in Versailles und die Wahlmännerversammlung hier in Paris mit militärischer Gewalt auseinandergesprengt werden sollen. Man muß aber doch die Abgeordneten schützen! Sie nur können Frankreich aus dem Sumpf ziehen und ihm eine Verfassung geben."

Marat hörte dem jungen Physiker ungeduldig zu. Er wußte selbst, daß Handeln geboten war, schließlich saß er bereits seit März im Wahlmännerkomitee seines Wahlbezirks, der sich nach dem dortigen Karmeliterkloster „District des carmes" nannte. Gerade dieser Bezirk war durch seine Unbedingtheit und revolutionäre Energie bekannt. Die Wahlmännerversammlung tagte oftmals in Permanenz, bemühte sich mit allen Kräften, den von Paris gewählten Abgeordneten in Versailles das Rückgrat zu stärken und ihren Elan anzufeuern. Bei dem indirekten Wahlsystem kam den Wahlmännern eine große Bedeutung zu. Nervös sagte er: „Monsieur Grenier, ich glaube nicht, daß es in Paris viele Bürger gibt, die eine andere Ansicht vertreten."

„Aber es gibt welche, die gleichgültig sind", warf Nanon ein.

„Ach was", Marat begehrte auf, „man muß sich auf die Aktivisten stützen, nicht auf die, denen das Wohlbehagen über alles geht. Will der König Waffengewalt anwenden, muß man ihm mit Gewalt begegnen!"

Simonet lachte und zog sich den Leibgurt fester. „Das ist ein Wort unter Männern, Doktor! Das Volk muß sich bewaffnen. Wenn dann die königlichen Kavalleristen mit ihren Käsemessern kommen, drauf mit Flinten und Geschützen."

„Es wird schon nicht zum Blutvergießen kommen. Schließlich ist ja noch Monsieur Necker da, und dann dieser General, der in Amerika war, Lafayette." Nanon zitterte bei dem Gedanken, daß es zu Kämpfen kommen könne.

Pierre explodierte. „Lafayette? Der gefällt dir wohl, der gepuderte Affe? Verlassen wir uns nicht auf Bankiers, Minister und Höflinge. Nur auf das Volk ist Verlaß."

„Ich stimme Ihnen zu, Simonet. Aber unsere Abgeordneten haben noch andere Sorgen. Die Lebensmittellage ist verzweifelt, es fehlt an Brotgetreide. Heute, in der Wahlmännerversammlung, hat uns ein Bürger mitgeteilt, warum es fehlt. Spekulanten kaufen es auf, um die Preise hochzutreiben. An die Laterne sollte man diese Räuber hängen."

„Eines steht fest, Doktor Marat: Verlieren wir gegen des Königs Regimenter, tritt nie wieder ein frei gewähltes Parlament zusammen. Dann gibt es Galgen von hier bis Trianon", sagte Grenier warnend.

„Es wird behauptet, daß neun Regimenter in und um Versailles stehen", sagte Nanon.

Marat winkte ab. Er bekam plötzlich wieder Atemnot und riß das Fenster auf.

Man vernahm Trompetensignale und Trommelwirbel. Anscheinend rückten die Truppen heran.

„Ja, neun Regimenter", bestätigte Grenier. „Ein Glück nur, daß die Pariser Gardesoldaten gegen den König sind. Sie sind nicht marschiert, als sie den Befehl bekamen, die Lokale unserer Wahlmänner zu besetzen. Und besetzen hätte doch auflösen bedeutet!"

Simonet beugte sich weit zum Fenster hinaus. „Wenn sie anrücken, des Königs Regimenter", rief er, „muß sich das Volk bewaffnen. Wir sind fünfhunderttausend Pariser. Wir in Saint-Antoine machen den Anfang. Gewehre holen wir im Invalidenhaus, und aus den Eisengittern der Parks fertigen wir Piken. Die Schmiede helfen uns." Er stand mit geballten Fäusten da.

„Die Revolution ist auf dem Marsch." Marat sprach langsam und feierlich.

„Englands Bürgertum hat nur auf diesem Weg eine Verfassung bekommen, und Amerika hat mit Waffengewalt seine Freiheit errungen. Doktor Marat, hier im Distrikt kennt man Sie, vertraut man Ihnen. Ihre letzte Druckschrift, die ‚Gabe an das Vaterland', geht von Hand zu Hand. Sie sollten noch mehr veröffentlichen. Das gedruckte Wort vermag viel."

Über Marats Gesicht lief ein glückliches Lächeln: „Seit März bin ich Wahlmann. Seitdem lege ich mir täglich die Frage vor, ob ich mich nicht gänzlich in den Strudel der Politik werfen soll. Arzt bin ich aus Neigung und Pflicht, Politiker wäre ich aus Leidenschaft."

Marat stand gestrafft, die Atemnot war wie fortgeblasen. „Man muß in das Räderwerk eingreifen! Das kann vor allem der Journalist. Wir werden eine Zeitung machen, die denen da oben täglich in den Ohren gellt. Jede Nummer muß ein Fanal sein. Ich habe auch schon einen Namen: ‚Freund des Volkes'."

Nanon klatschte in die Hände. Doch plötzlich wurde sie nachdenklich. „Ein Journal kostet doch viel Geld", sagte sie.

„Ach was", antwortete Marat, „wir werden Instrumente verkaufen, Nanon. Die Politik ist jetzt unser wichtigstes Instrument. Und die Pariser werden uns helfen. Sou um Sou werden sie den ‚Ami du peuple' finanzieren."

Mama Massillon stand keuchend in der Tür.

„Die Bürger haben – haben das Gefängnis Abbaye gestürmt."

„Dort sitzen die elf Gardisten, die man als Rädelsführer eingesperrt hat, weil das Regiment nicht gegen das Volk marschiert ist", rief Grenier und stürzte mit Pierre hinaus.

Wieder Trompetensignale, Trommeln und Pferdetraben.

Grenier schrie von der Straße herauf: „Die Soldaten verbrüdern sich mit dem Volk!"

Marat beugte sich zum Fenster hinaus. Viele Menschen kamen

in einem feierlichen Zug. Sie brachten die befreiten Gardisten. Einer von ihnen lag auf einer Trage. Man hatte ihn wohl bei der Festnahme mißhandelt. Seine Montur war zerfetzt und sein Gesicht fahl. „Bringt ihn zu mir", rief Marat, „vielleicht kann ich ihm helfen."

Prinz Karl und Graf Guibert ritten am Morgen des 14. Juli in den Wäldern von Versailles. Es hatte in der Nacht geregnet. Das Laub der Bäume trank gierig das Naß, bis es die steigende Sonne fortleckte. Über die Wiesen hoppelten Kaninchen und huschten beim Erscheinen der Reiter ins Gebüsch.

„Schicken Sie die Reitknechte weg, lieber Graf", sagte Prinz Karl, Graf von Artois, und strich mit der Gerte über den schweißigen Rücken seines Pferdes, um die Bremsen zu verjagen. „Unser Gespräch duldet keinesfalls weiteren Aufschub. Seit Sie aus dem Elsaß zurück sind, fand sich noch keine ungestörte Stunde."

Graf Guibert gab den gemäßen Befehl. Die beiden Lakaien zogen sich zurück. Sie waren seit heute mit Pistolen bewaffnet, um gegebenenfalls das Leben Seiner Hoheit zu schützen.

„So, lieber Freund." Der Prinz sprang vom Pferd und schritt auf eine Steinbank zu, die im Schatten einer breitwipfligen Buche stand. Graf Guibert folgte ihm.

„Glauben Sie mir, bester Graf, ich habe Sorgen." Er blickte sich kurz um. „Wir scheinen fern aller Störung und Spione. – Was haben Sie unterwegs erlebt? Wie beurteilen Sie die Situation? Ist es nicht angebracht, für einige Zeit den Staub Frankreichs von den Stiefeln zu schütteln?"

Der Vertraute des Bourbonenprinzen hob erschrocken den Kopf. „Das Brot der Fremde schmeckt bitter, mein Prinz. Das sagte schon der große Ovid."

„Ach was! Nicht wenn man einige Millionen Livres in Wechseln auf Schweizer Bankhäuser als Brotbelag hat. Seien Sie versichert, ich habe mich in den letzten Tagen gründlich mit dem Schicksal emigrierter Fürsten beschäftigt."

„Ja – verzeihen Sie meine Frage, ich war zwei Monate abwesend, die leidigen Erbschaftsangelegenheiten – ist es denn bereits so weit gediehen, daß Sie an Abreise denken müssen?"

Der Prinz köpfte unmutig einige Distelblüten und sagte gepreßt: „Es fehlt in Versailles die straffe Hand, mein Bester! Der Hof gleicht einem aufgescheuchten Bienenschwarm. Alle sind gegen alle. Mein Herr Bruder ballt unausgesetzt die Faust. Es ist eine zwar martialische, jedoch leere Geste. Respekt", ein pfeifender Hieb mit der Reitgerte, „erzwingt man nur damit! Peitsche! Bastille! Pranger! Deportation! Galgen! Und zuverlässige Regimenter brauchen wir, möglichst solche, die außer den Befehlen ihrer Offiziere kein französisches Wort verstehen. Ich werde Ihnen den Stand der Dinge erläutern, bitte fügen Sie aus Ihren Reiseerlebnissen der düsteren Partitur noch einige Stimmen hinzu – das heißt, es ist mir lieber, wenn Sie zuerst berichten."

Der Graf nickte. Sein hübsches Gesicht wirkte auf einmal verfallen. Nichts verriet mehr die Unbekümmertheit, die der Kammerherr sonst zur Schau getragen hatte.

„Unterwegs rebellisches Bauernvolk, Hoheit. In einigen Orten sollen die Aufrührer Urkunden über gutsherrliche Gerechtsame ins Feuer geworfen und obendrein die Gutsbüttel verprügelt haben. Als uns ein Gaul stürzte, verweigerte mir die Gemeinde Moulins die Stellung eines Ersatzpferdes. ‚Spannt den adeligen Herrn in die Deichsel‘, hat ein Kerl mit verfilztem Haarschopf gebrüllt."

Der Prinz ballte die Faust und starrte finster in den dichtbelaubten Baum. „Die Rebellion geht von den Generalständen aus, lieber Graf. Sie trotzten den Befehlen meines Bruders, gingen nicht auseinander, wie befohlen, sondern konstituierten sich zur Nationalversammlung. Lauter subversive Elemente! Und wer ist der Wortführer? Graf Mirabeau!"

„Ich kenne ihn. Ein Mensch mit einer Löwenstimme und dem Kopf eines Stiers. Er war in meinem Regiment, als wir in Korsika kämpften."

„Schade, daß sein Vater ihn nicht ertränkt hat, statt ihn wegen Liederlichkeit nur öfter einzusperren. Ein Mann von ältestem Adel läßt sich von Bürgerlichen in diese Versammlung wählen und hockt auf den Bänken dieser Meuterer!"

„Stimmt es, daß er es war, der dem Zeremonienmeister Seiner Majestät mit empörenden Worten entgegentrat? Die Gazetten meldeten so etwas."

„Es stimmt, Graf. Und er blieb nicht allein. Der Marquis Lafayette machte ihm den Rang streitig. Ein Schönredner. Wirkte wie der bunte Anfangsbuchstabe einer phrasenreichen Verfassung, bei der die amerikanische Pate gestanden hat."

„Wenn der Kelch an uns vorübergehen sollte, Hoheit, für diese beiden Überläufer lassen wir einen Galgen zimmern, höher als diese Buche hier."

Der Prinz quittierte diese Bemerkung mit einem zynischen Lächeln.

„Mögen sich die Bürger an der Phrase berauschen, Hauptsache, Graf, wir behalten die Macht. – Aber etwas anderes wäre mir auch interessant: Stimmt es, daß Sie mit Madame du Gazon vom Théâtre Italien gereist sind? Beneidenswert."

„Es war anregend, Hoheit. Leider war mir das Amüsement durch die aufsässige Bedienung in den Gasthöfen vergällt. Das ganze Land ist wie ein Bottich gärenden Mostes."

„Wenn nur mein Herr Bruder einmal so schäumen wollte. Aber er schwankt wie Schilf im Winde. Monatelang hörte er auf Monsieur Necker, nachdem er ihn im Vorjahr in eminenter Finanznot wieder aus der Versenkung geholt hatte. Ich hätte diesen Schweizer Tugendwächter in das finsterste Loch der Bastille gesetzt. Die Beichtväter des Königs und der Königin deuteten an, daß der Tod des Dauphins die Strafe Gottes sei, weil sie einen Protestanten zum Finanzminister gemacht hätten."

„Wer weiß", murmelte Guibert.

„Ich habe nichts unversucht gelassen, den Kerl zur Strecke zu bringen. Mein Einfluß hat schließlich gesiegt! Necker ist vor drei Tagen in brüsker Form davongejagt worden und dürfte sich auf dem Weg zur holländischen Grenze befinden. Ich behaupte, er trägt allein die Schuld, daß mein dicker Bruder diese widerspenstige Versammlung einberufen hat. Er wollte eine Monarchie nach englischem Vorbild zimmern, mit Oberhaus und Unterhaus – dieser schweizerische Phantast."

„Ob man aber durch seine Entlassung nicht Öl ins Feuer gießt, mein Prinz?"

„Öl ins Feuer? Wir könnten es löschen, bester Graf. Noch immer gibt es Spitzen, die mit Pulver und Blei geladen sind. Dazu jedoch fehlt meinem Bruder die Härte. So quirlt alles hin und her. Drei Oberbefehlshaber gibt es, die aufeinander eifersüchtig sind, schlimmer als die Primadonnen unserer Oper."

Beide Herren lachten grimmig auf. Sie saßen eine Weile still und lauschten einem Häher, der mit mißtönendem Gekreisch abstrich.

„Übrigens soll Monsieur Necker weinend sein Ministerium verlassen haben. Er hat nicht einmal seine Tochter informiert. Sie dürfte uns erhalten bleiben." Der Prinz schlug mit der Gerte gegen die Reitstiefel.

„Als Frau des schwedischen Gesandten ist die Dame exterritorial", meinte der Graf. „Ich hasse diese Staël, wie ich alle intellektuellen Weiber hasse."

„Doch zu unserem Thema zurück . . . Sie waren in den letzten Tagen in Paris. Wie sieht es dort aus? Aber bitte, ich verabscheue Schönfärberei."

„Der Satan hole diese verhurte Stadt! Mein Majordomus in meinem Haus im Faubourg St. Germain hat mir Dinge geschildert, die unwahrscheinlich klingen. Die Bürger, insbesondere die Arbeiter, bewaffnen sich, bilden so etwas wie eine Bürgerwehr. Nennen sich Nationalgarde. Lächerlich."

„Sagen Sie das nicht! Die Situation ist ernst. Wann haben Sie Paris verlassen? Vermutlich am Sonnabend?"

„Stimmt. Am Vormittag nach der Messe in Notre-Dame. Ich bin geritten."

„Und am Sonntag ging das Treiben los. Da weiß ich mehr als Sie. Man hat mich schon unterrichtet. Die Flaneure vom Palais Royal erfuhren von Neckers Entlassung. Ein junger Mensch, der Name ist bereits bekannt, Camille Desmoulins, organisierte eine Demonstration. Man trug eine florumhüllte Büste Neckers voran. Übrigens auch eine des Herzogs von Orléans. Die durfte nicht fehlen, wenn es gegen das Haus Bourbon ging."

„Ach, mein Prinz, in der verfluchten Stadt ist immer etwas los. Man darf das nicht überbewerten. Der ‚Moniteur' schrieb, daß es zu Tumulten kam. Was ist schon dabei . . ."

Der Prinz fiel dem Grafen schneidend ins Wort: „Der ‚Moniteur' schrieb! Sie hatten wohl nur Zeit, sich um die Unterhaltung der Damen zu kümmern. Haben Sie am Hof keine Nervosität bemerkt?"

„Ich muß mich um ein Konzert bei der Prinzessin Lamballe bemühen." Der Graf blickte schuldbewußt in das schwammige Gesicht des Prinzen.

„Dann werde ich Ihnen sagen, daß es abends auf den Champs-Elysées und am Eingang der Tuilerien zu Zusammenstößen kam. Unsere Dragoner stießen auf Barrikaden, schlugen um sich und ritten zurück. Es soll Tote und Verletzte gegeben haben. Hoffentlich sind von den Aufrührern recht viele umgekommen."

„Das unterschlug der ‚Moniteur'", entschuldigte sich der Graf.

„Seitdem ist Paris ein Hexenkessel. Die Sturmglocken werden geläutet. Der Pöbel stürmt die Läden. Vor dem Hôtel de ville gab es Zusammenrottungen. Die Nacht zum Montag war eine Aufruhrnacht."

„Aber es gibt doch genug Soldaten in der Stadt. Drei Regimenter sollen zur Disposition stehen."

„Der Stadtkommandant verfügt über ein schweizerisches und zwei deutsche Kavallerieregimenter. Genug, um die meuternden Elemente an die Kandare zu nehmen. Aber der ganze Montag verging mit Orders und Gegenorders. Kuriere kamen und gingen. Mein Herr Bruder in seinem Audienzzimmer zu Versailles benahm sich wie die Priesterin beim Tempel zu Delphi. Es war alles vieldeutig, was er sprach. Und das haben die Pariser ausgenutzt und sich bewaffnet. Zwölftausend marschieren seit gestern mit Flinten."

„Zwölftausend Teufel, mein Prinz!"

„Sie befreiten die Gefangenen im Saint-Lazare, im La-Force. Sie nahmen den Klöstern die Mehlvorräte fort, fünfzig Wagen voll sollen es gewesen sein."

„Immerhin hatten die frommen Brüder gut vorgesorgt."

„Was sind fünfzig Wagen für fünfhunderttausend Menschen?" sagte der Prinz und fuhr mit bösem Lachen fort: „Wir können der Stadt die Zufuhren abschneiden, da verhungert die ganze Brut."

„Bester Prinz, Sie haben die schätzenswerte Eigenschaft, Ihre Darstellungen so meisterlich zu dosieren, daß sie dem Aufbau eines klassischen Dramas gleichkommen."

Prinz Karl verzog bei der Schmeichelei keine Miene. Sein Gesichtsausdruck blieb verdüstert. „Auch die sogenannte Nationalversammlung stand nicht zurück. Diese Bande von Advokaten und Journalisten ist eine einzige Mischung aus Furcht, Hoffnung, Feigheit und Courage. Ein paar Wahlmänner, die aus Paris gekommen waren, sollen ihr tüchtig eingeheizt haben. Dabei hat sich ein Arzt hervorgetan, ein Doktor Guillotin."

„Guillotin? Der Name sagt mir nichts."

„Aber nun kommt das Tollste. Einige dieser Banditen bekamen Audienz bei Majestät. Forderung: Wiederberufung Neckers, Entfernung der Truppen, Beseitigung von unbelehrbaren Ratgebern. Und was meinen Sie wohl, wer da an erster Stelle rangiert? Prinz Karl, Graf von Artois!"

„Mein Prinz!" stieß Guibert hervor.

„Übrigens nannte uns diese Versammlung ‚Bankrotteure'."

„Und da ließ man keine Geschütze auffahren? Kein Detachement Infanterie in den Saal marschieren, damit Bajonette die gepuderten Perücken lausten?"

Wieder pfiff die Reitpeitsche des Prinzen durch die Luft als Zeichen seines mühsam gebändigten Zorns. „Nichts geschah, lieber Freund. Nichts! Die Herren bekamen eine zahme Antwort, obgleich uns das Feuer unter dem Arsch brannte. Es ist dann in Paris zu Schießereien zwischen Gardisten und deutschen Kavalleristen gekommen. Resultat: drei tote Deutsche vor dem Palais Royal."

„Demnach ist die Garde unzuverlässig? Mein Prinz, das ist doch undenkbar."

„Sie fraternisiert mit Gevatter Schmied oder Maurer."

„Himmel, Teufel, Wolkenbruch! Aber trotzdem, ich bin nicht so pessimistisch. Noch ist nichts verloren ... Gestatten Sie, daß mir eine Zigarre anzünde, sie beruhigt mich etwas."

„Rauchen Sie, lieber Graf. Ich darf leider nicht, mir hat es der Arzt verboten. Ja – noch ist nichts verloren, das sagte auch mein Herr Bruder, der übrigens wie immer exzellent geschlafen hat. Heute beim Lever nun – ich meine, es ist die allerhöchste Zeit –

bat ich um den Oberbefehl über sämtliche Truppen, damit endlich etwas Entscheidendes geschieht! Und nun hören Sie zu, Guibert. Majestät aß wie immer mit bestem Appetit und äußerte kauend, mir den Oberbefehl zu übertragen sei nicht möglich, ich möchte doch die Geschichte europäischer Fürstenhäuser studieren. Es sei oft genug vorgekommen, daß ein jüngerer Bruder mit Hilfe einiger Regimenter den älteren vom Thron gestoßen habe!"

„Prinz! Dies in solcher Stunde! Parbleu! Jetzt beginne ich zu begreifen, daß Sie emigrieren wollen."

Über die Waldwiese preschte ein Reiter in gestrecktem Galopp. Sein weißer Mantel wehte wie eine Fahne; es war ein Offizier des Regiments Royal-Allemand.

„Sie sprachen vom antiken Drama, Guibert. Ich befürchte, daß wir uns bereits der Peripetie nähern." Das vollblütige Gesicht des Prinzen verlor auf einmal alle Farbe. Er stand hastig auf und eilte dem Reiter entgegen.

Der Offizier sprang ab und nahm Haltung an.

„Königliche Hoheit! Eine Meldung des Herrn Gouverneurs Sombreuil vom Invalidenhaus: Die Aufständischen in Paris haben achtundzwanzigtausend Gewehre und zwanzig Geschütze erbeutet. Ferner sollen die Schmiedemeister fünfzigtausend Spieße geschmiedet haben. Pulver für Flinten und Geschütze hat der Pöbel im Arsenal gefunden und verteilt."

„Noch etwas?" Der Prinz stöhnte.

„Die Bewaffneten marschieren in meilenlangen Zügen zur Bastille. Die Besatzung ist in Gefahr, Königliche Hoheit! Sie besteht nur aus zweiundachtzig Invaliden und zweiunddreißig Schweizern."

Der Ordonnanzoffizier zog ein Schreiben aus der Kartentasche und übergab es dem Prinzen.

„Genug Verteidiger, Herr Rittmeister, um die Bastille Monate hindurch halten zu können, man darf nur keine Hasenherzen dulden."

„Inzwischen könnten die Batterien den ganzen Faubourg Saint-Antoine zerschmettern", warf Graf Guibert ein.

„Sicherlich hat Majestät, mein Herr Bruder, die gleiche Meldung erhalten?" fragte Prinz Karl.

„Gewiß doch, Königliche Hoheit. Majestät ist informiert."

Der Rittmeister wollte aufsitzen, als in der Nähe Flintenschüsse krachten. Ein Rehbock brach aus dem Dickicht und stürzte am Saum des Waldes zusammen, anscheinend von mehreren Kugeln getroffen.

„Wer wagt es, hier zu jagen?" brüllte Prinz Karl. „Graf! Geben Sie mir meine Pistole! Herr Rittmeister, ziehen Sie blank. Ich will die Kerls an ihren Gedärmen aufhängen lassen . . ."

Die beiden Reitknechte sprengten heran und schleiften einen gefesselten Menschen mit sich. Er blutete aus einer Wunde am Hals, Blut sickerte auch aus Verletzungen am Oberschenkel.

„Die Bauern verüben bereits Wildfrevel!" knirschte Graf Guibert. „Sie schießen alles, was ihnen vor die Flinte kommt."

„Her mit dem Kerl!" Prinz Karl winkte den Lakaien, die aus dem Sattel sprangen und den Gefangenen roh an den Lederriemen zerrten, mit denen seine Hände zusammengeschnürt waren.

Der Mann sah abgerissen aus. Sein Haar hing wirr und strähnig über das ausgehungerte Gesicht, dessen Backenknochen scharf hervorstachen. Sein Atem ging stoßweise, die Augen blickten feindlich auf die Aristokraten und seine Peiniger, gingen reihum von einem zum anderen.

„Knie nieder, du Schuft!" Der Offizier gab dem Gefesselten einen Schlag mit der flachen Säbelklinge, Anlaß zum Dreinschlagen der Reitknechte. Er stürzte hin.

„Ich könnte den Kerl in den Turm werfen lassen." Der Prinz war so wutblaß, daß ihn Guibert besorgt betrachtete. Alle Empörung, aller Menschenhaß, angestaut in den letzten Tagen und Nächten, hier durchbrachen sie sämtliche Dämme der Staatsräson und Vernunft, „ich lasse ihn hier an diese Buche hängen, zur Abschreckkung, zum öffentlichen Exempel! Zuvor sollen ihn die Lakaien auspeitschen, bis sie müde geworden sind. – Rittmeister, Sie werden die Exekution übernehmen."

Graf Guibert wagte einen Einwand: „Sollte man nicht zuerst die Schuldfrage klären, wenigstens zum Schein ein Gerichtsverfahren inszenieren?"

„Ich werde die Reitknechte befragen. He Alfred, he Martin, habt ihr das Schwein beim Wildern erwischt?"

Martin antwortete: „Ja, Königliche Hoheit. Wir haben den Kerl ertappt, als er auf einen Rehbock zielte. Geschossen haben auch noch andere. Der Wald steckt voller Gesindel, wir konnten ihm aber nicht beikommen."

Graf Guibert erschrak. Grüne Wildnis ist ringsum, Versailles ist weit. Das müssen bewaffnete Bauern sein, die ihre Höfe verlassen haben. Treiben sich in den Wäldern herum.

„Genug!" schrie der Prinz. „Kommen Sie, Graf, reiten wir zurück. In einer Stunde erwarte ich Meldung, daß dieser Bauernlümmel gehenkt ist. Um das übrige Volk soll sich die Gendarmerie kümmern." Der Prinz wollte sein Pferd besteigen, da geschah etwas für ihn Ungeheuerliches.

Aus dem Gebüsch schoben sich etwa zehn bis zwölf ärmlich aussehende Männer. Ihre Hosen waren mit einem Strick zusammengehalten. Auf den Gesichtern lag eine Mischung von mörderi-

200

schem Haß, Scheu und Respekt. Die Bauern trugen Steinschloß-
flinten, zu Stichwaffen umgeschmiedete Sensen und Dreschflegel.

Ein Weißhaariger trat vor und beugte das Knie. Der Prinz stand
den Bauern gegenüber, hochmütig wie eh und je. „Warum seid ihr
nicht auf dem Feld? Wie könnt ihr es wagen, auf mein Wild zu
schießen? Ich lasse euch alle in den Block spannen."

Es entstand eine bedrohliche Stille. Die Bauern starrten in die
Mündungen der Pistolen.

„Geben Sie unseren Bruder frei, Herr!" sagte der Weißhaarige.
„Wir nehmen uns nur das, was einst unser war. Wir wollen nicht
mehr am Hunger eingehen wie die Vögel im Winter."

„Du wirst schon jetzt krepieren!" brüllte Prinz Karl und hob die
Pistole. Doch im gleichen Augenblick richteten die Bauern ihre
Flinten auf ihn.

„Lassen Sie es gut sein, mein Prinz!" tuschelte Graf Guibert.
„Wir lassen Kavalleriepatrouillen losreiten. Bis heute abend sitzt
die ganze Rotte. Jetzt ist sie bewaffnet und in der Überzahl. Mein
Prinz, Ihr Leben ist zu kostbar."

Ein krampfiges Zittern durchraste den Körper des Prinzen.

Der Weißhaarige zog gelassen ein Messer aus der Tasche und
schnitt die Riemen des Gefesselten durch.

„Steh auf, Jacques", sagte er, „du kannst gehen."

Kreideweiß vor Zorn galoppierte Prinz Karl, Graf von Artois,
mit seiner Begleitung davon.

Das Dickicht des Waldes nahm die Bauern auf. Der Häher
kreischte. Der Wald rauschte wie immer.

Dritter Teil

Der Freund der Sansculotten

1

Der Sturm auf die Bastille

Pierre Simonet war seit der frühesten Morgenstunde unterwegs. Er gönnte sich keine Ruhepause.

Hat sich gelohnt, dachte er stolz, daß ich mich an dem brutheißen Montag im Hôtel de ville abgerackert habe.

Welche Lahmärsche von Wahlmännern gibt es doch! Hoffen immer noch auf ein Einvernehmen mit dem dicken Ludwig und mit der Versailler Versammlung von Schwätzern und Schönrednern.

Das Volk muß ran! An die Laterne die Aristokraten!

Das Geschmeiß der Steuerpächter und Spekulanten in die Seine! Macht Gesetze fürs Volk, ihr Advokaten!

Hat sich gelohnt, daß ich als erster ins Invalidenhaus gestürmt bin. Jetzt haben wir Flinten und Geschütze. Der Gouverneur verlangte eine Empfangsbescheinigung? Er hat einen Tritt in den Hintern bekommen.

Nur mit dem Schießpulver, das war eine Schinderei. Stundenlang das Zeug abwiegen, das der Lavoisier noch rasch nach Toulon hatte verfrachten wollen. Unze um Unze – ein umständliches Geschäft. Und alle so ungeduldig, ich selbst ja auch, Hölle und Teufel! Der König konnte jeden Augenblick den Angriff auf Paris befehlen, und wir waren noch nicht fertig – dann wäre alles verloren gewesen. Hab doch selbst die Regimenter gesehen, die an der Straße nach Versailles liegen, die österreichischen Dragoner mit den weißen Mänteln. Ein Schwein, der König! Läßt Ausländer gegen sein Volk reiten!

Ist bis jetzt wirklich alles glattgegangen. Als ich die Artilleriemunition in Säckchen füllte, bin ich schwarz geworden wie ein Kaminfeger. Und da läßt doch so ein Besoffener die brennende Pfeife fallen! Hab' sie aufgefangen und in den Hof geschmissen.

Hab' für meine Straße fünf Gewehre bekommen. Nagelneue mit blauschimmernden Bajonetten. Der Bäcker Landru hat mir gleich ein backofenwarmes Brot auf die Spitze gesteckt, wie es bei uns Sitte geworden ist.

Und die Stutzer im Palais Royal, die Hurenzutreiber! Das war ein Spaß! Einen, den wir als Polizeispitzel erkannt haben, den hauten wir gleich ins tiefste Bassin. Wie der um Hilfe gerufen hat!

Charlotte hat einen Schreck gekriegt, als ich spät in der Nacht gekommen bin. „Mach ja kein Feuer, sonst explodiere ich. Bin über und über mit Pulverstaub bepudert", habe ich ihr gesagt.

Henriette hat die Decke übers Gesicht gezogen, hat gespottet, ich wäre ein Feuerteufel oder einer der drei Könige aus dem Morgenland.

Und Nanon? Natürlich war ihre Kammer leer. Der Tischler Mollet hat recht: Frisches Holz kann man in einer Schraubzwinge festhalten, aber was soll man mit einem jungen Weib machen, das ins Bett seines Liebsten will? Dabei sollte sie doch ihrem kleinen Doktor was ausrichten. Es wird wahrscheinlich Verwundete geben, da brauchen wir den Arzt Marat.

Pierres Holzschuhe klapperten auf dem Pflaster.

Fünf Mann mit Gewehren, fünfzehn mit Piken – zwanzig Bewaffnete stellt unsere winzige Rue du Sanslieu.

Heute gilt es! Simonet pfiff auf den Fingern, durchdringend, gellend. Ein stolzes Lachen stieg in seine Augen. Donnerwetter! Alle zwanzig! Und jeden schmückte die neue Kokarde.

„Zur Bastille! Alles zur Bastille!"

Ein Riese, größer und breiter als Pierre, stand an der Straßenecke zur Rue St. Antoine. Er trug einen schweren Kavalleriesäbel und in seinem bestickten Ledergürtel zwei Reiterpistolen und einen Dolch. Sein Gesicht glühte.

„Gevatter Mollet! Alte Bulldogge! Hast du deiner Hobelbank endlich einen Tritt gegeben?" Simonet umarmte den Mann, schlug ihm kräftig auf den Rücken.

„Simonet! Ist das deine Abteilung? Sind hoffentlich keine Hosenscheißer, wenn's blaue Bohnen regnet?" Die Männer hinter Pierre stießen ihre Flinten und Piken aufs Pflaster und murrten.

„Lauter brave Kerls, Mollet. Aber einigen stinkt der Hunger aus dem Hals, es sind arbeitslose Posamentierer. Die meisten sind Maurer oder Sandschöpfer von der Seine. Hier der Lange ist Pflasterer, und das ist Felix, ein Fuhrmann, und hier ein Wagenbauer. Lauter Arbeiter, keine verwöhnten Bürgersöhnchen."

„Es gibt also Männer in der Sanslieu", sagte Mollet und zog seinen Schlapphut.

„Und wie geht es weiter, Gevatter?" Simonet sah besorgt hinüber zur Bastille, deren gewaltige Mauern in den Morgenhimmel wuchteten.

Viel bewaffnetes Volk war schon zusammengeströmt. Es nahm alles wahr: Türme, Mauern, Schießscharten, die winzig wirkenden Verteidiger oben auf der Wallkrone, Geschütze und aufgestapelte

Steinquader, die offensichtlich auf anstürmende Abteilungen herabgestürzt werden sollten.

„Das ist doch idiotisch", rief ein Zuckerbäcker, der vergessen hatte, seine Mehlschürze abzubinden, „nicht in drei Tagen, ach, nicht in drei Wochen sind wir dort oben! Inzwischen rücken die Truppen aus der Militärschule an, und die Kavallerie, die jenseits des Pont-neuf steht, greift uns von der Seite an."

„Und deine Alte sollte dich in ein Jauchefaß stecken, da greift dich keiner mehr an." Die aus der Sanslieu lachten ausgelassen über ihren witzigen Pierre.

„Es ist ein Quentchen Wahrheit in seinen Worten", meinte Mollet. „Wenn wir hier auch mindestens fünfzigtausend, vielleicht noch mehr sind, die Bastille hat Mauern, die kein Artilleriegeschoß einreißt. Zehn Fuß stark oben an den Turmzinnen, unten an der Basis dreißig. Kenne mich ein bißchen aus. Hab' im Vorjahr für den Kommandanten furnierte Möbel getischlert und dort abgeliefert."

„Du warst in der Bastille, Gevatter Mollet?"

„Hab' von dem Elend gesehn, ja. Und deshalb muß jetzt was geschehen. Das sagt auch Monsieur Thuriot, mit dem ich dich bekannt machen möchte. Er ist mein Hauswirt, ist Advokat und ein guter Patriot."

„Monsieur Thuriot", Pierre schüttelte dem Manne die Hand und sah ihm prüfend in die Augen, „mit Paragraphenreitern lasse ich mich sonst nicht gern ein, aber Sie . . ."

„Seien Sie ohne Sorge", der kräftig gebaute Mann mit dem offenen, kühnen Gesicht lachte gewinnend, seine Zähne blitzten unter dem buschigen Schnurrbart, „heute reite ich auf eigenen Füßen in die Bastille hinein. Ich mache dem Geizkragen, dem Kommandanten Monsieur de Launey, einen Höflichkeitsbesuch. Man sagt mir nach, ich hätte ein einnehmendes Wesen. Gut, ich werde die Festung einnehmen, kraft meines Amtes als Bevollmächtigter des ständigen Komitees der Wahlmänner. Sie werden sehen, daß mich der alte Kerl empfängt. Wetten, daß er kapituliert?"

„Bravo!" riefen die Umstehenden, doch Mollet wehrte ab: „Das wäre Selbstmord, Monsieur Thuriot."

Auch Simonet meinte: „Sie kämen nicht lebend aus dem Steinkasten heraus. In einer Stunde wären Sie mausetot."

„Monsieur Thuriot", Nanon zwängte sich durch die Menge, „ich kenne Sie durch Monsieur Moulon, meinen Chef. Ich habe Ihre Worte gehört. Gehen Sie nicht! Gestern war der Chemiker Lavoisier bei Doktor Marat in der Taubenhausgasse und hat erzählt, daß er dort oben bei de Launey war und . . ."

„Na, was denn? Vermutlich frühstückten sie miteinander oder

spielten Whist. Weißt du denn was Genaues, Nanon? Los, wir haben keine Zeit!"

„Du läßt einen ja nicht ausreden, Pierre. Eben das, was der Kommandant gesagt hat, will ich doch erzählen, nämlich, er lasse jeden Parlamentär vor die Mündung einer Kanone binden und die Gedärme bis nach Saint-Antoine schießen." Nanon erschauerte.

„Da hören Sie es, Monsieur Thuriot", äußerte Pierre ernst, doch der Advokat entgegnete gelassen: „Ich bin Gascogner. In meiner Heimat sagt man, wer durch Drohungen stirbt, dem muß man Fürze als Grabgeläut geben. – Pardon, Mademoiselle."

„Vielleicht empfängt er Sie auch", Mollet zündete sich seine Pfeife an, „aber nur, weil er Zeit gewinnen will. Er hofft bestimmt, daß ihm Truppen von der Militärschule zu Hilfe kommen."

„Also, ich gehe. Und ohne jede Waffe. Bitte nehmen Sie meinen Stockdegen in Verwahrung. Lassen Sie es gut sein, Mollet, die Bastille ist wie ein Weib, das erobert werden will."

„Und wir werden erleben, daß de Launey Sie als Geisel behält, Monsieur Thuriot. Wenn Sie auf Ihrem verrückten Plan bestehen, werden wir Sie als Kandidat für das Irrenhaus Charenton anmelden müssen." Mollet paffte dicke Rauchwolken.

„Aber erst nach meiner Rückkehr!" Thuriot zog sich lächelnd den Rock straff, prüfte den Sitz seiner Halsbinde und schritt dann dem äußeren Tor der Festung zu. Er wandte sich noch einmal um und rief: „Sollte ich in – sagen wir, in einer halben Stunde nicht wohlbehalten wieder hier stehen, dann greifen Sie bitte an. Schlagen Sie die Ketten der Zugbrücken entzwei. Es sind drei Höfe, die erstürmt werden müssen. Und dann erst die Türme."

Nanon sagte erregt: „Ich werde für Sie beten, Monsieur."

„Halten Sie lieber Wundbinden bereit", rief Thuriot mit einem breiten Lachen.

Er ging durch die Volksmassen, die eine Gasse bildeten, und schritt über die herabgelassene Zugbrücke.

Simonet war auf das Dach eines Wachhauses geklettert, hatte die Flinte auf die Zugbrücke gerichtet.

Mollet lauschte, Nanon kauerte mit einem Korb Wundverbänden neben ihm. Nichts war mehr zu sehen, nichts zu hören. Die Spannung der Zehntausende verdichtete sich.

Jetzt mußte Thuriot vor den Offizieren stehen! Ein Pfundskerl, dieser Advokat!

Jetzt erschien er doch tatsächlich oben auf dem Turm. Er breitete die Arme aus, als wolle er die Volksmassen tief unten und die noch immer aus den Vorstädten anrückenden Bewaffneten umfassen. Dann winkte er, und all diese Tausende jubelten. Es war ungeheuerlich, daß ein einzelner Mann soviel vermochte!

Und Thuriot kam heil zurück. Lachend rief er Mollet zu: „Jetzt können Sie mich nach Charenton bringen lassen. Aber von dieser Narrheit werde ich zehren, bis ich klapprig geworden bin. – Die dort oben sind halbtot vor Schreck, dem de Launey hat das Frühstück nicht geschmeckt. Jetzt hole ich die Bürgergarde. Verlaßt euch darauf, die Bastille wird unser."

Kaum war Thuriot gegangen, krachten Flintenschüsse. Die Schweizer auf den Türmen hatten eine wilde Schießerei begonnen. Neben Simonet prasselten Kugeln gegen die Dachziegel.

„Hallo!" brüllte er hinab, „gebt mir eine Hacke."

Unter dem Feuer der schweizerischen Besatzung schlug er die Ketten der Zugbrücke durch, die hinter Thuriot aufgezogen worden war. Sie fiel nieder, und die Angreifer rannten in den Hof. Mörderisch waren die Schüsse, in den ersten Reihen der Stürmenden gab es viele Tote.

Simonet keuchte. Er konnte in den Innenhof hineinsehen, wo die Offiziere, kopflos geworden, einander widersprechende Befehle gaben. Die Angreifer stellten das Feuer ein.

Mollet stand auf der Zugbrücke und rief Simonet zu: „Ohne Geschütze zwingen wir sie nicht. Es sind Verräter, sie haben auf das Volk geschossen! Nun gibt es keine Gnade mehr. Komm herunter, du Akrobat."

Pierre kletterte herab. Seine Männer waren noch vollzählig, nur Felix hatte eine Steinprellung an der Wade bekommen und humpelte.

Da schlug Nanon erschrocken die Hände zusammen. „Pierre, du blutest. Dein rechtes Hosenbein ist zerfetzt."

„Nur ein Streifschuß, hab dich nicht so!"

„Du kommst auf der Stelle mit zu Monsieur Marat. Hast du noch nichts von Wundfieber gehört?"

„Geh, mein alter Pierre", sagte Mollet. „Wir müssen sowieso warten, bis die Kanonen kommen und die Gardisten anrücken. Die werden den schweizerischen Käsefressern dort oben schon Löcher in die Köpfe blasen." Mollet setzte sich auf einen Mauervorsprung und holte einen Brotkanten aus der Tasche. „Nun wird erst mal ausgeruht", sagte er, „auch im Gefecht gibt es eine Mittagspause, da muß der Soldat essen, rauchen . . ."

„Und trinken", sagte Nanon und entnahm ihrem Korb eine Holzflasche mit Apfelschnaps.

Vom Grèveplatz rollten die Geschütze heran, jetzt würde der Kampf nicht mehr so ungleich sein.

Auch Marat war seit frühester Stunde auf den Beinen. Als Wahlmann seines Distrikts nahm er im Hôtel de ville an einer Sitzung teil. Wildes Geschrei erfüllte den Saal, ständig drangen Abordnungen ein: Soldaten, Bürger, Verletzte. Der Vorsteher der Kaufmannschaft, Monsieur Flesselles, sollte den Angriff auf die Bastille befehlen, den Bau von Barrikaden anordnen, da königliche Truppen gemeldet waren, er sollte das Volk noch wirksamer bewaffnen. Das waren die Forderungen der Delegationen.

Nichts geschah. Es paßte Flesselles nicht, den Arbeitsleuten Waffen auszuhändigen, es paßte ihm nicht, die Bastille beschießen zu lassen. Er wollte Ausgleich, Versöhnung. So saß er da, ein jämmerliches Häuflein Mensch. Angstschweiß tropfte von seiner Stirn. Die Vertreter des Volkes schleuderten ihm ihre Verachtung ins Gesicht, warfen ihm Verrat vor.

Marat hielt es nicht länger. Zu den Kämpfenden! Dort wurde bestimmt ein Arzt gebraucht. Er eilte zur Taubenhausgasse. Dort stand die Instrumententasche. Watte und Rollen mit englischem Pflaster lagen bereit.

Am Eingang zur Rue St. Honoré begegnete ihm Madame Massillon. „Ich muß mich sputen, Monsieur Marat", rief sie. „Die Bürger holen mir meinen Alten aus der Bastille! Man kann es noch gar nicht fassen! Zehn Jahre, oder waren es zwölf? Komme gerade aus der Werkstatt. Alles verdreckt! In den Setzkästen Mäuse und Spinnen. Ich hab' rasch Remedur geschaffen. Er kann sofort mit dem Drucken anfangen. Die Nachbarn sagen, es wird viel Arbeit geben: Pässe, Reisebescheinigungen, Geschäftsdrucksachen, Familienanzeigen." Frau Massillon schwatzte selig, ihre verwelkten Züge wirkten auf einmal wieder frisch. „Ob er denn noch gesund ist? Ob er nicht am Augenlicht gelitten hat? Ein Drucker muß gut sehen können."

Marat hatte geduldig zugehört. Die gute Massillon. Für sie war der Sturm auf die Festung wie ein privates Freudenfest, ihr schien, alles geschehe nur ihres Mannes wegen.

Die Druckerei – die Druckerei. Ob er dort Schriften und Zeitungen herstellen lassen könnte? Ob Massillon mit sich reden lassen wird? Nach der Haft in der Bastille? Aber diese Zwingburg braucht er nicht mehr zu fürchten. Nicht einen Stein wird man auf dem anderen lassen. Einen Tanzplatz sollte man an der Stelle errichten. Musik müßte dort erklingen, wo bisher Seufzer zu hören waren.

Die Massillon eilte weiter. Mit brüchiger Stimme summte sie das Lied von Madelon und ihrem Liebsten.

Vor dem Doktorhaus in der Taubenhausgasse standen Bürger und Arbeiter und rüttelten an der verschlossenen Tür. Ein großer blonder Kerl in der Livree eines Leibjägers warf Steinchen gegen die Fenster.

„Da kommt der Doktor", rief eine Frau aus dem Fenster des Nachbarhauses.

„Großartig", sagte der Livrierte. „Wir suchen Sie wie eine Stecknadel, Monsieur Marat. Am Pont-neuf war ein Scharmützel. Dragoner wollten zum Louvre vorstoßen. Wir haben geschossen, da sind sie zurückgewichen, haben aber gedroht, wiederzukommen. Nun liegen zwei Verwundete dort, direkt am Denkmal des guten Königs. Können Sie kommen, Monsieur? – Verzeihung, daß ich mich nicht vorgestellt habe: Pierre-Augustin Hulin, zur Zeit noch im Dienst des Marquis de Conflans, der vermutlich bereits seine Koffer packt." Er lachte und drückte die dargebotene Hand des Arztes.

„Vorsicht", rief Marat, „nicht so fest, ich brauche die Hand noch. Womit soll ich operieren? Sie haben Kräfte wie ein junger Stier."

„Mein Unglück, Doktor! Ich bin eigentlich Uhrmacher, stamme aus Genf. Mit meinen Kräften ließen sie mich nur an die Turmuhren."

„Aus Genf? Da sind wir Landsleute. Ich komme natürlich mit Ihnen. Hole nur meine Tasche." Marat rannte ins Haus.

„Der kleine Doktor holt seinen Pflasterkasten." Hulin setzte sich auf die Treppenstufen und zog eine Tabakspfeife hervor. Der bemalte Porzellankopf zeigte die Königin im Krönungsornat. „Ich fülle der Österreicherin den Bauch mit Tabak", sagte Hulin. Gelächter ringsum.

Marat kam mit seiner Instrumententasche. Die kleine Gruppe brach auf. Sie kamen am Palais Royal vorüber, wo noch immer die Dirnen promenierten und die Geldwechsler ihre Säcke schüttelten. Auf Tischen standen Redner und hielten Ansprachen, die mit Hochrufen auf Necker und auf die Nationalversammlung endeten. Zeitungsverkäufer riefen den „Moniteur" und den „Mercure de France" aus. Hier flanierte auch Camille Desmoulins, der sich rühmte, mit seiner Rede vom Sonntag den ersten Sturm entfacht zu haben.

Die kleine Abteilung langte an dem Pont-neuf an. Die Brücke war von bewaffneten Handwerkern besetzt. Die zwei Verwundeten waren bereits ins Spital transportiert worden. Marat richtete unweit der Seine in einem Hausflur eine Verbandsstelle ein. Eine Frau brachte ihm Brot und Wein.

Stunden vergingen. Von der Bastille her war das Krachen der Geschütze zu hören und ganz schwach das Gewehrfeuer. Bleiern drückte die Schwüle des Julitages. Die Sonne stand bereits im Zenit.

Da preschten Reiter heran, den blanken Säbel in der Faust. Hulin ließ seine Abteilung feuern. Einer der Dragoner stürzte vom

Pferd. Nach der ersten Salve zogen sich die Kavalleristen bis zum Ausgang der Rue de Sèvres zurück und saßen ab.

Marat eilte herbei und verband den verletzten Reiter, der einen Beckenschuß hatte. Dann zog der Arzt sein großes weißes Taschentuch hervor, schwenkte es im Kreise und schritt auf die Patrouille der königlichen Dragoner zu.

„Ein Teufelskerl", sagte Hulin. „Wenn sie ihm was antun, dann gebt ihnen Saures, den Kaldaunenfressern."

Doch die Wunder dieses 14. Juli wurden um eines vermehrt: Marat kehrte mit vergnügtem Gesicht zurück. „Ich habe mit dem Leutnant gesprochen", sagte er wie selbstverständlich, „es sind Deutsche. Zufällig beherrsche ich ihre Sprache. Sie werden die Brücke nicht überschreiten. Ich denke, damit können wir einstweilen zufrieden sein."

Die Männer schüttelten Marat die Hand. Hulin zog ihn an seine Brust und preßte ihn so sehr, daß ihm die Luft fortblieb.

Der Verwundete auf der Brücke war inzwischen von seinen Kameraden geholt worden.

„So, Freunde, nun marschieren wir zur Bastille. Ohne uns können sie den Steinkasten nicht nehmen", sagte Hulin großspurig. „Ich denke aber, der Doktor bleibt in seiner Verbandsstelle. Er wird bestimmt noch Arbeit bekommen."

So marschierte Hulin mit seiner Schar der Bastille entgegen, die in Rauch und Feuer lag.

In dem Hausflur am Wasser war es kühl. Marat holte einen Brief hervor, den er beim Empfang nur oberflächlich gelesen hatte, einen Brief des Abgeordneten der Nationalversammlung Maximilian Robespierre: „Mein sehr werter Herr. Ich wäre Ihnen zutiefst verbunden, wenn Sie mir etwas über die Stimmung der Bürger Ihres Distrikts mitteilen wollten. Wir Abgeordneten des dritten Standes aus der Bretagne sind überzeugt, daß die Verschwörung der Aristokraten nicht endete, daß sie erst beginnt . . ."

Durch den Eingang des Hauses blies ein leichter Wind. Eine Katze rieb sich schnurrend am Bein Marats. Es war so friedlich ringsum. Die Hausbesorgerin kam mit ihrer Salatschüssel und setzte sich auf den Bordstein. Auf der Brücke schäkerte der Posten, den Hulin zurückgelassen hatte, mit einigen kecken Mädchen.

Pierre Simonet hantierte an einem Geschütz. Richtkanonier war ein altgedienter Soldat, der jetzt einen Tabakladen in der Rue Saint-Denis innehatte. Die Hitze lastete schwer auf den Männern. Ihr Schweiß mischte sich mit Pulverdampf und Straßenstaub. Sie sahen aus wie rußige Schmiede in einer Werkstatt, einer Werkstatt mit dem verqualmten Himmel als Decke.

Um die Besatzung der Bastille auszuräuchern, hatten die Belagerer drei Wagen voll Stroh angezündet. Jetzt brannten bereits die Kasernen und Küchen im ersten Festungshof. Doch auch durch Rauch und Feuer zischten die Kugeln der Schweizer, die hinter ihren Schießscharten kauerten und Schuß um Schuß abfeuerten.

„Es ist nutzlos", rief Thuriot, dessen Rockärmel von einer Kugel zerfetzt war, „unsere Kanonenkugeln sind nicht mehr als Zecken für einen Elefanten! Wir müssen stürmen. Ran mit Bajonett und Piken!"

Pierre legte den Wischer hin, mit dem er das Geschützrohr gereinigt hatte, und blickte zu Mollet hinüber, der das Nachbargeschütz bediente.

„Natürlich muß man stürmen, aber erst lassen Sie uns ein bißchen an das dritte Tor klopfen. Ich sage Ihnen, fünf Kanonen gleichzeitig, das gibt dem Säugling Luft."

„Es muß rascher gehen", schrie Mollets Gehilfe, „sonst schickt die österreichische Hure ein paar Regimenter – und dann ist's Scheiße."

Nanon kam aus der Rue du Sanslieu zurück.

„Die Frauen stapeln schon Pflastersteine in den Fenstern. Sie wollen sie runterschleudern, falls Truppen heranrücken. Sie werden auch kochendes Wasser bereithalten und glühende Backsteine."

„Bravo unseren Frauen!" rief Thuriot. „Das sind keine Hasenherzen wie Monsieur Flesselles im Rathaus. Aber mit dem rechnen wir ab, wenn alles vorbei ist!"

Die Geschütze heulten wieder los. Plötzlich schrie Mollet: „Seht nur, seht!" Auf den Türmen hißten die Belagerten weiße Fahnen. Sie winkten und hoben die Arme zum Zeichen der Übergabe.

„Endlich!" brüllte Pierre und zog Nanon vor Freude an sich.

„Endlich!" schrie auch Hulin, der vor einer Weile mit seinen Männern in den Kampf eingegriffen hatte.

„Vorsicht! Vielleicht sollen wir nur getäuscht werden", mahnte Mollet. Aber er rannte den Männern nach, die mit Äxten und Piken in den dritten Hof einbrachen.

Wahrhaftig – aus den Mauerlöchern feuerten die Schweizer. Einige Angreifer fielen.

„Keinen Pardon!" schrie Pierre. Er weinte fast, so sehr fraß die Wut an ihm. „Der Sauhund von Kommandant! Wehe ihm, wenn er mir unter die Finger kommt! Oben kapitulieren sie, unten schießen sie ..."

Hulin starrte finster nach den Türmen, auf denen die Fahnen der Kapitulation wehten. „Man kann es sich nur so erklären", sagte er, „dort oben sind Franzosen. Sie wollen nicht mehr auf ihre Brüder schießen. Aber unten an den Schießscharten sind schweizerische Söldner. Die morden für Geld."

Da ertönte tausendstimmiges Geschrei.

Hulin eilte durch die bereits erstürmten Höfe, brach sich mit den Fäusten Bahn.

„Sie ergeben sich!" Die Stimme einer Frau war wie Geheul.

„Eben haben sie einen Zettel abgeworfen."

Hulin sah in das haßentstellte Gesicht der Frau, sah, wie ihre Adern am Hals anschwollen. „Meinem Mann haben sie in den Leib geschossen", stieß sie hervor, „keiner darf am Leben bleiben! Werft sie ins Feuer!"

Die Männer an den Geschützen waren wie betäubt. War das tatsächlich der Sieg?

Da kam bereits Hulin mit einem schweizerischen Offizier. Nun gab es keinen Zweifel mehr.

„Her mit den Schlüsseln zu den Kerkern!" rief Mollet.

Jubelschreie ertönten und pflanzten sich fort bis in die Straßen von Saint-Antoine.

„Die Bastille ist genommen!" Nanon war zur Taubenhausgasse gerannt.

„Vivat! Es gibt keine Bastille mehr!" Pierre stürmte in die Wahlmännerversammlung im Rathaussaal. Auch dort Siegesgeschrei, daß die Fenster klirrten.

Monsieur Flesselles hing bleich und apathisch in seinem Sessel. Kommt die Abrechnung für seine Verzögerungstaktik, seinen so offenkundigen Verrat? Er verkroch sich hinter Aktenstößen. Seine ihm ergebenen Beamten verließen wie Schatten den Raum.

Die Türen flogen auf – man brachte befreite Gefangene.

Alles verstummte.

Da war einer, der in stetiger Finsternis gehaust hatte und nun seine fast erblindeten Augen vor der blendenden Julisonne schützte.

Da war einer mit weit über den Rücken hängenden verfilzten Haaren, der vor sich hin weinte.

Durch die Menge zwängte sich Mama Massillon. Wo war ihr Alterchen? Auf einem Stuhl hatte man ihn in den Saal getragen. Da saß er und rieb sich immer wieder die Brille blank, um seine Bewegung zu vertuschen. Beim Wiedersehen der beiden alten Leute wandten sich die Umstehenden gerührt ab.

Schließlich ließ Pierre Simonet für die Befreiten sammeln, und die Geldspenden flossen reichlich.

Wieder Schreie von der Straße, anschwellend – abebbend: Die gefangene Bastille-Besatzung wurde herangeführt. An der Spitze der entwaffneten Soldaten ging der Kommandant de Launey. Das war nicht mehr der gepflegte Offizier, dessen Brutalität wehrlosen Gefangenen gegenüber ebenso bekannt war wie seine Geldgier und seine Feigheit – das war ein menschliches Wrack.

Hulin, der riesenhafte Kerl in der Livree eines Bedienten, schützte den Marquis vor den Stößen und Schlägen der empörten Menge. De Launey sollte einem ordnungsgemäßen Gericht ausgeliefert werden.

„Da hast du diesen Menschenschinder", sagte Simonet, der durch ein Fenster den Zug beobachtete, zu seiner Schwester, „sollen sie ihn doch an die nächste Laterne hängen."

„Ob es stimmt, daß er an den Allerärmsten noch verdient hat?"

Schrille Schreie der Frauen, deren Männer beim Sturm auf die Zugbrücken gefallen waren, drohend erhobene Fäuste. Der Kommandant sah angstvoll in wutenstellte Gesichter. Schritt um Schritt versuchte Hulin ihm den Weg zum Rathaus frei zu machen.

„Sieh" – Nanon stieß einen Entsetzensschrei aus –, „er stürzt – Hulin auch, er kann ihn nicht mehr schützen."

„Komm", sagte Pierre barsch und zog Nanon vom Fenster weg, „das ist kein Anblick für eine Frau."

Ja, die wütende Menge hatte de Launey zu Boden gerissen. Sekunden später tauchte der blutige Kopf des Kommandanten, auf eine Pike gespießt, hoch oben über der Menschenwoge auf.

„Gehen wir", sagte Pierre, seine Stimme war heiser. „Der Anfang ist gemacht, die Abortgrube Frankreich wird gereinigt." Er strebte mit Nanon dem Ausgang zu, als ein Pistolenschuß krachte.

„Die verdammte Ratte Flesselles hat ihren Lohn weg", rief der Tischler Mollet, „jetzt werden sie endlich in Versailles begreifen, daß wir hier keine Komödie gespielt haben." –

In der Taubenhausgasse hatten die Hausbewohner Kerzen in die Fenster gestellt. Auf der Straße war ein Tisch gedeckt, und Monsieur Piccard, ein Seidenhändler, hatte ein Huhn gestiftet. Mama Massillon saß in ihrem besten Kleid oben an der Tafel, neben ihr in seinem schwarzen Schoßrock Monsieur Massillon, Buchdrucker und Verleger. Am anderen Ende saß Doktor Marat, dem die kluge Nanon zwei Kissen untergeschoben hatte. Der Rohrstuhl, auf dem Pierre Platz genommen hatte, knackte gefährlich unter dem Gewicht des Riesen. Auch Pierres Frau Charlotte fehlte nicht. Sie nickte fröhlich allen zu, auch jenen, die aus den Fenstern zuschauten. Oh, sie war sehr stolz auf ihren Mann.

Marat war glücklich. Die Bastille in den Händen des Volkes! Dieser 14. Juli leitet ein neues Zeitalter ein.

„Sie töten den Geist nicht, Kameraden", rief er und schwang sein Glas. Am Nachthimmel schob sich die Mondsichel durch eine Wolkenbank. Von fern her hörte man Gesang und Musik. Paris im Rausch des Triumphes – und dennoch wachsam. Man hatte die Tore versperrt, die Schlagbäume herabgelassen. Keiner der Schuldigen sollte entrinnen.

2

In der Redaktion des „Ami du peuple"

Martinique, 1. September 1789

Mein sehr lieber Vetter Jean Paul!

Die Dreimastbark „Saint Marie" hat gestern am Pier von Fort de France angelegt. Eine pausbäckige Madonna als Gallionsfigur spiegelte sich in der klaren Flut, sicherlich war sie ebenso erleichtert, daß sie in stilles Wasser kam, wie ich damals vor rund acht Jahren.

Zunächst meinen beglückten Dank für Briefe, Journale und den Packen Bücher. Gustave sitzt nebenan und liest den „Moniteur". Obschon das Journal vierzig Tage alt ist, bereiten uns seine Nachrichten geradezu flammendes Vergnügen. Die Entwicklung in Frankreich läßt ja Großes erhoffen. Da verblassen alle meine Erlebnisse im alten Europa.

Genug davon. Gustave räuspert sich, stößt Laute des Entzükkens aus. Ich sehe unseren kleinen Eugène kommen, der mit seinem Maultier in die Pflanzungen geritten war. Sechs Jahre ist er vorgestern geworden, aber er hat frühzeitig reiten und kutschieren gelernt, lange bevor ich ihm das Einmaleins beibringen konnte.

Gustave läßt Ihnen sagen, daß er eine Deklaration der Menschenrechte für einen wunderbaren Anfangsbuchstaben hält, aber für nicht mehr. Er meint, man solle nicht mehr über solche Rechte diskutieren, man solle sie sich nehmen.

Natürlich raucht er wieder eine selbstgedrehte Zigarre, und dann schmeckt alles nach Tabakrauch. Auch seine Küsse. Und da bin ich bei dem Thema, das Sie in Ihren letzten Briefen anschnitten. Aus Ihren Zeilen klang ein wenig Besorgnis, weil ich so wenig über unser Zusammenleben geschrieben hätte. Ach, lieber

Jean Paul, kann man Gefühle sezieren? Kann ich sie in die rechten Worte kleiden, wie es Romanschriftsteller vermögen? Ich kann nur einen armseligen Satz stammeln, der alles beinhaltet: daß die Jahre hier auf Martinique für uns beide ein einziger Reigen unaussprechlichen Glücks sind. Horaz sagt: „Wenn wir über das Meer fahren, wechseln wir das Klima, nicht unsere Seelen." O nein, hier irrt der große Römer! Ich habe meine Seele völlig ausgewechselt, bin in Forestier hineingestürzt wie in einen tiefen See, ja, ich möchte sagen, er hat mich gänzlich verschlungen, wie es bei chemischen Verbindungen im Laboratorium Lavoisiers dem einen oder anderen Element ergeht.

Als ich gestern an der Hafenmole stand und die aus Frankreich Ankommenden betrachtete, mußte ich daran denken, wieviel Gescheiterte sich darunter befinden, denen Martinique wie eine rettende Planke erscheint. Es kommen Hasardeure, die in wenig Jahren gewinnen wollen, was sie daheim in Jahrzehnten durch eigene und fremde Schuld verspielt haben. Nicht jedem gelingt es, hochzukommen, mancher Deklassierte sucht Vergessen im Rum, der hier so reichlich und billig fließt – sucht so lange, bis er den Schlußpunkt mit einer Pistolenkugel setzt.

Von unserer Plantage ist zu vermelden, daß sie trotz Ameisenplage und Dürre rentabel geworden ist, und wenn Gustave zum Hafen fährt, ziehen die abgebrühtesten Händler achtungsvoll den Hut. Ich schrieb Ihnen ja auch in früheren Briefen, daß unser Tabak prämiiert wurde und unser Kaffee die Bürgerhäuser Marseilles erobert hat. Somit hat ein gewisser Wohlstand bei Forestiers Einzug gehalten. Gustave konnte bei einer Auktion sogar ein Spinett für mich erwerben. Außerdem haben wir fünf aus Moçambique importierte Negersklaven gekauft. Ja, Sie lesen richtig, gekauft! Ich wehrte mich gegen eine Vermehrung unserer Arbeitskräfte auf solche Weise, doch Gustave hat mir bewiesen, daß es keinen anderen Weg hier gibt. Wir haben aber von den zehn Sklaven, die wir übernommen hatten, bereits dreien die Freiheit gegeben. Es ist völlig unglaublich, lieber Vetter, welch eine verteufelte Bürokratie damit verbunden war, es wird einem nicht leicht gemacht.

Jetzt kommt Doktor Levasseur die Verandatreppe empor, er schwenkt ein Bündel Journale.

Der Doktor tanzt umher, singt und schreit so sehr, daß unsere Köchin Hanna entsetzt herbeieilt. „Die Bastille in der Hand des Volkes! Diese Nachricht wird den ganzen Erdball alarmieren!" Gustave trommelt wie besessen auf der Tischplatte. Unser kleiner Eugène hilft dabei, er schlägt mit dem Löffel den Takt. Verrücktes Mannsvolk!

216

Sie, lieber Vetter, hatten sicherlich Anteil am Geschehen. Gustave ruft mir zu, Ihnen zu schreiben, Sie dürften dem König nicht trauen. Mißtrauen sei die oberste Tugend des Politikers.

In einem Journal steht, der König habe befohlen, die Truppen aus Versailles und Paris abzuziehen. Wie weit? läßt Gustave fragen. Der Marquis de Lafayette bildet eine Nationalgarde? Bravo! Hoffentlich ist er zuverlässig, meint der Doktor. Er behauptet, die Abgeordneten der Nationalversammlung würden sehr bald Angst vor der eigenen Courage bekommen und sich mit dem dicken Ludwig arrangieren.

Übrigens muß die Nachricht vom Bastillesturm bereits im Hafen bekannt sein. Levasseur bemerkte, daß der Gouverneur die Wachen verstärken ließ und daß die Adeligen sich im Casino versammelten. Ein Beweis dafür, wie wenig sie die Beschlüsse der Nationalversammlung in Versailles achten, ist wohl auch, daß sie heute drei Neger öffentlich auspeitschen lassen wollen. Melden Sie diese empörenden Zustände den versammelten Abgeordneten. Sorgen Sie, daß man die Journale informiert! Martinique ist doch ein Teil Frankreichs.

Da fällt mir ein, der Vicomte de Beauharnais ist in die Nationalversammlung gewählt worden, allerdings als Vertreter des ersten Standes. Ich glaube nicht, daß er viel Verständnis für die Befreiung der Neger aufbringen wird.

Vielen Dank für die Bücher über Botanik und Zoologie. Wir haben sie in unsere Bibliothek eingereiht. Wir studieren fleißig Meeresfauna und Tropenvegetation. Ich glaube, wir bringen es noch soweit, daß wir uns um die Doktorwürde der Sorbonne bemühen können.

Bei der schon erwähnten Auktion hat Gustave auch ein bleischweres Fernrohr ersteigert. Er forscht nun damit am nächtlichen Himmel, dessen Sterne viel heller als die über der Heimat funkeln. Er sucht auch die Mondkrater und die Lufthüllen der Venus.

Sie schreiben, daß Sie eine Zeitung herausgeben werden? Das imponiert mir. Ich denke, daß jetzt die Zeit für neue Gazetten gekommen ist. Geistesfreiheit, Meinungsfreiheit! Sie, lieber Vetter, sind ein „Freund des Volkes", da haben Sie recht, Ihr Blatt so zu nennen. Es muß ein Wächter sein, der Alarm schlägt, wenn die Feinde übermächtig werden; ein Wächter, den die Reichen fürchten und die Armen lieben.

Im „Moniteur" steht, daß der Graf von Artois aus Frankreich geflohen ist, ebenso die Condés, die Polignac, Vaudreuil und viele mehr. Die Ratten verlassen das sinkende Schiff – so sagt man doch. Sie haben ja diese Herrschaften gekannt, die nun treulos den ungeschickten König im Stich lassen. Sind es Egoisten, sind es Feinde? Doktor Levasseur ist der Ansicht, daß sie beides sind. Nun werden sie an englischen oder italienischen Kaminen den Einschlag eines Blitzes bejammern, den sie selbst verschuldet haben.

Der Abend ist gekommen. Morgen läuft ein Schiff aus und soll diesen Brief mitnehmen. Sie sollen noch wissen, daß wir nachher bei Windlichtern auf der Veranda sitzen und mit heißen Köpfen und Herzen über die Zukunft Frankreichs debattieren werden. Wir fiebern weiteren Nachrichten entgegen.

Schreiben Sie uns bald wieder, lieber Vetter. Ich habe Sie bewundert als Arzt der Armen — werden Sie ein Arzt der Nation! Wer könnte es werden, wenn nicht Sie! Es umarmt Sie

Ihre Marie Forestier.

Nachschrift:
Man will mich für die hiesige Stadtverwaltung aufstellen. Ich werde den adeligen Pflanzern ein Pfahl im Fleische sein.

Ihr alter Forestier.

Nachschrift:
Verehrter Herr Kollege.
Es soll in Paris bereits bifokale Brillen geben, die von B. Franklin zuerst konstruiert wurden. Sollten Sie mir ein solches Wunderglas besorgen können, wäre ich Ihnen zu großem Dank verpflichtet. Man möchte nicht stets die Brillen wechseln müssen, zudem es hier genug Leute gibt, die das mit ihren Anschauungen und Gesinnungen vollbringen.

Ihr ergebener Levasseur.

„Auch wir Drucker schießen mit Blei, Doktor Marat. Unsere Kugeln sind die Lettern, und sie treffen manchmal genauer ins Schwarze als die Flintenkugeln unserer Nationalgardisten."

Schmunzelnd beugte sich der alte Massillon bei diesen Worten über den Setzkasten und fügte mit gichtigen Fingern dem Winkelhaken Buchstabe um Buchstabe ein.

In der Werkstatt stank es nach Maschinenöl, Druckerschwärze und Staub. Es war düster im Raum, denn die Fenster gingen auf einen engen Hof, in den nie ein Sonnenstrahl drang.

„Aber Geduld ist vonnöten, Meister Massillon." Marat stöhnte, während er sich bemühte, die richtigen Typen herauszuklauben. „Ich mache fortgesetzt Zwiebelfische, wie Sie das in Ihrer Fachsprache nennen. Es ist leichter, Wundränder zusammenzunähen oder den grauen Star zu operieren."

„Ein guter Setzer braucht Geduld, Drucken ist eine Kunst!"

Massillon hustete hohl. In der Kerkerhaft hatte er sich ein

Brustleiden zugezogen. Seine Fußgelenke waren geschwollen, weil das Herz nicht mehr so richtig funktionierte. Trotzdem war er heiter und pfiff die neuen Lieder, die in den Schenken die Runde machten. Seine Frau tätschelte er immer zärtlich, wenn sie die Zwiebelsuppe brachte und gegen den Lausebäcker wetterte, der ein Brot backe, das wie ein Backstein im Magen liege.

„Was hab' ich schon alles mit den Lettern gedruckt, die hier in den Kästen stecken: Hochzeitscarmen, Sterbeanzeigen. Etiketten für Flaschen, Gedichte auf schöne Damen, Programme für das Théâtre Italien und . . ."

„Epigramme auf Madame Dubarry", unterbrach Marat. „Mit dieser alten Hure werden wir abrechnen. – Ich finde doch kein großes V, möchte das Wort Veto in ganz fetten Buchstaben setzen. Veto – lieber Massillon. Kaum ist die Freiheit aus dem Ei gekrochen, kommt schon die Katze, will sie fressen. Wir werden einen aggressiven Artikel bringen, die Bürger müssen aufgeklärt werden."

„Und wir werden uns sachte in der Conciergerie wiedersehen." Massillon hustete und nahm einen Schluck Medizin. „Sie greifen die Nationalversammlung an!"

„Ja, ja, bleiben Sie lieber bei Ihren Etiketten, Massillon! Sie können auch Abziehbilder für Nachttöpfe drucken." Marat wurde wieder einmal von Atemnot geplagt und riß sich Überrock und Hemd auf.

„Seien Sie doch nicht gleich beleidigt, Doktor. Ich kenne mich in den neuen Gesetzen nicht so aus. Pressefreiheit, Redefreiheit, Denkfreiheit. Ich kann's nicht recht glauben, bisher hatte der kleine Mann nur die Freiheit des Sterbens. Aber Sie haben ja studiert, und Sie zeichnen als Herausgeber."

„Eine Zeitung, die nur Hofklatsch bringt oder die Affereien um ein neues Stück im Theater, ist unnütz, daß sie nur zum Feueranmachen taugt. Unser Blatt, Massillon, das ist kühn, das ist frech, jede Nummer eine Ohrfeige für die Versailler Schwätzer. Und das Volk liebt den ‚Ami du peuple'. Oder wollen Sie bestreiten, daß wir in den drei Wochen die Auflage verdoppeln konnten?"

„Und daß uns ein Beamter der Polizeipräfektur mit einem höflichen Besuch beehrte, haben Sie wohl vergessen. Es gibt anscheinend doch so eine Art Zensur."

„Unken Sie nicht, Monsieur Massillon", ließ sich Simonet vernehmen, der mit einer Traglast Papier eintrat. „Es erscheint nur ein Blatt, das unser Volk liest. Und warum? Weil es keine Bücklinge vor den Hochgestellten macht. Ich sage Ihnen, es gibt kein Kaffeehaus in ganz Paris, wo man nicht auf unser Blatt wartet: Was sagt Marat? Was meint ‚Der Volksfeind'?"

„Pierre, Sie vergessen ‚Le Courrier de Brabant‘, das von diesem Desmoulins herausgegeben wird. Er hat das Zeug zu einem guten Journalisten. Gestern sollen zweitausend abgesetzt worden sein“, sagte Massillon. Er strich mit zärtlicher Geste über das gelieferte Papier. Er liebte schöne glatte Bogen und belebte sie bereits in seiner Phantasie mit Drucksatz und Illustrationen.

„Zweitausend! Nicht schlecht. Aber noch in dieser Woche werden wir viertausend verkaufen! Die Straßenjungen der Rue St. Honoré bringen allein zweitausend an den Mann. Wer ist Marat? fragen die Stutzer. Marat schreibt gegen das Veto des Königs, antworten die Kellner.“

Simonet machte sich an der Druckpresse zu schaffen und schielte zu Marat hinüber, der sich stirnrunzelnd am Setzkasten plagte.

„Sie sind Schriftsteller, Redakteur, Journalist. Warum wollen Sie auch Setzer und Drucker sein?“

„Erst ab fünftausend Exemplaren können wir uns einen Setzer leisten.“

„Einen Setzer? Warum nicht eine Setzerin! Nanon kann hier arbeiten, statt Rosen für Damenhüte zu basteln.“

„An meine Setzkästen kommt mir kein Frauenzimmer!“ zeterte Massillon, „das ist Männerwerk mit fünf Jahren Lehrzeit.“

„Sie leben immer noch im Sklavenzeitalter, Monsieur Massillon. Stimmt’s, Doktor? Die Frauen werden sich die gleichen Rechte erringen, so sagten Sie doch, Doktor.“

„Ja, im Bett“, trompetete der Alte streitlustig.

„Sie können nachher gleich mit Nanon wegen der Arbeit sprechen, Monsieur Marat. Sie will mit einem Besucher herkommen, Grenier heißt er.“

„Grenier? Das ist gut. Der kommt aus Bordeaux. Der weiß, was dort los ist. Ich traue nämlich diesen Schiffseignern und sonstigen Eignern nicht, erst recht nicht ihren Advokaten.“

Dieser Septembertag war naßkalt und trübe. Erste Regentropfen rollten die Fensterscheibe herab.

Das Gespräch verstummte. Die drei Männer arbeiteten eifrig. Im Ofen begannen die Holzstücke zu knistern.

Die schlecht geölte Tür knarrte. Nanon und Grenier kamen. Von ihren modischen Umhängen aus schwarzem Wachstuch schüttelten sie lachend die Wasserperlen ab, so daß Pierre mit einer Verwünschung die Papierstöße zudeckte.

„Wir kommen von der Rue de Chabenais“, rief Grenier. „Unterwegs hat uns der Regen erwischt. Aber Mademoiselle Nanon ist nicht aus Zucker, sie löst sich nicht gleich auf.“

„Meine Schwester ist vom Lande“, entgegnete Pierre. „Bei uns daheim sagt man, der Regen ist besser als Weihwasser. Er wäscht die Mädchen sauberer, als es selbst der Beichtstuhl kann."

Über Marats Gesicht huschte ein Lächeln.

Grenier sah sich neugierig in der Werkstatt um. „Also hier wird Ihre Zeitung gemacht? Ich glaube, es gibt nur zwei Gruppen von Parisern, die einen drucken die Journale, die anderen lesen sie."

„Es soll aber auch noch welche geben, die in den Wandelgängen des Palais Royal auf Tischen stehen und Reden halten." Nanons Äußerung war von einem schnippischen Lächeln begleitet.

„Jawohl, Mademoiselle. Alle Dämme sind fortgeschwemmt. Mein Freund Desmoulins sprach über die rot-blauen Kokarden: Rot, um zu zeigen, daß man bereit ist, sein Blut zu vergießen, blau für eine himmlische Verfassung. Mein Freund Fréron dozierte über die Notwendigkeit, die Kirchengüter zu enteignen."

„Sie vergessen wohl sich selbst. Was war das gleich für ein Schnickschnack, über den Sie gesprochen haben?" nörgelte Pierre, „über leichte Bekleidung, fessellose Damenmode?"

„Sehr richtig! Ich sprach vom Standpunkt des Physikers aus. Luftig muß die Mode der Frauen sein, weg mit den überflüssigen Hüllen. Kleiden wir unsere Pariserinnen wie die Damen der Antike, leichte Tunika. Lassen wir den göttlichen Wind zärtlich um die Glieder spielen."

„Sie vergessen, daß wir nicht im Griechenland der Antike leben. Ihre Damen würden aus dem Schnupfen nicht herauskommen, mein bester Grenier. Aber was macht Bordeaux? Wie sieht's in der Provinz aus? Erzählen Sie!"

„Numero eins: Die Reise war beschwerlich. Es gab keine Postpferde, keinen regelmäßigen Kurswagendienst. Überall ist das Volk auf der Straße, diskutiert und forscht. Jeder Reisende ist verdächtig: ‚Willst wohl zu den Engländern?' fragte man mich. Man hielt mich für einen der emigrierenden Adeligen. Numero zwei: Die Bauern sind in Aufruhr. Sie brennen die Schlösser nieder, errichten aus Gutsakten Scheiterhaufen und vernichten die Feudalurkunden, in denen der Abgabezwang festgelegt ist. Sie werfen die Verwalter in die Schloßteiche oder steinigen sie. Ich habe selbst gesehen, wie das Schloß in Ambly brannte und der Marquis in panischer Angst flüchtete."

Marat schloß die Augen: Brennende Schlösser, niedergerissene Galgen, erstürmte Turmverliese – ja, die Revolution war auf dem Marsch. „Weiter, lieber Grenier!"

„In Poitiers besuchte ich einen Freund meines Vaters. Er ist Notar und Güterkommissar. Er begriff nichts, sieht nur seine Existenz schwinden, kann nicht verstehen, was geschehen ist: die Niederlage des Königs – die herrliche Erhebung des dritten Standes – der Beginn der Nationalversammlung – die Entlassung Neckers – der Sturm auf die Bastille." Grenier lehnte sich zurück, ein stolzes Lächeln war auf seinen Zügen.

„Jetzt sagen Sie nur noch: Abschaffung der Feudallasten, und bei mir ist die Pastete gar", brummte Pierre Simonet. „Sie haben gesehen, wie sich die armen Teufel von Bauern helfen, Monsieur Grenier. Aber glauben Sie etwa, die Herren verzichten nun auf ihre Rechte? Nein, sie werden zum Gegenangriff übergehen. Sie werden versuchen, uns auszuhungern. Warum hängen wir nicht alle Adeligen an die Laterne?"

Massillon, vom Temperament Simonets mitgerissen, stimmte aus rissiger Kehle das Lied an:

> *„Verräter, der nur Böses tat,*
> *laß dir dein strenges Urteil sagen.*
> *Der Himmel uns geholfen hat,*
> *des Joches Ketten zu zerschlagen.*
> *An den Laternenpfahl mit dir!*
> *Tararimbimbir!*
> *Tararimbimbir!"*

Alle sangen das „Tararimbimbir" mit. Nur Marat bedeckte einen Notizblock mit hastigen Schriftzügen. „Der ‚Ami du peuple' wird etwas über die Ablösung der Feudallasten bringen", sagte er. „Schon in der nächsten Nummer. Hört zu: ‚Wenn es der Wohltätigkeitssinn war, der jene Opfer diktierte, dann hat er, wie man zugestehen muß, recht lange gewartet, bis er sich offenbarte. Ja, erst angesichts des Flammenscheins ihrer brennenden Schlösser finden sie jene Seelengröße, auf das Vorrecht zu verzichten, die Männer in Fesseln zu halten, die ihre Freiheit mit der Waffe in der Hand erobert haben.' Man muß die sogenannten Opfer, die der Feudalismus angeblich bringt, analysieren", fuhr Marat fort, „man muß beweisen, daß sie größtenteils illusorisch sind."

„Bravo!" sagte Pierre, „das ist die richtige Sprache. Denken Sie doch nur nach, Monsieur Grenier! Erst lege ich einem Lastesel zehn Säcke auf, dann nehme ich ihm gnädig einige ab, es bleiben aber noch genug. Dann sage ich ihm, du kannst noch mehr Säcke loswerden, aber dafür mußt du mir einen Sack Geld scheißen." Alle lachten. Massillon meinte, Lafontaine habe in Pierre einen Nachfolger bekommen.

Grenier schwieg etwas betreten; auf die Flamme seiner Begeisterung war ein Sturzbach der Ernüchterung gefallen.

„Aber die Deklaration der Menschenrechte", sagte er dann, „die

die Nationalversammlung beschlossen hat. Das ist der Geist Rousseaus! Die Menschen werden frei und gleich an Rechten geboren und bleiben es, die gesellschaftlichen Unterschiede können nur auf den allgemeinen Nutzen gegründet sein. – Nennen Sie mir ein Manifest, das solche Sätze enthält!" Er war aufgesprungen, hatte sich Weste und Halsbinde aufgerissen.

„Und die Frage des Eigentums, Monsieur Grenier, die interessiert Sie wohl nicht?" fragte Pierre grollend.

„Sie kommen aus wohlhabendem Haus", meinte Nanon.

„Bereits fünf Tage nach der Deklaration hat man den größten Teil der Bürger wieder seiner Rechte beraubt", schaltete sich Marat ein, „wählen dürfen nur Bürger mit Besitz. Es wird Aktivbürger und Passivbürger geben, vergessen Sie das nicht, Grenier."

„Mein Bruder Pierre und ich, wir zählen zu der letzten Kategorie." Nanon blickte Grenier feindselig an.

„Das alles werden wir im ‚Ami du peuple' anprangern", fuhr Marat fort. „Auch das Vetorecht des Königs. Was nützen alle Beschlüsse einer souveränen und mit geistvollen Köpfen beschickten Versammlung, wenn dieser holzköpfige König mit seiner intriganten Frau durch ein Veto alles inhibieren kann? Ich werde nicht müde, das Volk gegen das Veto aufzurufen."

„Nennen wir doch in jeder Nummer den dicken Ludwig: Monsieur Veto! Nennen wir die Österreicherin: Madame Veto!" rief Pierre.

Marat stimmte lachend zu. Das war die vereinfachende, sinnfällige Sprache des Volkes. „Aber ist nicht noch etwas von Bordeaux zu melden, Grenier?"

„Man ist dort von großer Furcht ergriffen", antwortete Grenier. „Die Handelsherren, die ganze Schiffsladungen Wein und Seidenstoffe in andere Weltteile geschickt haben, fragen sich, ob die Ausfuhr bleibt, wenn die Löhne steigen. Sie haben auch Angst, die Seeleute könnten rebellisch werden. Und wird nicht der Umsatz in Luxuswaren sinken, wenn der Adel das Land verläßt? – Ich referiere nur."

„Krämerseelen!" Pierre schleuderte den Schürhaken, mit dem er gerade das Feuer angefacht hatte, in die Ecke. „Ausbrennen die Räuberhöhlen, wie man Krähennester ausbrennt."

Marat seufzte. „Alles ist Stückwerk. Die Nationalversammlung besteht in ihrer Mehrzahl aus Besitzenden. Die aber machen Gesetze, um den neuen Reichtum zu fundamentieren, der sich durch die gewonnene Freiheit gebildet hat. Betrachten Sie sich den Lavoisier. Jetzt ist er bei einer Schiffswerft in Bordeaux beteiligt, bei einer Bank in Nantes. Er legt den Mammon richtig an."

Simonet antwortete mit Grimm in der Stimme: „Die Bauarbeiter von Paris werden ihm *noch* einen Palast bauen, einer allein genügt ihm nicht."

„Übrigens", fuhr er etwas ruhiger fort, „die Bauhandwerker haben mich zu ihrem Wortführer gewählt. Die Unternehmer werden bald merken, daß sie keinen Hanswurst vor sich haben."

„Es ist Besuch aus Versailles gekommen, Mademoiselle Simonet. Der Doktor sitzt aber mit Ihrem Bruder bei meinem Alten. Ob Sie ihn holen?"

Madame Massillon stand in der Küche und schnitt Brotscheiben ab. Der Laib war grau und feucht, krümelte bei jedem Schnitt. Sie tupfte mit den Fingerspitzen jedes Bröselchen auf und steckte es in den Mund.

„Besuch aus Versailles? Ob das Monsieur Maurice ist?"

Nanon lief die Treppen hinab und hüllte sich dabei fester in ihr warmes Tuch. Im Flur war es kalt. Selbst wenn noch Patienten die Wartezimmer gefüllt hätten, wäre man zum Sparen gezwungen gewesen. Selten nur legte auf der Seine ein Schiff mit Holz an, noch seltener eines mit Kohlen. Die Händler waren über Nacht gewichtige Persönlichkeiten geworden, die ihre Gunst dosierten und vornehmlich mit befreundeten Fleischern, Juwelieren oder Kaffeehausbesitzern lukrative Gegengeschäfte machten. Großzügig waren sie auch bei hübschen jungen Frauen, und in den Armenvierteln kannte man den Tarif für gebündeltes Holz oder einen Korb Stückkohle.

In der dämmrigen Diele stand der Kammerdiener Maurice. Wie immer war er mit peinlicher Sorgfalt gekleidet. Nur seinen Schnallenschuhen sah man an, daß er durch den Kot der regennassen Landstraßen gestapft war.

„Das ist aber eine Überraschung", rief Nanon und nötigte den Gast zum Sitzen, „ich fürchtete schon, Sie wären mit dem Prinzen ins Ausland gegangen. Das hätte mir leid getan."

Die in einen Kranz feinster Runzeln eingebetteten Augen des Kammerdieners blickten müde auf Nanon.

„Man soll einen alten Baum nicht mehr verpflanzen", sagte er, „und einen solch alten Kerl wie mich nicht aus seinen Gewohnheiten reißen. – Das Schloß ist leer geworden. Ich laufe wie ein herrenloser Hund herum. Im ganzen Südflügel bin ich jetzt Graf und Diener in einem. In den sieben Räumen der Polignacs tanzen buchstäblich die Mäuse auf den Tischen herum."

„Ein schlimmes Los, Monsieur." Nanon sagte es ein wenig spöttisch, Mitleid schien ihr fehl am Platze.

„Wissen Sie, Mademoiselle. Ich gehe durch die Säle, die langen Korridore, und überall ist Schweigen und lähmende Stille. Früher hat die Prinzessin Lamballe zur Harfe gesungen, während die Königin agierte. Ich habe mehr als fünfzig Jahre hindurch mein Amt als Erster Kammerdiener bekleidet. Mir stand es zu, den Prinzen zu wecken, ihm die Beinkleider zu halten und Schokolade zu servieren. Jahrzehnte hindurch habe ich dem Königshaus treu gedient, und jetzt wirft man mich fort wie einen schäbigen Rock. Seit der Abreise des Prinzen habe ich noch kein Salär erhalten. In der Dienerküche behandelt man mich wie einen, der die Krätze hat. ‚Friß dich bei deinem Prinzen satt!‘, sagen sie dort." In den Augenwinkeln des alten Mannes schimmerte es feucht, schließlich rollte eine Träne über die eingeschrumpften Wangen und fiel auf das Jabot.

„Ich fürchte, daß Ihnen Doktor Marat nicht helfen kann", sagte Nanon peinlich berührt. Sie konnte es nicht leiden, wenn ein Mann weinte.

„Komme ich deshalb?" Maurice erhob sich verletzt. „Ich dachte, er könnte für sein Journal einige Informationen gebrauchen. Ich habe jetzt Zeit zum Lesen, kenne auch das Blatt von Doktor Marat. – Man sieht und hört doch allerlei, selbst wenn viele Herrschaften nicht mehr im Schloß sind. Ich bin auch in der Nationalversammlung gewesen und habe die Ohren gespitzt. Ich bin von Versailles bis hierher gelaufen, Mademoiselle. Fünf gute Stunden . . . Glauben Sie, ich bin noch zwanzig? Ich wäre nicht gekommen, wenn ich nicht wüßte, daß sich etwas zusammenbraut.

Wochenlang war's im Schloß still wie in einem Mausoleum, dann mußte auf einmal der große Theatersaal hergerichtet werden. Seit dem Besuch des österreichischen Kaisers sind dort keine Feste mehr gefeiert worden. Aber die Königin gab jetzt ein Bankett für Offiziere der Gardes du corps und des Regiments Flandern. Auch ein paar von der Versailler Nationalgarde durften teilnehmen. Es gab Wein, Braten und Forellen, kurzum, es war wie in den besten Zeiten."

„Und in Paris stehen die Frauen seit Mitternacht um Brot an", sagte Nanon.

„Die Offiziere ließen die Königin hochleben. Dann kam der König, wie immer von der Jagd. Er hatte drei Rehböcke geschossen . . ."

„Genug, Monsieur Maurice. Wir müssen zu Doktor Marat. Das wird ihm alles sehr wichtig sein. Die Druckerei ist nur wenige Stunden entfernt. Eilen wir, Monsieur Maurice", bat Nanon. „Gleich ist Redaktionsschluß. Sicherlich braucht Monsieur Marat Ihre Mitteilungen noch für die nächste Ausgabe."

„Aber ohne Namensnennung, Mademoiselle. Denken Sie nicht,

daß ich feige bin, aber wer hilft mir, wenn mich der König fortjagt? Der Stallmeister Kean ist nach London zurück, aber wohin sollte ich?"

„Das Volk läßt keinen verhungern", beschwichtigte Nanon.

„Ach, darauf möchte ich mich nicht verlassen, Mademoiselle Simonet. Ich bin seit Jahrzehnten gewohnt, mich zu bücken. Kann man einen Nagel noch verwenden, den man fünfzig Jahre hindurch krummgeklopft hat?"

„Ja, man kann", sagte Nanon entschlossen. Sie hatten die Rue de Chabenais erreicht, das Viertel der Buchdrucker und Zeitungsverlage.

„Sagte ich schon, daß ich in der Nationalversammlung gewesen bin? Es war eine lebhafte Debatte. Dieser Advokat aus Arras hat gesprochen, dieser Monsieur Robespierre. Er hat übrigens keine starke Stimme, aber einen starken Eifer. Man diskutierte über die neue Verfassung, Mademoiselle. Da sagte dieser Mann etwas Schönes über die Würde des Menschen. Sehen Sie, Mademoiselle, das hat mir Mut gegeben, zu Monsieur Marat zu gehen. Ich meine, daß auch ein Kammerdiener Würde haben muß und ein Aristokrat ihn nicht zu einem schmutzigen Lappen degradieren darf."

Sie traten in den Hinterhof, wo sich die Druckerei befand. Massillon hatte gerade den Bürstenabzug zur Korrektur fertiggestellt, und Simonet begann die Presse einzurichten, da rief Nanon von der Tür her: „Wo ist Monsieur Marat? Laßt alles stehen und liegen! Alarmierende Nachrichten aus Versailles! Dies ist Monsieur Maurice, er war Erster Kammerdiener bei dem Prinzen Karl."

„Der Doktor hat sich hingelegt. Das Herz – dazu die verfluchte Hautkrankheit. Er müßte an die frische Luft, nicht in diesem feuchten Loch arbeiten", sagte Pierre.

Marat trat in den Raum und begrüßte den Versailler Gast. „Da müssen wir wohl die Überschriften ändern?" fragte er und bot Maurice einen Schemel an. „Nun erzählen Sie bitte auch mir."

„Die Königin konspiriert, Monsieur Marat. Bei dem Bankett gestern abend rissen sich die Offiziere die blau-weiß-roten Kokarden ab, steckten sich die weißen Seiner Majestät an und küßten die Fahnen des Königs. Betrunkene vom Regiment Flandern traten sogar die Kokarden des Volkes mit Füßen. Schön und liebenswürdig ging die Königin von Tisch zu Tisch, die Offiziere jubelten und tranken ihr zu. Die Hofdamen machten aus Taschentüchern weiße Kokarden."

„Hört ihr es, Freunde?" Marat stand bereits vor seinem Schreibpult. „Das ist die Gegenrevolution! Sie erhebt ihr Gorgonenhaupt. Nur mit dem Unterschied, daß wir bei ihrem Anblick nicht versteinern. Monsieur Maurice, Sie haben das alles gesehen und erlebt?"

„Bei Gott und allen Heiligen, Monsieur Marat. Es war noch schlimmer. Die Königin hat einen Toast auf die Armee ausgebracht, auf die deutschen Fürsten und auf die emigrierten Prinzen, auf den Grafen Artois."

„Setzen Sie, Massillon: ‚Paris hungert, die Königin gibt ein Bankett! Die Kinder in Paris weinen, die Offiziere in Versailles lachen und singen! Paris stiftete die Farben Blau-Weiß-Rot, die Hofdamen treten sie mit Füßen! – Was macht die Nationalversammlung? Sie hat mehr Angst vor dem Volk als vor dem König, dem sie das Veto eingeräumt hat. Paris ist in Gefahr, wenn der Hof in Versailles bleibt. Paris braucht Brot, holt das Veto! Das Veto frißt euer Brot! Volk von Paris, formiere dich! Marschiere nach Versailles!'"

„Den letzten Satz werde ich nicht setzen", sagte Massillon bokkig, „Sie wissen . . ."

„Man muß die Frauen aufrufen." Nanon schlug noch den Satz vor: „Mütter, eure Kinder hungern, und in Versailles füttern sie die Hunde mit Konfekt!"

Maurice saß still auf seinem Schemel. Er war etwas erschrocken über den Wirbel, den er verursacht hatte.

„Es ist Sonntag", sagte Marat, „wenn wir schnell arbeiten, sind fünfhundert Journale noch heute abend verkauft, am Palais Royal, am Grèveplatz und vor dem Hôtel de ville. Und fünfzehnhundert müssen in der Frühe die Pariser aufwecken wie eine Trommel."

Alle griffen zu. Pierre schnitt die Bogen zurecht, und Massillon fügte den neuen Satz in die Druckplatten ein. Nebenan in seinem Gelaß rumorte Marat und fluchte, weil ihm die Gänsekiele zerbrachen. Er schrieb zu hastig. Das Papier zerriß. Seine Finger waren voller Tintenflecke. Nanon beeilte sich, dem Wütenden beizustehen.

Nur der Kammerdiener behielt die ihm seit einem Menschenalter anerzogene Haltung bei; die Hände korrekt auf den Knien, saß er auf dem Schemel. Erschöpft war er – aber er war mit sich zufrieden, zufrieden wie seit Jahren nicht.

Marsch der Frauen nach Versailles

Paris war an diesem 5. Oktober des Jahres 1789 eine einzige Trommel. Das dröhnte Alarm, echote von den Mauern, knallte an regennasse Hausfassaden und riß die Schlummernden in das Helle und Grelle des Tages. Zeitungsjungen riefen die Schlagzeilen des „Ami du peuple": „Volk von Paris! Versailles ist ein Rattennest der Konspiration!" – „Das Veto frißt euer Brot!" – „Volk von Paris! Jean Paul Marat ist die Schildwacht der Revolution!"

In der Rue Royale war Juliette von dem Lärm erwacht. Sie streckte sich und gähnte herzhaft, Neugier stahl sich in ihre Verschlafenheit, aber aufstehen mochte sie noch nicht.

Immer ist doch etwas los in dem verflixten Paris. Und alles so wahnsinnig aufregend, so ganz anders als in dem Provinznest Guise. Was gibt's da schon? Täglich in den Beichtstuhl und – höchstens in der Abenddämmerung ein paar gestohlene Zärtlichkeiten unter den Ulmen am Ufer der Aisne, die so gemächlich dahinträdelt wie das ganze Leben dort.

Die grazile Juliette ist lebenshungrig und berechnend zugleich, will sich einen Platz in der Gesellschaft erobern, wobei sie in der Wahl ihrer Mittel rücksichtslos und unbekümmert ist.

Der Hausherr ist wieder einmal nach Rouen gefahren, wo er die neuen Fabriken einrichtet. Und Madame hat angstgeschüttelt die Reise nach den Besitzungen ihres Vaters abgebrochen, ist gestern zurückgekehrt. Hungernde Bauern haben dem sie begleitenden Advokaten das Reitpferd weggenommen, haben es abgestochen und zerstückelt.

Jetzt sitzt Madame mit Migräne in ihrem Boudoir und läßt ihre schlechte Laune an dem Kammerdiener Jacques aus. Gleich wird sie, Juliette, es sein, über die sich die Schale ihres Zorns ergießt.

Pah! Sie soll es nur nicht zu toll treiben! Schließlich hat man seine Verbindungen, seine Protektionen! Da ist zum Beispiel der Landsmann Camille Desmoulins, der Journalist. Er ist ein entfernter Verwandter – in Guise ist jeder mit jedem verwandt. Wie er sie umschmeichelte, wie er so verführerisch die Hand über ihre Hüften gleiten ließ ... Und wie er reden kann! Witzig, gescheit, frech, gerade die richtige Mischung für die Pariser. – Was hat Lavoisier von ihm gesagt? Er liefere andere Leute an die Laterne, bis er selbst seinen vorwitzigen Kopf in die Schlinge stecken müsse.

Pah! Lavoisier! Seit das Volk den Steuerpächter Foulon gehenkt und der große Chemiker dessen abgeschnittenen Kopf hoch oben auf einer Pike gesehen hat, den Mund mit Heu vollgestopft, seitdem ist sein Gemüt verdüstert. Stundenlang kann er in einer Ecke sitzen und vor sich hin starren.

Man braucht nur Monsieur Desmoulins' Aufmerksamkeit auf den Generalsteuerpächter Seiner Majestät zu lenken, da wird er in seinem Blatt „Die Revolutionen in Frankreich und Brabant" einen entsprechenden Artikel bringen, und dann untersucht man die Tätigkeit des gnädigen Herrn, zumal Gerüchte aufgekommen sind, wonach er als Direktor der Pulverfabriken die Bastille mit Munition versorgt habe, damals vor dem Sturm am 14. Juli.

Juliette erhob sich langsam und trat ans Fenster. Es nieselte wieder einmal. Die Blätter des wilden Weins, der bis ins Zimmer rankte, prangten in Farben herbstlichen Vergilbens. Regenpfützen standen auf den Gartenwegen. Wasser lief über die Skulpturen und über die Steinbank mit dem Silen.

Wieder Trommelwirbel und die Rufe der Zeitungsverkäufer.

Was war nur los?

Juliette zog sich geschwind an. Wie immer ärgerte sie sich über die vielen Knöpfe, die an den unpraktischen Stellen saßen, und lächelte zugleich, als sie an die ungeduldigen Finger Lavoisiers dachte.

„Ganz Paris ist in Aufruhr, Mademoiselle", raunte Jacques, der mit dem Frühstückstablett auf dem Wege zu Madames Zimmer war, „die Frauen rotten sich zusammen. Sie wollen nach Versailles marschieren und Papa Ludwig einen Besuch machen. Stellen Sie sich vor, das sind vier Meilen!"

„Ach, das ist lustig", Juliette kicherte, „soviel Frauen und nur ein Mann."

Sie huschte ins Boudoir und hörte noch, wie Frau Madeleine klagte: „Kein Weißbrot, Jacques? Kein Ei? Ist denn kein Bote von der Ferme meines Bruders gekommen? – Ach, Juliette, holen Sie mir bitte das Blatt, das die Zeitungsjungen ausschreien. Dieser gräßliche Marat! Der Mensch steckt noch ganz Versailles in Brand. Aber lassen Sie sich nicht in Debatten mit dem Volk ein, das durch die Straßen zieht. Es ist furchtbar ... Sehen Sie nur, wie ein Rudel Wölfinnen."

Madame war ans Fenster getreten und spähte durch die Gardinen. „Lauter Huren, Diebinnen, Bettlergesindel, Weiber aus den Markthallen. Bis hierher stinkt es nach Hering."

Juliette wollte etwas entgegnen, sie dachte an ihre Tante in den Hallen. Doch sie schwieg und sah auf die Straße hinaus ...

Ist das nicht jene Nanon, Simonet, die sie bei dem Arzt Marat gesprochen hat? Eine schöne Person ... Gütiger Gott, sie hat eine Trommel umgehängt! Und neben ihr – läuft da nicht – wie heißt

229

sie doch gleich – die Tänzerin aus dem Singspiel, das ihr so gefallen hat?

„Da drüben, Juliette, das ist doch die Höhe, da spaziert Louison, das raffinierte Biest. Kaum siebzehn und mannstoll wie nur eine. Ihr Blumenverkauf ist auch nur ein Vorwand. Ich habe das längst durchschaut. Und diesem Frätzchen von Patenkind habe ich jedes Jahr drei Taler gegeben!"

„Sie hat das Kapital gut verwendet, gnädige Frau. Übrigens deutet sie auf unser Haus. Vielleicht hat sie gesagt, daß hier ihre Wohltäterin wohnt."

Juliette wollte kränken und verwunden, sie haßte dieses Luxusweibchen, das sie täglich die Herrin fühlen ließ.

Die in Madame Lavoisier angespeicherte Wut über die seit Monaten nicht abreißende Kette von Widersetzlichkeiten, ihre Eifersucht, ihr Zorn über die aus den Fugen geratene Welt, all ihre revoltierenden Empfindungen machten sich Luft in einer schmerzhaften Ohrfeige. Sie schlug hart zu, zweimal. Juliette heulte auf.

„Das werden Sie bereuen, Sie! Man macht heute mit adeligen Frauenzimmern nicht viel Umstände. Sie werden sich bei mir entschuldigen, Madame! Auf den Knien! Vor dem ganzen Personal!"

Juliette rannte hinaus in den Nieselregen und wurde vom Strom der Frauen mitgerissen. Am Eingang zur Rue St. Louis lief sie ihrer Tante, Frau Montmartin, der Fischhändlerin, in die Arme.

„Heda, Juliette, hast du den Gestank bei deinem Chemiker satt? Hast endlich begriffen, wo du hingehörst? Hier marschieren die Weiber. Wackel nicht so mit dem Hintern, das gilt hier nicht. Wir ziehen auf Versailles und holen den Dicken nach Paris. Es gibt kein Brot, also muß er den Bäcker machen. Nachher sehn wir weiter."

Eine Gemüsehökerin war anderer Meinung: „Ich bin für den König. Er soll fromm und tugendhaft leben. Aber die Königin ist eine Verschwenderin, die ist an allem schuld."

Juliette begannen die Füße zu schmerzen. Das Pflaster war holprig, und sie hatte zu leichte Schuhe an, spürte jeden Stein. Da erkannte sie Charles Grenier, der – mit blankem Kavalleriesäbel – in seiner Nationalgardistenuniform vor dem Hôtel de ville Wache hielt. Er war häufig in Lavoisiers Laboratorium aufgetaucht. In seiner prächtigen Montur sah er für Juliette wie der Kriegsgott Mars persönlich aus.

„Mademoiselle Montmartin inmitten der Amazonen! Ich bin beseligt." Grenier salutierte mit dem Säbel.

„Junger Gardist", meinte Tante Montmartin trocken, „seien Sie weniger beseligt, seien Sie praktisch! Meine Nichte hat hübsche Beine, aber empfindliche Füße. Hier stehen bespannte Geschütze, warum bewachen Sie die? Los, Juliette, setze dich auf den Gaul, wir hocken uns auf die Lafette. So nennt man doch das Gestell? So kommen wir bequemer nach Versailles."

Grenier war von resoluten Frauen umringt. Er sah den Geschützführer achselzuckend verschwinden. Was sollte er tun? Da rollte schon das Geschütz, und auf dem Rücken des einen Pferdes saß Juliette.

Was war das alles? Revolution der Frauen?

Inmitten des Menschenstroms holperten Geschütze. Auf den Pferden saßen trommelnde Frauen und sangen das Lied von Henri IV.

Es gab auch einige Männer in der seltsamen Demonstration. Darunter: Maillard, Pedell an einer Schule, der seinen Mut beim Sturm auf die Bastille bewiesen hatte. Er stapfte unverdrossen durch den Straßenschlamm und verhandelte in Chaillot, Auteuil und Sèvres mit den Behörden wegen Verpflegung – und konnte doch nur acht Brote für achttausend Frauen erhalten. Zweiunddreißig Pfund!

„Es wird schon gehen", sagte Nanon Simonet, „wir werden unterwegs nicht verhungern." Ihre Schwägerin Charlotte nickte ihr mit fiebrig glänzenden Augen zu. Sie ging wieder mit einem Kinde, und das Laufen wurde ihr sauer.

„Komm, steig auf unsere Karosse", rief die Fischhändlerin Montmartin. „Schlecht gefahren ist immer noch besser als schlecht gelaufen."

Der Nieselregen, der eine Weile ausgesetzt hatte, begann hinter Auteuil wieder. Viele Frauen waren schon recht durchnäßt und froren im Oktoberwind. Dazu der hungrige Magen.

Auch Juliette auf dem schweren Artilleriepferd hatte viel von ihrer Unbekümmertheit verloren. Sie war nur mit dem leichten Musselinkleid bekleidet – für das Haus gedacht –, es klebte kalt und naß am Körper. Das prächtige blonde Haar fiel ihr strähnig ins Gesicht. Dazu kam, daß ihr der Reitsitz beschwerlich wurde. Gern wäre sie auf die Lafette hinübergewechselt, wo ihre vierschrötige Tante Witze erzählte.

Ob Camille den Zug begleitet? Als Journalist müßte er es eigentlich. Ob Grenier sich angeschlossen hat?

Pierre Simonet durfte in diesem Zug nicht fehlen. Er trug auf der Schulter eine lange Muskete. Ein Schild baumelte daran: „Schlüssel zu jeder Bastille." Simonet blickte so böse in die verregnete Landschaft, daß die Frauen, die neben ihm schritten, ihn furchtsam betrachteten.

Endlich, am späten Nachmittag, erreichte die Spitze des Zuges Versailles.

Der Regen hatte aufgehört. Aber aus den Dachrinnen tropfte es noch, und die Straßen waren schlüpfrig. Nun gab es wieder frohe Gesichter. Die Einwohner von Versailles lagen in den Fenstern und jubelten: „Hoch unsere Pariser Frauen! – Hoch die Nation! – Hoch der Elan unserer Frauen!" Man reichte den Erschöpften Brot und Wein. Die Pariserinnen saßen auf den Steinstufen der Häuser und in den Kircheneingängen. Wer dort keinen Platz fand, setzte sich einfach auf das Pflaster des Marktes.

Man war da – nun galt es zum König vorzudringen!

Madame Montmartin organisierte mit schallender Stimme: „Der Fisch stinkt immer am Kopf zuerst, meine ich. Also muß man jetzt zuerst den Kopf säubern. Los, Louision, du gehst den Leibwachen um den Bart. Es sind Ziegenböcke, junges Gemüse fressen sie am liebsten. Und du, Juliette, darfst jetzt mit dem Popo wackeln. Du machst dich an die Gardisten heran, sie stehen am Schloßportal wie die Büffel. Klopfe ihnen auf die Blechpanzer. Sage, daß du starke Männer am liebsten hast. Inzwischen sind wir im Schloß und besuchen den dicken Bäcker und seine Bäckerin."

Vor den Frauen das geschlossene Portal, kunstgeschmiedet in Weiß und Gold, dahinter die berittenen Gardes du corps, ein flandrisches Regiment sowie an allen Türen die Schweizer Wachen.

Nach und nach war die Dunkelheit hereingebrochen, Fackeln erhellten den Schloßeingang. Die Gardes du corps saßen noch auf ihren Gäulen, und der Regen, der wieder eingesetzt hatte, rann in dünnen Fäden über ihre messingnen Brustpanzer.

Aber das Bild hatte sich doch verändert. Die Frauen hatten eine offene Seitenpforte entdeckt und waren auf den Schloßhof gelangt. Unbekümmert und scherzend spazierten sie zwischen den Reitern umher. Der Charme der Pariserinnen hatte die Strenge der Militärs bezwungen. Ein Leutnant hatte Juliette in seinen Sattel gehoben und drückte ihr einen Kuß nach dem anderen auf die Lippen. Da war Louison, die von Arm zu Arm ging.

„Der König wird mich empfangen", kreischte sie, als ein riesenhafter Gardist sie auf sein Pferd ziehen wollte, „er wird Getreide nach Paris senden. Der König ist gut! Es lebe der König!"

„Hündinnen", knurrte Pierre. „Vor einem gekrönten Affen verlieren sie ihren Bürgerstolz."

„Aber die Frauen sind ohne Blutvergießen in den Schloßhof gekommen", begehrte Charlotte auf, „bei euch Männern hätte es hundert Tote gegeben."

Pierres Laune besserte sich auch nicht, als ihm der alte Maurice

in den Weg lief und tuschelte, Marquis Lafayette komme mit fünfzehntausend Nationalgardisten aus Paris, um Unheil zu verhüten.
„Die Königin mag Monsieur Lafayette zwar nicht, aber es ist
schon so: Beim Ertrinken fragt man nicht nach den Gesichtern der
Retter."

„Und der König?"

„Er war zuerst gleichgültig, man mußte ihn vom Jagdausflug zurückholen. Er will, daß die Königin nach Rambonillet geht. Monsieur Necker soll das empfohlen haben."

„Begreife einer, warum der König diesen Tropf zurückgeholt
hat. Der will ja doch nur englische Zustände. – Was sollen die
uns?"

Vom Schloßhof her vernahm man Gebrüll und gellende
Schreie, einige Schüsse fielen, das Echo brach sich an der Schloß-
fassade.

„Es gibt ja doch Zusammenstöße", meinte Maurice besorgt. „Immerhin, die Gardes du corps ziehen ab, gottlob, ein bißchen
Zündstoff weniger. Ich denke, wir werden eine ruhige Nacht bekommen."

„Geben Sie mir noch einen guten Rat, Monsieur Maurice. Wie
schaffen wir es, daß der Dicke nach Paris kommt?"

„Marquis de Lafayette müßte für seine Sicherheit garantieren,
das ist meine persönliche Auffassung, Monsieur Simonet. Ob er
zwar auch für die Unverletzlichkeit der Königin bürgen kann? Es
gibt Leute genug – nein, die Zunge sträubt sich, es auszuspre-
chen –, die in ihr die Urheberin allen Zwistes sehen. Ein Schuß . . .
Man darf das nicht sagen, Monsieur."

„Ach was, Maurice, wir sind keine Meuchelmörder", sprach
Pierre entschlossen. Dann bat er für die beiden erschöpften
Frauen um ein Nachtquartier.

„Wenn es die Damen nicht stört, bei Pferde- und Hundebildern
zu schlafen, das Gemach von Mister Kean steht leer mit Bett und
Ottomane. Und wenn es Ihnen recht ist, Monsieur Simonet, das
Zimmer des Grafen Guibert ist unbenutzt. Er weilt in Turin, wo
auch der Prinz ist."

„Wir werden im Schloß schlafen", rief Pierre ausgelassen, „was
so eine Revolution nicht alles fertigbringt!"

Als Pierre erwachte, lag noch die Dämmerung des heraufziehenden Oktobertags in dem hohen Gemach mit dem breiten üppigen
Bett und den gediegenen Möbelstücken. Er reckte sich wohlig
und kroch noch tiefer in die ungewohnte Molligkeit der Kissen.
Doch seine Augen ließ er umherschweifen.

O lala, die Deckengemälde . . . Halbnackte Frauen tanzen um

einen flötespielenden bocksfüßigen Kerl – lauter hübsche Weiberchen. Und eine ganz nackte Schöne liegt auf einer Wiese – aber sie dreht einem die Hinterpartie zu. Merde!

Haben es gut, die verdammten Aristokraten, liegen bis in den hellen Vormittag im Bett, wenn unsereins bereits den ersten Schweiß vergießt.

Hier hängt ja auch der Klingelzug! Ein Ruck, und Maurice war erschienen mit Schokolade und dem andern süßen Zeug. Ein bequemes Dasein, zum Donner!

Ob Charlotte auch so gut geschlafen hat? Waren hübsch müde, die beiden Frauen.

Plötzlich drang ein Schrei in Pierres Gedanken. „Zu Hilfe! Zu Hilfe!"

Die Stimme von Maurice? Gepolter, Klirren von Glas. Noch ein Schrei, diesmal schwächer.

Pierre sprang aus dem Bett, kleidete sich hastig an und stürmte in das Gemach nebenan. Ein Blick, und er wußte, was er zu tun hatte. Der Kammerdiener hing blutend über einer Sessellehne, die Hände waren gefesselt. Drei wüst aussehende Kerle plünderten, sie hatten bereits einiges in einem Sack verstaut. Einer stand auf dem Kaminsims und versuchte ein Gemälde aus dem Rahmen zu schneiden, der zweite riß an den Brokatgardinen, der dritte wickelte einen Silberleuchter in eine Tischdecke.

„Ihr Schweine!" schrie Pierre. „So besudelt ihr unsere gute Sache? Das gehört dem Volk. Liegenlassen, sage ich!"

Heiliger Zorn verlieh Pierre seine alten Kräfte. Er packte den Kerl, der auf dem Kaminsims stand, trug ihn zum Fenster und stieß ihn durch das zersplitternde Glas hinunter auf den Schloßhof. Der zweite Räuber lief entsetzt davon. Nur der dritte war gefährlich. Er hatte einen Degen von der Wand gerissen und drang damit auf Pierre ein. Doch der war auf der Hut, er ergriff eine schwere bronzene Vase und schlug sie dem Gegner mit solcher Gewalt an den Kopf, daß er zusammenbrach und vom herbeigeeilten Schloßpersonal endgültig überwältigt werden konnte.

„Gesindel", sagte Pierre verächtlich, während er Maurice losband. „Unsere Frauen marschieren für ein Stück Brot, und diese Lumpen wollen sich mit Diebesgut die Taschen füllen."

Der alte Diener war nur leicht verletzt, seine Lippen bluteten noch. Zitternd erhob er sich.

„Sie haben Kräfte wie Herkules, Monsieur. Ich danke Ihnen von Herzen. Ich wollte gerade zu Ihnen. Majestät hat die Dekrete über die Menschenrechte unterzeichnet. Eine Deputation von Abgeordneten ist schon heute nacht nach Paris."

„Majestät haben wohl Angst bekommen", witzelte Pierre. „Aber Papierchen, die sind uns einen Dreck wert! Wirkliche Garantie haben wir nur, wenn Papachen mit uns nach Paris zieht."

Verworrene Geräusche, entferntes Hämmern gegen Türen und Geschrei ließen die beiden Männer in den Gang treten. Ein Sergeant der Nationalgarde rannte an ihnen vorbei, rief etwas Unverständliches. Eine ältliche Frau, in rotweißgestreiftem Morgenrock, mit einer Nachthaube auf dem grauen Haar, lief an ihnen vorüber und schrie hysterisch: „Sind denn keine Männer da, die Königin zu schützen?"

„Wer ist die gestreifte Alte mit der Nachtmütze?"

Maurice bekreuzigte sich. „Jesus und Maria! Wie können Sie so despektierlich sprechen, Monsieur Simonet! Das ist die Kammerfrau Ihrer Majestät, Madame de Campan."

Ein Pistolenschuß krachte, eine Fensterscheibe zerbrach, die Kugel schlug gegen den Plafond. Stuck bröckelte herab. Schreie drangen vom Hof herein.

„Verflucht!" tobte Pierre, „was soll die Schießerei!" Er lief dem Lärm entgegen. Maurice folgte, so schnell die Beine ihn trugen.

Hier begann die große Galerie. Danach kam das „Oeil de Boeuf" – der Raum mit runden Fenstern wie Ochsenaugen –, wo die Zimmer des Herrscherpaares mündeten.

Jetzt waren deutliche Rufe zu vernehmen: „Öffnen! Öffnen! – Wir wollen zur Königin! – Die Königin soll unser Elend sehen. – Wo ist der königliche Dickwanst?"

Pierre stand am Eingang zu den Gemächern Marie Antoinettes, neben ihm der bebende Maurice. Ein blutender Gardist stemmte sich gegen die Tür zur Freitreppe, die unter den beharrlichen Stößen erzitterte.

Aus der Galerie eilten Soldaten herbei, ihrem Kameraden beizustehen.

Da trat die Königin aus ihrem Schlafzimmer. Marie Antoinette war auffallend blaß, ihr Atem flog, die Kette am Hals klirrte, doch die Haltung der Habsburgerin war beherrscht.

Schleppenden Schritts erschien nun auch der König. Noch schlaftrunken sah er auf den Gardisten und die Leibwache. Dann richtete er einen fragenden Blick auf seine Gemahlin.

Der begreift überhaupt nichts, dachte Pierre. Aber wir nehmen dich mit, Dicker, da gibt's nichts! Aha, jetzt ziehen sie ihm noch den Galarock an.

Die Türflügel krachten auf. Nationalgardisten aus Versailles und Paris und die durchweg aus Adeligen bestehende Leibwache maßen sich kampfbereit.

Pierre hielt den Atem an … Jetzt ging es um den König und

um diese geputzte Frau, die unbeweglich an der Tür zum Balkon lehnte und auf die Volksmenge unten auf dem Schloßhof schaute.

Da kam Lafayette – er trug die Uniform der Nationalgarde, auf seiner Brust prangten die Orden des amerikanischen Freiheitskrieges.

Er richtete einige halblaute Worte an den König, der ihn offenen Mundes anstarrte. Dann ein Befehl Lafayettes, und seine Nationalgardisten senkten die Degen; ein Befehl Ludwigs XVI., und seine Leibgarde zog sich zurück.

„Das Volk wünscht Majestät zu sehen", sagte Lafayette jetzt mit lauter Stimme und ließ die Flügeltüren zum Balkon weit öffnen. Zugleich – welch vortreffliche Regie – brachte Madame de Campan den Dauphin und seine Schwester.

Erst trat der König hinaus und blickte mit matten Augen auf die tausendköpfige Menge. Mit unbeteiligter Miene vernahm er die wenigen Zurufe und die einem Zug des Regiments Flandern befohlene Huldigung.

Simonet fieberte. Jetzt müßte etwas geschehen ... Verdiente dieser Monarch Rücksicht? Achtung? Ehrfurcht? Pierre dachte an die finsteren Löcher der Bastille, aus denen man die Gefangenen herausgeholt hatte. Hatte nicht dieser Mann dort draußen die Urteile unterschrieben? Verdammt noch mal!

Doch jetzt ereignete sich etwas für Pierre ganz Unfaßbares. Lafayette führte die Königin auf den Balkon, und sie trat mit dem einstudierten Lächeln einer Schauspielerin an die Balustrade. Sie schob ihre beiden Kinder vor sich her, streichelte dem Dauphin das Haar und winkte den Frauen zu.

Diese übermüdeten, ausgehungerten Frauen – schnell gerührt und schnell begeistert – riefen: „Hoch die Königin! Hoch Marie Antoinette!" Als der Marquis de Lafayette der Königin die Hand küßte, stieg der Jubel noch.

Pierre trat zurück in eine der Nischen. Tränen der Wut und der Enttäuschung stürzten ihm aus den Augen. Mußten sie denn immer einen haben, der auf Balkonen stand und – ihrem kleinen armseligen Leben entrückt – herabwinkte, damit sie hinaufjubeln konnten?

Als Pierre später Nanon und Charlotte wiederfand, sagte er: „Denkt euch nur, die Wagen standen schon bereit, um die Königin mit Hofstaat nach Trianon zu bringen. Jetzt haben wir durchgesetzt, daß die ganze königliche Familie nach Paris übersiedelt. Wir haben gewonnen! Der Bäcker in Paris, das bedeutet Brot für alle."

„Unser Doktor Marat wird glücklich sein, er hat im ,Ami du

peuple' den Anstoß gegeben", ergänzte Nanon, und ihre Augen glänzten.

Der Zug der Pariser Frauen bewegte sich heimwärts. Sie waren fröhlich, und ihre Lieder erklangen in Sèvres, Auteuil und Chaillot. „Wir bringen den Bäcker, die Bäckerin und den kleinen Bäckerjungen." Sie marschierten in geschlossenen Reihen, und viele trugen auf ihren Piken frischgebackenes Weißbrot, das die Bäcker von Versailles auf Weisung der Nationalversammlung aus Beständen des Hofes gebacken hatten.

In Auteuil überholte ein Kabriolett, das dem Sekretär des holländischen Gesandten gehörte, den Zug der Frauen. In ihm saß Juliette, die die Nacht im Palais der Gesandtschaft verbracht hatte.

Von der Nationalgarde bewacht, am Kutschenschlag der berittene Lafayette, so zog Ludwig XVI. in seine Hauptstadt Paris ein.

Spät am Abend sprach Marat mit dem heimgekehrten Simonet. Nanon saß dabei, sie war in einem eigenartigen Zustand, hellwach und dabei völlig erschöpft. „Berichten Sie, Pierre! Der Marsch nach Versailles hat mit einem Triumph geendet. Jetzt haben wir den dicken König unter unseren Augen. Wie hat sich denn die so brave Nationalversammlung verhalten?"

Pierre lachte, aber es war ein ungutes Lachen. „Wir sind in die so friedliche Versammlung eingebrochen wie Wölfe in eine Schafsherde. Gerade sprach der Advokat Robespierre. Es ging um das verdammte Veto. Der Herr Monarch macht Schwierigkeiten. Keine Erklärung der Menschenrechte, keine Enteignung der Adeligen. Robespierre sagte: Wenn Sie das dulden, meine Herren, dann wird es keine Verfassung mehr geben, auch kein Recht darauf."

„Inzwischen hat ja nun der König seinen Sinn geändert", äußerte Nanon, „er bekam die große Furcht."

„Eine ansteckende Krankheit", spottete Marat, „aber das hitzige Fieber bringt schnelle Heilung."

Und wieder Pierre, der eine Brotsuppe löffelte: „Sie glauben gar nicht, wie schnell die Versammlung einig wurde, als das Gerücht aufkam, Paris marschiere mit rund fünfzigtausend Mann. Auf einmal gab es Brotmehl, auf einmal konnte der Dickwanst alles unterschreiben. Noch in der Nacht sind Abgeordnete nach Paris kutschiert und haben die Dekrete den Wahlmännern und dem Bürgermeister übergeben."

„Ein Sieg, Pierre, ein erster Sieg!" rief Marat.

4

Rückkehr aus England

„Dieser Marat ist eine Wühlratte." Der Färbereibesitzer Lenormande aus Rouen warf diese Worte so geringschätzig und zornig hin, daß die Tischgäste erstaunt aufblickten.

Monsieur Lenormande war Abgeordneter der Nationalversammlung und vertrat dort mit vielen Kaufleuten, Fabrikbesitzern, Schiffsreedern und Advokaten eine bestimmte Gruppe innerhalb des dritten Standes. Heute, an diesem frostigen Novembertag, gab er für einige seiner Freunde ein Bankett bei dem Gastwirt Doyen in den Champs-Elysées.

„Ja, er ist eine Ratte, die man aufspießen muß." Der beleibte Mann betupfte sich die Lippen mit der Serviette und fuhr dann etwas ruhiger fort: „Haben Sie eigentlich die letzte Ausgabe seines Blattes, ehe es verboten wurde, noch gelesen? Darin behauptet er, in Paris gebe es nur einen Freund des Volkes, das sei er selbst. Mir und meinen Freunden wirft er die Lebenshaltung vor, er nennt uns Parasiten. – Sie, mein lieber Lavoisier, bekommen auch einen Tatzenhieb ab: Stümper in der Chemie mit hunderttausend Franc Rente. – Und Sie, Monsieur Le Chapelier, Ihnen bescheinigt er, Sie seien ein geldgieriger Deputierter, ein Feind der Arbeiter, ganz Rennes atme auf, seitdem Sie dort nicht mehr Ihre Advokatur ausüben."

„Das kommt alles von der zu liberalen Handhabung der Presseüberwachung", ereiferte sich der Abgeordnete aus Rennes, „geben Sie einem Habenichts eine Feder, ein Tintenfaß, einen Stoß leeres Papier, und er wird so viel Unflat anhäufen, daß er schlimmer stinkt als alle Kloaken von Paris. – Verzeihen Sie den Vergleich, meine Damen."

„Aber er wird damit Geld machen", meinte der Färbereibesitzer, „diese Journalisten sind die neuen Aristokraten. Je mehr Skandale, desto mehr Journale."

„Sehen Sie nur unseren Freund Desmoulins an", Le Chapelier pustete ärgerlich, da er sich die Zunge an der fetten Hühnerbrühe verbrannt hatte, „man sagt, als er von Guise nach Paris kam, konnte er nicht ausgehen, wenn sein einziges Hemd gewaschen wurde. Jetzt scheffelt er mit seinem Blättchen Geld, kauft sich teure Möbel und bewirbt sich um die entzückende Lucile Duplessis, die ihm hunderttausend Franc in die Ehe bringt."

„Und dabei noch unberührt ist, eine Rosenknospe vor dem Aufbrechen", witzelte der Maler Breullon am anderen Ende der Tafel.

Madame Lavoisier lächelte dünn. Sie genoß die geraunten Huldigungen Lenormandes. Es war ihr angenehm, daß sich solch ein bedeutender Mann um sie bemühte.

Lenormande, der Gastgeber, präsidierte auch der kleinen Tafelrunde, die das Hinterzimmer des Gasthauses füllte. Nachdem die Nationalversammlung – dem Beispiel des Königs folgend, der nun seit einigen Wochen mit seiner Familie in den Tuilerien hauste – nach Paris übergesiedelt war, bemühte sich Lenormande um Männer mit Einfluß und Geld.

„Ich glaube nicht, daß Marat aus seinem Blatt eine Rendite herausschlägt", äußerte Lavoisier, der dem bisherigen Gespräch nur zerstreut zugehört hatte, da ihn seine Tischdame, die reizvolle Schauspielerin Madame du Gazon, stark interessierte. Bisher die Geliebte des Grafen Guibert, befand sie sich – nach dessen Flucht ins Ausland – auf Männerfang.

Mit Juliette, die Lavoisier gegenübersaß und ihn spöttisch musterte, galt es endlich Schluß zu machen. Sie hatte zu viele verworrene Affären mit Politikern, Diplomaten und Geldleuten, deshalb nur war sie nach einer wüsten Szene mit Madama Lavoisier wieder im Hause aufgenommen worden. Man fürchtete dieses Mädchen, fürchtete einen Skandal. So nützte Juliette ihre Möglichkeiten, hatte darauf bestanden, zum Bankett Lenormandes eine Einladung zu erhalten. Hier konnte sie allen Gesprächen lauschen, alle Anwesenden studieren.

Da saß zum Beispiel dieser Professor Charles, ein etwas vertrockneter Gelehrter, der von den Experimenten eines Herrn Volta erzählte ...

Juliettes Tischnachbar, der kecke Maler Breullon, begann ihr Frivolitäten ins Ohr zu flüstern und bot ihr an, sie als Bacchantin zu malen.

„Mein Atelier liegt günstig, Mademoiselle, Rue Saint Florentin 31. Versteckt in einem alten Hof, von Birnbäumen überdacht. Niemand wird Sie sehen, wenn Sie Ihre zarten Füßchen auf die Treppe setzen."

„Und hinstürze, weil sie morsch ist? Es wird behauptet, bei Ihnen fallen die Mädchen leicht ..."

„Sie folgen damit nur dem urältesten Naturgesetz ..." Breullon trank ihr zu.

Juliette kicherte. Zugleich aber registrierte ihr Gehirn jede Einzelheit der Gespräche am Tisch. Camille hatte sie gebeten, ihm alles zuzutragen, was bei dem Diner geredet würde. Sie hatte eine Schwäche für diesen leichtlebigen, hochbegabten Desmoulins. Sie mochte auch diesen Sekretär der holländischen Gesandtschaft, der sie drängte, die Hitzegrade der Porzellanmanufaktur Sèvres auszukundschaften – Fabrikationsgeheimnisse, die vermutlich nur Lavoisier kannte. Der Holländer würde diese Kenntnisse nicht nur mit Küssen belohnen . . .

Camille wird also heiraten, vermögend werden. Desto besser, ein Bekannter mit Einfluß mehr. Zur Zeit war er auch für den Grafen Mirabeau tätig. Es mußten undurchsichtige Geschäfte sein, weil Camille darüber schwieg – vielleicht kam sie noch dahinter.

Der Färbereibesitzer hatte wieder das Wort. „Sie sind doch mächtig, lieber Lavoisier. Ein Gespräch mit dem Marquis Lafayette, ein Brief an den Chef der Polizei, und dieser Zeitungsschmierer Marat sitzt in einem finsteren Loch."

„Ich bin mächtig – nicht allmächtig, Monsieur Lenormande. Aber ein Billett an das Châtelet von Paris hat bereits eine erste Wirkung erzielt: Der ‚Ami du peuple' erscheint seit 8. Oktober nicht mehr. Marat ist mit unbekanntem Wohnsitz abgereist."

Professor Charles lachte. Ein unangenehmes Meckern, das Juliette an einen Ziegenbock erinnerte. „Also geplatzt. Genauso, wie wenn mein Assistent mit der Nadel in einen prallgefüllten Ballon sticht."

„Hat er denn Regierungsfeindliches geschrieben?" fragte Frau Lavoisier mit so ahnungslosem Gesichtsausdruck, daß ihr Gatte sie wütend ansah.

„Madame, er greift Necker an, wirft ihm vor, er habe im Ausland zu teures Getreide gekauft und trage an der Hungersnot die Hauptschuld. Er und die staatlichen Steuerpächter!" Ein Seitenblick zu Lavoisier. „Marat deutet an, daß Ämter verschachert werden . . . Uns gibt er die Hauptschuld am aufschiebenden Veto. Ja, wir sind auch schuld, daß die Nationalgarde nur Bürgern mit Besitz offensteht. Nun, wir haben eine breite Brust und eine harte Stirn. Dieser Zwerg aus der Taubenhausgasse wird im Gefängnis enden. Die Nation kennt ihre wahren Patrioten. Monsieur Marat hetzt nur aus verletzter Eitelkeit."

Lavoisier war es nicht wohl bei den Sätzen Le Chapeliers, dessen sonst so blasses Gesicht zornrot angelaufen war. Zudem glaubte er Marat besser zu kennen. Wenn er auch von dessen wissenschaftlichen Arbeiten keine hohe Meinung hatte und seine politischen Ansichten als Utopien abtat, so war er sich doch klar darüber, daß Marat aus ehrlichster Überzeugung handelte. Ein Fanatiker, sicherlich ein gefährlicher, auch für ihn. Deshalb hatte er sich auch gegen Marat zur Wehr gesetzt, hatte dessen Aufnahme in die Akademie hintertrieben und seine gefährlichen Schriften dem Prinzen Karl zugeleitet.

Lavoisier sagte ablenkend: „Diese Zeit bringt unausgegorene

Ideen und Erfindungen hervor. Ein gewisser Chabanis will das Perpetuum mobile konstruieren und der Nation zum Geschenk anbieten, wenn diese ihm zuvor zehntausend Livres auszahlt. Bildhauer haben sich gefunden, die aus Steinen der Bastille kleine Freiheitsgöttinnen für den Versand nach Amerika meißeln wollen."

Die Tischrunde lachte. Professor Charles ergänzte: „Es wird Sie interessieren, der Abgeordnete Doktor Guillotin hat mich besucht, er hat eine Hinrichtungsmaschine entwickelt."

„Eine . . . schauerlich . . ." Die Schauspielerin setzte ihre Tasse ab, so heftig, daß die Brühe überschwappte. Die Tischgesellschaft war unangenehm berührt. Nur Breullon lachte laut, während Lenormande verlegen an der Spitzenmanschette zupfte und Lavoisier sich ein gleichmütiges Aussehen gab.

„Eigentlich hat ein Deutscher diese Maschine ersonnen. Schmidt soll er sich nennen und Klavierbauer sein. Denken Sie nur, meine Damen und Herren, welch makabre Erfindung. Schmidt hat im Hause von Charles Henri Sanson . . ."

„Dem Henker?" rief die du Gazon entsetzt.

„Richtig, dem Henker. Mit ihm hat er musiziert. Einem Oudit zufolge sollen sie sich zwischen einer Arie aus ‚Orpheus' und einem Duett aus der ‚Iphigenie in Aulis' die Enthauptungsmaschine ausgedacht haben. Hier – ich zeichne sie auf. Ein schweres Messer fällt zwischen Führungsbalken herab, trennt das Haupt sekundenschnell vom Rumpf. Der Delinquent liegt auf einem Klappbrett, die Stahlklinge trifft genau den Halswirbel. Guillotin hat die Sache noch verbessert."

„Eine tolle Erfindung", rief der Maler über den Tisch, „zweifellos eine humane Tötungsart. Ich habe einige Jahre Anatomie studiert. Der Kopf, meine Herrschaften, als Sitz der Gedanken, wird vom Körper losgetrennt. Im Zeichen der Gleichheit: Kopf ab für Arme und Reiche."

Lenormande hatte bereits den Kellnern geläutet, damit die Omeletts serviert würden. Er war ungehalten über Professor Charles, der solch eine verfängliche Thematik angeschnitten hatte.

Gewöhnt, immer selbst zu präsidieren und das Wort zu führen, ließ Le Chapelier jetzt an Guillotins Maschinerie nichts gelten.

„Natürlich war Guillotin auch bei mir. Er ist von dieser Maschine besessen und versichert mir, er könne dem Verurteilten das Haupt von den Schultern herabtanzen lassen, und derselbe würde lediglich eine leichte Frische verspüren."

Lenormande lachte schallend. „Das muß ich nach meiner Rückkehr in Rouen erzählen. Dem Abbé Noriot wird nicht nur die Tonsur geschoren, er bekommt eine leichte Frische."

Lavoisier brütete vor sich hin. Er sah das abgeschlagene Haupt Foulons auf der Pike. – Doch warum diese Erinnerung? Necker hatte allen Generalsteuerpächtern versichert, daß niemand daran denke, sie für ihre gewaltsamen Eintreibungen zur Rechenschaft zu ziehen.

„Sie sind so schweigsam geworden, Monsieur Lavoisier?" Die schöne Schauspielerin schenkte ihm ihr verführerischstes Lächeln.

Doch Lavoisier reagierte nicht. Er fragte über den Tisch: „Wie war Ihre Reise, Lenormande? Wie stehen die Geschäfte? Sie wollen Brennereien errichten?"

„Selbstverständlich. Seitdem die Binnenzölle gefallen sind, seit wir eine moderne Stadtverwaltung haben, lohnt es sich zu fabrizieren. Man muß nur eine gesunde Relation zwischen Kapital und Arbeit herstellen. Hier sitzt ja Monsieur Le Chapelier, auf diesem Gebiet der beste Fachmann."

„Ich finde, daß man genug Konzessionen gemacht hat." Der Advokat aus Rennes setzte zu längerer Rede an. „Das Haus Frankreich ist im Rohbau fertig", sagte er mit seiner volltönenden Rednerstimme, „wir werden nicht dulden, daß neue Risse im Mauerwerk entstehen. Den Arbeitern einen gerechten Lohn, den aber die Nation festsetzt. Natürlich wird man die Unternehmer hören, Monsieur Lenormande. Man wird die Arbeitszeit behördlich festsetzen und das Wahlrecht vom Besitz abhängig machen."

„Bravo", rief Lavoisier, „man sollte auch nicht dulden, daß die Arbeiter sich organisieren. Verbot jeglicher Koalition." Er trank Le Chapelier zu, der gleichfalls sein Glas erhob.

„Aber Monsieur Le Chapelier", der Maler machte ein Gesicht, als falle er aus allen Wolken, „das verstößt doch gegen die Deklaration der Menschenrechte! Für diese haben unsere Pariser vor der Bastille geblutet, dafür sind die Frauen nach Versailles marschiert. Dafür . . .", er stotterte, als er die eisigen Mienen ringsum sah, und verstummte. Er hatte sich auf die schlüpfrige Ebene der Politik gewagt, von der er nichts verstand.

Eine Zurechtweisung durch Madame Lavoisier mußte er auch noch einstecken: „Sie sind Künstler, Monsieur Breullon, und als Porträtist bereits ein Mann mit Namen. Würden Sie akzeptieren, daß ein simpler Dorfschmied oder ein, sagen wir, Kaminfeger die gleiche Entlohnung erhält wie Sie für ein Konterfei Lafayettes oder Benjamin Franklins? Würden Sie das Wort Gleichheit so primitiv interpretieren?"

Verlegenes Schweigen ringsum, bis der geschickte Lenormande über den Verkauf der Kirchengüter in der Normandie zu plaudern begann.

„Es gibt Refektorien, da spucken die Mönche aus, wenn der Name Talleyrands, des Bischofs von Autun, fällt. Er ist für sie der leibhaftige Gottseibeiuns, seit er die Enteignung allen kirchlichen Gutes beantragt hat. – Ich habe übrigens sofort gekauft. Aus dem Besitz des Klosters der Dominikaner ein Obstgut, von den Ursulinerinnen einen Wald von tausend Morgen und vom Bistum Rouen vier Lagerhäuser am Hafen. Die Säkularisation pumpt neues Blut in die vertrockneten Adern der Wirtschaft."

Er trank sein Glas auf einen Zug leer, seine Augen funkelten listig und stolz.

„Wie steht es mit den Bauern?" fragte Lavoisier. „Sie sollen doch die Nutznießer der Säkularisation sein."

„Die Bauern kaufen, soweit sie Geld haben. Noch nie haben die Notare soviel Grundstückseintragungen bewältigt." Lenormande sah sich selbstgefällig um. „Ich sage Ihnen, Messieurs, die Unruhen in den Landbezirken haben bereits nachgelassen. Die Bauern wollten erstens keine Abgaben mehr, zweitens keine Steuern mehr, und drittens wollten sie Boden, eigenen Boden. Wir haben ihn der Kirche genommen und auf das Volk verteilt. Nun hat der Bauer Land." Man konnte am Gesicht Lenormandes ablesen, wie sehr er mit der Arbeit der Nationalversammlung zufrieden war.

„Aber die armen Bauern bleiben arm", sagte Breullon, jedoch so leise, daß nur Juliette ihn verstand.

Der Gastwirt Doyen schob sich ins Zimmer und flüsterte Lenormande etwas zu.

„Oh, eine erfreuliche Botschaft, meine Herrschaften. Soeben ist Monsieur Danton, der Präsident des Distrikts der Cordeliers, vorgefahren. Es ist mir ein Vergnügen, Sie mit dem Cicero und Demosthenes unserer Tage bekannt machen zu können . . ."

Der so Gerühmte und Berühmte stand bereits im Gastzimmer und lächelte den Anwesenden gutgelaunt zu. Er küßte den drei Damen mit Grazie die Hand.

„Jetzt weiß ich erst, wie dem Trojanerprinzen zumute war. Drei Göttinnen! Erlassen Sie mir die Verteilung des Schönheitspreises. – Ich stelle fest, Madame Lavoisier, daß des Malers Pinsel nicht geschmeichelt hat: Das Original übertrifft das Porträt. – Ihr Vetter, Mademoiselle Juliette, hat mir viel Rühmliches berichtet. Sie sollen ein Geschütz erobert haben und die Herzen aller Nationalgardisten von Versailles. – Und Sie, Madame du Gazon, habe ich in einem miserablen Stück von Marivaux gesehen. Allein Ihrer Kunst ist es zu verdanken, daß ich die Komödie bis zu Ende ertragen habe. Meine Verehrung."

„Meinen Sie die ‚Sklaveninsel'?" fragte die Künstlerin. „Man sagt, daß ich darin gut bin."

Sie spielt Bescheidenheit, dachte Juliette. Ihr gefiel der berühmte Danton nicht. Wie ein Bierbrauer sieht er aus, hat Blatternarben und eine Nase wie eine englische Dogge. Dazu die dicken Lippen. Scheußlich! Ein Riese aus einem Urwald. Er hat Fäuste wie ein Lastträger – aber Augen, aus denen jederzeit ein Vulkan losbrechen könnte. Der scharlachrote Frack ist ungebügelt, ein Knopf hängt lose.

Widerlich!

Jetzt begrüßte Danton den Abgeordneten Lenormande, und es war schon ein Schauspiel, diese beiden Männer in einer Umarmung vereint zu sehen.

„Mesdames et Messieurs", Danton riß sich los, „ich komme von den Jakobinern. Der Schulmeister aus Arras, Robespierre, fingerte auf dem Rednerpult herum und sprach gegen die Adelstitel, deren Abschaffung er empfahl. Bald wird es nur noch den Citoyen Mirabeau geben."

Dann wandte sich Danton den beiden Gelehrten zu und verbeugte sich tief vor ihnen.

„Unsere Zeit bedarf der Wissenschaften. Das kommende Jahrhundert wird der Chemie und der Physik gehören. Leider bin ich Jurist, und Juristen sind schon seit Drakon unangenehme, humorlose Leute."

Nun bemerkte er den Maler. „Siehe da, unser Raffael. Sie sollen meinen Kollegen Desmoulins so idealisiert haben, daß die Grisetten vom Palais Royal hinfort von ihm nur halbe Preise nehmen." Sein breites Lachen übertönte den schwachen Protest Breullons und die Entrüstung Madame Lavoisiers.

„Hat denn jemand diesem Robespierre geantwortet?" fragte Lenormande verärgert.

„Aber ja. Die rechte Seite des Hauses war stark vertreten. Bailly hat als Bürgermeister von Paris scharf opponiert. Im übrigen hat man aber in der Anklage gegen Marat wegen Pressevergehens weit über das Ziel hinausgeschossen. Wissen Sie, mir ist dieser Mann nicht besonders sympathisch. Aber man sollte ihn in Ruhe lassen; je mehr man ihn verfolgt, desto populärer wird er."

„Aber Monsieur Danton, Marat verleumdet jeden. Seine Zeitung war eine einzige Dreckschleuder!" Frau Lavoisier glaubte die Sache ihres Gatten verteidigen zu müssen.

„Jedenfalls ist Marats Blatt seit Wochen verboten", bemerkte Lenormande.

„Kein schöner Auftakt für eine Symphonie der Freiheit", entgegnete Danton. „Diese Ansicht vertrat übrigens auch Doktor Grenier. Er scheint für Marat zu schwärmen."

Von der Straße vernahm man das durchdringende Geschrei der Zeitungsjungen. Die Abendblätter waren eingetroffen.

„Hören Sie?" fragte Breullon, der sich bei dem Disput zurückgehalten hatte, „der reinste Zeitungskrieg. ,Patriot français', den gibt doch wohl Brissot heraus? Und was brüllt der? ,Le Courrier de Brabant'?"

„Der ist von meinem Vetter Desmoulins", rief Juliette wichtigtuerisch.

Lenormande verlor plötzlich seine Ruhe und Überlegenheit.

„Was ist das? Rief man nicht ,Ami du peuple'? Teufel noch eins! Der Kerl läßt unterirdisch drucken!"

Die ganze Tischgesellschaft hielt den Atem an. Draußen schmetterte eine helle Stimme: „Der ,Volksfreund' enthüllt! Marat ist wachsam! Die Revolution ist nur halb vollendet! Die Armut ist nicht beseitigt! Hütet euch vor den Aristokraten! Necker spekuliert mit eurem Getreide!"

„Monsieur Danton, das ist der Biß des tollwütigen Marat aus irgendeinem Kellerloch", tobte Le Chapelier.

„Und wieviel Keller hat Paris?" Danton hob gleichmütig sein Glas und trank der Schauspielerin zu.

Der Duft von Weißdornzweigen und Maiblumen durchdrang das Arbeitszimmer Marats in der Taubenhausgasse. Nanon war dem von England Zurückkehrenden bis Saint Denis entgegengefahren. Dort in den Wäldern hatte sie Blumen und Zweige gepflückt, ganze Arme voller Frühlingsboten.

Nun war der Flüchtling zurück. Um den runden Tisch im Wohnzimmer saßen die Freunde. Mama Massillon hatte einen Topfkuchen gebacken, und Nanon hantierte als Hausfrau in Stube und Küche.

„Bürger Marat", Pierre legte sein Kuchenstück beiseite, „drei Monate mußten wir ohne Sie beraten und handeln. Das war verdammt übel. Wir hatten uns ja gleich gedacht, daß Sie eines Tages wegen des ,Ami du peuple' Scherereien bekämen. Royalistische Zeitungen, die wurden nicht verboten! Aber auf Ihre Zeitung, Bürger Marat, die für uns arme Schlucker da ist, da haben sie Wut. Weil Sie offen sagen, wer schuld daran ist, daß es uns noch nicht besser geht! Wie sind Sie denn überhaupt im Januar fortgekommen? Wir haben uns ganz schön den Kopf zerbrochen."

Der alte Massillon, wie immer streitlustig, meinte, das Châtelet-Gefängnis sei poröser als die Bastille. Von dort sei keiner so ungebrochen ausgebrochen.

Charlotte betrachtete den Heimgekehrten genau. Das war doch

ein kranker Mann, dem man die Leiden am Gesicht ablesen konnte. Daß er als Arzt so wenig auf sich selbst achtete ...

Tatsächlich sah Marat elend und verfallen aus. Der Hautausschlag hatte sich in die Stirn hineingefressen. Ungesunde fiebrige Röte zeichnete sich auf den Wangen ab.

Dennoch sagte er mit Heiterkeit: „Obgleich Gefängnisse die Universitäten eines Revolutionärs sind, hätte ich es kaum für möglich gehalten, daß ich meine Studien in einer Kerkerzelle von Paris aufnehmen müßte."

„Wir hatten Sie in der Conciergerie gesucht, im Saint-Lazare. Niemand konnte uns Ihren Aufenthaltsort nennen", sagte Grenier. „Im Châtelet lachte man uns aus, erklärte, daß man einen Monsieur Marat nicht kenne. Die erste Nachricht erhielten wir von Ihnen aus London."

„Ihr wißt ja, meine Freunde! Kaum war die Verfassung unter Dach und Fach, so hatte man sie schon durchlöchert! Vertreter der Amtsgewalt, treulose Verwaltungsbeamte, bestechliche Richter, Bevollmächtigte des Volkes, die ihre Pflichten vergaßen und ihre Auftraggeber verrieten, die haben wir im ‚Ami du peuple' attackiert! Und da bekam ich eine Lektion über Pressefreiheit, eine Illustration der Deklaration des ersten Artikels der Verfassung, wonach die Menschen von Geburt aus frei und gleichberechtigt sind, die Redefreiheit garantiert wird."

Wie so oft ging Marats Temperament mit ihm durch. Er gestikulierte und sprach so laut, als stehe er vor einer Volksmasse.

„Jean Paul", mahnte Nanon und strich ihm über die Hand.

Er fing sich wieder. „Also, ich bekam den Besuch zweier Gendarmen, die mich höflich, aber unmißverständlich zum Mitkommen aufforderten. Vom Châtelet-Gericht bekam ich eine Verwarnung, weil ich Monsieur Neckers Getreidemanipulationen kritisiert hatte. Ich protestierte heftig, und da behielt man mich gleich da. Es waren die gleichen Richter, die Prozesse gegen Patrioten inszenieren wollten, weil diese am 14. Juli, am 5. und 6. Oktober des Vorjahres Staatsverbrechen begangen hätten."

„Die Richter vom Châtelet-Gericht sind und bleiben die Todfeinde des einfachen Mannes. Man muß diese Pestbeule aufstechen." Simonets Stimme war haßerfüllt. Auch ihm war eine Vorladung ins Haus geflattert.

„In meiner Zelle hätte man sich selbst an Sommertagen eine Lungenentzündung holen können. Meine Mitinsassen waren ein Taschendieb, ein Banknotenfälscher, ein adliger Nichtsnutz. Alles war aufschlußreich und belehrend für mich. Am nächsten Tag erneute Vernehmung. Der ‚Volksfreund' dürfe nur Dekrete der Nationalversammlung, königliche Ordonnanzen und die üblichen

Gerichtsbeschlüsse bringen. Ich rief: Es lebe die Zensur! In der Nacht darauf haben mich zwei Männer geheimnisvoll aus der Zelle geholt und in eine Postkutsche gesetzt. So kam ich gegen meinen Willen nach Calais. Die Herren geleiteten mich an Bord!"

„Ob Graf Mirabeau nachgeholfen hat? Oder Lafayette? Beide hatten Grund, Sie zu fürchten", rätselte Grenier.

„Jedenfalls war die Überfahrt bereits bezahlt. Aber an der Mole von Dover stand dann ein mittelloser Zeitungsschreiber. Glücklicherweise hatte ich in England Freunde. Übrigens, Grenier, ein paradoxer Zufall: Auf meinem Schiff fuhren Adelige, die vor der Rache des Volkes flohen, und ich mußte fort, weil mir das Volk zuwenig Unterstützung geboten hatte, als ich gegen das Aristokratengeschmeiß kämpfte."

Grenier lachte. „Das ist die Paradoxie der Revolution, Monsieur Marat."

„Sie wissen alle, daß ich von London aus ein Flugblatt gegen Necker verbreitet habe. Habe ihm seine Getreidespekulationen vorgehalten, nachgewiesen, daß er Weizen ins Ausland verkaufen und zu erhöhten Preisen zurückkaufen ließ."

„Necker soll das Blatt mit Wut zur Kenntnis genommen haben", brummte Massillon. „Jedenfalls konnte ich beweisen, daß ich es weder gesetzt noch gedruckt habe. Ich lege mich nicht gerne mit großen Herren an."

„Nun, lieber Massillon, jetzt aber Mut! Wir können sofort mit der Druckarbeit beginnen. In einer Woche erscheint der ‚Ami du peuple' neu."

„Ich hätte nie gedacht, daß Drucken ein so bedrohliches Geschäft ist", sagte Madame Massillon und räumte den Tisch ab. Nanon blieb sitzen. Sie wollte noch wissen, was in England geschehen war, dort, wo diese Helen weilte. Doch Nanon vermochte nicht, nach ihr zu fragen. Den Namen Helen brachte sie nicht über die Lippen.

Mit gespielter Lustigkeit rief sie über den Tisch:

„Und was machen Ihre Londoner Freunde? Kocht Monsieur Laval noch immer Hustensäfte?"

„Aber nein! Laval löst auf. Er will hierherkommen und das Handelshaus seines kranken Vaters übernehmen. Er will dem neuen Frankreich helfen. Und hier – ich fand einen Brief von Marie Forestier und ihrem Mann vor. Den Kindern bekommt das Klima auf Martinique nicht. Forestier fragt an, ob ich ihm ein Schiffskommando verschaffen kann. Dann könnten sie dort verkaufen und in die Heimat zurückkehren. Ach ja, noch etwas, François Laval ist Vater geworden – ein Knäblein, das sie nach mir genannt haben."

Spät in der Nacht ging Nanon zur Rue du Sanslieu zurück. Sie fühlte sich sehr allein, obwohl sie von Grenier und den Simonets begleitet wurde. Marat hatte sie nicht zum Bleiben aufgefordert. War die Politik daran schuld? War etwas zwischen sie getreten?

„Man sagt, Danton habe für unseren Marat gebürgt", äußerte Grenier. „Das Wort des Vorsitzenden des Distrikts der Cordeliers gilt etwas."

„Trotzdem, ich werde noch einige Schlupfwinkel besorgen", antwortete Simonet. „Momentan blüht die Wahrheit am sichersten in der Verborgenheit."

Die kleine Gesellschaft kehrte nach einem Ausflug in die maiengrünen Wälder von Moudon beim Oheim Breullons ein, bei jenem Pfarrer, der den Maler vor Jahren versteckt hatte. Der Geistliche verwaltete dasselbe Kirchspiel wie sein großer Vorgänger Rabelais. Pfarrer Breullon war ein pfiffiger Patron, der sich den jeweiligen irdischen Gewalten beugte und daher auch Treue zur Verfassung geschworen hatte.

Klein und behäbig, in abgewetzter Soutane, stand er vor der Tür des Pfarrhauses und rieb sich die Hände in gastlicher Freude.

„Gelobt sei Jesus Christus! Meine Damen und Herren aus Paris, ich weiß genau, was Sie jetzt denken. ‚Ist auch das Kirchspiel noch so klein, dem Pfarrer bringt's ein Fettherz ein.' Seien Sie alle gegrüßt. Sie verschönern mir die Eintönigkeit des Alltags. Wenn mir auch der Staat einige meiner Ämter abnehmen will – Registrierung von Geburten, Todesfällen, Eheschließungen, alles das soll in Zukunft der Bürgermeister machen –, so bin ich doch . . ."

„Es bleibt Ihnen ja noch der Beichtstuhl, Hochwürden", rief Grenier lachend, der als erster aus der Reisekutsche geklettert war. Ihm folgten Nanon und Marat, der den Geistlichen mißtrauisch betrachtete.

„Monsieur Grenier, meine Pfarrkinder sind gründliche Leute, die wollen auch den Segen des Geistlichen. Sie sagen, die Nägel hätten sonst keinen Kopf. Alles bleibt also beim alten, nur dem Pfarrer fehlen die Gebühren."

„Ich habe zu meiner Freude gehört, daß Sie den Eid auf die Verfassung geleistet haben", sagte Marat. „Die Genugtuung über diesen Akt der Brüderlichkeit müßte Ihnen doch die Gebühren ersetzen."

Der Pfarrer machte eine süßsaure Miene und half den Damen aus den Kutschen. Breullon, der oben auf dem Bock gesessen hatte, reichte eine Staffelei und einen Keilrahmen herab und rief: „Sehen Sie sich um, meine Herrschaften, hier in diesem Haus hat der große Rabelais gewohnt, hier hat er manches geschrieben, was für die Ohren verwöhnter Damen nicht geeignet ist."

Der Wind ließ die Blätter der alten Lindenbäume erzittern und den Staub auf dem Kirchplatz in Wirbeln kreisen.

Der alte Breullon bat zu Tisch. Man setzte sich in bunter Reihe: der Maler Breullon neben Juliette; Camille Desmoulins neben Lucile Duplessis, die seine Verlobte war; Marat hatte Nanon an seiner Seite und Grenier die lachlustige Louison.

Die Magd trug einen Eierkuchen auf, der nach Speck duftete. Auch gab es Ziegenkäse und zarte Radieschen auf Salatblättern.

„Das waren noch Zeiten", setzte der Geistliche die Unterhaltung fort, „da speiste ein Pfarrer zum Frühstück einen Hahn und zum Mittag ein Spanferkel, knusprig gebraten."

„Dafür scheint die Geistlichkeit jetzt mehr den literarischen Genüssen zuzuneigen." Der Maler deutete auf die Bücherreihe, die ein Wandbord füllte. Da waren sogar Crébillon und de Laclos vertreten.

„Sprechen wir nicht von diesen Werken, die der Heilige Vater auf den Index gesetzt hat. Ich lese sie nur, um die Sünden kennenzulernen, die sie enthalten. Jeder Apotheker muß die Gifte kennen, mit denen er hantiert." Das feiste Gesicht des Pfarrers strahlte Zufriedenheit aus. Er trank Marat zu, der ihm gegenübersaß.

Grenier sagte, daß die durchgeführte Enteignung des Kirchenbesitzers wohl die Klöster und Abteien hart getroffen habe, nicht aber die armen Landgeistlichen, die schon immer auf der untersten Stufe kirchlicher Hierarchie gestanden hätten. Desmoulins stimmte ihm zu und meinte, die Staatsmacht müsse nun auch den Bruch mit dem Papst vollziehen.

Der gutmütige Pfarrer bekreuzigte sich, indessen sein Neffe eine Attacke gegen die Bischöfe ritt und deren Einsetzung in den Departements durch Wahlmänner für empfehlenswert hielt. Jetzt aber wurde sein Oheim böse: „Jesus hat gesagt: ‚Weide meine Schafe', aber er hat nichts von Wahlmännern gesagt, die der Herde den Hirten bestimmen."

„Jesus hat auch Wasser in Wein verwandelt", witzelte Desmoulins. „Sie müssen zugeben, Hochwürden, daß der umgekehrte Prozeß tausendmal von Gastwirten vorgenommen wird."

„Um so mehr ist das erstere ein Wunder, Monsieur", empörte sich Louison, die ebenso wie Juliette dem Pfarrer bei der Ankunft die Hand geküßt hatte, während Nanon und Lucile ihre freieren Anschauungen durch einen Händedruck bekundeten.

Marat starrte verdrießlich vor sich hin. Das Gespräch schien ihm nicht ernsthaft genug, er mochte nicht nur geistreiche Plaudereien. Seit seiner Rückkehr aus England hatte er den Eindruck gewonnen, die Revolution sei auf einer Sandbank aufgelaufen.

„Windstille, Monsieur Marat", hatte Grenier gesagt.

Dafür waren die Pariser nicht zum Bastillesturm angetreten. Hatten sie nicht den König aus Versailles in die Tuilerien geholt?

Pfarrer Breullon hatte bemerkt, daß Marat unzufrieden war. „Ich habe mir sagen lassen, Monsieur Marat, daß Ihre Zeitung einen Einfluß auf die Gesetzgebung hat. Denken Sie auch an uns arme Seelenhirten. Als Seine Gnaden, der Herr Bischof, zur Visitation hier weilte – es sind jetzt fünf Jahre her –, da zeigte ich ihm meine Soutane, die in allen Nähten krachte. Er sagte, sie sei so brüchig wie der Glaube meiner Pfarrkinder. Ich antwortete ihm, daß die Gemeinde keinen Respekt vor einem Diener Gottes habe, dem auf der Kanzel das Priesterkleid vom Leibe falle."

Desmoulins hatte gespannt zugehört, er gedachte die Geschichte vom armen Ortspfarrer und hochbesoldeten Bischof in seiner Zeitung zu bringen. Man mußte sich auf die niedere Geistlichkeit stützen, den Gegensatz zur kirchlichen Obrigkeit ausnutzen.

„Was entgegnete der Bischof darauf?" fragte Marat. „Das würde mich interessieren."

„Es war Winter, Monsieur. Seine Gnaden hatten gerade die Jungfrauenkongregation begrüßt. Es waren erfreulich viele, die, ihrer Sünden ledig, im nassen Schnee standen und froren. Da formt doch Seine Gnaden einen respektablen Schneeball, gibt ihn Jeanne, die ihm am nächsten stand, sie solle ihn weitergeben, immer weiter. Nun, Monsieur Marat, was geschah? Als schließlich der Ball in meine Hände kam, war er ein winziges Kügelchen geworden."

„Einfluß der Handwärme", rief Grenier.

„Ich habe auch nicht behauptet, daß es ein Wunder war, Monsieur Grenier. Aber Seine bischöfliche Gnaden sagte: ,Siehst du, Breullon, so ist es mit dem Geld der Kirche. Bis es in deine Hände kommt, hat es sich vermindert wie dieser Schneeball.'"

„Ich hätte ihm geantwortet, daß die Gelder durch zuviel Hände gehen", empörte sich Nanon.

„Gewiß, meine Tochter. Und daher bin ich erfreut, daß die Herren der Nationalversammlung sechzig Millionen für uns kleine Pfarrer und Vikare, aber nur drei Millionen für die Bischöfe, Erzbischöfe und Kardinäle bewilligt haben. Lassen Sie mich das Glas erheben und den Herren in Paris danken."

Alle standen auf und tranken dem Pfarrer zu.

„Sie haben die dreiunddreißig Millionen für Mönche und Nonnen vergessen..." Desmoulins wollte weitersprechen, doch Marat winkte ab.

„Von mir hätten diese Nichtstuer keinen einzigen Louisdor bekommen. Aber es gibt Schlimmeres. Ich meine das neue Wahlgesetz. Ich bin entsetzt, bin empört. Wenn ich daran denke, daß von rund sechsundzwanzig Millionen Franzosen nur rund viereinhalb Millionen das Recht haben zu wählen, da sage ich: Pfui Teufel!"

Die Tafelrunde verstummte für eine Weile. Breullon, der mit Juliette geflüstert hatte, hob erstaunt den Kopf, als dann Desmoulins mit Bitterkeit in der Stimme die Ansicht vertrat, daß nach dem vorliegenden Wahlgesetz weder Rousseau, Corneille noch Mably jemals Deputierte einer Nationalversammlung hätten werden können. „Nur Eigentum berechtigt zur Wahl. Besitzer wählen Besitzende. Das ist das Fazit einer Verfassung, die mit den Worten beginnt: ‚Die Menschen werden frei und gleich an Rechten geboren.‘"

„Nun ja, Messieurs, die Versammlung will nicht, daß Frankreich durch Habenichtse regiert wird", versuchte der Pfarrer zu vermitteln. Marat brauste auf: „Aber diese Habenichtse haben die Bastille gestürmt, sind nach Versailles marschiert . . . Überall, in ganz Frankreich, hat eine Erhebung der Armen stattgefunden, die alten Behörden sind davongejagt worden. Das Volk wird sorgen, daß sie niemals zurückkehren können."

Beschwichtigend hob Grenier beide Hände. „Ich glaube nicht, daß wir anderer Ansicht sind, auch nicht Hochwürden."

„Die Heilige Schrift lehrt, Jesus saß mit den Ärmsten bei Tische, er verschmähte aber auch nicht das Mahl bei Zöllnern und erweckte die Tochter eines Obersten vom Tode. Sie sehen, die Kirche hat bereits vor bald achtzehnhundert Jahren die Gleichheit vor Gott gelehrt und praktiziert."

Der alte Dorfgeistliche hatte mit viel Pathos gesprochen, gleichsam im Kanzelton. Dann fuhr er, nach einem Griff in die Tabaksdose, mit gewinnendem Lächeln fort: „Ich habe auf der Pfarrwiese kleine Gastgeschenke versteckt, für die Damen natürlich. Vielleicht könnten wir bei Pfänderspielen und Blindekuh die Wahlgesetze vergessen?"

Vergnügt begab man sich nach der Wiese, wo Breullon bereits seine Staffelei aufgebaut hatte. Die hübsche Juliette in ihrem bunten Kleid sollte Modell für eine Studie stehen.

„Nichts mehr von Watteau", sagte Breullon zu Lucile, die ihm bei der Anlage des Bildes zusah, „er ist der Apologet einer versinkenden Epoche, Mademoiselle Duplessis. Ich bin für Liotard. Wie er das Schokoladenmädchen malte! Und dann mein verehrter Meister Monsieur David!"

Lucile verzog den Mund: „Ach, Monsieur Breullon, der Heroismus liegt mir nicht. Stets wird aus Davids Männern ein Brutus, der unausgesetzt Tyrannen ermordet. Ich mag schöne Landschaften, Frauen in fließenden Gewändern, Kinder, die aus Quellen trinken."

„Sie werden erleben, Mademoiselle, wie sich die Größe unsrer Zeit in Bildern mit antiken Motiven widerspiegelt. Ich möchte den Ballhausschwur malen, aber unsere Abgeordneten müßten in der Tracht römischer Senatoren die Bänke füllen", antwortete der Maler.

Desmoulins mischte sich in das Gespräch: „Unsere Advokaten sind keine Flavier, Mirabeau ist kein Brutus und der Dickwanst in den Tuilerien kein Julius Cäsar. Man kann ein Zeitalter nicht nochmals heraufbeschwören. Das gelingt nur im Theater."

Juliette, die anmutige Posen ausprobierte, behauptete in ihrer keck-naiven Art: „Die Abgeordneten sind fleißige Leute, ich war in Versailles, habe sie bei der Arbeit gesehen."

„Sie geben Frankreich eine Verfassung, ordnen es in Departements, sichern die nationale Einheit. Alles geht wie am Schnürchen. In den Städten gibt es Nationalgarden, und wenn die Dorfarmut unruhig wird und Land verlangt, dann marschieren die Bürgergarden und sind nicht weniger eifrig als die Garde des Königs. In Paris kommandiert sie Marquis de Lafayette, Held beider Welten . . .", spottete Desmoulins, der Lucile zu den Pfänderspielen geleiten wollte.

„Und dieser geputzte Laffe wird die Revolution im Stich lassen, wenn ihn die Welle der Volksgunst nicht mehr trägt." Marat war näher getreten, er betrachtete mit kritischem Blick die Pinselstriche des Malers, der Konturen auf die Leinwand warf, Umrisse, die aber bereits die Szenerie andeuteten.

Im Fortgehen rief Desmoulins ironisch: „Pessimismus ist nicht angebracht, Monsieur Marat. Was sagte Necker? Die Geschäfte blühen, die Staatskassen füllen sich wieder, und wer gegen ihn etwas schreibe oder drucke, den lasse er ins Châtelet sperren."

Während von der Wiese Gelächter und Geschrei herüberdrangen, suchten Marat und Nanon den Dorffriedhof auf, wo in einer Ecke umgestürzte Grabsteine lagen, über die Zitronenfalter taumelten. Die Namen auf den Steinen deuteten auf die hugenottische Zeit.

„Immer wieder Glaubenskämpfe", sagte Nanon. „Wann wird die Menschheit endlich begreifen, daß ein erschlagener Gegner nicht mehr bekehrt werden kann?"

„Es wird wohl bald wieder die Zeit kommen", antwortete Marat, „da der tote Feind der ungefährlichste ist. Es ist besser, man schlägt einigen hundert Schuldigen die Köpfe ab, als daß man sie gewähren läßt und Millionen Menschen auf Schlachtfeldern umkommen."

Nanon sah ihn scheu an. Das waren harte Worte. Aber ihr Instinkt ließ sie spüren, daß alles, was Marat sagte oder tat, richtig war.

5

Das Handelshaus Laval

Sie trafen sich an einem Juniabend des Jahres 1790 in der Wohnung Robespierres. Erst sollte die Zusammenkunft bei Marat stattfinden, doch Danton hatte geschworen, die Sudelküche in der Taubenhausgasse nie zu betreten. Niemand bürge dafür, daß man nicht selbst eines Tages Objekt des journalistischen Eifers Monsieur Marats werde.

Danton hatte eine Speisewirtschaft in der Nähe des Pont Royal vorgeschlagen, einen – seiner Meinung nach – genügend neutralen Ort. Doch die beiden anderen hielten ein öffentliches Lokal nicht für geeignet. Spione . . . Schließlich hatte Robespierre seine Wohnung angeboten. Er wohnte im Stadtviertel Marais in der Rue de Saintonge. Das Zimmer war selbst an Sommertagen kühl. Es war spartanisch eingerichtet: ein paar billige Möbel; auf dem Stehpult ein bleiernes Tintenfaß und ein Stoß Papier; Bücher auf einem fichtenen Bord; ein Gipsabguß der berühmten Büste Voltaires von Houdon an der Wand.

Marat saß zusammengekrümmt auf einem strohgeflochtenen Stuhl. Er hatte Herzschmerzen. Ohne ein Schlafmittel fände er nachts keine Ruhe, sagte er auf eine Frage Dantons.

Der massige Danton ließ sich die Gelegenheit zu einem obszönen Witz nicht entgehen. „Ich kann auch nicht schlafen, Marat. Die Grisetten von Paris animieren mich so sehr. Das kann ich Ihnen sagen, alle Hetären Griechenlands waren Stümperinnen gegen diese süßen Dinger."

Robespierre hatte Landwein und geröstete Kastanien bereitgestellt. Bei dem lauten Gehabe Dantons verzog er keine Miene. Er putzte die Kerzen in dem zinnernen Halter und kritzelte mit seiner feinen Schrift einige Sätze auf ein Stück Papier.

Wie immer war er sorgfältig gekleidet. Sein olivgrüner Rock war allerdings in den Nähten schon etwas verschossen. Als Kurz-

sichtiger kniff er die Augen oft zusammen und setzte hin und
wieder seine Brille auf. Im Gegensatz zu Danton und Marat trug
er das Haar gepudert und altmodisch eingerollt.

Er wandte sich an Danton. „Ich glaube nicht, daß uns die Huren
vom Palais Royal interessieren sollten. Sie sind ein Produkt dieses
verderbten Zeitalters, auch mit ihnen werden wir aufräumen."

„Und Sie sind ein finsterer Zelot, Robespierre", sagte Danton
und probierte den Wein, „so sauer wie das Gesöff hier. Doch genug von dem Thema. Ich komme aus dem Klub der Cordeliers –
leider mußten wir ohne Sie verhandeln, Marat."

„Ich bin anwesend, auch wenn ich abwesend bin. Ich bin einig
mit den sechzig Distrikten der Stadt. Ganz Paris ist eine einzige
Schildwache. Kommt der Feind, so ruft sie: ‚Halt! Wer da?' Dann
schlage ich Alarm."

„Ich meine, Sie schlagen etwas zu häufig Alarm, Marat. Die Revolution hat gewisse Ziele erreicht, nun muß man die Ergebnisse
prüfen und sichten."

„Finden Sie, daß wir zufrieden sein können?" fragte Robespierre. „In wenigen Tagen feiern wir das Fest der Verbrüderung.
Ein Jahr nach dem Sturm auf die Bastille. Ja, Elan ist beim Volk
vorhanden, Danton. Er ist da bei vielen Jakobinern, bei den Cordeliers. Aber wollen Sie leugnen, daß der Gegner seine Reihen
wieder formiert hat? Einem Revolutionär wird die Stunde nicht
verziehen, in der er schwach gewesen ist."

„Leichtgläubig gewesen ist", ergänzte Marat, dessen Befinden
sich etwas gebessert hatte, „oder sagen wir lieber, leichtsinnig."

„Die Geschichte ist eine strenge Lehrerin. Auf jede Revolution
folgte bisher ein Gegenschlag. Sind wir gerüstet?" Robespierre dozierte mit erhobenem Zeigefinger. „Da haben wir die achtzigtau-
send Pfarrer. Jeder ist im Reden geschult, jeder ist ein Vertrauter
seiner Gemeinde. Was verlangen wir? Daß sie den Eid auf die
Verfassung leisten. Diener der Kirche *und* des Staates werden. Dafür sollen sie ein festes Einkommen erhalten."

„Sie dürfen sogar heiraten und Kinder machen. Kann man mehr
tun als das Zölibat aufheben?" empörte sich Danton. Sein blatternarbiges Gesicht glühte. „Ich habe auch einen ganzen Sack Dank-
briefe erhalten, Marat. Sogar von Nonnen, die wir aus den Kerkern geistlicher Gerichte befreiten. Wenn Sie wollen, drucken Sie
einige ab. – Aber die Mehrzahl? Sie läßt sich vom Episkopat auf-
hetzen, verweigert den Eid und wiegelt die Gemeinde gegen uns
auf. – Begreife einer so etwas – schlagen die Hand, die ihnen
Zucker gibt."

„Ich werde ein Dekret beantragen, das eidverweigernde Priester
unter harte Strafe stellt", sprach Robespierre gemessen.

Marat nickte zustimmend, doch Danton zeigte sich bedenklich. „Damit schafft man Märtyrer . . . Aber welches sind die richtigen Mittel zur Bändigung der Widersetzlichen?"

„Es ist ein Hohn! Um ihr ungeheures Vermögen, ihre Paläste, Pferde und Mätressen zu retten, muten die Bischöfe und Erzbischöfe diesen armen Landpfaffen zu, daß sie mit ihnen gemeinsam vorgehen. Und der anerzogene Gehorsam – diese Angst vor der kirchlichen Hierarchie – läßt die meisten kuschen", sagte Robespierre.

„Einsperren die Pfaffenbrut! Aber mit den Bischöfen beginnen! Ich schlage vor, daß jeder Bürgermeister binnen einer Woche meldet, ob in seiner Gemeinde der Eid geleistet wurde. Wenn nicht, dann sofortige Amtsenthebung und Verbot jeder gottesdienstlichen Handlung. Wollen sehen, wer stärker ist, die Revolution oder die Pfaffen!" Marat schlug auf den Tisch.

„Bringen wir die Gesetzesvorlage zunächst in den Klubs ein", schlug Danton vor. „Sie, Robespierre, bei den Jakobinern, und wir beide werden uns bei den Cordeliers stark machen. – Doch ich vermute, daß Sie noch einiges in Ihren Aktendeckeln haben, Robespierre? Los, öffnen Sie die Büchse der Pandora."

Robespierre lächelte dünn. „Drei Mächte sind unserer Revolution gefährlich: der König mit seinem Veto, die adeligen Offiziere, die Pfaffen."

„Vergessen wir die Besitzgier nicht!" sagte Marat mit Nachdruck. Stets mußte er bei diesem Punkt gegen den Widerstand aller ankämpfen. Keiner wollte erkennen, daß die Besitzgier wie eine Krebswucherung das gesunde Empfinden des Volkes zerfraß.

„Das ist eine Abstraktion", antwortete Robespierre reserviert.

„Marat möchte aus ganz Frankreich ein graues Kloster machen. Ein jeder gleich, wie die Bettelmönche." Dantons Spott füllte den Raum.

„Und ehe drei Jahre vergehen, werdet ihr erleben, wie die neuen Reichen im Schutze der Freiheit, *unserer* Freiheit, in die Paläste und Kleider der Aristokraten schlüpfen", rief Marat.

„Blutleere Theorie. Ich komme mit Fakten. Was macht der König? Was treibt die Österreicherin?" Robespierre blätterte in seinen Papieren.

„Der Dicke geht spazieren und jagt in den Wäldern von Saint-Cloud. Marie Antoinette singt zur Harfe, als habe es nie eine Revolution gegeben." Danton hatte seine Ellenbogen aufgestützt und barg seinen riesigen Kopf in den Fäusten.

„Ich bin da besser informiert", sagte Marat ironisch, „der König finanziert die Emigration!"

„Marat!" Robespierre war aufgeschnellt.

„Das wäre Hochverrat!" tobte Danton und schmetterte seine Faust wie einen Schmiedehammer auf die Tischplatte. „Aber Beweise brauchen wir!"

„Ich werde sie Ihnen auf den Tisch legen", antwortete Marat.

„Dann lege ich den Kopf des Dicken daneben", sagte Robespierre eisig.

„In England", begann Marat, der den Leuchter so rückte, daß er die Mienen Dantons und Robespierres beobachten konnte, „wurde ich einmal zu einer Patientin gerufen, die ein Landhaus in Juniper Hall an der Straße von Leatherhead nach Dorking bewohnte. Dort begegnete ich einem Marquis, der mich durch sein Lorgnon musterte. ,Kenne Sie doch von Versailles', näselte er, ,sind wohl auch vor der blauweißroten Pest geflohen?' Ehe ich antworten konnte, fuhr er fort: ,Wir kommen zurück, Monsieur! Dann setzt es Galgen und Rad.' Später fand ich ihn angeheitert, und er rülpste die ganze Wahrheit heraus. Dieses Emigrantengeschmeiß in Turin, Mitau, Koblenz, London oder sonstwo wird vom Hof zu Paris finanziert. Jeden Monat schickt Ludwig seine Kuriere, und die bringen Unsummen außer Landes. – Na, wie schmeckt Ihnen das?"

„Das sind noch keine Beweise, Marat. Ich bin Jurist und kann nicht auf die Reden eines betrunkenen Marquis hin Anklage erheben. Ich weiß, Sie sind stets geneigt, so etwas zu glauben und zu drucken." Robespierre war wieder ganz gelassen.

Doch Dantons Stimme dröhnte: „Wir werden vom Finanzminister Rechenschaft fordern! Wir werden dem erblichen Königtum Recht um Recht entreißen: die Außenpolitik, das Finanzwesen, die Entscheidung über Krieg und Frieden. Der König soll nur noch schmückender Zierat am Staatswagen sein."

„Ein König ist überflüssig! Amerika beweist uns, daß man ohne diesen Popanz besser auskommen kann", sagte Marat, „aber unsere Nationalversammlung ist königstreuer als der Monarch selbst."

„Also, Marat", rief Danton, „wir werden nachprüfen. Und wenn der fette Schmarotzer in den Tuilerien mit dem Geld des Volkes die Konterrevolution finanziert, dann . . ."

„Werden wir handeln", beendete Robespierre den Satz.

„Gehen wir weiter. Die adeligen Offiziere. Sie benehmen sich frecher denn je, als habe nie der Kopf de Launeys auf einer Pike gesteckt. Man meldet uns Soldatenmißhandlungen, Gassenlaufen, wie es in Preußen üblich ist, Auspeitschungen. Die Offiziere sind vom König eingesetzt, sie sind durchweg von Adel. Wir verlangen, daß sie vom Volk ernannt werden, daß auch Bürgerliche zu den höchsten Rängen emporsteigen können." Danton hatte ruhig und sachlich gesprochen, auf dem Gebiet des Heerwesens kannte er sich aus.

Doch Marat übertrumpfte ihn. „Warum können Soldaten ihre Führer nicht selbst wählen? Der Soldat ist ein Bürger, der Waffen trägt, der uniformiert ist. Ein Bürger wählt seine Geschworenen, seine Abgeordneten, warum nicht auch der Soldat seine Vorgesetzten?"

„Man darf nichts übereilen", mahnte Robespierre, „es muß ein Weg gefunden werden, Autorität und Subordination zu vereinen."

„Inzwischen mißhandeln sie weiter." Marat war unzufrieden, er kaute wütend an einem Gänsekiel.

„Ja, sie prügeln", fuhr Danton fort, „aber jeder Geprügelte wird für uns sein! Dieses neue Frankreich, das wir mit unserem Blut und Leben schaffen, muß von Offizieren verteidigt werden, die von unten aus dem Volk kommen – von unten, wie die Quellen, die unsere Äcker und Wiesen fruchtbar machen."

„Das Verbrüderungsfest wird zeigen, daß es bereits eine neue Ordnung gibt. Wir werden beweisen, daß eine Revolution auch ohne viel Blutvergießen möglich ist", sagte Robespierre feierlich.

Sein Gesicht strahlte die Leidenschaft einer großen Überzeugung aus.

„Solange sie das Eigentum nicht antastet . . ." Marat erhob sich und knöpfte den Überrock zu.

Auch Danton verabschiedete sich, er hatte noch eine Verabredung.

Der Nachtwind wehte, als Marat durch die Dunkelheit der engen Gasse seiner Wohnung zustrebte. Dabei stieß er fast mit Simonet zusammen, der im Laufschritt herankam.

„Pierre, ist etwas passiert?"

„Monsieur Marat", keuchte Pierre, „ich will Sie nach Hause begleiten. Aber besser, Sie gehen nicht in die Taubenhausgasse. Ich komme soeben aus der Druckerei. Dort hat eine Bande von Stutzern, Bürgersöhnchen und adeligen Nichtstuern die Setzkästen zusammengehauen, dem Massillon Pfeffer in die Augen gestreut und ihm Druckerfarbe über den Kopf gegossen. Ich fürchte, die Bande lauert auch auf Sie."

„Lassen Sie mich zu Massillon, ich muß ihm helfen."

„Es geht ihm schon besser. Nanon ist bereits zur Polizeipräfektur gerannt, doch auf die Kerle dort möchte ich mich nicht verlassen. Charlotte habe ich gesagt, sie soll mit einigen Nachbarn in die Taubenhausgasse laufen, damit die Verbrecher sich nicht an Ihren Sachen vergreifen."

„Wie soll ich Ihnen danken, Simonet!"

„Ich möchte bloß wissen, wo Nanon bleibt. Wir wollten uns hier treffen. Wir haben nämlich schon ein Notquartier für Sie in der Rue des Cordeliers ausfindig gemacht, eine Kellerwohnung. Dort findet Sie weder der aristokratische Sauhaufen noch die Polizei, falls die mal wieder den ‚Volksfreund‘ auf dem Kieker hat.“

„Pierre! Was Sie für mich tun. Ich . . .“ Marat wußte, wie schroff jeder Dank abgelehnt wurde, obgleich dieser einfache Mann mit Frau und Kindern darbte. Dabei war Charlotte erst vor kurzem niedergekommen, und der Säugling war stets hungrig. Man hatte ihn Jean Jacques genannt. Der Vater wollte ihm einen zeitgemäßeren Namen geben, etwa Rotmütze oder Pike, aber das wurde von den Frauen abgelehnt.

„Verdammt, ich mache mir Sorgen. Sie müßte längst zurück sein.“

Sie lauschten auf Schritte. Nichts. Sie gingen ein Stück in eine Seitengasse hinein. Unter dem Vordach eines Fleischerladens lag ein menschlicher Körper. Pierre stürzte hinzu, schlug Feuer. „Nanon!“ Sie war bewußtlos. Banditen hatten ihr anscheinend Gewalt angetan.

„Liebchen des Marat, Liebchen für uns alle“, stand auf einem Zettel, der an ihren zerfetzten Rock geheftet war.

Pierre stöhnte.

Marat griff sich ans Herz, er mußte sich an eine Hauswand lehnen.

Sie trugen die Bewußtlose in die Wohnung Robespierres. Man holte den Polizeileutnant des Distrikts. Als er erschien, konnte Nanon bereits Angaben machen. Es mußte die gleiche Bande sein, die seit Wochen bei Patrioten Läden und Werkstätten demolierte, Männer verprügelte und Frauen vergewaltigte. Sie nannte sich „Die weiße Kokarde“. Gerüchte gingen in den Vorstädten um, ein baumlanger Vicomte mit einem zerfressenen Gesicht sei der Anführer.

Der Morgen dämmerte über den Straßenschluchten, als sie in der Rue des Cordeliers eintrafen. Der Keller hatte bisher einem Kupferstecher als Werkstatt gedient. Die Fenster waren mit Spinngeweben überzogen, ein Wasserkübel in der Ecke stank modrig. Der sorgliche Pierre hatte einige Möbelstücke aus der Taubenhausgasse herangetragen, auch die Arbeitslampe mit dem grünen Schirm, ein paar Schüsseln, Töpfe und Waschbecken. Zur Tarnung ließ man das Firmenschild des Kupferstechers hängen, jenes verschnörkelte Bild mit den drei Grazien.

Nanon weinte verzweifelt, als sie geborgen neben Marat auf dem Strohsack lag. „Nie wieder wird es mit uns so sein, wie es einmal war.“

Marat zog sie fest an sich – ganz fest.

Noch lange lag er wach. Was hatte Danton gesagt? – Die Büchse der Pandora – wenn sie geöffnet wurde, kroch alles Leid, alles Übel hervor und kam über das Menschengeschlecht.

Erschütternd nur, das Leid kam über die, denen er, Marat, ein froheres, sinnvolleres Dasein schaffen wollte. Eine starke Depression überfiel ihn. Manchmal schon in den letzten Monaten hatte ihn die Welle der Entmutigung überflutet.

Neben ihm schlief Nanon, vom Weinen erschöpft, und Pierre Simonet rannte durch die Straßen auf der Jagd nach den Banditen. Durfte *er* da schwach werden?

François saß dem Jugendfreund Robespierre auf einem hohen Kontorbock gegenüber. Der Abgeordnete lächelte konventionell, als Laval ihm Glückwünsche für sein Auftreten im Jakobinerklub und für seine letzte Rede in der Nationalversammlung aussprach.

„Ich habe schon im Gymnasium gewußt, Maximilian, daß du einmal wie ein römischer Senator das Capitol besteigen wirst. Du warst stets Primus. Jetzt bist du es bei den Jakobinern. Ich erfuhr, daß du im April deren Präsident warst? – Kannst du mich vielleicht beraten? Ich will das Handelshaus auf Armeelieferungen umstellen. Das Heer muß Uniformen und Ausrüstungen von unbestechlichen Kaufleuten beziehen können."

„Es gibt keine Unbestechlichen", sagte Robespierre kühl, „auch du wirst bestechlich werden. Die Intendanturen wissen, wie man das macht. Ich kann dir nicht raten, denn ich hasse alles, was mit Gelderwerb und Schacher zusammenhängt."

Robespierre wollte sich erheben, doch der Schulfreund drückte ihn zurück auf den Stuhl. „Bitte, bleib noch etwas. Es ist dein erster Besuch. Ich bin erst seit einer Woche in Paris und möchte mich informieren. Ich fuhr durch ein aufgewühltes Land, ich habe den Eindruck, das Volk ist unzufrieden."

„Das Volk ist gut, nur die es vertreten, sind korrumpiert. Sie haben vom Kelch der Macht getrunken, das hat sie berauscht. In der ganzen stolzen Nationalversammlung gibt es kaum einige Dutzend Unbestechlicher."

„Bist du nicht zu hart, Maximilian, und das am Vorabend des Verbrüderungsfestes? Ich war heute auf dem Marsfeld, es ist alles erhebend. Glaube mir, seit dem Tag, da das Schiff in Le Havre anlegte, bin ich wieder mit ganzer Seele Franzose."

„Und weißt du auch, auf wie schmalem Grat wir balancieren? Denke an den König – würdest du ihm vertrauen?"

„Ich würde *keinem* König trauen, das lehrt mich die Geschichte."

„Würdest du den Priestern trauen?"

„Erst recht nicht! Meine Mutter lief täglich zur Beichte, meine Tante ebenfalls. Die Pfaffen herrschen über die Einfältigen, beeinflussen die Frauen, die gläubigen Bauern."

Robespierre nickte. Sein Gesicht wirkte alt und verfallen, als er sagte: „Du wirst morgen ein Schauspiel erleben, das einmalig ist, François. Der Bischof von Autun, Monsieur Talleyrand, wird an der Spitze von Geistlichen erscheinen, die den Eid geleistet haben. Er wird die Messe lesen, wird mit aller Erhabenheit die Familie des Königs segnen, danach die Nationalgarde und die Mitglieder der Nationalversammlung, ja, die ganze unübersehbare Volksmasse. Ein bescheidener Diener Christi, nicht wahr? – Dann wird der Bischof wie stets einen Spielklub aufsuchen und mit einer zweifelhaften Dame soupieren. Da hast du dein erhabenes Fest."

„Das könnte Marat gesagt haben." Laval war nachdenklich geworden. Seine so frohe Stimmung fing an ins trübe umzuschlagen.

Robespierre bemerkte diesen Wandel.

„Vergiß meinen Pessimismus! Wer seinen Kahn durch die Schmutzbrühe des politischen Alltags steuern muß, der vergißt manchmal, daß es unverdorbene Menschen gibt, deren Seelen klar sind wie saubere Bäche, auf deren Grund man jeden Kiesel sieht."

Er drückte Laval die Hand. „Du hast recht, François. Großes ist geschehen! Der Bastillesturm – die Nacht vom 4. August, als der Adel auf seine Rechte verzichtete – die Deklaration der Menschenrechte – der Marsch nach Versailles – die Enteignung des Kirchengutes. Und das alles in einem Jahr!"

„Darauf solltest du stolz sein, Maximilian, du hast deinen Anteil daran."

„Zugegeben. Aber mir geht es wie dem Mann, der übers Eis reitet und nicht weiß, ob es ihn trägt. Sehe ich bei meinen Reden in die Gesichter meiner Kollegen – ja, auch im Jakobinerklub –, da möchte ich eine Zauberzange haben, um die Schädeldecken aufzureißen. Ich möchte in jede Hirnwindung sehen können, in jede Gedankenfaser, damit ich weiß, ob sie es ehrlich mit der Revolution meinen oder sie nur als Steigbügel benutzen, um sich selbst in den Sattel zu schwingen."

Laval spielte nachdenklich mit einem Brieföffner. Er schwieg lange. Es war so still im Zimmer, daß das Summen einer Schmeißfliege zu hören war. Draußen ging ein Regenschauer nieder. – Ob es morgen regnen wird? Lizzy würde unglücklich sein. Sie hat sich ein neues Kleid arbeiten lassen, ein festliches Kleid für einen festlichen Tag. –

„Du hättest mit uns reisen sollen. Maximilian", sagte François, „du hättest mehr vom neuen Frankreich gesehen als hier in Paris.

Auf allen Landstraßen ziehen die Menschen zum 14. Juli hierher. Nichts hält sie ab! Ich bin Matrosen aus Cherbourg begegnet, Soldatenabordnungen, die sich mit dem Volk verbrüderten . . ."

„Ihre Offiziere verbrüdern sich mit dem Feind", warf Robespierre ein.

„Das mag zutreffen. Aber es gibt auch andere. Der Bürgermeister von Yvetot, ein Jakobiner übrigens, stellte mir den Kommandanten der dortigen Nationalgarde vor, einen Oberst. Dieser Patriot hat alle Hetzschriften gegen die Revolution einsammeln lassen: das berüchtigte Buch von Mister Burke, die widerliche Pfaffensudelei, ‚Die Leidensgeschichte Ludwigs XVI.‘, ferner eine Schrift, in der die Nationalversammlung als Mörderbande bezeichnet wird. Bei einem Volksfest wurde alles verbrannt. Die Bürger sprangen durch das Feuer."

Ein herbes Lächeln spielte in Robespierres Zügen.

„Ich kenne die Schriften. Es wird auch von der Kanzel gehetzt. Ein Pfarrer in Nancy hat gepredigt, ich sei der Satan, der persönlich zur Erde gekommen wäre. Und was soll ich dir sagen – ein runzliges Mütterchen hat an meiner Robe geschnuppert, ob sie nach Fegefeuer rieche."

Laval lachte. „Es war oftmals kein Durchkommen, Maximilian. Musik in allen Tälern, auf allen Höhen. ‚Ça ira! Ça ira!‘ Unser Jean Paul mit seinen sechs Jahren hat die Lieder schnell gelernt, auch die unanständig abgewandelten. Zum Entsetzen meiner Frau kräht er munter: ‚Und wenn sie alle hängen, marsch, haut man ihn'n die Schippe vor den Arsch.‘"

Der alte Bürobote meldete die Herren Desmoulins und Marat.

„Ça ira!" rief Camille Desmoulins, wischte sich den kantigen Kopf trocken und schüttelte die Wassertropfen von seiner stahlblauen Redingote.

Marat schlug sich frohgestimmt auf die Schenkel. „Ja, es geht ran, Robespierre! Wir kommen mit guten Nachrichten."

„François, alter Schulfuchs aus Arras, hast du nichts Trinkbares? Wir verdursten! Sind auf dem Marsfeld gewesen." Desmoulins sah sich suchend um und fand einen Krug mit Wein, den er ohne weiteres leerte.

Marats sonst so blasses Gesicht hatte Farbe bekommen. „Ich habe die Revolution auf dem Marsch gesehen!" rief er. „Sie wissen, seit Wochen hocke ich in meinem Kellerversteck, habe unter großen Schwierigkeiten mein Blatt herausgebracht. Aber gestern hat man mir mitgeteilt, die Anzeigen gegen mich seien zurückgezogen worden. Und gestern hat man auch die Bande unschädlich gemacht, die meine Druckerei verwüstet hatte. Nur der Anführer, ein Vicomte Chateaubras, ist entkommen."

„Wir werden ihn finden und an die Laterne hängen", sagte Robespierre wie selbstverständlich.

„Teufel auch, François! Warum steckst du in deinem traurigen Kontor? Nur Fledermäuse können hier hausen." Desmoulins sah sich um. „Du hättest das Volk sehen sollen! Tag und Nacht arbeiten die Menschen auf dem Marsfeld. Sie bereiten den Festplatz vor. Wenn es allerdings nach Monsieur Bailly, dem Bürgermeister, und der Stadtverwaltung gegangen wäre – nie würde das Fest stattfinden können."

Marat ergänzte temperamentvoll: „Die Oberen haben Angst vor den Menschenmassen, die zusammenkommen. ‚Wie wird es dem armen König ergehen?' Und Ihre Jakobiner, Monsieur Robespierre? Sie befürchten, der dicke Ludwig könne das einfache Volk der Provinzen beeinflussen. Alles Kleingläubige! Das Volk wird ihnen morgen eine Lektion erteilen."

„Ich kenne diese Stimmung", bestätigte Robespierre. „Aber Sie können nicht erwarten, daß eine Versammlung von Advokaten, Pfarrern und ehemaligen Adeligen den Mut römischer Gladiatoren aufbringt. Sie haben die Schiffe hinter sich verbrannt, aber sie fühlen sich noch nicht heimisch auf dem Neuland."

„Wenn die Herren Deputierten wie ich durch das befreite Land gefahren wären, sie hätten alle Bedenken über Bord geworfen. Aus den fernsten Gegenden sind die Menschen unterwegs. Ich habe es schon Robespierre erzählt. Die von Saarlouis reichen denen von Marseille die Hand. Vier Wochen marschieren sie in der Glut des Sommers, und in jeder Stadt nimmt man sie auf. Wehe dem Wirt, der ihnen Kostgeld abverlangt. Es gibt keine Zerrissenheit mehr, die Nation ist eins!"

„Es ist wie eine Wallfahrt", sagte Camille Desmoulins, „nur daß diesmal kein Heiliger gefeiert wird."

„Ça ira! Es wird schon gehen! Wer sich erhöht, den wird man erniedrigen – und wer sich erniedrigt, den wird man erhöhen." Die vier Männer eilten ans Fenster und winkten den Vorüberziehenden. Der Regen rann, doch die Menschen sangen – ein kühler Wind blies, doch die Menschen marschierten und sangen.

Es waren einhundertundfünfzigtausend, die zum Marsfeld zogen: Kinder mit Körben, um die Erde fortzutragen; Bürger, Soldaten, Mönche, Händler, Schauspieler, Marktfrauen und Damen von Stand; sie trugen Hacken und Spaten, schoben Karren, Kapellen spielten ohne Pause und feuerten an. Es kamen die Maurer vom Pont Louis XV., die einen harten Arbeitstag hinter sich hatten; es kamen Gärtner vom Montmartre, Zimmerleute und Straßenfeger, Studenten und ihre Professoren, Lehrer und ihre Schüler.

„Freunde", sagte Robespierre leise, „hören Sie: ‚Es wird schon gehen!'" Man merkte ihm die Ergriffenheit an. „In einer einzigen Woche haben sie zwei große Hügel aufgeworfen, damit von dort oben das heranströmende Volk die feierliche Handlung miterleben kann."

Desmoulins warf in seinem Ungestüm ein Stehpult um, Papiere flogen umher.

„Das Handelshaus Laval-fils wird dir eine Rechnung schicken, Bürger", spottete Laval, der Bücher und Blätter aufsammelte.

„Alle Titel sind abgeschafft, Graf Mirabeau heißt jetzt Bürger Riquetti", bemerkte Camille vergnügt. „Er schäumte, als ich ihn heute so anredete. Es gibt keinen Adel mehr, nur den im Herzen."

„Das Fest ist schön und wird uns nützen", sagte Marat. „Aber Feste allein tun es nicht. Können wir dem Volk genug Brot geben? Irren Sie sich nicht, unsere Revolution steuert in gefährlichem Wellengang. Der Feind ist wie ein treibender Eisberg, von dem der bedrohlichste Teil unter Wasser ist. Unsichtbar für den Kapitän auf der Brücke."

„Ach was, Marat! Sie haben zu lange im Keller gehaust. Ihre Ansichten sind grau wie die Dämmerung", sagte Desmoulins leichthin. – „Kommst du mit, Maximilian? Meine Lucile erwartet mich im Café Corazzo. Sie hat einen feinen Burschen entdeckt, der ein wichtiges Pamphlet geschrieben hat."

Robespierre winkte ab. „Solche Elaborate bekomme ich täglich zu lesen."

„Aber nicht dieses, Maximilian. Hier: ‚Frau Natur vor den Schranken der Nationalversammlung'." Desmoulins zog ein dünnes Heft aus der Tasche.

„Und was sagt Madame Natur?"

„‚Die Abschaffung des Adels haben Sie dekretiert, aber den Unterschied zwischen den Armen und Reichen, den Herren und den Knechten behalten Sie bei.' Das ist ein Kernsatz daraus."

„Und wer ist der Autor? Er paßt zu den Cordeliers, den Jakobinern würde er zum Ärgernis werden."

„Er heißt Sylvain Maréchal, er hat auch einen neuen Kalender entworfen."

„Einen neuen Kalender?" Robespierre lachte auf. „Bestimmt, das ist die eiligste und revolutionärste Tat." Er nahm Hut und Stock und verabschiedete sich.

Desmoulins ging auch bald. Er war über Robespierres Ironie sehr betroffen. Warum keinen neuen Kalender? Es wurden doch auch Gesetze verworfen, die ein gutes Jahrtausend gegolten hatten.

Die beiden Zurückbleibenden saßen sich eine Weile stumm gegenüber. Das Tageslicht verblich in dem nüchternen Raum. Der ausgestopfte Aligator, der von der Decke herabhing, bewegte sich in einem von der Tür kommenden Luftzug.

Marat sah zu Laval hinüber, der ans Schreibpult getreten war.

„Was sagt man in meinem England über uns?" fragte er.

„In Ihrem England ist man gehässiger geworden. Man nennt die Männer der Nationalversammlung nur noch Meuterer und Rebellen. Sie selbst, Monsieur Marat, und Robespierre gelten als Banditenhäuptlinge. Die Zeitungen verbreiten Greuelnachrichten. Und die Emigranten ... Jeder, der geflohen ist, gibt sich als Opfer der Willkür aus, schon damit ihm in englischen Landhäusern ein bequemes Leben geboten wird. Dabei haben die Bedauernswerten mehr Diamanten und Perlen mitgebracht, als der ganze britische Kronschatz in seinen Gewölben birgt. Man spekuliert an der Börse und handelt mit Assignaten, die man billig erworben hat."

„Das ist mir nicht ganz unbekannt. Ich ahne auch, was man drüben befürchtet, François: Wir könnten ein geeintes Land werden, frei von Binnenzöllen, Gewerbeschranken und einer hemmenden feudalen Bürokratie. Dann wären wir ein bedeutender Konkurrent für die britischen Kaufleute. Doch was sagt der einfache Mann auf der Straße? Sympathisiert er nicht mit uns?"

„Der einfache Mann? Er darf sich wie eh und je an Pferderennen, Hunderennen und Ringkämpfen delektieren. Seine Meinung bekommt er durch die Gazetten geliefert. Gibt es irgendwo Aufwiegelei, so ist er noch immer von Deportation und Galgen bedroht. Ich habe England satt, will es nicht mehr sehen. Der verfluchte Londoner Nebel dazu ... Wie sonnig ist doch unser Frankreich! – Die Apotheke ist verkauft, die Herstellung von Pastillen an die Damen Evans und Hopkins verpachtet."

„Auch für England wird der Tag kommen, an dem die oberen Schichten nicht mehr so weiterleben können wie bisher und die unteren es nicht mehr wollen."

Laval sah wieder einmal mit Bewunderung, wie die Leidenschaft der Überzeugung den kranken Körper des älteren Freundes straffte, wie er sich zusammenriß.

„Und was macht Frau Helen? Als ich sie im April verließ, peitschten Regengüsse über die Hochmoore, und im ‚Fröhlichen Truthahn' hatte man Sorgen. Die Poststraße sollte verlegt, eine bequemere Verbindung nach Dover geschaffen werden. Ihre Schwiegermama hat mir seitdem nicht mehr geschrieben."

„Die Gefahr bezüglich der Straßenverlegung existiert nicht mehr. Sie wurde durch eine Hypothek auf das Haus aus der Welt geschafft. Die Summe bekamen der Abgeordnete der Grafschaft und der Straßenbaumeister zu gleichen Teilen. Die Straße geht also weiterhin am ‚Truthahn' vorüber. Frau Helen hat inzwischen noch mit Schafzucht begonnen und große Weideflächen gepachtet. Wissen Sie, Doktor, was sie mir beim Abschiedsbesuch eingestanden hat?"

„Will sie wieder heiraten?"

„Das wohl nicht. Aber sie sagte etwas, das bitter klang. Wenn einer Frau die Freuden der Liebe nur so selten geboten würden, so wäre sie allmählich zufrieden mit den Freuden des Geldzählens."

„Die Freude des Geldzählens?" Marat schüttelte enttäuscht den Kopf.

„Ach Doktor, vergessen wir das alte England. Wir leben in Paris! Und morgen werden wir ganz Frankreich auf dem Marsfeld sehen. Ich freue mich darauf."

6

Das Fest auf dem Marsfeld

„Der Regen regnet ja immer noch", rief das Mädchen Henriette enttäuscht, als es am Morgen des 14. Juli zu den schweren Wetterwolken emporblickte, „wie schade, da kann ich das hübsche Kleid nicht anziehen."

„Der Himmel ist aristokratisch", knurrte Vater Simonet, der sich abmühte, über sein weißleinenes Hemd eine grellrote Schleife zu binden. Stets wurden es Knoten.

„Das haben die Pfaffen gemacht", ereiferte sich Charlotte, „die haben so oft gebetet, bis Gott im Himmel sie erhört und uns Regen geschickt hat." Sie seufzte und flocht Henriettes Haar in zwei Zöpfe.

„Solch einen Unsinn kann sich doch nur ein Frauenzimmer ausdenken! Erstens, Charlotte, setzt dein Geschwätz voraus, daß die Pfaffengebete Erfolg haben. Es gibt aber keinen persönlichen Gott, das hat Monsieur Marat eingehend erklärt, also kann er sich auch nicht um den Regen für die Stadt Paris kümmern. Zweitens, gäbe es einen persönlichen Gott, warum duldet er alles Unrecht in der Welt und läßt es regnen auf Gerechte und Ungerechte? Und drittens, es nehmen zweihundert Pfaffen an dem Fest teil."

„Vater, Madame Theubôt sagt, das sind keine richtigen Geistlichen, weil sie vom Heiligen Vater ex ... ex ... kommuniziert worden sind."

„Wir werden Monsieur Pius exkommunizieren."

Pierre fluchte so sehr, daß Nanon aus ihrem Zimmer kam. Sie zwang ihren Zügen ein Lächeln ab. Sie war noch immer nicht über die entsetzliche Nacht hinweggekommen. „Brausekopf du, komm er, ich binde dir die Schleife."

„Heute regnet es Wasser, Schwesterchen. Weißt du noch, vor einem Jahr, da hat es Kugeln geregnet."

Als die Simonets aufbrachen, hatte der Regen nachgelassen, aber noch immer fauchte ein unfreundlicher Westwind durch die Straßen.

„Auch der Wind ist mit denen im Bund, Gevatter Mollet", rief Pierre, als sie den herkulischen Tischler trafen, „er bläst vom Faubourg Saint-Germain, wo die adeligen Schufte wohnen."

Das war ein Gedränge auf Straßen und Plätzen ...

„Hast du es gehört, Simonet? Über sechzigtausend, die von auswärts gekommen sind, haben die Nacht hindurch auf dem Marsfeld biwakiert. Das gibt einen Verbrüderungsschnupfen!"

Da standen, in Reihen angetreten, die Pariser Nationalgarden, durchnäßt und hungrig – aber sie sangen. An Bindfäden ließ man aus den Fenstern der Rue Saint-Martin und der Rue Saint-Honoré Brot, Schinken, Käse und Flaschen mit Wein herab.

Immer mehr Menschen, ein unabsehbarer Strom, zogen über den Pont Royal hinüber zur Militärschule. Hier öffnete sich der weite Raum.

„Allein auf den Hügeln stehen und sitzen einhundertsechzigtausend Menschen", berichtete ein Munizipalbeamter dem harrenden Talleyrand.

Der Kommandant der Nationalgarde, Bürger Lafayette, auf seinem Apfelschimmel, nahm die Meldung unbewegten Gesichts entgegen. Er hatte nur Augen für die Tribüne, wo sogleich das Königspaar erscheinen mußte.

Lavoisier war im geschlossenen Wagen bis zur Seine vorgedrungen. Dann mußte er aussteigen, sehr gegen den Widerstand seiner Frau, die sich nicht unter die Volksmenge mischen wollte. „Was weiß dieses Pack, wen es vor sich hat?" sagte sie.

„Es ist vielleicht ein Glück, daß man es nicht weiß", entgegnete er hart. „Ich habe noch einige Entdeckungen vor und möchte nicht, daß es mir wie Archimedes geht, der erschlagen wurde, als er mitten in einer schwierigen Berechnung war."

Ein luxuriöses Kabriolett rollte aus der Straße Leshuilaries heran. Ein junger Mann mit modischem Backenbart sprang heraus und übergab einem livrierten Diener die Zügel. Dann half er seiner Begleiterin beim Aussteigen.

„Das ist doch . . . Das ist doch . . . Wen hat sie sich denn da gefischt?" Madame Lavoisier vergaß den Mund zu schließen.

„Das ist der Sekretär des holländischen Gesandten. Aber er ist nicht ihre einzige Eroberung." Lavoisiers verhaltene Wut kam zum Durchbruch. Er konnte nicht verwinden, daß Juliette ihn eiskalt abgehalftert hatte. „Sie hat jetzt ein Faible für Männer mit höheren Weihen. Man will sie bereits in der Umgebung des Bürgers Talleyrand gesehen haben."

„Und diese Schlange habe ich an meinem Busen genährt." Frau Lavoisier beschleunigte ihre Schritte. Sie hatte Professor Charles entdeckt, der mit einer Schar von Assistenten und Studenten dem Marsfeld zustrebte. Von fernher hörte man bereits Musik und die Jubelrufe der Massen.

„Ich sage Ihnen, Lavoisier, das ist Seligkeit! Ich stand seit dem Morgengrauen am Fenster meiner Wohnung. Wir erleben den Aufbruch einer Nation! Man unterrichtet mich, es seien vierzehntausend Nationalgardisten aus den Provinzen gekommen. Hier, Monsieur Grenier hat selbst an der Tribüne mitgebaut, die sich vor der Ecole militaire erhebt."

„Sie brauchten einen Physiker, der die Stabilität mathematisch berechnete", sagte der junge Gelehrte lachend. „Ich habe auch die Stützen des Altars untersucht – Thron und Altar dürfen doch nicht wanken."

Madeleine Lavoisier hörte mißgelaunt zu. Dieser begabte junge Mensch sollte Mitglied des Klubs der Jakobiner geworden sein. Oder war er sogar bei den wilden Cordeliers? Ach wohin steuerte man?

„Beeilen Sie sich", rief Professor Charles, als sie an den schmausenden Nationalgardisten vorbeikamen. Ein Schinken wurde weitergereicht. Jeder schnitt sich eine Scheibe ab.

„Hier stehen die Gardisten vom Distrikt der Cordeliers, Madame", sagte einer höflich und trat zur Seite. „Wollen Sie bitte bemerken, daß wir der einzige Distrikt sind, der die Ausrüstungen gemeinsam beschafft hat. Bei uns gibt es keine Unterschiede, auch der Ärmste kann Gardist werden. Das verstehen wir unter Gleichheit."

Weiter ging es im Wirbel der Dahineilenden. Man tanzte auf den Straßen, obwohl Wasser und Schmutz aus den Pfützen aufspritzte. Jetzt marschierten Bauern aus der Bretagne heran, Fischer aus Marseille, Handwerker aus Lothringen und Hirten aus den Pyrenäen.

Juliette war ihrem Liebhaber vorausgeeilt. Für die Diplomaten gab es eine Sondertribüne. Von dort hielt sie Umschau nach Freunden und Bekannten. „Hallo, Breullon!"

Der junge Maler saß neben seinem Meister David. Sie malten unter einem großen Schirm, den Louison hielt, Louison, die jetzt in der Malklasse der Akademie Modell stand.

„He, Breullon! He, Louison!" Juliette hielt die Hände an den Mund, doch ihr Ruf drang nicht durch.

David sagte gerade zu Breullon: „Sehen Sie die anmutigen Mädchen dort drüben, die jetzt Farandole tanzen? Nun werden wir die fetten Aristokraten und ihre Mätressen nicht mehr zu konterfeien brauchen. Das Volk wird Aufträge geben, und dann malen wir nur noch diese einfachen Menschen."

„Ich möchte nach Florenz, Meister, möchte die Alten studieren. Bei mir ist alles noch so hölzern und steif. Es ist, als rede Robespierre. Was er sagt, ist hinreißend, aber wie er es sagt, das ist Holzschnitt aus früheren Jahrhunderten."

„Breullon, der Vergleich hinkt. Es ist gezirkeltes Zeremoniell, hineingestellt in ein sehr unruhiges Zeitalter."

Der Festplatz füllte sich. Auf der riesigen Tribüne hatten die Abgeordneten der Nationalversammlung Platz genommen: Robespierre, dessen Asketengesicht sich aus der Menge abhob – da der Riesenkopf Mirabeaus, der auffallend grau und verfallen wirkte – da der geistsprühende Brissot, seinem Nachbar boshafte Bemerkungen zuraunend.

Weiter unten saß auf bevorzugtem Platz die Zunft der Journalisten, die gefürchteten Männer der Feder: Loustalot neben Desmoulins, Fréron hinter Marat. Neben ihm die alte Mama Massillon, der er hier einen Sitzplatz besorgt hatte. Stolz und glücklich konnte sie ihr Alterchen beobachten, der als befreiter Bastillengefangener vorn im Festzug schritt.

Jetzt brach die Sonne durch das zerrissene Gewölk.

Marat betrachtete den Kommandanten Lafayette, der seinen Schimmel vor der Königstribüne voltieren ließ, und den hinkenden Talleyrand, dessen bischöfliches Ornat in der Sonne leuchtete.

Vierzig Geschütze donnerten. Zwölfhundert Musikanten spielten. Und nun der König – die Königin. Lafayette ritt vor den auf der Tribüne errichteten Königsthron und meldete mit gezücktem Degen. Wieder Musik!

Der Bischof an der Spitze der zweihundert Priester, die den Eid geleistet hatten und die dreifarbige Schärpe der Nation trugen, zelebrierte die Messe und segnete die königliche Familie, die Nationalversammlung, das Volk.

Im Halbdunkel des Zeltdaches, das über dem Königsthron aufgespannt war, flüsterte Marie Antoinette ihrem Gemahl zu: „Seien wir Komödianten. Lächeln wir. Das ist jetzt die einzige Art, ihnen die Zähne zu zeigen."

Der König nickte. Er schnaufte in seinem Prunkgewand und sah dümmlich über die Köpfe der Abgeordneten hinweg.

„Der Zeremonienmeister gibt das Zeichen. Kommen Sie, Sire. Lassen Sie uns den Eid auf die Verfassung leisten. Der Abbé Vermont hat mir versichert, daß er nichts gilt."

„Hoch der König!"

Das Volk jubelte, erhob sich von den Sitzen. Es war eine feierliche Minute.

Die Karosse mit dem Königspaar rollte wieder den Tuilerien zu. Ludwig XVI. gähnte. Er öffnete die Brokatweste, die ihn beengte, und zog den Vorhang auf. Verdrießlich sah er hinaus auf die Straße.

Was bedeutet schon ein erzwungener Eid, dachte Marie Antoinette. Die Heere Europas werden marschieren, dann wird die Mauer fallen, die uns umschließt.

Im Hinterzimmer des Kaffeehauses „Zum Pfauen" saß Marat mit seinen Freunden zusammen. Auch der Verleger Mormoro war gekommen, mit dem Marat über die Herausgabe seiner Bücher verhandeln wollte.

Camille Desmoulins lachte breit. „Im Spätherbst wird Hochzeit sein."

Alle waren fröhlich und beschwingt. Camille spottete über Lafayette, der nur noch Augen für die Königin gehabt hätte, über Danton, dessen feister Rücken Madame Lavoisier die Sicht auf die feierliche Handlung erschwert habe. Lucile lächelte und sah ihren Verlobten zärtlich an.

Marat blieb nachdenklich. Er wollte die lustige Runde nicht mit ernsten Gedanken beschweren. Erst als zum Aufbruch gerüstet wurde, nahm er das Wort. „Meine Freunde, dieser 14. Juli war ein großer Tag für das Volk. Aber wir dürfen unser Mißtrauen nicht durch ein gelungenes Fest einschläfern lassen. Ich fürchte, Lafayette wird uns eines Tages verraten. Auch der König und die Österreicherin. Sie trägt zwar die Kokarde, aber nur auf Zeit. Doch sie soll sich hüten: Fällt die Kokarde, fällt das ganze Königtum."

Lieber, verehrter Bürger Marat!

Tauchen Sie Ihre Feder in schwärzeste Galle! Nehmen Sie Lettern so riesengroß wie die Schandtat, deren Zeuge ich hier sein mußte! Drucken Sie Ihre nächste Nummer mit roter Farbe, so rot wie das Blut, das hier auf dem Marktplatz geflossen ist! Grausiges ist geschehen! Alarmieren Sie die Bürger im Klub der Cordeliers, bei den Jakobinern! Lassen Sie die Trommeln rühren, ist es doch Zeit, daß dem Haß der adeligen Offiziere mit dem Zorn des Volkes begegnet wird.

Wie Sie wissen, weile ich seit einer Woche in diesem schönen Lothringer Städtchen, um in einer chemischen Fabrik Experimente mit lichtempfindlichen Silbersalzen anzustellen. Keine unnützen Spielereien – sowohl die Bürger Charles als auch Lavoisier warten mit Spannung auf meine Berichte.

Nun war mir nicht entgangen, daß es in den rings um Nancy liegenden Regimentern in bedrohlicher Weise gärte. Der uralte Gegensatz zwischen adeligen Offizieren und bürgerlicher oder bäuerlicher Mannschaft trat offen zutage.

Der Soldat hielt sich für bestohlen, denn er bekam die von der Nationalversammlung beschlossene Solderhöhung nicht ausgezahlt. Die Offiziere aber weigerten sich, die Regimentskassen zwecks Prüfung zu öffnen. Sicherlich waren die Chefs der Regimenter schlechte Buchführer, zudem sie auch noch ihre eigenen Revisoren sind. Die gemeinen Soldaten wählten also Ausschüsse und ernannten Sprecher, die durchaus berechtigte und gemäßigte Forderungen stellten. Man konnte nicht umhin, einige derselben anzuerkennen, wie sogar der Oberbefehlshaber General de Bouillé zugeben mußte.

Ich will es Ihnen und mir ersparen, alle die Ausschreitungen aufzuzählen, die seitens roher Offiziere geschehen sind. Man hat die Soldaten mit Hohnreden abgespeist, wenn sie ihre Rechte forderten. Aus geringfügigen Anlässen hat man Soldaten durch bezahlte Klopffechter in provozierten Zweikämpfen getötet oder verwundet. Dies alles durch Offiziere, die – vom General angefangen – noch immer nicht den Eid auf die Verfassung geleistet haben. Viele davon sind inzwischen über die Grenze gegangen, um sich in deutsche Corps einreihen zu lassen, die Österreich gegen die Revolution in Brabant marschieren läßt. Sie sehen, diese Verräter sind so voller Haß gegen uns, daß sie in fremden Heeren dienen, wenn sie nur gegen die Freiheit marschieren können.

Sie kennen sicherlich das Regiment Châteauvieux. Es hat uns mit zum Sieg über die Bastille verholfen, weil es nicht auf das

Volk schießen wollte, damals, als wir uns die Waffen aus dem Invalidenhaus holten. Die Angehörigen dieses Regiments sind Schweizer, Calvinisten. Viele von ihnen tragen das Andenken an Rousseau im Herzen. Die Offiziere sind Patriziersöhne – das sagt bereits alles. Auch dieses Regiment verlangte Rechnungslegung. Was hat man gemacht? Die Abordnung der Kompagnien wurde vor der Front grausam ausgepeitscht und durch die Gasse getrieben. Die französischen Soldaten empfanden die Peitschenhiebe wie selbst empfangen und zwangen den Chef des Schweizer Regiments, den Geprügelten Schmerzensgeld zu zahlen.

Wie konnte es aber geschehen, daß die Versammlung in Paris den Kommandeuren Vertrauen schenkte und nicht den Mannschaften, die doch Söhne des Volkes sind?

Wie konnte es bei den Jakobinern zu einem Beschluß kommen, der einem Lafayette, einem Bouillé volle Handlungsfreiheit gewährte? Warum hat man nicht Mirabeau zugestimmt, der die Armee auflösen und neubilden wollte?

Ich kenne die Einwände, bester Marat: Für die neue Armee hätte man wiederum Edelleute als Offiziere vorsehen müssen, weil sie Spezialisten sind, weil sie Strategie und Taktik beherrschen und kommandieren können.

Ach, würde man Söhne des Volkes in den Sattel setzen, auch sie würden reiten können. Das wissen Sie so gut wie ich.

Da man aber nun mal in Paris kurzsichtig war, dem Hof, dem König vertraute, man auf Bouillé setzte – der sich bestimmt als Verräter und Agent Österreichs entlarven wird –, so hat letzterer als Kommandeur der Truppen an der Ostgrenze rasch gehandelt. Mit Infanterie und Reiterei, vornehmlich aus Deutschen bestehend, zog er gegen Nancy. Ja, es gelang ihm sogar, Teile der hiesigen Nationalgarde zum Anschluß zu bewegen.

Ich habe sie gesehen, lauter Aristokratensöhne, ausgestattet wie die Hochzeitsreiter in meiner Heimat, aber bewaffnet, als gelte es, der ganzen Nation den Fehdehandschuh hinzuwerfen.

Es kam zu einem Straßenkampf. Ich bin Zeuge gewesen. Husaren Bouillés ritten gegen die Soldaten vom Regiment Châteauvieux. Die Arbeiter der Stadt halfen den Schweizern, die sich verzweifelt gegen die Übermacht der eindringenden deutschen Reiter wehrten. Ich war außer mir. Was konnte ich aber tun?

Die wohlhabende Bevölkerung hatte sich in sicheren Räumen verkrochen. Und während unter meinem Fenster die Todesschreie der Niedergerittenen und Verblutenden gellten, spielte eine Gräfin in einem Hinterzimmer des Hotels gefühlvolle Romanzen auf dem Spinett. Ich hätte so etwas nicht für möglich gehalten. Diese Roheit einer Frau ...

Der Abend brachte Ruhe – die Ruhe des Todes. Vom Regiment Châteauvieux war die Hälfte gefallen, die andere gefangen. Ein gutes Dutzend, das sich in Bürgerhäuser geflüchtet hatte, wurde dort erwürgt.

Dann – meine Feder sträubt sich – hat die Stadtverwaltung Galgen errichten lassen. Vor meinem Gasthof, Marat, einundzwanzig Gehenkte! Wegen Widersetzlichkeit gegen Vorgesetzte. Die Trommeln dröhnten.

In den gefesselten Händen hielt einer der Soldaten die Deklaration der Menschenrechte. Er hielt sie hoch, bis ihm der Strick des Profosses den Hals zuschnürte.

Und in den Fenstern ringsum lagen die Damen der Gesellschaft! Den zweiundzwanzigsten haben die Henker aufs Rad geflochten, sein Sterben soll eine ganze Stunde gedauert haben.

Und damit nicht genug. Die frommen Bürger von Nancy haben einen geflüchteten Soldaten an die Offiziersmeute ausgeliefert, und diese hat ihn auf offenem Markt mit Säbeln in Stücke gehauen.

Warum ich das Grauenvolle so weitschweifig schildere?

Das ist die Gegenrevolution, Bürger Marat! Sie marschiert ganz legitim, denn in Paris hat man den Schlächtern alle Vollmachten gegeben!

Heute abend ist Bürgerball für die Sieger.

Die Dame im Hinterzimmer klimpert wieder auf dem Spinett. Ein Kellner erzählte mir vorhin zornbebend, daß angesichts der Exekution sich ein Kavalier mit einer Kokotte amüsierte.

Die Offiziere tragen ganz ohne Scheu und Scham die weiße Kokarde. Weiß ist nicht mehr die Farbe der Reinheit, der Unschuld, es ist die Farbe der offenen Reaktion.

Ja, ich habe noch mehr zu melden – noch mehr Greuel: Vor kurzem ist die Gerichtsverhandlung zu Ende gegangen. Fünfzig Soldaten, wahrscheinlich die einzigen, welche dem Gemetzel entgangen sind, wurden für lebenslänglich zur Galeere verurteilt! Morgen bringt man sie nach Brest. Das ist der Dank Frankreichs dafür, daß diese Menschen vor einem Jahr nicht auf uns geschossen haben! Tod und Marter – das alles im Namen der Nation, mit Billigung der Abgesandten aus Paris, die mir versicherten, daß fast alle Abgeordneten über die Truppenunruhen besorgt seien und harte Maßregeln verlangten. Auch der König sei für Härte.

Ich schreibe dies alles so nüchtern, wie ich es vermag. Draußen im Schein der Fackeln baumeln die Gehenkten, drüben im Hôtel de ville tanzen die Paare. – Wenn Breullon hier wäre, er könnte ein Gemälde schaffen, das dem von der Bartholomäusnacht ebenbürtig wäre.

Lieber Marat! Ich erwarte sehnsüchtig die Sondernummer des ‚Ami du peuple'. Rufen Sie in die Straßen, die Gassen! Lassen Sie Cicero aus dem Grab aufstehen und mahnen: „Dum Roma deliberat, Saguntum perit." Wandeln wir ab: „Während Paris beratschlagt, gehen die Patrioten von Nancy zugrunde."

Seien wir so mißtrauisch und zugleich so wachsam, wie es sich für Patrioten geziemt. Ich werde zu gegebener Zeit vor den Cordeliers berichten, dann wehe den Verrätern!

Ich muß noch eine Woche hier ausharren, da die Kartons noch nicht die gewünschte Lichtempfindlichkeit haben. Hoffentlich kann ich Sie einmal mit unseren Erfindungen überraschen.

Grüßen Sie die Bürgerin Nanon.

Ihr getreuer
Jules Grenier

Juni des Jahres siebzehnhundertundeinundneunzig. Lang die Tage, kurz die Nächte – und kurz der Atem der Revolution. In der Konstituante formte man die Philosophie des achtzehnten Jahrhunderts in handliche Gesetze, aber die Energien vertröpfelten wie ein Regenschauer. Viele Vertreter des Volkes waren müde geworden, andere neigten zur Korruption.

Wann würden nochmals Tage des Zorns hochpreschen, um die Flamme wieder zu entfachen, die unter der Bürde der täglichen Kleinarbeit nur noch schwelte?

Das Massaker von Nancy ... Soldaten am Galgen ... aufs Rad geflochten ... Patrioten auf die Galeere verschickt ... General de Bouillé vom König gelobt ...

Hatte die Nationalversammlung nicht zu allem geschwiegen?

Auch die Stimme Robespierres vernahm man nicht. Die Disziplin in der Armee müsse gesichert bleiben. Entfiele sie, mit welchen Mitteln wolle man sie wiederherstellen? Das war seine Ansicht.

Nur Marat erhob seine zornige Anklage, schrie sie hinaus in Tausenden Exemplaren seiner Zeitung: „Laßt euch nicht einlullen, Bürger! Ein Tiger bleibt ein Raubtier, auch wenn er versichert, er werde wie ein Lamm auf die Weide gehen."

Doch nichts geschah gegen die offensichtlichen Mörder, die Offiziere in Nancy.

Unruhen brachen in der Bretagne aus, noch schlimmere im Süden des Landes.

Pfarrer hetzten im Beichtstuhl. Der Name Marat wurde zum Synonym für den Satan. Man erzählte sich in den Salons der Provinz die schauerlichsten Geschichten: Er stammt von spanischen Juden ab, haßt alle Katholiken; seinen Frühstückskaffee trinkt er aus der Schädeldecke eines gemordeten Priesters; sein Hautleiden ist die Folge einer venerischen Krankheit. Ein Geistlicher in der Dauphiné verhüllte das Kruzifix mit Trauerflor und verkündete, der Heiland trauere so lange, bis Marat und sein gottloser Anhang im Fegefeuer schmoren würden.

Nichts wurde unternommen gegen die Verleumder, nichts gegen die Gerüchteverbreiter.

Marat focht allein – ohne Geld, ohne einflußreiche Freunde. Sein Blatt ernährte ihn, da er bedürfnislos war. Doch Massillon mußte ihm die Rechnungen oft mehrmals vorlegen und hatte ihm schon einige Male aufgekündigt.

Aber das Volk liebte seinen Doktor. Stets boten sich Arbeiter aus den Vorstädten an, seinen Schlaf zu hüten. Man liebte ihn um seiner Einfachheit, Ehrlichkeit und Unbestechlichkeit willen, man nannte ihn wie seine Zeitung: Freund des Volkes – Ami du peuple.

Man rief sich die Schlagzeilen zu:

„Marat warnt vor Necker!"

„Die Getreidespekulanten verteuern das Brot!"

„Marat warnt vor dem Verräter Lafayette, er hält es mit dem Hofe!"

„Marat sagt, den Adel habt ihr abgeschafft, aber im Heer habt ihr ihn gelassen."

„Marat sagt, man muß die Offiziere von der Truppe wählen lassen!"

„Marat hat enthüllt, daß Madame Lafayette bei einem unvereidigten Pfarrer zur Beichte geht!"

„Marat nennt Steuerbeamte, die keine Assignaten in Zahlung nehmen!"

„Marat hat die Verschwörung von Versailles aufgedeckt, er ist wachsam!" – „Marat hat enthüllt, daß noch immer zahllose Bauern ohne Land sind, daß die Kirchengüter zumeist von städtischen Bourgeois aufgekauft werden, daß die Arbeiter von Paris, Lyon und Marseille noch immer zwölf bis dreizehn Stunden am Tag schuften müssen." – „Hütet euch vor den Schmarotzern in den Tuilerien! Vierundzwanzig Millionen Livres kostet uns der König. Was nützt er uns?"

Der Verleger Mormoro druckte einige Pamphlete Marats, zahlte aber wenig dafür.

So verging der Winter mit drückenden Sorgen.

„Was hilft es Marat, daß sie ihn das Auge der Revolution nennen", murrte Nanon, „wenn nicht ein einziges Fettauge auf seiner Suppe schwimmt."

Pierre Simonet nickte, während er seine Flinte reinigte. Seit einigen Wochen trug er die Uniform der Nationalgarde, die ihn keinen Sou gekostet habe, wie er jedem stolz erzählte, er gehöre doch zum Distrikt der Cordeliers.

Charlotte nähte an einem Leibchen und schimpfte über das schlechte Garn, da der Faden ständig riß. „Begreifst du das, Pierre? Als noch der König allein regierte, machten die Unternehmer gutes Garn. Jetzt, wo das Volk mitregiert, pfuschen sie."

„Die Scheißkerle reden sich heraus, die Kolonien lieferten schlechtere Baumwolle, und die Arbeiter seien widerspenstig und quatschten zuviel. In Wirklichkeit wollen die Fabrikanten nicht ein Tüpfelchen Profit einbüßen, verschlechtern einfach die Qualität."

„Da kann ja noch mancher Hosenknopf abreißen", maulte die verbitterte Charlotte. „Du baust dauernd Luftschlösser in den Distriktsversammlungen, aber davon geht dir kein Loch in der Hose zu."

Pierre gab eine derbe Antwort, seine Frau lachte auf.

Draußen kratzte sich jemand den Straßenschmutz von den Schuhen. Massillon stand in der Tür. „Sie wissen, Monsieur Simonet", sprach er mit einer gewissen Steifheit, „ich schätze Sie als guten Bürger und Vertrauten unseres Doktor Marat. Reden Sie mit ihm. Er ist störrisch wie ein Maulesel. – Ich kann nicht mehr für ihn drucken. Viele fette Aufträge sind mir seinetwegen entgangen."

„Ich weiß." Pierre legte verärgert die Putzlappen fort. „Sie hatten auch drauf gespitzt, die Traueranzeigen für den toten Mirabeau zu drucken."

„Diese schönen Reden und Gedächtnisartikelchen . . .", stichelte Nanon. „Wenn unsereins mal stirbt, trägt man uns zu den Innocents, er aber liegt in der Kirche Sainte-Geneviève, die sie jetzt Pantheon nennen."

„Er war ein großer Mann", widersprach Massillon.

„Er war ein gekaufter Mann", sagte Pierre schroff, „und das hat Bürger Marat ausgesprochen. Woher Mirabeaus Lebensaufwand? Seine Haushaltung? Woher das Geld für die Mätressen? Vom Hof bestochen war er! Der bezahlte seinen Luxus."

„Weil Marat diesen Verdacht ausgesprochen hat, wurde ich vom Sekretär des Verstorbenen unsanft hinausgeleitet. Aber kann man etwas beweisen? Glauben Sie, lieber Simonet, daß der König solche Gelder öffentlich auszahlt? Für mich steht fest, daß nichts bewiesen werden kann, daß Mirabeau ein ehrenwerter Mann war, der zu unserem Unglück viel zu früh gestorben ist. ‚Hier hat der Tod sich einer gewaltigen Beute bemächtigt', schrieb Desmoulins."

„Hören Sie mir mit dieser Wetterfahne auf", rief Nanon ungestüm, „er hat kurz danach das Gegenteil geschrieben."

„Und Sie als Mann der Bastille, Massillon, sollten auf Marat
schwören, nicht auf diese Schufte, ob groß oder klein. Verzichten
Sie auf die Brocken, die man Ihnen zuwirft."

„Und ich bleibe dabei: Mirabeau war ein großer Patriot. Rund
vierhunderttausend Pariser haben es schließlich bezeugt. Oder
glauben Sie, der Trauerzug wäre sonst so meilenlang gewesen mit
Fackeln, Posaunen und Pauken? Ich vergesse so etwas nicht."
Massillon wirkte etwas ratlos, er wußte nicht mehr, wie er den gefährlichen Marat abschütteln konnte.

Da dröhnte ein Kanonenschuß – gleich danach ein zweiter. Die
Fensterscheiben erzitterten.

„Alarm!" Pierres Gesicht verzerrte sich. „Alarm! Helft mir in die
Montur. Es ist etwas passiert. Nanon, sitzt die Kokarde richtig?
Los, schnell, ich muß die Flinte laden! Gib mir den Ladestock!"

Schwere Schritte waren auf der Treppe zu hören. Dann füllte
die Gestalt Mollets den Türrahmen aus. „Jetzt ist's passiert, Pierre!
Der Dicke hat sich aus dem Staub gemacht. Die ganze Familie
samt Erzieherin der Kinder. Alle fort! Die Tuilerien so leer wie
meine Hosentaschen."

„Der König geht zum Feind, damit der ihm sein Frankreich zu-
rückerobert", tobte Pierre, „und er hat Helfer gehabt, mitten unter
uns!"

„Bürger Marat hat wieder einmal richtig prophezeit." Nanon
band sich ein Brusttuch um, „wir müssen zu ihm. Er wird bestimmt eine Sondernummer herausbringen, wir müssen ihm helfen. – Und Sie, Bürger Massillon?"

„Natürlich drucke ich", krähte der Alte, „habe ich etwas anderes
gesagt?"

Auf dem Grèveplatz Menschenmengen. Vor dem Hôtel de ville
hielt Lafayette eine Rede zu seiner Verteidigung. Er habe es an
Bewachung nicht fehlen lassen.

Weiter... Weiter... Zusammenrottung des Volks in der Rue
Saint-Honoré. Vor dem Kloster der Jakobiner stauten sich die
Massen, doch der Zugang wurde nur Mitgliedern gestattet.

Marat war bereits informiert. Breullon saß bei ihm und Grenier,
der in prächtiger Gardistenuniform glänzte.

„Wie ein Paradiesvogel siehst du aus, Grenier", sagte Breullon,
„ich werde dich malen, aber erst, wenn die königlichen Vögel ein-
gefangen sind."

Einzelheiten über die Flucht waren bereits durchgesickert. Ein
Wagenbauer hatte eine breite Berline gebaut, groß genug für eine
vierköpfige Familie. Ein Sattlermeister hatte für die Königin

276

einen Reisekoffer von ungeheuren Dimensionen angefertigt – geräumig genug für eine Weltreise. Diener hatten verängstigt eingestanden, daß sie beim Aufladen der Koffer, Körbe und Kisten behilflich gewesen waren.

„Schluß mit diesem Verräterkönig", sagte Marat und tauchte die Feder ein. „Setzen wir ihn ab!"

„Es gibt Stimmen in der Nationalversammlung, die von einer Entführung des Königs sprechen. Auch im Jakobinerklub kann man diese Ausreden hören", berichtete Grenier und lächelte ironisch.

„Sind Könige hübsche Weiber, die man entführt?" fragte Marat. „Das ist ein Titel! Los, Massillon, wir setzen und drucken. Wir antworten diesen Hasenherzen in der Konstituante. Denen ist es lieb, daß alles so gekommen ist. Den König sind sie los, nun sind sie selbst Könige."

Marat schrieb hastig. Die Papiere flogen. Massillon machte sich an die Arbeit, sogar Nanon durfte ihm zur Hand gehen.

Der Tischler Mollet sagte: „Es gibt Stimmen, die meinen, laßt den König doch laufen, jetzt gibt es kein Veto mehr!"

„Wenn der König uns verlassen hat, bleibt doch die Nation. Es kann wohl eine Nation ohne König geben, aber keinen König ohne Nation!" rief Grenier aus.

„Sie reden Unsinn, Bürger Grenier", Mollet stieß Rauchgekringel in die Luft. „Glauben Sie, der dicke Bäcker flieht, um sich irgendwo in Italien fette Hühner und Gänse einzuverleiben? Er geht zum Feind über, damit der über uns kommt!"

Breullon strichelte an einer Karikatur: Der unförmig dicke König klammerte sich an den Rock Marie Antoinettes. Auch Hofdamen und Kammerherren hingen daran. Über die deutsche Grenze streckte ein Emigrant seine rettenden Hände. Er trug die Gesichtszüge des Grafen von Artois.

„Ob ich noch den General Bouillé einzeichne?" fragte Breullon. „Ich bin überzeugt, daß er seine Finger in der Suppe hat."

7

Der gefangene König

Am Eingang zum Klub der Cordeliers befestigte Pierre Simonet einen Maueranschlag, den der Präsident des Klubs, Bürger Legendre, unterzeichnet hatte. Kopfschüttelnd las Pierre die wenigen Zeilen, die einem Theaterstück von Voltaire entnommen waren.

Verse in dieser Stunde? Verse aus dem „Brutus"? Ob das Volk solche Dichterei begriff? Marat schrieb verständlicher, handfester. Doch auch er hatte für diese Veröffentlichung gestimmt, die, zur Schande des verhafteten Königs, an allen Mauern von Paris hängen sollte. Ja, sie hatten ihn erwischt, ihn und die ganze Familie! Die Patrioten von Varennes waren wachsam gewesen. Ein Bürger Drouet hatte den König erkannt. Nun waren Abgeordnete der Nationalversammlung abgereist, den Verräter und seine Sippschaft zurückzuholen. Es war offensichtlich, er wollte über die Grenze zu den Österreichern und den emigrierten Adeligen, um mit ihnen gegen sein eigenes Volk zu marschieren.

Wieder überflog Pierre den Text.

„Wär' ein Verräter unter den Franzosen.

Der einen Herrn sich wünscht, die Könige bedauert –

Der Niederträchtige sterbe auf der Folter;

Die schuldige Asche sei dem Wind gegeben . . ."

Als er so dahinstapfte, kam ihm Breullon entgegen. Der ist schwer bezecht . . ., Pierre grinste . . ., torkelt von einer Seite zur andern.

„He, Breullon, wo haben Sie sich so vollaufen lassen?" Da entdeckte er, daß der Maler aus einer Kopfwunde blutete.

„Sie? Simonet? – ,Gebt mir ein Messer, Römer!' – Man sollte nicht mehr unbewaffnet sein Atelier verlassen. Ich wollte ein selbstverfertigtes Plakat ankleben. Ich habe den witzigen Ausspruch, der seit Tagen in Umlauf ist, verwandt. Lesen Sie: ,Bürger! Der König kehrt zurück. Wer ihm zujubelt, wird verprügelt, wer ihn beleidigt, wird gehängt.'"

„Dafür hat man Sie verwundet?"

„Ein baumlanger Kerl mit zerfressener Visage hat mich angegriffen. Ich bekam einen ganz gehörigen Schlag mit einem Pistolenknauf. Das ist doch was für Marats Zeitung."

„Ein baumlanger Kerl mit zerfressenem Gesicht? Breullon, hinter dem bin ich her!" Pierre band dem Verletzten sein Halstuch um die blutende Wunde.

„Wenn Sie wollen, male ich die Visage des Kerls für einen Steck-brief. Sie finden ihn dann leichter für die nächste Laterne."

Sie eilten an der Kirche der Cordeliers vorüber, wo sich im Schiff mit den altersgrauen Grabsteinen die Besucher des Klubs einen guten Platz unweit der Rednertribüne sicherten. Danton sollte zu Wort kommen und Desmoulins, vielleicht auch Fréron.

„Sind sie für die Republik? Sind sie für die Monarchie? Darum geht's. Keine langen Tiraden!" knurrte der Tischler Mollet, der mit Grenier vor dem Eingang stand.

„Marat ist für eine Diktatur. Er sagt: Laßt uns mit dem Schlen-drian der Traditionen Schluß machen. Marat weiß wenigstens, was er will", antwortete Grenier.

„Ich sage, weg mit dem König", rief die Fischhändlerin Bürgerin Montmartin. „Ich war dabei, als wir das dicke Kerlchen aus Ver-sailles geholt haben. Damals habe ich noch an seinen Schmus ge-glaubt. Jetzt ... Die ganze Sippschaft ist verfault wie eine verspä-tete Ladung Fische aus der Normandie."

Ein erst seit kurzem erscheinendes Journal machte die Runde. Es hieß „Bouche-de-Fer" und verlangte mit harten Worten die Absetzung des zurückkehrenden Königs:

„Muß eine Nation stets einen Vormund haben? Weder einen Ty-rannen noch einen Monarchen, weder Protektor noch Regent."

„Das ist Anarchie", sagte ein Abgeordneter des Jakobinerklubs, als er das Blatt las, „man muß so etwas verbieten." Er kam aus einer Sitzung, in der die rechte Seite des Hauses die Formulie-rung Lafayettes angenommen hatte: „Der König ist entführt wor-den."

So war die Linie vorgezeichnet: Den armen ahnungslosen Herr-scher hatten gewissenlose Schurken zu seinem Schritt verleitet.

Es lag System in diesen Behauptungen, man wollte das Königtum retten, wollte eine Monarchie nach englischem Vorbild.

Es war nur äußerst peinlich, daß ein Dokument des landflüchti-gen Ludwig XVI. gefunden worden war, in dem er alles für nich-tig erklärte, was er seit zwei Jahren getan und bestätigt hatte.

„Er ist ein Lügner und Verräter", sagte man im Hause Marats, und die Bürgerin Massillon war so aufgebracht, daß sie ihm ins Gesicht spucken wollte, sobald er sich in den Gärten der Tuilerien zeigen würde.

„Seit vier Tagen fährt er durch ein aufgewühltes Land", äußerte der Verleger und kraute sich die spärlichen Haare, „wie leicht kann ihn eine Gewehrkugel treffen."

„Das würde nur ein Vorgriff auf das Schafott sein", antwortete Marat.

„Bürger Marat!", Massillon hielt erschrocken inne, „schon der

Gedanke kann Kerker kosten!" Seine Besorgnis, wohin die Verbindung mit dem radikalen Mann führen könnte, war plötzlich wieder da.

Es wurde Abend nach einem glutheißen Tag. Die Hitze war maßlos gewesen, dennoch hatten die Pariser ausgeharrt – sie standen noch immer und warteten auf die Heimkehr ihres Königs.

„Wo steckt ihr denn, Freunde?" rief Grenier vor Marats Haus. „Der König trifft heute noch ein. Die ganze Bagage. Kommt mit zur Place Louis'XV., dort muß die Kutsche vorüberrollen. Ich kenne da einen Weinwirt, der uns ein Fenster gibt. Denkt euch nur, sie haben der Statue Louis' XV. die Augen verbunden. Damit soll die Verblendung des Königtums ausgedrückt werden. Und wir von der Universität haben beschlossen, daß jedermann den Hut aufbehält, daß der Verräter mit eisigem Schweigen empfangen wird." –

Bei dem Speisewirt Doyen lehnten sich der Chemiker Lavoisier, der Abgeordnete Brissot und Professor Charles aus dem Fenster.

Am Nebenfenster stand Juliette mit ihrem holländischen Freund und mit Louison. Die Mädchen reckten sich auf die Zehenspitzen, um über die Grenadiere auf die Champs-Elysées hinwegschauen zu können.

„Sie wagen sich nicht durch die Vorstädte der Armen", meinte Charles, „es ist zu gefährlich. Die Wut der Massen könnte einen Steinhagel auslösen."

„Sehr vernünftig", Brissot lachte, „diesmal glaubt niemand, daß sie als Bäcker kommen. Sie kommen als Deserteure, und denen gibt man nur ungern Pardon."

„Es ist noch nichts untersucht, Bürger Brissot", Lavoisier klappte ärgerlich sein Lorgnon auf und zu, „vielleicht ist der König tatsächlich entführt worden. Dann wehe den Entführern."

Juliette lachte ausgelassen. Der Holländer hatte gesagt, Ludwig XVI. zeuge jetzt unzufriedene Untertanen. Dieser Witz bezog sich auf die jahrelange Zeugungsunfähigkeit des Königs. Auch Louison kicherte.

Louison beugte sich vor, denn ein Murmeln ging durch die Volksmenge auf der Straße. Aller Wahrscheinlichkeit nach war die königliche Familie in Sicht.

Am Denkmal Louis' XV. hielt der Wagen eine kleine Weile.

Aus einem der Häuser wurde für den Dauphin ein Glas Wasser geholt, um das er gebeten hatte.

„Verflucht", sagte Pierre Simonet, „dort auf dem Wagendach sitzen drei Offiziere des Garde du corps. Die sollte man sofort verhaften."

„Man sollte sie behandeln wie damals de Launey: Kopf ab", sagte Mollet, dem es gar nicht paßte, wie ruhig und duldsam die Menschen dastanden.

Marat sah unverwandt nach dem Wagen. „Es genügt, daß ein Kind Durst hat, und schon regen sich bei den Bürgern mitleidige Gefühle. Was aber, wenn dieser Dauphin fünfhundert Wochen älter ist? Vielleicht hat er dann Durst nach dem Blut des Volkes?"

Nanon und Charlotte waren von Empfindungen hin und her gerissen. Diese Kinder sind doch unschuldig. Was wissen sie schon.

Pierre spürte die dumpfe Revolte ihrer Gefühle. „Daheim bei uns", er suchte nach einem überzeugenden Vergleich, „hat Vater immer die Krähennester mit der jungen Brut ausgehoben. Es mußte sein. Wenn die Jungen groß wurden, waren sie eine verdammte Plage für den Bauern."

„Kinder sind keine Krähen", entgegnete Nanon.

Die Berline rollte weiter. Stumm standen die Massen bis zu den Tuilerien. Der König war wieder in Paris – aber Paris war nicht mehr beim König.

Lavoisier warf Silbernitrat in einen Tiegel und goß Lösungsmittel hinzu. Mit dem fertigen Gemisch bestrich er einen Karton, den er dem Sonnenlicht aussetzte, nachdem er einige Gartenpflanzen auf die Fläche gelegt hatte. Er kontrollierte mit angehaltenem Atem, ob sich Konturen abzeichneten.

„Eigentlich bestürzend schön und einfach zugleich", sagte er zu Madame du Gazon, die seit einiger Zeit seine Vertraute war, „in wenigen Minuten werden Sie dieses Kletterrosengerank so natürlich auf dem Karton sehen, wie es kein David, kein Breullon besser zeichnen könnte."

„Die Kunst flieht vor der Natur", sagte die Schauspielerin und blickte ihn mit großen träumerischen Augen an. „Es ist auch für uns schwer. Wie soll ich in einem der neuen Stücke ein verkommenes Weib spielen? Man hat zeitlebens von mir nur die edelsten Gebärden verlangt. Kann zum Beispiel ein Betrunkener aus dem Faubourg Saint-Antoine mit den Gesten eines Helden von Racine dargestellt werden?"

Sie saß im Laboratorium auf dem gleichen Schemel wie einst Marie Cabrol. Schön und begabt, wechselte sie ihre Liebhaber rasch und ebenso ihre politischen Überzeugungen. Sie kokettierte mit Gefühlen für die Königin, sehr zur Verärgerung ihrer Garderobenfrauen, die im Frauenklub der Cordeliers waren und radikale Reden aus den Versammlungen mitbrachten. Sie schuf auch ihrem Kollegen Talma Verdruß, der als Mitglied des Jakobinerklubs zusammen mit Robespierre und Brissot auf dem linken Flügel stand.

„Alles ändert sich, Liebste", sagte Lavoisier und umfaßte sie verlangend, „es bleibt nur die Liebe. Deren Formen sind ewig. Seit Ovid hat sich die menschliche Phantasie erschöpft. Es sind nur Varianten des gleichen Spiels." Er küßte sie.

„Da Sie Forscher sind, Monsieur Lavoisier, entdecken Sie vielleicht auch hier neue Gebiete?" Sie gab den Kuß zurück, bemüht, ihre Frisur nicht zu derangieren, was er bemerkte und mit einer leichten Verstimmung quittierte. „Das war ein Bühnenkuß. Hier hat Kunst über die Natur gesiegt. Abends küssen Sie besser."

Sie schwieg verletzt, obgleich sie verlegen war. Diesen einflußreichen, wohlhabenden Mann brauchte sie als Protektor. Täglich schoben sich neue, blutjunge Darstellerinnen, von Gönnern – Abgeordneten, Finanzleuten, Ministern – gefördert, nach vorn. Meist ersetzten sie Talent durch unverbrauchte Jugendlichkeit und gefielen damit dem neuen Publikum, das jetzt die Ränge der Theater füllte.

Auf dem Karton, den der Chemiker mit einer weiteren Flüssigkeit tränkte, hob sich jetzt deutlich sichtbar das Gewirr der Hekkenrosenzweige ab. Lavoisier war vergnügt.

„Sehen Sie, so hebt sich auch auf dem unsichtbaren Grund der Zukunft das neue Frankreich ab. Noch wirr verflochten, voller Dornen, aber man nimmt Knospen wahr, aus denen Rosen sprießen werden." In seiner Stimme war Zuversicht.

„Sie sind ein Optimist wie alle Wissenschaftler, die ich kenne. Aber die Realität! Marat hat wieder furchtbar gegen den König gehetzt. ‚Er ist der Wildeste unter den Wilden‘, so sagte Lafayette, der mich gestern abend in meiner Garderobe besuchte. – Marats Blatt soll wieder verboten werden, man spricht von seiner Verhaftung."

Ein Diener trat hüstelnd ein und avisierte Professor Charles, der unmittelbar darauf ins Laboratorium stürmte.

„Es ist vollbracht", er japste nach Luft, „der Jakobinerklub ist soeben auseinandergefallen wie ein zerschnittener Apfel. Ich habe es geahnt. Barnave hat gesprochen, sehr maßvoll, sehr korrekt. Einen Moment, ich habe es wörtlich." Er holte ein Notizbuch hervor: „Man richtet ein großes Unheil an, wenn man die revolutionäre Bewegung endlos fortsetzt. Im allgemeinen Interesse liegt es, die Revolution zu beenden.‘"

„Endlich", Lavoisier atmete befreit auf. „Nun ist Schluß mit den ewigen Attacken der Robespierres und Konsorten. Man muß

Monsieur Barnave belobigen, endlich ist solch ein Advokat zu etwas nütze."

„Es ging um die Rehabilitierung des Königs. Für uns stand es fest, daß er entführt worden ist. Wir wollten ein Verfahren gegen Bouillé, gegen die Tourzel und andere anstrengen. Des Königs Majestät würde dabei unberührt bleiben. Die Cordeliers dagegen kamen wie immer mit Petitionen, sie nannten den Monarchen einen Deserteur. Gottlob ist morgen, am Sonntag, der letzte Termin für die Volksabstimmung, die sie auf dem Marsfeld organisiert haben."

„Ich fürchte, es wird noch kein Ende nehmen." Lavoisiers gute Laune schwand wieder.

„Doch! Wir haben über die unverschämten Petitionen diskutiert, abgestimmt und sie verworfen. Da viele Jakobiner mehr zu den Cordeliers hinneigten, sind wir anderen ausgetreten. Wir haben uns konstituiert, nennen uns ‚Klub der Feuillants' und nehmen nur Männer auf, die etwas gelten, etwas haben. Wenn Sie wollen – Sie sind uns willkommen."

„Und diese Herren sind königstreu?" Madame du Gazon war glücklich.

„Ja, Madame. Wir wollen eine konstitutionelle Monarchie, der König soll dem Parlament verantwortlich sein."

„Ich vermute, daß gewichtige Persönlichkeiten an der Spitze stehen?" fragte Lavoisier.

„Die besten Männer Frankreichs: General Lafayette, Bürgermeister Bailly, Barnave, Duport und Lameth."

„Und Brissot? Robespierre?"

„Sie sind beim Rumpf geblieben. Ein Rumpf ohne Köpfe", sagte Professor Charles und rieb sich die Hände. Er betrachtete die inzwischen voll belichteten Kartons und lächelte etwas verkniffen. In seinen eigenen Werkstätten war man bereits ein gutes Stück weiter.

Kammerdiener Jacques schlich herein und sagte aufgeregt: „Auf dem Marsfeld . . . Man hat zwei Bürger erschlagen, man trägt ihre Köpfe auf Piken zum Palais Royal."

Madame du Gazon war erschrocken aufgefahren. Lavoisier gab Jacques einen Wink, die Fenster zu schließen und die Gardinen zuzuziehen.

„Sie sehen, Charles, man muß endlich durchgreifen. Entweder man schießt, oder man wird erschossen. Daß ich den Feuillants beitrete, ist selbstverständlich. Ich zeichne einen hohen Betrag für die Finanzierung."

„Und Lafayette wird die Bande da draußen dezimieren. Er verfügt nun über die königliche Garde und prächtige Jungen aus der

Nationalgarde. Ich sage nur: Faubourg Saint-Germain. Und diesen Marat wird er diesmal bestimmt nicht schonen!"

„Ich wage mich nicht auf die Straße." Die Schauspielerin seufzte, und es war ihr lieb, daß Lavoisier sogleich seinen Schutz anbot.

„Berichten Sie, mein lieber François. Sie waren Zeuge des grausigen Vorfalls?"

Marat saß erschöpft in seinem Sessel. Die tagelangen Diskussionen bei den Cordeliers und den Jakobinern, die Redigierung der letzten Nummern des „Volksfreundes", das alles hatte ihn überanstrengt. Nun wieder dieser Zwischenfall auf dem Marsfeld ...

„Zum Teufel! Man wird die Wahrheit nicht so schnell herausklopfen können", sagte Laval. „Sie kennen doch das Holzgerüst, auf dem der Altar des Vaterlandes steht?"

Marat nickte. „Es wäre wesentlich besser, solche Altäre stünden in den Herzen der Pariser, und das Holz steckte in ihren Öfen."

„Es wird erwartet, daß sich morgen riesige Menschenmengen in die Listen einzeichnen, die eine sofortige Absetzung des Königs fordern, und da haben sich ..."

Marat unterbrach: „Wir haben schon gestern zehn solcher Listen zu Heften gebunden. Einige tausend Namen: Leute der Wissenschaft, der Kunst, die kann keiner ignorieren! Dazu einfache Menschen."

„Ich fürchte, man wird die Überbringer nicht vorlassen. Fast alle Abgeordneten sind aufgescheucht wie Hühnervolk, wenn der Habicht über den Hof streicht. Sie rufen: Anarchie! Die Mordtage sind wiedergekommen", wandte Laval ein.

„Wir wollen unseren guten König behalten!" höhnte Marat. „Aber erzählen Sie weiter."

„Zwei Individuen hatten sich unter dem Tribünenboden versteckt. Sie wollten Löcher in die Bretter bohren, um den Bürgerinnen unter die Röcke zu gucken. Aber die Spitze eines Bohrers durchstach die Schuhsohle einer Kuchenhändlerin, die gellend zu schreien anfing. Bis dahin war es ein derber Spaß. Im Nu verbreitete sich das Gerücht, man hätte eine Pulvermine legen wollen, um die Bürger, die sich einzeichnen würden, in die Luft zu sprengen. Keine Beteuerung der beiden Dummköpfe galt; die aufgebrachte Menge tötete sie."

„Wird nicht Lafayette diesen Zwischenfall benutzen, morgen gegen das Volk marschieren zu lassen? Und muß nicht Bailly ebenfalls zeigen, daß er Energien hat? Die Feuillants erwarten Taten *gegen* das Volk. – Aber wir werden im ‚Ami du peuple' die Wahrheit verbreiten", sagte Marat.

„Sollte man nicht besser die Demonstration auf dem Marsfeld

absagen? Mein Vater war nur ein simpler Kaufmann, aber ehe er eine gewagte Transaktion machte, sicherte er sich vorher gründlich."

„François! Es gibt kein Zurück mehr. Das Volk verlangt die Absetzung des Königs. Wir müssen dieser unentschlossenen Bande von Abgeordneten endlich Schröpfköpfe ansetzen, damit das träge Blut abgezapft wird. Die Kundgebung auf dem Marsfeld findet statt, und Nanon wird die Namenslisten sammeln und zu den Cordeliers bringen."

„Warum Mademoiselle Simonet?"

„Weil Frauen unverdächtiger sind. Es könnte sein, daß die Gegner versuchen, sich diese Listen zu verschaffen. Eine Frau kann in einem Korb viel verbergen. – Die Listen mit den Petitionen müssen in die Konstituante. Dort soll man sehen, daß unser Pariser Volk längst republikanisch ist. Fort mit diesen verderbten Bourbonen, fort auch mit den Orléans, sie sind keinen Deut besser." Marats Erregung erzeugte wieder einen Herzanfall.

Laval reichte die Medizin. „Sie sollten sich schonen, Bürger Marat", sagte er besorgt.

„Schont mich der Feind? Ich sehe ihn stärker werden. Bei den Feuillants sammeln sich die Royalisten, die Konstitutionisten, alle Gestrigen. Ich stehe wie so oft ganz allein. Wie weit sind wir von der Verfassung abgewichen! Haben die Abgeordneten nicht bereits die Galeerenstrafe für jeden beschlossen, der über die königliche Familie Schlechtes redet oder Ludwig, den Heuchler, den Betrüger, den Verräter und Meineidigen, beim rechten Namen nennt? Glauben Sie mir, François, ich bin oftmals sehr müde, stelle mir vor, ich hätte ein Gütchen und würde in stiller Abgeschiedenheit meinen Kohl und meine Blumen pflanzen. Aber ich fürchte, ich würde es wohl doch nicht aushalten."

Laval nahm aus dem Bücherregal ein schmales Bändchen. „Schon seit den Tagen Ciceros und Sallusts reden die Tätigsten stets die gleiche Sprache: Flucht in die ländliche Abgeschiedenheit."

„Und schon seit Cicero sind sie mit Wunden auf der Brust gestorben", ergänzte Marat.

8

Nanon Simonets Tod

Nanon war froh gestimmt an diesem 17. Juli siebzehnhundertund-einundneunzig.

Bei ihrem Gang durch die sonntagsstillen Straßen lächelte sie vor sich hin. Zwischen ihr und Marat ist alles wieder in reinster Harmonie. Sie ist ihm Freundin, Geliebte, umsorgt ihn mit bei-nahe mütterlicher Geschäftigkeit, und er, der Unermüdliche, der Verfolgte, läßt sich diese Fürsorglichkeit gern gefallen. Sie ist ge-wiß, daß er sie heiraten wird, sobald die Stürme etwas nachlassen werden.

„Ich kann jetzt keine Frau an mich binden", hatte er gesagt, „das Leben in Schlupfwinkeln und ungewisser Emigration tötet die Liebe."

Nanon wußte sehr wohl um die neue Welle der Verunglimp-fungen und Verfolgungen. Kein Mann, der so gehaßt wurde. Im neugegründeten Klub der Feuillants hatte der Abgeordnete Bar-nave Marats Verhaftung verlangt; bei den Jakobinern fanden sich nur wenige Fürsprecher, selbst Robespierre übte Zurückhaltung, noch mehr Brissot.

„Der Tag wird heiß, Nanon", rief der Tischler Mollet. Er stand im Türrahmen seines schmalen Hauses und rasierte sich mit einem altmodischen Messer. „Au", schrie er auf, als er sich ge-schnitten hatte, und legte feine Hobelspäne auf die Wunde.

„Ein feiner Aderlaß", spottete er und strich den Schaum ab, „möchte lieber ein paar von Lafayettes vornehmen Bürgersöhn-chen unter dem Messer haben." Seine Tochter stellte ihm die blankgewichsten Stiefel hin und legte Hut und Schärpe bereit. Es verstand sich von selbst, daß Mollet zum Marsfeld marschierte. Die Demonstration mußte geordnet verlaufen als eindrucksvolle Kundgebung für die Absetzung Ludwigs XVI.

„Sind schon früh ausgezogen", sprach Mollet weiter, „bewaffnet, als gehe es in einen jahrelangen Feldzug."

„Wer?" fragte Nanon beklommen.

„Die vom Faubourg Saint-Germain, Lafayettes Lieblingskinder. Sieht denn niemand, daß es bei denen mehr Offiziere als Soldaten gibt, alle adelig gewesen, Ritter vom heiligen Ludwig? Kreuz-element! Eine Nationalgarde nicht für, sondern gegen die Nation!"

„Sicher werden sie unsre Petitionen stören wollen, Jean Paul hat auch schon eine Andeutung gemacht, wonach die royalistisch ge-stimmten Teile der Nationalgarden marschieren wollen."

„Wenn es nach denen ginge, Nanon, sie würden die Listen samt den Unterzeichnenden vernichten. Aber sie werden es nicht wagen. Die Vorstädte sind alarmiert, wir Arbeitergarden werden wachsam sein."

Nanon öffnete nachdenklich den Deckel ihres Tragekorbs. Unter Äpfeln verborgen sollten die Namenslisten zu Robespierre gebracht werden, der sie der Versammlung vorlegen wollte.

Man mußte vorsichtig arbeiten. Die Royalisten hatten Anhang bei den Unentschiedenen. Beide Gruppen wollten keine Krise um den König.

„Dein Bruder Pierre ist vorhin hier gewesen. Er war schon im Hôtel de ville. Dort sitzen die Klugscheißer und schreien ‚Anarchie!' wegen des Zwischenfalls, wegen der beiden Totgeschlagenen. ‚Die Gasse regiert!' Bailly soll gerufen haben: ‚Man muß sie in ihre Löcher zurückjagen.'"

„In ihre Löcher zurückjagen . . ." Nanon hing der böse Satz noch lange im Ohr. Ihr Lächeln war verweht, als sie auf dem Marsfeld eintraf und zur Tribüne hinaufstieg.

Der riesige Platz war sonnenbeschienen. Nach und nach trafen Demonstrationszüge ein. Die Bürger lagerten auf den Rasenflächen. Familien saßen schmausend auf der Treppe, die mehr als hundert Fuß empor zum „Altar des Vaterlandes" führte, den eine Friedenspalme überragte. Dort legten angesehene Frauen, wie Madame Roland, die Namenslisten zur Eintragung vor.

In langen Reihen bewegten sich Züge von Männern und Frauen dem pyramidenartigen Bau zu. Ordner mit blauweißroten Schärpen eilten geschäftig hin und her.

Gegen Abend atmete Nanon auf – alles schien gutzugehen. Als sie jedoch zur Militärschule hinüberblickte, durchflutete sie ein Schreck. Von dort, von dem Tor Gros-Caillou und von den Seiten her rückten Truppen heran. Kavallerie ritt in die lagernden Menschengruppen hinein. Die Reiter waren an den Uniformen als königliche Gardisten erkennbar. Artillerie fuhr Geschütze auf und richtete sie gegen die Tribüne.

Lafayette auf seinem Apfelschimmel schrie etwas Unverständliches, tausendstimmige Schreie aus der Menge antworteten ihm.

„Er will, daß die Versammlung sich auflöst, Zusammenrottungen seien strafbar", sagte ein älterer Mann, der die Treppen emporkeuchte, „da haben wir die gepriesene Demokratie."

Mit aufkommendem Angstgefühl spähte Nanon nach der fernen Militärschule. Dort, kaum zu erkennen, blitzten im Schein der Abendsonne die Bajonette und Piken der Nationalgarden auf, die aus den Vorstädten der Armut kamen. Ob sie rechtzeitig heranrückten? Nanon wußte, daß der General Lafayette diesen Abteilungen nicht traute, daß er sie nur ungern duldete und deshalb außerhalb des Marsfeldes postiert hatte.

Wieder Geschrei und Tumult. Unten auf der Wiese tummelte Lafayette sein Pferd, der Bürgermeister Bailly ritt neben ihm. Da peitschte ein Schuß, ein Offizier aus der Umgebung des Generals stürzte.

„Ach, die Hunde", der ältere Mann neben Nanon stöhnte, „das kann doch nur der Schuß eines Provokateurs sein. Eilen wir, Bürgerin, bringen wir uns in Sicherheit!"

Das Befürchtete geschah. Lafayette hob den Degen, gab ein Kommando. Die Nationalgarde eröffnete das Feuer, schoß auf die Menschenansammlung, auf die friedlichen Bürger oben auf den Tribünen.

Eine Salve ... Noch eine Salve ... Frauen schrien herzzerreißend. Kinder stürzten getroffen die Stufen hinab. Ein bärtiger Mann lag vor Nanon, tödlich verwundet. Ein anderer blickte verstört auf seinen blutenden Schenkel.

Nanon schrie – lief – schrie ...

Trommelwirbel! Immer neue Trommelwirbel! Die Gardisten luden im Vorrücken, hoben die Gewehre. Offiziere kommandierten mit gellenden Stimmen. Nochmals Feuer!

Nanon verspürte einen heftigen Stoß. Es war wie ein wuchtiger Schlag vor die Brust. Schmerz fraß sich in sie hinein. Über ihr der helle Himmel wurde auf einmal dunkel. Ringsum erlosch alles. Sie stürzte, und ihre Hand spürte das faserige Holz der Tribünenstufen. Mit entsetzlicher Klarheit begriff sie, daß alles zu Ende war. Jean Paul, dachte sie, Jean Paul, wenn du hier wärest, ob du mich retten könntest? –

Männer der Arbeitergarde hatten Nanon in die Rue du Sanslieu getragen. Die Bewohner der Gasse hielten die Totenwache. Pierre hatte seiner Schwester einen Rosenstrauß in die Hände gegeben, und Mollet hatte ihr die blauweißrote Schärpe eines Wahlmannes über die Brust gelegt.

Marat saß am Totenlager. Er war wie vernichtet.

Am Abend hielt Grenier im Klub der Cordeliers eine ergreifende Rede.

„Das Tischtuch ist zerschnitten, dieser Tag ist ein Fanal! Die zum Schutze der Freiheit geschaffene Garde hat die Freiheit erwürgt. Nichts bindet uns mehr an die Volksvertreter, die das Volk ermorden ließen. Nanon Simonet ist nur eines der fünfzig Todesopfer, die den ‚Altar des Vaterlandes' mit ihrem Blut für alle Zeiten geweiht haben. Sie starb wie eine der Vestalinnen Roms, als die Barbaren einbrachen. Nie werden wir sie vergessen ..."

Die Stimme des Redners hallte tönend in dem Kirchenschiff mit den bleiverglasten Fenstern und den Grabsteinen der Franziskanermönche.

„Wir wissen jetzt", fuhr Grenier fort, „was wir von Lafayette zu erwarten haben. Kartätschenkugeln! Wir haben keine Illusionen mehr. Die sogenannten Nationalhelden der Revolution haben ihre wahren Absichten enthüllt. Sie tragen einen Januskopf: blikken zurück nach Königtum und Adel, vorwärts blicken sie nur, um das Volk zu täuschen. In Wirklichkeit wollen sie es aus alter Knechtschaft in eine neue führen. Aber wir stehen gerüstet, und angesichts der Ermordeten dieses Tages geloben wir, sie zu rächen und die Fahne der Revolution in die Bastionen der Feinde zu tragen."

Marat, der zwischen Charlotte und Pierre Simonet saß, dachte mit einem wehen Gefühl daran, daß mit ihm der Tod ins Haus dieser einfachen Menschen gekommen war. Die Büchse der Pandora – was würde sie noch an Leid enthalten?

Die Worte Greniers verklangen. In dem halbdunklen Raum wurde es still. Nur ein Mädchen weinte bitterlich – es war Henriette.

Am 4. August sollte Marat verhaftet werden. Grund: Anstiftung der Demonstrationen auf dem Marsfeld. Wieder verbarg er sich im Keller, wieder erschien seine Zeitung illegal.

War die Revolution schon erwürgt worden? War sie schon erstickt?

„Der Krieg ist erklärt", frohlockte der Bürger Vieuville – einstmals Marquis –, Admiral der im Kanal und vor den Atlantikhäfen stationierten französischen Flotte. Er beobachtete aus dem Fenster der Hafenkommandantur die Reaktion der Bürger Brests, denen soeben das Dekret der Kriegserklärung bekanntgegeben wurde. Ein Sonderkurier der Gesetzgebenden Versammlung war aus Paris eingetroffen.

„Was sagen Sie nur, Kapitän Forestier?"

„Erklären kann man einen Krieg leicht, beenden schwer. Wenn England mit einsteigt – ich sehe das kommen –, wird es keine Spazierfahrt, ich kenne Englands Flotte." Forestier beugte sich über die Seekarte, die unter einer Glasplatte auf dem Admiralstisch lag, und deutete auf die englischen Kriegshäfen, auf den Stützpunkt bei der Insel Jersey und auf die Themsemündung.

„Einstweilen haben wir nur Krieg mit Österreich, und das besitzt meines Wissens keine Flottenstützpunkte im Kanal. Kapitän, Sie sind mir als fähiger Seemann zugeteilt worden, empfohlen vom Ministerium in Paris. Ich halte bei meinen Offizieren auf eine tadelsfreie Konduite. Leider bekam ich nur unvollständige Papiere von Ihnen . . . Sie waren in englischen Gefängnissen?"

„In New York, das damals englisch war. Und das, Bürger Admiral, dürfte heute eine Empfehlung sein." Forestier sah erbost in das blasierte Gesicht seines Gegenübers. Immer wieder Verdächtigungen, bereits seit seiner Ankunft im Kriegshafen Brest.

„Ohne Zweifel, Kapitän, falls der Grund Ihrer Inhaftierung ein ehrenhafter war. – Sie übernehmen mit sofortiger Wirkung die ausfahrbereite ‚Saint-Malo‘, die auf der Reede liegt. Eine Fregatte erster Klasse. Vierzig achtzehnpfündige Geschütze."

„Und meine Aufgabe?" Die Frage Forestiers war knapp, sein Gesicht kalt und verschlossen.

Vulkan unter Schnee, würde jetzt seine zärtliche Marie sagen, die ihn im Gasthof „Zu den drei Schellfischen" erwartete. Da Forestier erst kurz vor seiner Unterredung mit dem Admiral aus Paris angekommen war, hatte er Marie nur flüchtig sprechen können. Seit zwei Wochen entbehrte er sie schon . . .

„Sie sollen im Kanal und vor der Atlantikküste kreuzen. Selbstverständlich ist Ihr Auftrag geheim. Paris hat durch Agenten erfahren, daß die englische Regierung Ladungen von Waffen, Munition sowie Kisten mit falschen Assignaten einschmuggeln läßt. Emigranten dienen auf britischen Schiffen; Bauern und Fischer bringen die Fracht ins Landesinnere. Sie werden wissen, daß die Vendée ein Unruheherd ist wie die Bretagne."

„Kann ich ein englisches Schiff aufbringen? Ich möchte nicht, daß diplomatische Verwicklungen entstehen." In welche Gefahren er selbst geriete, den die Engländer bestimmt noch im Gedächtnis hatten, daran dachte Forestier nicht.

Der Admiral spielte mit einem Federkiel. Der Plan, den ihm seine Freunde im Marineministerium übermittelt hatten, war klug angelegt. Man würde diesen Forestier auf alle Fälle wieder loswerden. Schnappten ihn die Engländer, hängten sie ihn nach Seerecht an die höchste Rahe; kam er leer zurück, konnte man seinen Mißerfolg nach Paris melden und ihm das Kommando abnehmen; kam er mit Beute, gab es Differenzen mit der englischen Krone, aber man konnte alles ableugnen und diesen anrüchigen Seekapitän zum Kaperschiffer stempeln, dem dann der Galgen drohte.

Noch immer, trotz der Revolution, war die Marine eine Domäne des ehemaligen Adels. Ein bürgerlicher Offizier wurde auf kaltem Wege liquidiert.

„Ich bitte um einen schriftlichen Befehl", sagte Forestier.

„Sie wissen, daß es für solch subtile Aufträge nur das mündliche Kommando gibt, Kapitän."

Ein Blitz aus den Augenwinkeln. Würde dieser Protegé Pariser Politiker in die Falle gehen? Der Speck lag bereit: das Kommando auf einer der schnellsten Fregatten Seiner Majestät.

„Sie vergessen, daß Sie es mit einem Manne zu tun haben, der vom Seerecht etwas versteht."

Der Admiral biß sich verärgert auf die Unterlippe. „Sie irren, Kapitän. *Sie* vergessen, daß Sie unter Kriegsrecht stehen. Wie eine Gehorsamsverweigerung geahndet wird, wissen Sie?" Der ehemalige Marquis erhob sich. Die Unterredung war für ihn beendet.

„Gut, Bürger Admiral, ich fahre. Sie werden aber gestatten, daß ich einigen mir befreundeten Abgeordneten mitteile, welche Seeoperationen von mir verlangt werden – lediglich zu meiner Sicherheit. Wenn zwei Schiffe zusammenstoßen, ist es nicht ratsam, sich zwischen den Bordwänden zu befinden. Man wird zerquetscht." Forestier nahm den dreispitzigen Hut mit der Kokarde und machte zur Verabschiedung die vorschriftsmäßige Ehrenbezeigung.

„Ich kann Sie nicht hindern, Kapitän. Bei der eigenartigen Situation unserer Nation ergeben sich Querverbindungen, die ich mißbillige, aber tolerieren muß. Zivilisten sind Minister und befehligen uns Militärs. – Wenn ich Sie bitten darf, berichten Sie Ihren Pariser Freunden erst nach der Rückkehr. Sie haben Proviant für einen Monat an Bord. Ich erwarte Sie bis spätestens 25. Mai zurück. Hoffentlich mit Erfolg."

Forestier salutierte noch einmal stumm und verließ die mit Seekarten und Folianten vollgestopfte Kanzlei.

Der Admiral sah ihm mit zynischem Lächeln nach. Dann klingelte er seinem Adjutanten, einem Leutnant zur See.

„Legen Sie mir nochmals den Brief dieses Bürgers Boulanger vor. Natürlich ein Pseudonym ... Vermute, daß der holländische Gesandtschaftssekretär die Feder geführt hat. Lesen Sie vor."

Der Leutnant spähte forschend in das wettergebräunte Gesicht seines Vorgesetzten. Zögernd las er: „Bürger! Oder wenn Sie es lieber hören, Monsieur! Ich spüre noch die heißen Lippen der entzückenden Bürgerin Juliette M ... auf den meinen. Sie hat mich soeben verlassen, nachdem sie mir neben den Süßigkeiten ihres Körpers noch einige Intimitäten der neuen Herren preisgegeben hat.

Das Ungeheuer Marat hält sich verborgen, schießt vergiftete Pfeile aus den Kellerfenstern von Paris. – Robespierre warnt vor dem Krieg, weil die Nation nicht gerüstet sei und man dem Offizierskorps nicht vertrauen könne."

„Ahnungsvoller Engel", murmelte der Admiral, unverständlich für den Adjutanten. „Warum stocken Sie?"

„Verzeihung..."

Der Leutnant las weiter:

„Im Salon der Madame Roland sammeln sich die Politiker, denen ich viel Geist, aber wenig Courage zuspreche. Man liegt zu Füßen der Hausfrau und hoffte, daß der Krieg siegreich endet, so daß Frankreich keine Intervention zu fürchten hat.

Am Hof dagegen ersehnt man Österreichs Sieg, weil dann der König wieder Herr seiner Entschlüsse wäre. – Übrigens hat Juliette M. eine Cousine Marats im Hause des Kaufmanns und Waffenlieferanten Laval kennengelernt. Diese anmutige Dame war in Martinique ansässig und sprach voller Empörung über die Behandlung der Negersklaven. Meine liebenswürdige Juliette heuchelte Anteilnahme und erfuhr mancherlei von ihr. Die Dame hat mit Negern diskutiert, vermutlich auch konspiriert, ihre Pflanzung war des öfteren Freistatt entflohener Sklaven. Der Ehegatte dieser Madame Forestier, geborene Cabrol, ist jetzt wieder Seekapitän und dürfte durch Verwendung von Brissot aktiver Offizier unserer Flotte werden."

Der Leutnant hob den Kopf...

„Weiter! Jetzt kommt erst die Würze." Der Admiral malte Figürchen auf einen Schreibblock.

„Er hat ein tolles Leben gelebt. Soll selbst für englische Firmen Sklaven transportiert haben, vorher eine Galeerenstrafe verbüßt und später für die amerikanischen Rebellen Waffen geschmuggelt haben. Ein Teufel seiner Feinde, ein guter Gott seiner Freunde, sagt man von ihm. Und früher sei er ein Frauenfresser gewesen, Stammgast aller Hurenhäuser und Hafenschenken."

„Eine vortreffliche Agentin, diese Kleine. Meinen Sie nicht? Ein guter Bericht. Was sagen Sie zu meiner Entscheidung, Leutnant? Forestier übernimmt die ‚Saint-Malo‘, Kreuzfahrt im Kanal."

„Ich bewundere Ihren Mut, Bürger Admiral."

„Die Kunst, Menschen zu beherrschen, Kommandos zu erteilen, besteht darin, daß man die Untergebenen in ihren Lastern und Schwächen kennt."

Der junge Offizier begriff – das galt auch ihm.

Als er gegangen war, teilte der ehemalige Marquis dem Bürger Boulanger aus Paris in verstellter Handschrift mit, die bestellte Ware gehe von „Saint-Malo" ab, und der avisierte Passagier aus Martinique sei an Bord. Er leite einen schwierigen Handel. Es bleibe dem Bürger überlassen, diese Nachricht weiterzugeben.

„Ein Teufel seiner Feinde..." Der Admiral lachte auf und vertiefte sich in die neuesten Journale aus London und Amsterdam. Sie waren vom 19. April 1792. –

Als Forestier an diesem kühlen Apriltag über den Fischmarkt schritt, wurde er von Einwohnern umringt, die vertrauensvoll auf seine Rangabzeichen blickten, Abzeichen, die das Marineministerium neu geschaffen hatte.

„Es geht also los, Bürger Kapitän?" – „Endlich wird marschiert, Kapitän!" – „Die ganze Nationalgarde von Brest ist aufgeboten." – „Der erste Schlag muß sitzen, Kapitän!" – „Soll es uns wie den Belgiern gehen? Dort herrschen wieder die Pfaffen, seit Österreich die Revolution niederkartätscht hat."

Eine Fischhändlerin legte ihr Messer beiseite und kam hinzu. „Das ist wahr! Ich habe eine Tante in Lüttich. Dort hat der Bischof gleich die Folter und das Rädern wieder eingeführt. Sogar das Armesünderhemd. Kapitän, wenn der Krieg verlorengeht, kann man sich gleich einen Strick nehmen."

Forestier war erfreut. Der Krieg schien also populär zu sein. Die Menschen begriffen, daß der fortgesetzte Druck von außen verschwinden, daß man sich der Feinde erwehren mußte. Welche bestürzenden Worte aber hatte Robespierre gesagt, als er diesen vor Wochen – nach der Rückkehr aus den Kolonien – aufgesucht hatte?

„Sie sprechen von dem Emigrantennest Koblenz, Bürger Forestier. Wissen Sie auch, daß es ein Koblenz inmitten von Paris gibt? Ja, in jeder Stadt ist Koblenz. Kann man aber einen siegreichen Krieg führen, wenn man den Feind im Lande hat?"

Auch im Gasthof begrüßte man den Kapitän mit Zurufen: „Krieg auch gegen England, Kapitän!" – „Da bekäme das Emigrantengeschmeiß Respekt!" – „Dort sitzt die Kreuzspinne und webt ihr Netz. Drauf mit allen Fregatten!"

Forestier hatte zwei Zimmer gemietet. Inmitten halbausgepackter Koffer und Körbe kniete eine recht verzagte Marie.

Überfahrt von Martinique, Landung in Marseille, längerer Aufenthalt bei den Eltern in Genf – wo die beiden Enkelkinder beglückt aufgenommen worden waren –, Reise nach Paris, Wiedersehen mit Marat, dem sich verbergenden und sich einsam fühlenden Manne, Besuche bei Robespierre, Brissot und Desmoulins.

Brest war die erste Dauerstation nach ihrer Heimkehr. Forestier wollte ein Haus erwerben, hoch oben, mit dem Blick auf das Meer und die Mole mit den ein- und auslaufenden Schiffen. „Bist doch eine Seemannsfrau", hatte er gescherzt. Schon unterbreiteten Grundstücksmakler Angebote.

Als er jetzt Marie so entmutigt auf den Knien sah, wurde sein zerwühltes Gesicht weich. Er war sich bewußt, seiner Frau neue Gefahren und Unsicherheit aufzubürden, ihr, die doch so sehr die

Friedlichkeit des Hauses liebte, Musik und gute Bücher, einen Garten mit Blumen und zahmen Tieren.

„Was wird aus uns?" fragte sie. „Ich sehe dir an, es ist eingetreten, was wir befürchtet haben."

„Ich werde Marat davon in Kenntnis setzen, was hier gesponnen wird."

„Marat, der sich selbst nicht rühren kann? Laß mich an Brissot schreiben und an Madame Roland. Dein Schiff läuft nicht eher aus, bis wir Antwort haben."

Es war wie stets bei solchen Anlässen: Er nahm sie auf die Arme, trug sie zum Bett und überschüttete sie mit Küssen, bis ihr der Atem ausging.

„Unvernünftiger Bär", sie wehrte sich lächelnd, „solltest lieber zuhören, was ich nach deiner Abreise in Paris noch erkundet habe."

Er legte seinen Kopf an ihre Brust. „Wozu habe ich eine gescheite Frau geheiratet? Sprechen Sie, Bürgerin . . ."

„Ich war bei Lavoisier – nicht gleich hochfahren, Gustave, er ist mir ferner als Sonne, Mond und Sterne. Ich fühlte mich ein wenig verpflichtet. Weißt du, an seinem Verhalten, daran, wie er mir alles schilderte, konnte ich den jeweiligen Stand der Revolution ablesen. Zuerst muß er gräßlich um sein Leben gezittert haben; dann schöpfte er Mut aus der Toleranz vieler Abgeordneter der Konstituante; darauf erneutes Zittern, als das Volk nach Versailles marschierte; dann neue Hoffnung, als dem König nichts geschah, als die Nationalversammlung der Gesetzgebenden Versammlung wich und diese weder Besitz noch Krone antastete."

„Bist eine gute Interpretin von Bürger Lavoisiers Empfindungen", brummte er.

„Nicht eifersüchtig sein." Ein liebevoller Klaps. „Er wurde zum Hauptfinanzier der Feuillants, und seine Frau – noch immer dieselbe Primitivität – tut sich etwas zugute, daß sie seitdem mehrfach bei Madame Elisabeth, der Schwester des Königs, in die Tuilerien eingeladen wurde. Madame Lavoisier ist eine Stütze des Altars: Sie beichtet bei eidverweigernden Priestern; ihr Gemahl ist eine Stütze des Thrones: Er finanziert die Royalisten."

„So steht sein Kompaß also."

„Der Krieg macht ihm Sorgen. Er sieht weiter als seine Freunde im Parlament, weiter sogar als die Girondisten. Er glaubt nicht an Siege, eher an katastrophale Niederlagen, und fürchtet, daß dann der Volkszorn losbricht und alle hinwegfegt, die Feuillants zuerst."

„Ich hätte diesem Chemiker nicht soviel politische Weitsicht zugetraut." Forestier blickte zur Decke, wo eine Spinne eine zappelnde Fliege mit Fäden umzog.

„Er behauptete andererseits, den König zu verabscheuen; darin sei er mit Robespierre und meinem Vetter einig."

„Eine merkwürdige Übereinstimmung", spöttelte Forestier. „In der Frage des Eigentums dürfte er mit Marat gewaltige Divergenzen bekommen."

„Als ich ging – ich sage dir, Gustave, er sah wie ein Ertrinkender aus. Er zeigte mir ein grausiges Spielzeug: das Modell einer Hinrichtungsmaschine, die man Guillotine nennt. Mir wurde ganz schlecht."

„Hast du ihn wenigstens über die Kolonien aufgeklärt?"

„Mit beiden Händen wehrte er ab. Es genüge ihm, daß der Zukker jetzt drei Livre koste statt bisher fünfundzwanzig Sou. Das komme von der Widersetzlichkeit der Sklaven. Übrigens stöhnte man auch bei Madame Roland, daß Kaffee und Tee teurer würden."

„Es nützt nichts, Marie, diese Salons können geistreich sein, auch Alkovenpolitik machen, aber sie verstehen das Volk nicht. Man muß tatsächlich die Treppe von unten nach oben scheuern und keine Stufe auslassen."

„Ich habe trotzdem bei Frau Roland über die Negerfrage gesprochen. Immerhin ist ihr Mann Innenminister. Brissot saß dabei und schien mitzuschreiben. Später stellte ich fest, daß er eine Skizze von mir gezeichnet hatte. Vermutlich interessierte ihn mein Dekolleté mehr als mein Vortrag. Die Damen weinten übrigens in ihre Spitzentaschentücher, als ich den Tod des Mulatten Ogé schilderte. Sie kannten ihn als Abgeordneten der Farbigen von San Domingo und waren entsetzt, daß er nach seiner Rückkehr dort von den weißen Pflanzern gerädert wurde. Wer Wind sät, wird Sturm ernten, sagte ich und stellte ihnen die brennenden Pflanzerhäuser, die verwüsteten Plantagen anschaulich vor Augen. Sechzigtausend Neger im Aufstand! rief ich, wissen Sie, was das heißt?"

„Marie, mein Respekt vor dir nimmt überdimensionale Formen an. Komm her, zur Belohnung zehn Küsse."

„Du Bär, du alter, läßt du mich los! Mitten in meinem sachlichen Referat ... Brissot rechnete mir vor, was die Kaufleute von der Girondemündung verlieren, wenn die Sklaverei aufgehoben wird, und Minister Roland machte haarscharfe Definitionen zwischen unfreien Personen und Sklaven."

„Jetzt will ich auch noch wissen, was Robespierre sagte."

Marie lachte. „Es war gar nicht so einfach, ihn zu sprechen. Du weißt, wie die Damen Duplay ihn bewachen."

„Wie Achill unter den Weibern." Forestier wälzte sich vergnügt auf die Seite.

„Robespierre verstand sofort, er gab mir seine Rede vom Mai vorigen Jahres. Höre zu: ‚Mögen die Kolonien untergehen, wenn uns die Kolonialisten zu Verordnungen zwingen wollen, die ihren eigenen Interessen am besten passen!'"

„Bravo! Er und Marat, das sind die Kühnsten unter den Kühnen."

„Es war übrigens ein ganz eigenartiges Gefühl, als ich die Gewölbe unter der Jakobinerkirche betrat, wo der Frauenklub zusammenkommt. Über uns rauschten die Reden der Politiker, und bei uns Frauen wurde das Recht zur Wahl diskutiert. Eine Schriftstellerin, Olympe de Gouges, prägte die treffende Sentenz, daß wir Frauen unbedingt das Recht auf die Tribüne hätten, denn wir hätten ja auch das Recht auf das Schafott."

„Jawohl, das Recht auf Bridewell; ein Stück Schafott haben wir beide ja schon genossen."

„Marat geht jetzt unerbittlich gegen die geflüchteten Emigranten vor. Wer nicht zurückkehrt, ob Prinz, Graf, Marquis oder Steuerpächter, verliere sein Vermögen. Ich habe dir einige Blätter mitgebracht. Sieh her: ‚Wählt zwischen Koblenz und Paris', schreibt er im ‚Ami du peuple'. Da, an andrer Stelle: ‚Schafft feste Preise für alle Lebensmittel! Nieder mit den Wucherern in Stadt und Land. Hängt sie an die Laterne! Die Gesetzgebende Versammlung schläft. Sie läßt die Armen hungern!'"

Der Krieg würde zum Scheidewasser werden, das Unreine hinausschwemmen, dachte Forestier. Er griff nach einer weiteren Ausgabe des „Ami du peuple".

„Wenn es zum Krieg kommt, dann braucht man kein Genie zu sein, um vorauszusehen, daß unsere Armeen im ersten Feldzug vernichtet werden, mag die Tapferkeit der Verteidiger der Freiheit auch noch so groß sein. Ich glaube, daß der zweite Feldzug weniger verheerend sein und der dritte ruhmvoll enden wird . . ."

Prophetischer Marat! Unerbittlicher Mahner. Gehaßt und gefürchtet zugleich. Aber wurde Kassandra geliebt, als sie den Sturz Trojas kündete?

„Was sagen Sie dazu, Breullon! Marat hat eine neue Freundin. Sie nennt sich Simonne Evrard und hat das bleiche Kellergewächs gleich umgetopft. Er hat alles aufgegeben und ist zu ihr gezogen. Warten Sie, ich habe mir die neue Adresse aufgeschrieben." Juliette wühlte in ihrem Seidenbeutel.

„Sie sollen doch stillsitzen! Wie soll ich Ihr kapriziöses Näschen zustande bringen? Wenn Sie nicht brav sind, male ich Sie so, wie Frau von Staël aussieht. Grobe Züge, derbe Nase, breite Hüften."

Das Atelier des Malers flammte im Glanz der Abendröte. Das schmutzige Grau der bilderbehangenen Wände wirkte mit einem Male warm. Inmitten des Raumes stand eine Gliederpuppe, an der Breullon den Faltenwurf der Stoffe studierte.

Juliette kniete auf einem Taburett und trug eine antike Gewandung, dem Peplos der Griechinnen ähnlich. Das Kleid war fast durchsichtig und zeigte ihre vollendet modellierten Brüste. Über ihre Locken hatte sie die phrygische Mütze gestülpt, und Breullon war bemüht, den leuchtendroten Farbfleck in den Mittelpunkt des Bildes zu rücken.

Diese Mützen trugen die Sansculotten von Paris seit jenem denkwürdigen Tag, an dem die begnadigten Soldaten des Regiments Châteauvieux unter dem Jubel der Bevölkerung in die Hauptstadt eingezogen waren. Die Ketten der Galeere hatte man ihnen abgenommen, man hatte sie bewirtet und gefeiert und ihnen zu Ehren die rote Mütze der Sträflinge als Kopfbedeckung für Männer und Frauen eingeführt.

Breullon hatte Juliette auch eine Pike in die Hand gedrückt, denn das Gemälde war eine Auftragsarbeit für den Cordelier Bürger Danton, der sich ein Bild von Juliette als Freiheitsgöttin gewünscht hatte. Diesen einflußreichen Mann, Stellvertreter des Bürgermeisters von Paris, hatte Juliette nach einem „Intermezzo mit Talleyrand", wie sie es spöttisch benannte, nun auch in ihre Sammlung berühmter Männer eingereiht.

„Wenn mein Löwe, mein gefürchteter Wüterich, brüllt, hört man es vom Hôtel de ville bis zum Grèveplatz", renommierte sie oft, um gleichzeitig Dantons Äußerungen ihrem früheren Liebhaber zur Verwendung nach Koblenz mitzuteilen. Von dort würde man eines Tages das heutige Regime vernichtend schlagen. Die Monarchie wäre gerettet, und Juliette Montmartin würde bei Hof erscheinen dürfen, vielleicht geadelt werden . . .

„Ich hab's", plapperte sie, ohne auf Breullon zu hören, „er wohnt Rue des Cordeliers 20. Es sind zwei Schwestern. Sie haben ihn aufgenommen wie Vogelweibchen, denen ein Junges aus dem Nest gefallen ist. Die eine Schwester heißt Etiennette. Ich möchte bloß wissen, ob er mit beiden schläft . . ."

„Ich wollte, ich hätte Ihre Sorgen, Juliette. Halten Sie still, Sie Sprühteufel. Sehen Sie, nun ist Ihr göttlicher Busen zu groß geraten."

Sie schrie auf, kletterte vom Taburett herab und stach mit der Pike nach Breullon.

„Ein Unmensch sind Sie", sie entriß ihm die Pinsel und bombardierte ihn damit. „Sie kommen niemals in die Akademie! – Wie steht mir übrigens die rote Mütze? Hoffentlich besser als dem armen König oder dem Dauphin. Das war wirklich eine tolle Idee, Vater und Sohn diese rote Mütze aufzunötigen. Auch ein Jakobiner kann nicht leugnen, daß das vom König eine überzeugende Geste für die Revolution war."

„Meinen Sie? Ich bin da andrer Ansicht! Ich halte es für eine leere Geste, die zu nichts verpflichtet. – Warum ist das Volk in die Tuilerien eingedrungen? Um dem Dicken eine Bittschrift vorzulegen – um ihm seine doppelzüngige Haltung vorzuwerfen – denn mit ganz richtigem Instinkt hat das Volk begriffen, daß sein König mit dem anrückenden Feind konspiriert. Um die aufgebrachten Sansculotten zu beruhigen, hat er sich dann die dargereichte rote Mütze aufgesetzt. – Ich behaupte, so und nicht anders ist das zu erklären."

„Den armen Dauphin haben sie auch so herausgeputzt, der soll ganz hübsch geschwitzt haben", sagte Juliette und trat an ein mit Skizzen bedecktes Tischchen.

„Ach, das ist doch Madame Forestier, die Cousine von Marat. Sie malen wohl die ganze neue Aristokratie? Ihr Gemahl soll Seeoffizier geworden sein? Kapitän der Königlichen Flotte? Tja, wer den Papst zum Vetter hat, wird Kardinal."

„Da wären Sie schon längst Kardinalin, Schönste. Soviel Vettern wie Sie hat ganz Guise nicht an Einwohnern. Doch los, Pose einnehmen, Bürger Danton will seine Freiheitsgöttin!"

„Sagen Sie selbst, Breullon, diese roten Mützen sind doch barbarisch. Bürger Talleyrand nennt sie plebejisch, aber wir Frauen tragen sie, gleich, wie man sie betitelt. Wissen Sie, daß ich mich in einen dieser befreiten Soldaten, dieser rotbemützten Galeerensträflinge, auf den ersten Blick verliebt hatte? Ich küßte seine rostige Kette, die sie alle noch schleppten, als sie in Paris einzogen. Mein Gott, war das ein Jubel! Haben Sie es erlebt? Mit Kuchen bewirtete man sie. – Er schenkte mir übrigens seine Mütze, aber sie war zu verlaust, ich mußte sie in die Seine werfen."

Juliette war wieder auf das Taburett geklettert.

„So, nun ganz stillhalten. Ja, daß die Nation die Männer von Nancy befreit hat, das ist erhebend. Nur die Toten kommen nicht wieder, die Gehenkten, Geräderten." Breullon malte wie besessen, er wollte die günstige Abendsonne nützen.

„Ob Marat nun gepflegter aussehen wird? Er ist mir bei den Cordeliers begegnet, sah recht derangiert aus. Er hielt dort eine prächtige Rede gegen die Verrätergeneräle. Ich weiß noch jedes Wort."

„Er hat wieder einmal völlig richtig prophezeit", der Maler suchte einen feineren Pinsel, „der Krieg hat mit Katastrophen begonnen. Es sieht so aus, Juliette, als seien die Österreicher über jeden unsrer Schritte informiert. Robespierre hat vom ‚inneren Koblenz' gesprochen. Es wird ein Gesetz eingebracht, das jede Verbindung mit Emigranten als Spionage ansieht und unter Todesstrafe stellt. – Mein Gott, ist Ihnen etwas, Juliette? Sie sehen auf einmal blaß aus."

Juliette hatte sich schon wieder gefangen. „Es ist die Julihitze. Ich sollte einige Wochen aufs Land fahren. Vielleicht zu Ihrem Onkel nach Meudon?"

„Aber erst, wenn wir fertig sind. Danton zahlt sonst nicht, und ich brauche Geld. Alles wird teurer. Sogar die Farben, die Leinwand."

„Auch mein Puder. Es kommt kein Reis herein, die Sklaven meutern." Juliette plauderte wieder unbeschwert, erzählte von Brissot, der bleich und verstört durch die Gärten der Tuilerien gerannt sei. „Ich habe selten einen solchen Verrückten gesehen, Breullon. Einige hielten ihn an, schrien ihm zu, daß er an den Niederlagen und den Rückzügen die Schuld trage. Er habe Offiziere mit Kommandos betraut, die sich als Verräter erwiesen hätten. Manche Regimenter hätten bereits auf eigene Faust mit den adeligen Kommandeuren aufgeräumt, sie sogar erstochen. Ach, man kennt sich nicht mehr aus", das Mädchen seufzte und versuchte ihre unbequeme Stellung ein wenig zu lockern, „einer sagt: Lafayette hat die Revolution gerettet, ein anderer, er ist ein Vertrauter des Hofes."

„Er ist ein Verräter", Breullon stampfte mit dem Fuß auf, „er hat im Vorjahr auf dem Marsfeld schießen lassen. Er will gar keinen Sieg des Volkes, nur den des Königs. Und die Brissotisten haben auf ihn und ähnliche Hohlköpfe gesetzt."

„Sie meinen also, daß der Krieg verlorengeht?"

„Dummerchen. Der Krieg wird gewonnen! Aber erst, wenn innen im Land aufgeräumt worden ist."

Juliette klatschte vergnügt in die Hände. „Sie sind ein Maler, der etwas von Politik versteht. Bei Ihnen kann man lernen. Die meisten Maler sind nur Farbenkompositeure. ‚Mademoiselle, ich male Sie in Fleischtönen wie der geniale Watteau. Lassen Sie mich Ihren göttlichen Hintern konterfeien.'"

„Denen ist es ganz gleich, ob sie eine Dubarry oder eine Grisette aus den Hallen als Modell haben." Breullon lachte und stieß die Pinsel ins Wasser. „Machen wir Schluß für heute. Aber Sie wollten noch etwas sagen, Sie kleine politische Analphabetin mit dem göttlichen Hintern."

Juliette warf ihm eine Kußhand zu und rutschte von ihrem Sitz herab.

„Ich lasse Sie noch nicht fort, Juliette." Breullon zog sie an sich.

Sie stieß einen tiefen Seufzer aus. War es Geborgensein, war es Angst?

Die Totenmaske Nanon Simonets lag auf schwarzem Samt im Versammlungsraum der Cordeliers. Kerzen flackerten und gaben mit ihrem Lichterspiel den Zügen der Erschossenen einen Hauch von Leben.

Ein Jahr nach dem Gemetzel auf dem Marsfeld, am gleichen 17. Juli, sollte das Abbild der Gefährtin Marats in diesem Raum einen würdigen Platz erhalten.

In der ersten Reihe saßen alle ihre Freunde, die Verwandten und die Arbeiterinnen aus der Blumenfabrik von Monsieur Moulon. Pierre, in der Nationalgardistenuniform, schaute mit grüblerischem Ernst auf das wächserne Antlitz der Schwester. Neben ihm lehnte die schluchzende Charlotte. Henriette, die Unerbittlichkeit des Todes noch nicht begreifend, ließ voll kindlicher Neugier ihre Blicke umherschweifen. Immer wieder blieben sie an Monsieur Marat haften, der wehmütig auf Tante Nanons bleichen Gesichtsabdruck starrte.

„Er muß sie über alles geliebt haben", zischelte Mama Massillon, die in ihrem schwarzen Atlaskleid den Platz neben Henriette einnahm.

Das Mädchen schnappte auch die Antwort des alten Druckers auf: „Wenn ein solcher Mann liebt, ist es wie eine Feuersbrunst. Aber das verstehst du nicht, Alte."

Das Seidenkleid knisterte. „Aber ein solcher Mann findet schnell ein paar Trösterinnen. Sieh nur die Schwestern Evrard, sie fressen ihn ja förmlich auf. Man sagt, die Simonne ist es, die den Platz der armen Nanon eingenommen hat. Hübsch ist sie nicht, aber sie hat etwas, was Männer anzieht."

Unwillig drehte sich Pierre um, sein Gardistensäbel klirrte.

Die ehemalige Kirche füllte sich jetzt mit gewichtigen Persönlichkeiten: Danton, stellvertretender Prokurator von Paris, Camille Desmoulins und seine Frau Lucile, Robespierre vom Jakobinerklub und der ungestüme Saint-Just, kürzlich erst aus Aisne eingetroffen.

Madame Montmartin und Louison nahmen Platz. Diese war von einem Offizier der Nationalgarde begleitet und hatte als einzige über das schwarze Kleid kokett ein blauweißrotes Band geheftet. Die bereits Anwesenden trugen nur die übliche Kokarde im Haar oder am Hut. Auch Laval und Lizzy waren gekommen.

Etwas verspätet keuchte der Tischler Mollet heran. Er war seit kurzem Kommissar der Sektion der Cordeliers; sein Wort galt viel, wenn die Kommune von Paris zusammentrat. Seit etwa drei

Wochen war diese, aus achtundvierzig Sektionsvorsitzenden bestehende, ständige Versammlung das revolutionäre Verwaltungsorgan von Paris; gehaßt vom König und den Feuillants, geliebt vom Volk der Vororte.

Als Grenier auf der Orgel präludierte, erhob man sich, um nach wenigen Motiven jenes neue Lied anzustimmen, das die Marseiller Bataillone mitgebracht hatten, das von dem Offizier Rouget-de-Lisle in Straßburg gedichtet und in Töne gesetzt worden war: „Allons enfants de la patrie."

Der Sang dröhnte durch den Kirchenraum, als wolle er die Franziskanermönche aus ihren Grüften wecken. Brüderlichkeit! Gleichheit! – War das nicht auch die Forderung des Urchristentums? Hatte Franz von Assisi nicht ähnliches gepredigt?

Welch ein Lied! In wenigen Wochen hatte es ganz Frankreich erobert. Mit dieser Marseillaise auf den Lippen werden die Freiwilligenbataillone gegen die Interventionsarmeen anstürmen . . .

Danton bestieg die Rednertribüne. „Bürger! Uns eint tiefe Trauer. Ein ungesühnter Mord an fünfzig friedlichen Menschen ist vor Jahresfrist geschehen. Eines der Opfer war uns besonders lieb: Nanon Simonet, deren Schatten wir beschwören, deren Totenmaske heute einen ehrenden Platz bei uns erhalten soll.

Freunde! Es wär billig, in dieser Stunde über den Tod zu philosophieren. Wir wissen, daß wir der Natur die Elemente zurückgeben, aus denen wir zusammengesetzt sind. Geschieht dieser Vorgang am Ende eines erfüllten Lebens, befinden wir uns in Harmonie mit den Daseinsgesetzen. Reißt aber eine Mörderhand Jugend aus der frohen Tätigkeit für die allgemeine Wohlfahrt, so ergrimmt jeder von uns, und wir erheischen Rache auf alle schuldigen Häupter.

Bürger! Es sind die gleichen Feinde, die sich jetzt mit den Armeen despotischer Fürsten verbündet haben, um das Herz Frankreichs, unsere geliebte Stadt Paris, zu zerreißen. Es sind die Verräter, die sich nicht scheuen, aus Haß gegen die Revolution unsere Kriegspläne und Angriffsbefehle dem anstürmenden Feind auszuliefern.

Jawohl, das Vaterland ist in Gefahr! Wer wird's retten? Männer aus den Armenvierteln, deren Herzblut für die Nation verströmen wird. Kann man dulden, daß man ihnen den entehrenden Titel Passivbürger läßt, ihnen die vollen Bürgerrechte verweigert?

Wir haben seit einigen Tagen in der Sektion des Théâtre Français die Einteilung in Aktiv- und Passivbürger aufgehoben!"

Eine Welle der Erregung lief durch die Versammlung.

Und wieder Danton: „Damit, daß wir den Entrechteten die Rechte zurückgeben, ehren wir auch die Toten des Marsfeldes, ehren wir diese junge Frau, deren blühendes Leben durch die verruchte Hand royalistischer Gardisten ausgelöscht wurde. Rächen wir sie dadurch, daß wir die Feinde des Vaterlandes zerschmettern. Lassen wir uns in dieser Stunde nicht von Trauer niederdrücken, erheben wir das Haupt mit Kühnheit, Kühnheit und immer wieder Kühnheit!"

Wieder das Lied der Rheinarmee. Alle faßten sich an den Händen und sangen den Refrain mit: „Aux armes, citoyens, formez vos bataillons!"

Jetzt schritt Marat zur Tribüne. Es dauerte einige Zeit, bis er sich gefaßt hatte.

„Bürger, Freunde", begann er stockend, „es ist alles so gekommen, wie ich es vorausgesagt habe. Niemand war einst bereit, Kassandra zu glauben, erst als Troja brannte, entsann man sich ihrer warnenden Stimme. – Ich konnte diese junge Frau nicht retten, die so tapfer in den Reihen der Revolution marschierte. Jeder weiß, was sie mir bedeutete ... Ich kann aber ihre Mörder nennen! Sie sitzen in den Tuilerien!

Von einer Helena kam ein zehnjähriger Krieg. Welches Blutvergießen wird uns diese österreichische Helena bescheren? Ich habe stets vor Lafayette gewarnt. Immer wieder nannte ich ihn einen Volksfeind und Intriganten. Jetzt zeigt er sein wahres Gesicht. Ohne Erlaubnis verläßt er die ihm anvertraute Armee, kommt nach Paris und stellt Forderungen an die Gesetzgebende Versammlung, die Kaiser Leopold von Österreich diktiert haben könnte.

Warum verhaftete man ihn nicht? Wenn ein General als Diktator einem Parlment droht, fällt sein Kopf oder die Freiheit. Ich habe vor dem Krieg gewarnt", fuhr Marat fort, „jetzt, da er ausgebrochen ist, muß er gewonnen werden! Eine Niederlage wäre der Sieg der Konterrevolution. Stützen wir uns auf die Massen des Volkes, auf die untersten Klassen der Gesellschaft: die Arbeiter, Handwerker, Kleinhändler, Bauern, auf den Plebs, jene Unglücklichen, die die unverschämten Reichen mit Kanaille bezeichnen und die römischer Übermut einst Proletarier nannte.

Ich habe von Verschwörungen Kenntnis. Operationspläne werden verraten, Spione sitzen in der obersten Kriegsführung. Generäle übergeben kampflos Festungen, ohne daß ein Kanonenschuß fällt. Stellen wir hinter kapitulierende Offiziere die Guillotine, und ihr stählerner Wind wird die Armee reinigen."

„Das hat er gut gesagt", raunte Saint-Just und strich sich die blonden Haare aus der Stirn, „ich sage Ihnen, Robespierre, man kann mit diesem Manne ein gutes Stück die gleiche Straße gehen."

„Man muß nur darauf achten, daß er nicht in öde Gleichmacherei verfällt, dogmatisch das Eigentum angreift", antwortete der Führer der Jakobiner leise.

Marat kam zum Schluß: „Diese Trauerfeier soll uns die stets frohe und so überaus tätige Nanon in Erinnerung bringen. Homer sagt in der Odyssee: ‚Nicht mir rede vom Tod ein Trostwort.' Auch uns kann nur als Trostwort gelten, daß wir, von gleichen Mördern bedroht, ausharren, bis der Tag der Freiheit gekommen ist. Aus der Liebe zu ihr erwächst die Gleichheit. Das Vaterland ist in Gefahr! Retten wir es! Damit ehren wir die Tote."

Bei den Klängen der Marseillaise verließen die Versammelten den Raum.

Die Mittagssonne gloste über dem Platz, auf dem Zelte aufgestellt waren, die als Anwerbebüros für Freiwillige dienten. Munizipalbeamte schwenkten Fahnen und verkündeten die Proklamation der Nationalversammlung. Die gesamte Nationalgarde der Vorstädte war unter Gewehr angetreten. Embleme wurden von Gemeindebeamten zu Pferd getragen: „Freiheit, Gleichheit, Verfassung, Vaterland." – „Helft dem Vaterland, meldet euch an die Front." Ein Nationalgardist trug das dreifarbige Banner. Immer wieder die Inschrift: „Das Vaterland ist in Gefahr!" Die Trommler schlugen unermüdlich.

In den Zelten, die mit blauweißroten Wimpeln und Eichenlaub geschmückt waren, hatte man über Pauken Tischplatten gelegt. Freiwillige, jung und alt, drängten in Scharen herbei, um sich eintragen zu lassen. Es war, als ob ganz Frankreich erwacht sei, sich in den Kampf zu werfen.

Die registriert worden waren, erhielten Gewehre, Munition und Verpflegung. Zu Bataillonen formiert, marschierten sie singend und scherzend hinaus aus Paris. Frauen und Kinder gaben ihnen bis zu den Zollschranken der Stadt das Geleit. Allenthalben ertönte die Marseillaise:

„Allons enfants de la patrie."

Es galt die Früchte der Revolution zu retten, es galt die Mütter, Frauen, Bräute und Mädchen vor den rohen Fäusten eindringender Barbaren zu schützen.

Der Riese Frankreich ist jetzt so stark wie einst Antäus, der die Erde berührt hatte. Das Land wird nun unüberwindlich werden. Den Armeen Preußens, unter dem Oberbefehl des Herzogs von Braunschweig vereint mit österreichischen Truppen, wird das Revolutionsheer Halt gebieten.

Viele der Freiwilligen erkannten Marat, Danton, Robespierre und jubelten ihnen zu: „Hoch Marat! Hoch Robespierre! Hoch Danton! Es lebe die Montagne! Nieder mit dem Verräterkönig!"

„Der Titel Montagnards bleibt an uns haften", sagte Danton, der sich mit den Fäusten Bahn schaffen mußte, „jetzt sind wir oben auf dem Berg, halten wir uns!" Er eilte davon, im Rathaus wartete man auf ihn. Marat wurde von Sansculotten aufgehalten, die ihm ihre Wünsche vortrugen.

Charlotte Simonet war etwas bedrückt am Eingang der Kirche stehengeblieben. Sie hielt Pierre zurück, der zu seiner Sektion marschieren wollte.

„Es war zwar sehr feierlich, Pierre, aber doch keine richtige Trauerrede. Zuviel Politik. Ein Pfarrer hätte vom Wiedersehen gesprochen und vom himmlischen Paradies. Auf etwas muß doch der Mensch in seiner Sterbestunde hoffen."

Pierre schimpfte: „Bist noch immer eine Pfaffengläubige, Bürgerin Simonet. Rutschst auf den Knien vor dem Gesindel. Solltest lieber sagen, daß sie dir den Buckel runterrutschen sollen. Begreife doch endlich: Es gibt kein Paradies da oben, den Himmel, den müssen wir hier auf Erden schaffen."

„Ach, Pierre, und die da abmarschieren? Vielen wird der Himmel auf Erden nichts nützen, sie werden nichts von ihm abbekommen als einige Quadratfuß für das Grab."

„Du bist eine Trine, der man den Hintern versohlen sollte." Pierre war so grob, weil er sich der einfachen Beweisführung seiner Frau unterlegen fühlte. Er schob sie beiseite, gab Henriette einen zärtlichen Knuff und rannte säbelrasselnd über den Platz.

Einige Cordeliers hatten sich um Robespierre geschart und hörten achtungsvoll seinen Worten zu.

„Die Gesetzgebende Versammlung ist impotent geworden. Eigentlich war sie es schon immer. Gewählt von Männern des Besitzes, kann sie nur in den Begriffen des Besitzes denken. Sie ist steril. Man muß sie beseitigen!"

„Was nützen gute Gesetze, wenn die Regierung sie nicht durchführen läßt", rief einer.

„Operieren wir den Rumpf, aber nicht ohne den Kopf." Kühl traf die Stimme des Jünglings Saint-Just genau die gegenwärtige Situation.

„Beseitigen wir diese Schwatzanstalt mit ihren kleinlichen Zänkereien. Schaffen wir einen Nationalkonvent", fuhr Robespierre fort, „der gewählt wird aus allen Bürgerschichten, ohne Einschränkung, und eine bessere Verfassung entwerfen muß."

„Der den Krieg gewinnen muß", warf Camille Desmoulins dazwischen, der sich mit Lucile der Gruppe genähert hatte. „Ein Flammenring zieht sich um Frankreich zusammen – Spanien droht an den Pyrenäen, Preußen und Österreich im Elsaß und in Lothringen, England im . . ."

„Und in Paris sitzt der Hauptfeind, Bürger Desmoulins", schnitt ihm Robespierre das Wort ab. „Wir brauchen ein Revolutionstribunal, das außerordentliche Vollmacht hat. Nur so kann man das ‚Koblenz' in Paris besiegen."

Die Umstehenden zollten ihm Beifall, ihre Rufe drangen laut über den Platz.

„Jedoch, Bürger Desmoulins, lassen Sie uns zusammen gehen. Ich muß Sie noch in diskreter Sache sprechen", sagte Robespierre.

Auf dem Weg zum Speiselokal „Blaues Ziffernblatt" verabschiedete sich Desmoulins von Lucile, die sich bei ihren Eltern angesagt hatte.

„Es ist fürchterlich", ein trauriges Lächeln begleitete ihre Worte, „je mehr ein Mann der Öffentlichkeit gehört, desto seltener hat man ihn privat."

Robespierres Miene blieb verschlossen, fast unliebenswürdig. „Es ist die uralte Weisheit der Kirche, die das Zölibat geschaffen hat, Bürgerin. Wer dem Gott Vaterland dient, kann keinen anderen Göttern huldigen."

„Hoffentlich hat Mademoiselle Elisabeth Duplay dafür Verständnis", entgegnete Lucile spitz. Sie warf ihren Sonnenschirm auf die Schulter und entfernte sich.

Camille Desmoulins war ein wenig erschrocken. Er wußte, daß Robespierre Kränkungen oder auch nur Anspielungen selten vergaß – und er war schon ein bedeutender Mann, dieser Maximilian.

„Bürger Camille, du bist aus Guise, hast dort viele Verwandte? Guise scheint sie nach Paris zu spucken wie der Himmel Heuschrecken auf eine Oase. Es gibt da eine Juliette Montmartin . . ."

Desmoulins' Züge erschlafften sekundenschnell. Robespierre sah es. „Sie hat durch deine Empfehlung Zugang in viele Salons erhalten." Es klang drohend.

„Ist das schlimm, Maximilian? Sie bekam Zutritt auch durch andere. Ist etwas dabei?"

„Ja, denn sie ist als Spionin überführt worden. Bei dem guillotinierten Hafenkommandanten von Brest fand sich Briefpost, die einwandfrei auf diese Person hindeutet."

Desmoulins war erblaßt. Im Geist rekapitulierte er alle Zusammenkünfte mit ihr, Gespräche, Intimitäten . . .

„Der hübsche Kopf der Bürgerin Montmartin dürfte bald in den Korb Sansons rollen." Robespierre sagte es schon im Weggehen.

Camille stand eine Zeitlang wie erstarrt da. Dann raffte er sich auf und rannte zurück zum Platz vor dem Franziskanerkloster.

Wie er gehofft hatte, war Frau Montmartin, die Fischhändlerin, noch da.

„Tante Montmartin, wo ist Juliette?"

Die robuste Frau betrachtete ihn unwirsch. „Die ist ein Dreck-
lappen geworden, Camille. Die Pariser Stutzer wischen sich die
Finger an ihr ab. Hat sie das nötig? Die armen Huren tun's aus
Not, sie aus reinem Übermut."

„Sie wird gesucht."

Die Montmartin wurde ängstlich. „Gesucht? Meistens steckt sie
mit dem Maler zusammen", antwortete sie rasch, „der sie immer
so nackig malt . . ." Desmoulins war schon davon. „Heiliger Gott,
heilige Rotmütze", murmelte sie.

Marat hatte François Laval untergefaßt und strebte seiner Wohnung zu. Sie begegneten Frauen, die selbstgebackene Brote zum
Klosterplatz trugen, um sie den Freiwilligen auf den Marsch mit-
zugeben.

Auch Körbe voll Scharpie, zerzupfte Leinwand für Wundver-
bände, wurden gespendet. Ein Weinhändler füllte vor seinem
Haus Feldflaschen mit rotem Landwein. Auf den Straßen standen
Tische, an denen Hausbewohner den scheidenden Soldaten ein
Gastmahl gaben.

„Sehen Sie das, François? In diesen lichtlosen Quartieren schlägt
Frankreichs Herz. Sie wissen, wie elend diese Menschen sind, wie
sie um ihre armselige Existenz den erbitterten täglichen Klein-
krieg führen müssen. Aber für die Revolution opfern sie ihr Letztes."

„Sie haben recht. Doch gehen Sie zu Méot, Bürger Marat, zum
Speisewirt Doyen. Dort dampfen die Kasserollen, mit Puten und
Hühnern gefüllt, dort sitzen die Stutzer, die Genießer der Revolu-
tion."

„Wir müssen ein Revolutionstribunal schaffen! Todesstrafe für
Assignatenschieber und Wucherer!"

Sie verhielten eine Weile. Ein Regiment zog mit Musik vorüber. Viele Mädchen steckten den Freiwilligen Rosen in die Gewehrläufe.

Zu Hause angelangt, wurden sie Zeuge einer Unterhaltung zwischen Mama Massillon und Simonne, die sich auf Marats Verpflegung bezog.

„Er ißt gern geschmorte Rüben mit etwas Hammel, Mademoiselle Evrard. Aber keine Zwiebeln. Sie schaden seinem Organismus. Und wenig Fett, es bekommt seiner Leber nicht. Und täglich
Bäder gegen seine Hautkrankheit. Probieren Sie mit dem Ellenbogen, ob sie nicht zu heiß sind."

Simone Evrard antwortete mit angenehmer Altstimme: „Wir haben eine Badewanne beschafft, Madame Massillon. Bequem zum
Sitzen und sogar·zum Schreiben."

Simonne überragte Marat um Haupteslänge. Sie hatte einen kräftigen Körperbau, der an normannische Bäuerinnen denken ließ.

Madame Massillon, von der Wichtigkeit ihrer Mission als frühere Betreuerin Marats durchdrungen, machte noch mehr Vorschläge: „Ein Tuch um die Stirn, kühl und feucht, Mademoiselle Evrard. Allstündlich wechseln. Und Eichenholzrinde ins Badewasser. Sie nimmt den Ausschlag fort."

Marat hörte die nicht enden wollenden Vorschriften belustigt an und flüsterte Laval ins Ohr: „Wie für einen Säugling. Aber es tut doch gut, so umsorgt zu sein. Kommen Sie."

Unbemerkt von den beiden Frauen traten sie in Marats Arbeitszimmer. „Setzen Sie sich, François", bat Marat. „Ich bin Ihnen eine Erklärung schuldig. Ja, Simonne ist meine Lebensgefährtin. Als ich so ganz verzagt war, von Polizisten gehetzt – in den letzten Monaten dieses Winters –, traten die Schwestern Evrard in mein Leben. Sie boten mir ihr Heim an. Gewiß, es ist nicht so behaglich möbliert wie die Wohnung in der Taubenhausgasse, aber nach Umherirren in eisigen Löchern erschien es mir wie ein Paradies. Simonne hat so viel von Nanon, daß es mich sogleich zu ihr zog. Kurzum, ich habe sie bereits vor der Sonne und den Sternen geehelicht und werde die Trauung auf der Mairie nachholen, sobald der Feind geschlagen ist. Ich möchte, daß ihr beide recht oft zu uns kommt."

Marat ging ins Nebenzimmer und holte Simonne. „Ich möchte dir meinen Freund François Laval vorstellen", sagte er.

„Die Freunde von Jean Paul sind auch die meinen", sprach Simonne und begrüßte François mit kräftigem Händedruck.

„Simonne ist übrigens tagsüber in einer Uhrfederfabrik. Sie hat geschickte Hände", plauderte Marat.

Simonne bekam einen roten Kopf, als Marat sie so lobte. „Bewachen Sie unseren Volksfreund gut, Monsieur Laval", bat sie, „er hat viele Feinde."

9

Sturm auf die Tuilerien

Eine bleiche Mondscheibe schwamm am nächtlichen Augusthimmel. Silbriges Licht schüttete sie auf die Pariser Dächer, in die Galerien und Säle der Tuilerien.

Still lagen die Gemächer der Königin, nur Kommandorufe und Schritte der ablösenden Garden hallten vom Schloßhof herüber. Der Mond spiegelte sich im blanken Parkett. Eine Helligkeit – man konnte auf Leuchter verzichten.

Marie Antoinette hatte die Arme um das Postament geschlungen, das die Büste Maria Theresias trug, und wirkte in ihrer unbeweglichen Pose selbst wie ein Standbild.

Die Kammerfrau erschrak. Ein Omen? Und wann hatte schon die Königin zärtliche Gefühle für ihre Kaiserin-Mutter gezeigt?

„Ziehen Sie die Gardine zu, liebste Campan. Das Mondlicht ist kalt, obwohl mir ist, als bekäme ich Brandmale. Oh, dieses gleißende Licht, auch damals schien es, als ich mit dem König in Versailles eintraf. Sagen Sie, beste Campan, ist das wirklich erst siebzehn Jahre her? Mir will scheinen, es könnten hundert sein. Ach, mein Trianon! Meine harmlosen Feste und Freuden! Damals konnte ich noch ruhig schlafen."

Die Campan wollte die Vorhänge schließen, doch Marie Antoinette riß den einen Fensterflügel auf. Sie betrachtete den Himmelskörper so intensiv, als habe sie ihn noch nie gesehen.

„Kalt", murmelte sie, „die Gelehrten behaupten, er bekomme sein Licht von der Sonne, ähnlich einer Königin, die ihren Glanz durch ihren Gemahl erhält – mag er auch ein hilfloser und bedauernswerter Mensch sein. Aber sie leuchtet, die Königin, sie leuchtet ... Man sagt, der Mond scheine in alle Ewigkeit. Unser Königshaus soll die gleiche Dauer haben – bis in alle Ewigkeit ..."

Sie schwankte. „Ach, ich bin plötzlich ganz erschöpft."

„Sie sollten schlafen gehen, Majestät. Werfen Sie alle Sorgen über Bord. Darf ich Sie an ein Wort der Königin Henriette von England erinnern? Sie sprach es bei einem Seesturm: ‚Königinnen können nicht ertrinken.'" Mit einem energischen Ruck schloß die Campan das Fenster.

„Königinnen können nicht ertrinken! Ein schönes, stolzes Wort. – Doch warum habe ich überhaupt solche Anwandlungen?" Marie Antoinette ging zu ihrem zierlichen Schreibtisch und wühlte in Landkarten und Papieren. Nun mußte doch eine Kerze entzündet werden.

„Denken Sie immer daran, Majestät", besänftigte Madame Campan, „eine Hilfe kann näher sein, als wir ahnen. Und vergessen Sie nicht, Eichen sind mehr vom Blitz bedroht als kriechender Efeu."

Nochmals trat die Königin ans Fenster. Sie wirkte wieder straff und sagte fanatisch: „Wenn ich im nächsten Monat den Vollmond sehe, werde ich aller Fesseln ledig sein. Alles geht nach Wunsch, beste Campan. Mit den Fahnen Preußens kommt unsere Freiheit! – Hier liegt die Karte; eingezeichnet sind die Marschrouten der Fürsten, die mit Österreichs Heeren marschieren. Und hier die Karte mit den Tageszielen der preußischen Truppen. Sie sind am fünfzehnten August in Verdun, nichts kann sie aufhalten. Paris liegt offen wie eine Austernschale. – Und dann kommt die Rache, liebste Campan!"

Die Kammerfrau schlug ein Kreuz. „Mein ist die Rache, spricht der Herr."

Unbeirrt fügte Marie Antoinette hinzu: „Hier unten lasse ich sie hängen, auspeitschen ... Und dieser Marat – er wird aufs Rad geflochten und geviertelt. Ich will meinen Triumph genießen."

„Verwahren Sie die Dokumente gut, gnädigste Königin!"

„Was denn? In vier Wochen reitet der Herzog von Braunschweig durch die Champs-Elysées. Ich habe seine Proklamation gelesen. In ganz Paris wird kein Stein auf dem anderen bleiben, wenn uns auch nur ein Haar gekrümmt wird."

„Trotzdem", die Campan schichtete mit ängstlichen Augen die Landkarten und Briefe, „wir sind von Spähern umgeben. Die Lakaien sind längst nicht mehr zuverlässig."

„Aber Liebste", die Königin drehte sich wie bei einem Ländler, „ich bin gewiß, wir gewinnen die Partie. Kommen Sie dicht heran, ich möchte Ihnen etwas anvertrauen. Wir sind informiert worden, daß der Pöbel in den Vorstädten erneut marschieren will. Es sind deshalb alle verfügbaren Truppen im Schloß konzentriert, Sie haben es sicher schon bemerkt. Dreizehnhundert Schweizer warten auf den Schießbefehl, ferner steht ein Corps am Hôtel de ville, ein anderes am Pont-neuf. Beide greifen die Meuterer von hinten an. Hier in den Tuilerien schlagen wir sie nieder. Es soll ihnen nicht gelingen, dem König nochmals eine rote Mütze aufzunötigen."

„Majestät, das sind Pläne für kühne Männer."

„Wenn ich nicht an den König dächte, ich würde ein Pferd besteigen und hineinreiten in das Getümmel. Aber Majestät ist so schwerfällig geworden, das Reiten bereitet ihm Qualen."

Vermutlich auch dem Gaul, dachte Madame Campan lästerlich und schlug sich gleich auf den Mund, damit kein Wort entschlüpfe.

„Morgen wird die Sonne blutig aufgehen, noch blutiger untergehen. Aber der König ist sorglos, er schläft bereits. Er hat sowohl den gesegneten Appetit als auch den beneidenswert ruhigen Schlaf seiner Vorfahren."

„Majestät wissen, daß der König immer äußerst früh zu Bette geht."

„Ich sagte es. – Aber Marat, Robespierre, Danton, die sind wacher denn je. Doch ich werde ihnen Schlafpülverchen geben, die für die Ewigkeit reichen."

Der Mond hatte sich hinter einer zerrissenen Wolke verkrochen. Die Glocke vom Turm schlug die dritte Stunde.

Die silbrige Mondscheibe erhellte auch das Zimmer Marats. Er hatte den ganzen Tag hart gearbeitet, aber der Stapel von Manuskripten, Briefen, Druckfahnen auf dem Stehpult hatte sich kaum gelichtet.

Depeschen aus Lille: Der Stadt droht Besetzung durch den Feind; Briefe aus dem Elsaß: Dort fehlt es den Patrioten an Waffen; Briefe von Soldaten der Rheinarmee: Der Kommandant der Artillerie ist desertiert, hat Genieoffiziere mitgenommen; ein Hilferuf aus Flandern: Rückzug aus Courtrai. General Luckner ist unfähig, reif zur Absetzung; Bürgerkrieg droht im Süden. Von den Pfaffen aufgehetzte Bauern sind gegen die Munizipalitäten der Städte marschiert, haben Jakobiner und Girondisten erschlagen; Eingabe der vierzigtausend Bauarbeiter von Paris: Fort mit dem König, der am Leitseil der Pfaffen geht.

Marat hustete krampfartig. Luft! Luft! Diese Rue des Cordeliers war ein Sumpfloch. Aller Pestilenzgestank von Paris schien sich hier zu sammeln.

Voller Beunruhigung lauschte Simonne Evrard auf ihrem Ruhebett den Lauten von nebenan. Sie vermochte nicht einzuschlafen. Die Tür stand einen Spalt offen. Auf dem weißgescheuerten Fußboden war der schwarze Schatten des Schreibenden ausgebreitet. Simonne wußte, daß sie jetzt nicht stören durfte, aber ihr hungriges Herz sehnte sich nach Wärme . . .

Die Mutter hatte sie gelehrt, die Frau dürfe in der Liebe nie das erste Wort sprechen, aber dennoch müsse sie dem Manne entgegenkommen, bis er glaube, der Eroberer zu sein.

Ach, die Mutter – all diese Künste verfingen nicht bei Jean Paul . . .

Liebt er mich wahrhaftig? Ein bedeutender Mann – doch sind seine Gedanken jemals bei mir? Was hat Etiennette heute morgen gesagt? Ich soll mir die Thérèse Levasseur zum Vorbild nehmen, die dem großen Rousseau bis zu seinem Tode hingebend gedient, ihm Kinder geboren habe, ohne jemals an seinem geistigen Leben

310

teilzunehmen. Männer von Format verlange es nach dem Ausgleich in naturhafter, robuster Körperlichkeit. Ich war böse auf Etiennette, ich finde, daß eine Frau dadurch herabgewürdigt wird.

Ich kann nicht einschlafen, dieses sanfte Mondlicht verspricht mir das Wunderbare, sein Kommen, mit der Glut der ersten Stunde. – Damals, als ich ihn in der verschneiten Promenade des Luxembourg fand, wo er frierend auf einer Bank saß und das Schneewasser in seine abgetragenen Filzschuhe sickerte, da hatte ich den Mut, ihn anzusprechen. Innerlich zitterte ich. Was hätte die Mutter dazu gesagt? Aber es zwang mich etwas . . .

Oh, mich schaudert's noch jetzt, wenn ich mich an den eisigen Pelz an den Kellerwänden, an die Eisblumen am Fenster seines halb unterirdischen Gelasses erinnere. Der Ofen ohne Glut . . .

Etiennette war lieb. Sie war sofort bereit, Jean Paul bei uns aufzunehmen. Das werde ich ihr nie vergessen. Und als im eisernen Ofen die Buchenscheite bullerten, da war Jean Paul glücklich. Wie Musik klang es in meinen Ohren, als er zu sprechen begann . . .

Halt! Rückt er nicht den Stuhl? Schritte? Meine Sehnsucht hat ihn herbeigerufen. Nein – er geht nur auf und ab.

Beseligte Stunden des Winters – oh, kehrt zurück! – Seit April tobt der Krieg, seitdem ist Jean Paul mehr denn je eingespannt, seitdem sind die Stunden der Zärtlichkeit so selten geworden wie die Siege an der Front. „Volksfreund Marat" nennen sie ihn – oh, wäre er nur mir Freund.

Simonne seufzte, warf sich friedlos hin und her. Wie sie gegen Jean Paul hetzen.

„Der Aussätzige mit dem Froschmaul!" – „Der Würger von Paris." – „Marat, der Schreihals aus dem Keller!" schreiben sie in ihren Zeitungen.

Gestern war Pierre Simonet gekommen und hatte gewarnt, es gebe Verschwörer, die Marat nach dem Leben trachteten. Bei den Cordeliers sei beschlossen worden, eine ständige Wache einzurichten, ähnlich wie im Hause Duplay für Robespierre. Ob das wirklich nötig sei, hatte sie gefragt, sie und ihre Schwester hielten schon die Augen offen, außerdem kämen oft Männer ins Haus: Drucker, die Korrekturfahnen ablieferten und Freunde, die Marat mit Nachrichten versorgten.

Aber Pierre hatte auf der Wache bestanden. „Wir leben nicht mehr im Rosenmontag unsrer Freiheit, Bürgerin! Eher im Aschermittwoch, wo alle Masken fallen", hatte er geantwortet. „Jean Paul!" Simonne hatte aus gepreßtem Herzen gerufen. Er kam eilends herein. Doch als er sich zu ihr beugte, war sein Kuß so flüchtig, daß sie ihr Begehren erstickte.

„Es geht viel vor, Simonne. Es ist nicht die Zeit, müde zu sein, noch weniger, sie mit dir zu genießen. Wir haben die Gewißheit, daß der König alle unsere strategischen Maßnahmen durch Mittelsmänner an die anrückenden Preußen und Österreicher verrät. Er muß abgesetzt und unter strengste Bewachung genommen werden. Die Tuilerien sind wie ein Sieb. Jeder Adelige hat dort Zutritt und kann konspirieren. Die Österreicherin in ihrem Haß ist eine Messalina, die tagtäglich Unheil ausdenkt. Schluß mit ihnen! Von achtundvierzig Sektionen der Pariser Kommune haben siebenundvierzig die Absetzung und Gefangennahme des Königs beschlossen. In der Morgenfrühe werden zuverlässige Bataillone aus den Vorstädten die Tuilerien stürmen. Um fünf Uhr läuten die Sturmglocken. Du wirst einen Wald von Bajonetten sehen."

Simonne lag wie gelähmt. „Also wieder Blutvergießen."

„Hätte man auf mich gehört, Simonne, wäre dieser General Lafayette bereits verhaftet und abgeurteilt, wären die Halbheiten der girondistischen Minister uns nicht zum Verhängnis geworden. Jetzt bleibt nur die Gewalt."

„Morgen abend werden tausend Mütter und Frauen weinen."

„Wenn wir nicht handeln, werden es hunderttausend sein. – Und nun, Liebste, schlafe. Ich muß noch einen Aufruf schreiben, der den Marschierenden an die Piken und Bajonette geheftet wird."

„Ach, Jean Paul, warum sind wir uns in dieser blutigen Zeit begegnet?"

„Man kann sich die Zeit nicht aussuchen. Man muß seine Tage nützen, damit künftige Geschlechter ruhiger und besser leben, damit sie mit Respekt über unsere Gräber gehen."

Er wollte sich entfernen, da fuhr sie auf: „Was gehen mich spätere Geschlechter an. Ich will meine Erdentage genießen. Was soll mir die Nachwelt? Neulich habe ich die Witwe Rousseaus gesehen. Sie lief so allein daher wie eine verlaufene Katze. Sollte mir das Schicksal auferlegen, einmal so verlassen zu sein, dann will ich mich wenigstens an Erinnerungen, lieben Erinnerungen aufrichten."

Sie weinte.

Bedrückt ging Marat in sein Arbeitskabinett. Die Lampe blakte, ein Windstoß ließ ein Papier zu Boden flattern. Marat hob es auf, es war die Proklamation des Herzogs von Braunschweig: „Ihre Majestäten machen für alle Ereignisse alle Mitglieder der Nationalversammlung, der Departements, der Distrikte, der Gemeindeverwaltung, die Friedensrichter, Nationalgarden und alle anderen mit ihrem Kopf haftbar . . ." –

Wieder marschierte Paris. Die Glockenklöppel schwangen ihren heroischen Sang, einstimmten vom fernen Marsfeld die donnernden Alarmkanonen.

Sie rückten heran aus den Vorstädten Saint-Antoine und Saint-Marceau, aus den Elendsquartieren des Marais. In der frühen Sonne wuchs über ihren Köpfen ein blitzendes Ährenfeld der Piken und Bajonette.

An der Spitze marschierten im Geschwindschritt die Freiwilligen aus Marseille mit *ihrem* Lied auf den Lippen. Das Pflaster dröhnte. Es galt die Tuilerien von zwei Seiten anzugreifen, die Marseiller sollten als geübte Soldaten den entscheidenden Stoß führen.

Mollet, die dreifarbige Schärpe über dem Bürgerrock, ließ an der Ecke des Pont Royal seine gesamte Sektion vorbeimarschieren. Er stand auf einem Prellstein, den blanken Kavalleriesäbel in der Faust, und musterte seine Leute. Pierre Simonet, der an der Spitze einer Abteilung von hundert Mann herankam – alles überzeugte Sansculotten aus der Sektion Théâtre Français –, rief Mollet zu: „Wie sieht's aus, mein Alter?"

„Hörst du nicht, daß es bereits knallt? Bestimmt sind Voreilige in die Tuilerien eingedrungen. Wie Hasen auf der Treibjagd werden sie zusammengeschossen. Keine Disziplin, Pierre! Disziplin, gottverdammt! Ohne die sind wir ein Sauhaufen."

„Mußt nicht so schwarzsehen. Wir schaffen's schon. Heute wird Schluß gemacht mit dem Dicken."

„Diesmal bleibt kein Ast im Brett, wir bohren ihn heraus. Weißt du schon, daß die ganze königliche Sippschaft zu den Gesetzgebern geflüchtet ist? Freilich hat sich dort keiner über diesen Besuch gefreut. Jeder dieser Advokaten und Schönredner zittert um die eigene Haut."

Die beiden Kolonnen marschierten im Gleichschritt weiter, zwei Buben als Trommler voran. Das schwere Gewehr drückte, Pierre warf es auf die andere Schulter.

Die marschierenden Sansculotten erreichten die Seitentore der Tuilerien, jene schmiedeeisernen Gitter, die ihnen den Weg in den Schloßhof versperrten.

Die Schweizer eröffneten aus der Deckung heraus das Feuer. Es gab Verletzte und Tote.

„Gebt kein kompaktes Schußziel!" schrie Mollet, der die Situation im Augenblick erkannte. Der Befehl wurde befolgt, die Abteilung zog sich auseinander.

Auf der Place du Carrousel waren die Schweizer in drei Linien angetreten. Sie feuerten exakt wie bei einer Schießübung.

Pierre stutzte, gab seinen Sansculotten Zeichen, jeden Mauervorsprung, jeden Winkel als Deckung auszunutzen. Als er beobachtete, wie ein Schweizer Gardist aus der Reihe trat, niederkniete und auf Mollet zielte – der weithin sichtbar die anrückenden Marseiller in ihre Stellung wies –, brüllte er: „Achtung, Gevatter" und schoß dann selbst so schnell, daß ihn der Rückstoß taumeln machte. Der Schweizer mit seinem pausbäckigen Bauerngesicht schlug aufs Pflaster.

Ein verwundeter Arbeiter kroch auf Pierre zu. „Hast du einen Schluck, Kamerad?"

Pierre gab ihm die blecherne Flasche mit Apfelschnaps; Charlotte hatte sie mit dem Rest aus dem Tonkrug gefüllt.

Charlotte! Immerzu fällt mir Charlotte ein. Diesmal war sie ganz verrückt, wollte mich nicht aus dem Haus lassen. Ich sollte an Nanon denken, sollte nicht immer vornedran sein. Beim Gerüstebau – beim Bastillesturm – in Versailles . . . Ich wollte wohl die Revolution ganz allein machen. Sie aber wollte einen lebenden Mann und keinen toten Helden. Aber Kreuzelement, kann ein richtiger Mann auf so was hören? Der Kommandant einer Nationalgardenabteilung?

Der Verwundete hielt Pierre die zerschossene Hand hin. „Bin Färber. Ob ich mit der Flosse nochmals Tuch im Bottich schwenken kann? Diese adeligen Hunde! Ließen uns auf den Hof kommen und feuerten von allen Seiten. Die Schweizer aus der Schloßhalle. Ich sage dir, es war wie auf dem Marsfeld, nur umgekehrt. *Sie* hatten die Treppe besetzt bis hoch hinauf, die Käsefresser . . . Wir waren ja so blöd, haben sie noch gefoppt vorher. Da schrie ein Offizier: Feuer, und sie schossen, schossen wie Automaten im Wachsfigurenkabinett. Ich rannte raus, da kriegte ich aus einem Fenster mein Fett . . . Gebt's ihnen, Kamerad."

Er wankte in eines der Seitengäßchen.

Inzwischen hatten die Marseiller Artilleristen Geschütze in Stellung gebracht und fügten mit einer Salve den Schweizern auf der Place du Carrousel schwere Verluste zu.

Diese Söldner warteten keinen weiteren Schuß ab, sie verschanzten sich nun im Schloß.

Jubelrufe. Liedfetzen. Trommeln. Von allen Seiten stürmten die Bataillone. Aber noch war nichts entschieden. Aus den Fenstern des langgestreckten Palastes krachten die Schüsse der Verteidiger. Sie lagen in Deckung und überschütteten die Angreifer mit Kugeln.

Aus den Baracken, die auf der anderen Seite des Hofes parallel zum Schloß standen, kam Rottenfeuer von den Edelleuten, denen der König Ausharren befohlen hatte, wenngleich *er* sich in Sicherheit gebracht hatte.

Weitere herangebrachte Geschütze entschieden schließlich den Kampf.

Gegen Mittag waren die Tuilerien in der Hand des Volkes. Die Baracken waren ein einziges Feuermeer. Auch Teile des Schlosses brannten. Einige Abteilungen der Schweizer konnten sich zur Manege durchschlagen, wo die Gesetzgebende Versammlung tagte, in deren Obhut sich die königliche Familie befand.

In dieser Mittagsstunde hatte sich das Schicksal Ludwigs XVI. entschieden. Er saß, den Gleichmütigen spielend, in der Loge des Protokollführers. Die Königin neben ihm preßte wie im Krampf die Hände zusammen. Monoton bohrte sich der zufluchttröstende Satz in ihr Hirn: Königinnen können nicht ertrinken ... Königinnen können nicht ertrinken ... Mein Gott, die Tuilerien in der Hand des Pöbels! Das Absetzungsdekret von Vertretern der Pariser Kommune ausgesprochen! Welch grausige Perspektive ...

Das Volk aber jauchzte. Das Königtum ist besiegt, die Nationalversammlung ist besiegt – Sieger sind wir.

Die Nationalversammlung wählte Danton zum Justizminister. Doch wurden auch die girondistischen Minister wieder berufen.

Elfhundert Tote waren das Opfer der Sansculotten; von den Schweizern fielen fast ebenso viele.

Pierre jagte hinter flüchtenden Adeligen die Haupttreppe empor. Er bekam einen Degenstich in den Arm, konnte den Gegner aber mit dem Gewehrkolben niederschlagen. Mit riesigen Sätzen langte er bei den Gemächern der Königin an, wo ihm eine Hofdame in den Weg trat.

„Verschwinden Sie", tobte Pierre, „Sie alte Krähe sind mir schon einmal begegnet." Madame de Campan zog sich verstört zurück. Heilige Mutter Gottes, was würde sie noch erleben?

Die zertrümmerte Tür zum Zimmer der Königin hing schräg in den Angeln. Manches kostbare Möbelstück war durch Schüsse ruiniert. Sansculotten wühlten im Schreibtisch, sie suchten nach verräterischen Dokumenten. Hier fand sich auch Mollet ein, der kraft seines Amtes einige Briefmappen in Verwahrung nahm.

Der mit wertvollen Intarsien eingelegte Flügel war aufgeklappt, Noten lagen verstreut am Boden. Eine Frau, die sich mit ins Zimmer geschlichen hatte, strich mit scheuen Fingern über die Tasten. Ein flirrender Klang schwang durch das Boudoir.

Pierre fühlte auf einmal einen stechenden Schmerz in der Brust. Es ist wie damals, dachte er, etwas ist zerrissen. Sein Mund füllte sich mit salziger Flüssigkeit.

Zwei Kameraden trugen ihn auf ein Ruhebett ins Nebenzimmer.

Mollet war bestürzt und rief nach einem Arzt.

„Es war zuviel, Alter", keuchte Pierre, „laß mich zu meiner Charlotte bringen. Vielleicht kann Marat wieder helfen. Mollet, ich möchte doch so gern das gute Ende erleben."

Aus dem Zimmer der Königin erklangen die feierlichen Töne der Marseillaise.

Mollet riß die Flügeltüren auf. Grenier saß am Flügel, die Gardistenuniform in Fetzen am Leib, einen blutigen Verband quer über der Stirn – aber er spielte. Feierlich füllten die Akkorde die Räume.

Jubelnd fielen sich die Sansculotten in die Arme.

Als Pierre über die Türschwelle seiner Wohnung getragen wurde, konnte er vor Schmerzen kaum noch sprechen.

Er sah Charlotte an.

„Das war – das letzte Gerüst, Frau. Jetzt werde ich wohl nicht mehr so hoch klettern."

Spät in der Nacht lief die Nachricht durch Paris, daß der König mit den Seinen im Turm des Temple untergebracht werde: als Gefangener des Volkes. Der Nationalkonvent war einberufen.

Es war kühl an diesem Septembermorgen. Wolken wie Wattebäusche zogen über den Himmel und warfen ihre Schatten auf die noch taugrauen Grasflächen des Luxembourg.

Kinder liefen schreiend einem Ball hinterher. Eine junge Frau bot selbstgefertigtes Spielzeug zum Verkauf: Püppchen aus Stroh und buntbemalte Harlekine auf Pappe geklebt und ausgeschnitten. Ein altes Mütterchen pries Kokarden an, billige aus Papier, teure aus Seide. Nationalgardisten schlenderten vorüber und musterten die entgegenkommende Weiblichkeit. Ein Stutzer in enganliegendem Frack führte seine Dame in eine stillere Allee, wo eine künstliche Ruine aufgebaut war und man gezuckerte Limonade und Eissorbet feilbot.

Hier war auch Gelegenheit zu frivolem Geplänkel. Trotz Einspruchs der Sektion vermietete ein unternehmender Pächter strohgedeckte Hütten à la Trianon an umherflanierende Pärchen zu kurzem, ungestörtem Aufenthalt. Schließlich war Krieg, und mancher, der hier das Liebesspiel auskostete, würde bereits morgen mit durchschossener Stirn irgendwo vor Verdun oder Lille liegen.

Ein inmitten des breiten Promenadenwegs stehender Pavillon – einst in friedlichen Tagen für Militärkonzerte bestimmt – war von einem Maler als Motiv gewählt worden. Einige Passanten sahen ihm bei der Arbeit zu.

Madame du Gazon wollte sich hier mit Camille Desmoulins

treffen. Sie wartete bereits eine gute Viertelstunde. Hatte sie jemals sonst auf irgendeinen Mann gewartet? Noch nie, aber die Zeiten hatten sich eben geändert. Seit Juliettes Verhaftung vor einigen Tagen war die Schauspielerin so fahrig geworden, daß es ihren Partnern schon auffiel. Sie magerte ab. Angst... Angst... Beklemmungen...

Lavoisier erging es ähnlich. Was hatte er nicht alles in Anwesenheit von Juliette gesagt, wie hatte er über „die Unfähigkeit dieser neuen Gottheiten", über Marat und Robespierre, gespottet. Wenn er auch als Chemiker momentan unentbehrlich war – die Armee brauchte Schießpulver, selbst die Kellerwände mußten zur Salpetergewinnung abgekratzt werden –, so konnte er doch nicht wissen, was Juliette aussagte, um ihren Kopf zu retten.

Die Schauspielerin hatte schon Breullon aufgesucht, der gerade einen von Furien gepeitschten Orest malte und sehr nervös wurde, als sie unverblümt nach Juliette fragte.

„Nichts weiß ich."

Doch dann gestand er ein, er habe sämtliche Skizzen von dem Mädchen aus Guise an sicherem Ort aufbewahrt. Täglich sei er zur Conciergerie gelaufen, um schließlich zu erfahren, sie sei in das Gefängnis La Forte überführt worden.

„Offensichtlich ist sie durch ihre Kaltblütigkeit und Geschicklichkeit dem Volksgericht in den ersten Septembertagen entgangen. Jetzt ist die Anklageschrift fertiggestellt, der Prozeß steht bevor", sagte er.

Die du Gazon verstand sofort. War doch in der Morgenfrühe des 2. September ganz Paris durch Gerüchte aufgeschreckt worden. Marats Zeitung hatte in großen Lettern auf die Gefahren hingewiesen: „In allen Gefängnissen sitzen Gegenrevolutionäre, Adelige, eidverweigernde Priester, Schieber und Spekulanten. Sie hoffen auf ihre Stunde. Sobald die Sansculotten an die Front geeilt sind, wollen sie sich befreien und dem Feind die Tore von Paris öffnen, eure Frauen und Kinder töten. Seid unbarmherzig! Volksjustiz ist not! Bildet Volksgerichte!"

So hatten die Pariser Sansculotten in drei Tagen eine Schnelljustiz ausgeübt und die Todesurteile sofort vollstreckt. Dieses spontane Gericht war ein Akt der Selbstverteidigung gewesen.

Endlich der Erwartete... Ein Mietswagen mit auffallend hohen Rädern hielt an.

„Ich bin sehr glücklich", sagte Desmoulins beim Aussteigen, „denn heute ist die Eröffnungssitzung des Konvents. Welch ein erhebender Tag!"

„Und ich bin sehr unglücklich", sagte sie und sah ihn mit ihrem so berühmten Blick schmachtend an.

„Nichts von Unglück, Bürgerin! Von nun an wird der Sieg uns begleiten! Kommen Sie! Leeren wir irgendwo eine Flasche Champagner. Meine Freude muß ich mit jemandem teilen, da meine Lucile wieder einmal bei ihren Eltern ist."

„Oh, das ist für mich ein Geschenk . . ." – das trifft sich vorzüglich, dachte die Schauspielerin berechnend – „wie wäre es bei mir? Meine Zofe bereitet uns ein Frühstück."

„Mit Vergnügen, Madame. Haben Sie denn schon die Freudenbotschaft gehört? Bei Valmy haben wir gesiegt! Dumouriez und Kellermann vereint haben die Preußen geschlagen. Wir werden beantragen, daß mit diesem lorbeergrünen Sieg der neue Kalender beginnt. Tat der neuen Ära, viertes Jahr der Freiheit – Jahr eins der Republik."

„Monsieur Desmoulins, noch existiert der König", sagte sie vorsichtig. Er geleitete sie zum Wagen.

„Er existiert, aber er regiert nicht mehr", triumphierte der junge Konventsabgeordnete, „er wird noch heute abgesetzt. Dann wird ihm der Prozeß gemacht. Sie wissen, daß mein Freund Danton Justizminister von der Kanonen Gnaden geworden ist. Das kann für uns beide zum Aufstieg oder zum Galgen führen."

Die Kutsche rollte durch die Alleen, an alten Linden und Eichen vorüber.

„Denken Sie manchmal an Ihre Verwandte, Camille?" Jetzt verwendete Madame du Gazon Bühnentöne, die stets das Herz von Tausenden gerührt hatten. „Juliette sitzt im Frauengefängnis La Force."

„Nicht mehr lange, Bürgerin. Ich sprach mit Danton. Sie ist schuldig. Wer kann wissen, wieviel Patrioten durch ihre Verräterei ums Leben kamen. Schade – sie hätte ein besseres Los ziehen können. Das Messer der Guillotine trifft einen schönen Hals."

Die große Darstellerin schwieg. Sie erschauerte, wollte sich an Desmoulins schmiegen. Sie betrachtete sein Profil – nein, für Empfindsamkeit war er nicht aufgeschlossen in dieser Stunde.

Während der Wagen durch die belebten Straßen fuhr, in denen das Volk den Sieg von Valmy bejubelte, erläuterte Desmoulins die Notwendigkeit der Todesstrafe bei Spionage. Grundsätzlich sei jeder Republikaner ein Gegner dieser barbarischen Justiz, auch Robespierre habe sich in meisterhafter Rede dagegen ausgesprochen, aber solange die Nation in schwerer Gefahr sei, müsse es noch das Fallbeil geben. „Glauben Sie mir, Bürgerin, so brutal es auch klingt, nur die Guillotine kann die junge Republik retten."

Die Bürgerin du Gazon meinte schüchtern, daß für jeden Verurteilten der Weg zur Reue versperrt sei, daß der Schnitt durch den Halswirbel jede Wandlung unmöglich mache. „Ihr seid Römer", sagte sie, mutiger werdend, „aber auch damals gab es humane Zeiten, wo die Dichter sangen und die Krieger schwiegen. Haben Sie kein Mitleid für die unschuldigen Opfer der letzten Wochen? Bis in meine stillen Wohnräume habe ich die Schreie aus dem Châtelet gehört."

„Es starb kein Unschuldiger, Bürgerin."

Aus Desmoulins' Tonfall entnahm die Schauspielerin, daß sie sich falsch verhalten hatte. Ein heikles Thema – sachte, sachte . . . Es war bekannt, daß Danton von vielen Seiten beschuldigt wurde, dem Töten nicht Einhalt geboten zu haben. Das warf man auch Pétion, dem Bürgermeister von Paris, vor. Sie konzentrierte sich – mit Fingerspitzengefühl mußte sie sich an Desmoulins heranpirschen.

„Ich bin für eine gewissenhafte und schnelle Justiz, für Aburteilung im ordentlichen Verfahren, wie auch Sie als Konventsmitglied. Aber solche willkürlichen Handlungen . . . Es sollen doch Verbrecher freigekommen und harmlose Freudenmädchen getötet worden sein."

„Sie reden nach, was royalistische Zeitungsschmierer behaupten. Oder waren Sie dabei, als das Volk sein Urteil sprach? Wissen Sie nicht, wer in den Gefängnissen saß? Das innere Koblenz! Konspirateure, die das Lied der Rache sangen. Die nach Bestechung der Wärter tafelten und sich von ihren Mätressen besuchen ließen. Aus den Weinhäusern wurden Diners geliefert, aber an der Front hungern die Sansculotten."

Großer Gott, gerade diese Schärfe hatte sie vermeiden wollen. Sie war schon wieder ungeschickt gewesen.

Desmoulins sprach erregt weiter: „Darf ich Sie an die Opfer der willkürlichen Justiz erinnern, die unser Volk unter seinen Königen erduldet hat? Auspeitschung, Prangerstehen, Rädern, Vierteilen, Verbrennen . . . Wissen Sie auch, daß preußische Kavalleristen gefangenen jakobinischen Gemeindevorstehern die Ohren abgeschnitten und an die Stirn genagelt haben? Lebenden Menschen – vom Volk gewählten Beamten. – Was hätten die von Ihnen mit solchem Mitleid bedachten Edelleute gemacht, wenn die anrückenden Interventionsarmeen ihnen die Freiheit gebracht hätten? Galgen und Rad! – Wie weit ist es bis Valmy? Drei Tagesreisen. Glauben Sie, daß die Truppen des Königs von Preußen die Unschuld Pariser Mädchen respektiert hätten? – Wir waren eingekreist, sind es noch. Können wir aber gegen mörderische Eroberer kämpfen, wenn in den Gefängnissen Feinde sitzen, die nur darauf warten, uns von hinten anzuspringen wie die Panther im Busch?"

Er sah unwirsch auf die Wellen der Seine, die sie auf dem Pont de Change überquerten. Ein Marktschiff mit Äpfeln und Birnen war dort gerade angekommen. In langer Schlange standen Männer und Frauen. Vier Stadtpolizisten sorgten für Ordnung.

Die Wohnung der du Gazon lag etwas versteckt in einem verschachtelten Häuserblock. Eine Trauerweide wiegte sich im Wind. „Ich liebe diesen Baum", sagte die Künstlerin, „er paßt zu meinen elegischen Stimmungen."

Die Räume waren geschmackvoll eingerichtet. „Feiern wir, Bürger Abgeordneter." Die berühmte Frau hatte den Mantel abgelegt. Ihr Kleid war raffiniert geschneidert. Sie vertauschte die Straßenschuhe mit Sandalen, wie sie die Griechinnen der Antike getragen hatten.

„Ja, wir haben zu feiern, Madame, und heute abend spielt man die ‚Horatier'. Der Patriotismus gebietet es. Unser Konvent beginnt sein Werk."

Sie verzog das Gesicht ein wenig. „Immer diese Römerdramen!"

Sie tranken Champagner, und Camille, leicht entflammt, wurde kühn.

„Nur wenn Sie mir versprechen, nochmals für Juliette zu intervenieren."

„Ausgeschlossen. Danton ist unerbittlich!"

„Dann verschaffen Sie mir eine Einlaßkarte für die Sitzung des Revolutionstribunals."

„Sie wollen studieren, wie man den Kopf verliert? – Oh, Madame, ich könnte meinen Kopf schon bei Ihnen verlieren."

Sie seufzte tief. Der Gedanke an Juliette war brunnentief versunken.

10

Marat vor dem Konvent

„Es ist mir unbegreiflich, warum du noch wartest", sagte Madeleine Lavoisier, als sie abends nach dem Theater zu Méot fuhren, wo mit den Konventsmitgliedern Brissot und Lenormande eine Zusammenkunft verabredet war. „Alle Leute von Rang und Stand verlassen Frankreich. Gestern soll Lameth abgereist sein. Man spricht auch davon, daß Talleyrand in London eingetroffen ist. Ich bin überzeugt, daß man dich überall mit offenen Armen aufnimmt, ob in Rom oder sonstwo."

Lavoisier antwortete nicht sofort. Seine Gedanken waren noch bei Madame du Gazon, deren Garderobe er in der Pause aufgesucht hatte. Seine Frau hatte Besuch bekommen, ein simples Provinzgänschen, das mit munteren Augen das Treiben im Theater bestaunte und neugierig diese Pariser betrachtete, von denen man sich daheim in Péronne die schauerlichsten Geschichten erzählte: Zehn Fuß hoch das Blut in den Gefängnissen – Marat zwingt eine Adelige, davon zu trinken!

Frau Lavoisier war vorsichtig geworden, sie hatte das Mädchen weggeschickt. Vorerst war es richtiger, man schüttelte den Staub Frankreichs von den Schuhen, wie Beaumarchais es poetisch ausgedrückt hatte.

Der Wagen rollte durch die kärglich beleuchteten Straßen. Die Kaufleute hielten es nicht mehr für nötig, ihre armselig dekorierten Schaufenster mit Kerzen oder Öllampen zu erhellen.

„Sagtest du Rom?" fragte der Chemiker nach einiger Zeit. „Ausgerechnet dieses Pfaffennest? Es sieht dir ähnlich, daß du mir diese Stadt vorschlägst. Warum nicht gleich den Vatikan? Pius VI. gibt mir ein Laboratorium. Soll es mir wie Cagliostro gehen?"

„Du bist unleidlich. Ich mag keine Schauergeschichten."

„Du weißt, wozu deine Bischöfe und Kardinäle fähig sind."

„Cagliostro hat gestanden, ein Ketzer zu sein und mit dem Teufel im Bunde zu stehen."

„Ich bin perplex! Dein sonst so schwaches Gedächtnis registriert Ereignisse, die sich schon vor über einem Jahr abspielten. – Aber tausend Donner! Wenn sie dich so gefoltert hätten, wärst du zu schwören bereit gewesen, daß du jede Nacht mit dem Teufel schläfst."

„Eine fromme Frau kommt nicht in solche Situationen."

„Die Gräfin Cagliostro kam! Sie hat ähnliche Dinge zugegeben. Es genügte schon, ihr die Folterinstrumente zu zeigen."

„Und während sie nun im Kloster büßt – wo sie es bestimmt gut hat –, kann der Graf froh sein, daß der Heilige Vater ihn statt zum Feuertod zu lebenslänglichem Kerker begnadigte."

„Du bist imstande hinzuzufügen: Wo er es bestimmt gut hat. Vielleicht hättest du ihn doch lieber brennen sehen? Begreifst du eigentlich, was es heißt, zum Scheiterhaufen verurteilt zu werden? Und das im Jahre siebzehnhunderteinundneunzig? – Das ist dein Rom!"

„Beruhige dich, wir können ja auch woanders hin – nur fort aus Paris!"

Die Kutsche ratterte über den Pont Notre-Dame, dessen Laternen einen zitternden Schimmer auf das schwarze Wasser der Seine warfen.

„Fort aus Paris – und wir verlieren alles, können nur leichtes Gepäck mitnehmen. Was wird aus dem Laboratorium, aus der Bibliothek?"

„Vergiß nicht, sie haben bei uns Haussuchung gemacht, haben die Listen mitgenommen, auf denen du für die Feuillants gestiftet hast."

„Ja, ja, freilich. Es ist so: Als Forscher brauchen sie mich, als ehemaligen Steuerpächter sehen sie in mir einen Feind."

Der Wagen mußte im Schritt fahren, eine große Menschenmenge versperrte den Fahrweg.

Der Kutscher meldete sich:

„Bürger Lavoisier, kann ich einen Umweg machen? Es ist eine Demonstration der Bauarbeiter. Wir kommen nicht durch."

„Fahren Sie, wie Sie wollen."

Man kam zum Carrouselplatz der Tuilerien. Hier war durch Anordnung der Pariser Kommune vor einem Monat das Schafott mit der Guillotine aufgebaut worden. Die Hinrichtungen sollten nicht mehr auf dem Grèveplatz, sondern angesichts des Königsschlosses stattfinden. Im Fackelschein hob sich die Maschine wie ein Schattenbild von der Fassade der Tuilerien ab, das dreieckige Messer blinkte.

Frau Lavoisier stieß einen kleinen Schrei aus. Ihr Gatte zog die Gardine vor das Kutschenfenster.

„Ich muß dir etwas sagen", seine Stimme schwankte. „Juliette stand gestern vor dem Revolutionstribunal. Madame du Gazon war zur Verhandlung, sie behauptet, Juliette hätte niemanden verraten, sondern nur Leute belastet, die im Ausland sind. Noch am Abend ist sie enthauptet worden."

Frau Lavoisier atmete auf. Aus – vorbei – das Mädchen war nicht mehr zu fürchten.

Lavoisier brütete finster vor sich hin. Juliette ... Wo haben sie dich hingetragen – den Körper mit ungelöschtem Kalk bestreut ...

Der Besitzer des Speisehauses Méot eilte ihnen entgegen. „Welche Ehre, Bürgerin, wollte sagen, Madame. Welche Ehre, Monsieur Lavoisier. Ich habe ein Hinterzimmer reserviert. Es gibt Leute, die werden mißgünstig, wenn sie eine gefüllte Ente sehen, die sich nicht auf ihrem Tisch niederläßt. Apropos! Die Bürger Abgeordneten warten bereits."

Zur peinlichen Überraschung von Madame Lavoisier hatte der Fabrikant Lenormande Louison mitgebracht, die mit gespielter Harmlosigkeit versicherte, wie sehr sie sich freue, die verehrte Patin wiederzusehen.

„Wir wollen einen arbeitsreichen Tag beschließen", sagte Brissot, und seine zerfurchten Züge verloren etwas von der Anspannung der letzten Stunden.

„Jetzt sind wir Epikureer, Madame", ergänzte Lenormande, die Weingläser füllend, „tagsüber waren wir Römer, die Tyrannen beseitigt haben."

Brissot hob sein Glas auf den Sieg bei Valmy. „Kampferprobte preußische Truppen im ersten Ansturm geworfen! Kühnheit, Kühnheit und nochmals Kühnheit! Bajonett und Artillerie, sie haben die Schlacht entschieden. Beglückwünschen wir uns zur Feldherrenkunst des Generals Dumouriez, der von uns, den vielgelästerten Girondisten, mit der Truppenführung beauftragt wurde. Ich trinke auf die Siegesgöttin, daß sie uns weiterhin Lorbeer spende!"

„Und ich auf Madame Lavoisier und ihr reizendes Patenkind, dessen Unschuld so entwaffnend ist, daß selbst der älteste Haudegen vor ihr kapituliert." Lenormande sah sich vergnügt im Kreise um und bemerkte das ironische Lächeln Madame Lavoisiers, die im stillen errechnete, was den alten Schlemmer wohl diese anspruchsvolle Unschuld kosten könne.

Louison lachte. „Es gibt vielerlei Sorten von Unschuld, Bürger Lenormande. Manche Damen konservieren sie sogar bis ins späte Alter, bis in die Ehe hinein. Haben Sie auch schon derartiges gehört, verehrte Patin? Kürzlich behauptete ein Bekannter, er sei mit einer lebenden Geldzählmaschine verheiratet."

Die verehrte Patin schoß der Spötterin einen Wutblick zu. Dagegen griff Lenormande das Wort Geldzählmaschine interessiert auf und fragte, ob nicht ein geschickter Mechaniker solch ein Ding bauen könne. Die Flut der herausgegebenen Assignaten mache eine derartige Apparatur vermutlich rentabel.

Lavoisier saß wie abwesend da. Immer wieder, wenn er Louison beobachtete, ihr unbekümmertes Lachen hörte, wenn sich ihr Busen unter der dünnen Hülle ihres Chiffonkleides straffte, mußte er an Juliette denken, und ihn erfaßte kalter Zorn, daß weder Desmoulins noch Danton etwas zu ihrer Rettung unternommen hatten. Sie war zermalmt worden zwischen den Mahlsteinen der neuen Gesetzlichkeit.

Endlich schüttelte er die trüben Gedanken ab und hörte Brissot sagen: „Es war ein erhebender Anblick. Der Theatersaal in den Tuilerien hat noch nie soviel Männer von Geist in seinen Mauern gesehen."

„Und noch nie so viele, die sich hassen", warf Lenormande sarkastisch ein.

„Allerdings, erstaunlich groß ist auch die Zahl der Unschlüssigen, Zaudernden. Wir haben diese kompakte Masse von Indolenz und Feigheit gleich in der ersten Stunde ‚Sumpf' genannt. Aus ihm kommen keine fruchtbaren Ideen."

In Lavoisier regte sich der Forscher, der Analytiker: „Und woher kommt dieses erstaunliche Phänomen, daß ein aufgewühltes und in Gärung begriffenes Land Abgeordnete in den Konvent schickt, die dem Trägheitsgesetz verfallen sind? Noch dazu in so großer Zahl. Sie selbst, lieber Brissot, gehören doch einer Minderheit an."

„Die Zahl macht es nicht", warf Lenormande ein, der auf einer Tischkarte die Sitzordnung des Konvents aufgezeichnet hatte und Louison durch ein Kreuz bedeutete, wo er seinen Platz habe. „Besitz und Vermögen, das sind die Attribute der girondistischen Gruppe, der anzugehören ich die Freude habe. Der Bürger Marat nennt uns auch Brissotisten . . ."

„Zuviel Ehre", wehrte Brissot ab. „Lassen Sie mich Ihnen antworten, Bürger Lavoisier. Das Land ist müde geworden. Zuviel Strapazen lähmen den Herzmuskel, zuviel Kämpfe in solch kurzer Zeit lassen die Energien verrinnen. – Die Revolution muß enden, die Republik hat zu beginnen."

Frau Lavoisier wollte wissen, ob von den siebenhundertfünfundvierzig Konventsmitgliedern tatsächlich fünfhundert diesem sogenannten Sumpf angehören, also weder Fisch noch Fleisch seien.

„Revolutionen sind zu allen Zeiten von Minderheiten gemacht worden", fuhr Brissot fort, „es genügt, daß Kräfte vorhanden sind, die den Bequemen im Genick sitzen wie Bremsen einem Ackergaul in den Weichteilen."

Nachdenklich spielte Lavoisier mit einem Dessertlöffel. „Ich habe aber den Eindruck, daß den bissigen Bremsen aus der Gironde noch bissigere aus Arras oder sonstwoher folgen werden. Und durch die Zentrifugalkraft, die allen Umwälzungen innewohnt, werden die Langsameren hinausgeschleudert."

„Meine Herren, das wird mir zu ernsthaft", rief Lenormande. „Glauben Sie, ich hätte mich wählen lassen, um in den Hades zu fliegen? Ich habe mich im Konvent den Männern von der Girondemündung angeschlossen, weil sie Geist von meinem Geiste sind."

„Und weil sie ein Vermögen zu verteidigen haben." Frau Lavoisier nickte ihren eigenen Worten Zustimmung. „Ob jemand Schiffseigner, Handelsherr oder Färbereibesitzer ist, sein Platz ist hier." Sie deutete mit großer Geste auf die Tischkarte, wo Lenormande die Bänke der Girondisten eingezeichnet hatte. Dabei vergaß sie ganz, daß ihr Gatte die Feuillants unterstützt hatte, die nicht mehr in den Konvent gewählt worden waren. Ihre Plätze auf der rechten Seite des Hauses wurden nun von den Girondisten eingenommen.

„Die Gegensätze sind bereits am ersten Tage aufgebrochen", sagte Brissot.

„Über die Absetzung des Königs waren wir uns aber einig", überbot ihn der Fabrikant aus dem Norden, „soviel Beifall gab es nicht einmal, als Voltaires letztes Stück aufgeführt wurde."

Brissot runzelte die Stirn. „Auch diesmal ist es ein letztes Stück, der Ausgang aber noch ungewiß. Dieser Monsieur Capet ist sich selbst sein schlimmster Feind, obwohl er von uns wohlverwahrt in den Temple gesetzt wurde."

Louison nahm diese Bemerkung auf, um der Dame Lavoisier noch eins auszuwischen, deren royalistische Neigung sie nicht vergessen hatte. „Haben Sie nicht im Vorjahr gesagt, liebste Patin, daß der Marquis Lafayette das Königspaar nach Versailles zurückführen würde? Er ist aber inzwischen aus Frankreich geflohen und wird also kaum den abgesetzten König zurückführen können."

Madame Lavoisier verbarg ihr Erschrecken unter einer schneidenden Antwort: „Auch Sie, liebste Louison, sind, wenn ich nicht irre, von dem König empfangen und sogar geküßt worden. Damals waren Sie in Gesellschaft stinkender Fischweiber."

„Vergessen wir über den servierten Forellen, daß es einen König gegeben hat!" animierte Lenormande und zerlegte mit Hingabe den zarten Fisch.

Erst nach der Einnahme des Mahles kam man erneut auf die Gegensätze innerhalb des Konvents zu sprechen.

„Ich hätte den Sitz dieses Parlaments in die Provinz verlegt", äußerte Brissot, „man muß weg aus dieser mörderischen Stadt. Die Gassen dampfen von Blut. Es ist doch kein Zufall, daß die radikalsten Köpfe aus dieser Menschenansammlung gekommen sind. Paris war es, das für die Jakobiner stimmte, die ja nun mit den Cordeliers vereint sind."

„Wie feindliche Brüder allerdings", ergänzte Lenormande, „sie vertragen und entzweien sich. Rund hundert Montagnards, in roter Wolle gefärbt. Hier", er deutete auf die Zeichnung, „hier sitzt Robespierre, hier Danton."

Brissot beugte sich über den Tisch. „Und hier sitzt der gefährlichste: Jean Paul Marat, Arzt und Journalist", sagte er und tippte auf Lenormandes Skizze.

„Der gefährlichste?" fragte Lavoisier. „Mich mag er auch nicht, er haßt mich sogar. Ich stehe ihm jedoch nicht nach. Doch verzeihen Sie meinen Wissensdrang, lieber Brissot, woher kommen die abgrundtiefen Gegensätze zwischen der Gironde und den Jakobinern? Welch eine Welle des Hasses in einem Augenblick der Freude."

„Man kann sie in wenigen Sätzen definieren, Monsieur Lavoisier", sagte Lenormande, bevor Brissot antworten konnte. „An Stelle des Königs will Paris herrschen. Es sind die Habenichtse, die nach unserem Besitz gieren. Aber dafür gibt es die Guillotine. Rasieren wir alle, die eine Diktatur erstreben!"

Vorsichtig schälte Brissot eine saftige Birne, und vorsichtig war seine Rede: „Wir wollen die Zergliederung Frankreichs in föderative Republiken. Jawohl, Paris ist nur eines der dreiundachtzig Departements. Wir sind gegen den Zentralismus, der aus Frankreich eine Gliederpuppe machen würde, an der Robespierre, Danton oder gar Marat nach Belieben zerren könnten."

„Ich stimme Ihnen zu, Monsieur Brissot. Jedes Departement ist eine Individualität. Es muß jedem unbenommen bleiben, ob er den Sansculotten Jesus oder den Sansculotten Marat verehren will. Ich bin ebenfalls Föderalist." Lavoisier trank dem Konventsmitglied zu.

In der Nacht bereits wurde der Polizeiminister Bürger Danton von dem Gespräch informiert. Er hatte seine Leute bei Méot.

Zur gleichen Stunde entwarf der Chemiker Lavoisier einen Brief an den allmächtigen Danton: „Bürger! Die Armee braucht Schießpulver. Sie sollen wissen, daß Sie unbegrenzt über mich verfügen können."

Der Diener Jacques kam auf leisen Sohlen und legte eine neue Zeitung auf den Tisch. Der Konventsabgeordnete Marat hatte seinen „Ami du peuple" umbenannt in „Journal der französischen Republik".

„Zieh dein hübschestes Kleid an, Simonne." Jean Paul Marat legte aufatmend die Feder beiseite und schlüpfte in seinen flaschengrünen Überrock. „Der optische Telegraf meldet, daß die letzten preußischen Truppen den Boden Frankreichs verlassen haben. Unsere prachtvollen Sansculotten marschieren bereits auf Belgiens Straßen."

Simonne rief aus ihrem Zimmer, er kenne doch ihr gutes Kleid und wisse, daß sie es nicht gern trage. Es genüge wohl, wenn sie die Kokarde an den Hut stecke.

„Wir gehen zum Konvent", sagte er fröhlich, ohne auf ihre Einwände zu hören, „du wirst einen schönen Platz haben und unsere Siegesfreude teilen. Auch wirst du Bürger Brissots Tenor hören, der wieder – zur Beruhigung aller Besitzenden – die ewige Aufrechterhaltung allen persönlichen und gewerblichen Eigentums vorschlagen wird. Dabei will der Bauer Land! Soll man ihm doch den Boden der Emigranten geben!"

Die beiden Schwestern eilten geschäftig hin und her. Auch Mama Massillon, die im unteren Stockwerk Journale gefalzt und Austräger abgefertigt hatte, mußte bei der Vervollständigung der Garderobe mithelfen. Simonne hatte ihr Jackenkleid hervorgeholt, das nun etwas modisch aufgeputzt wurde, sie sah gut darin aus. Jean Paul würde ja trotz seiner Aufforderung kaum bemerken, was sie trug, dachte sie.

Pierre erschien jetzt. Er konnte seit dem 10. August keine schwere Arbeit mehr leisten, auch den Dienst in der National-garde konnte er nicht mehr versehen. So war er von der Sektion Théâtre Français mit anderen Aufgaben betraut worden: Aushe-bung der Verteidiger des Vaterlandes, Haussuchungen bei Ver-dächtigen und Verdächtigten, Ermittlung geeigneter Keller zur Salpetergewinnung. Er hatte sich im Kloster der Cordeliers eine Mönchszelle eingerichtet und war eines der unermüdlichen Ar-beitspferde, ohne die eine Versorgung der Front ebensowenig möglich gewesen wäre wie die Verfolgung des inneren Feindes. Simonet bekam nur hundert Sou am Tag, doch er war vergnügt, wenn auch das Pfund Brot fünfundzwanzig Sou kostete und Char-lotte hinzuverdienen mußte, indem sie für Monsieur Moulon Ko-karden nähte. Die Blumenfabrikation hatte Moulon aufgegeben, das war kein lukratives Geschäft mehr. Auch Henriette saß und bastelte, wenn sie nicht mit der Mutter abwechselnd beim Bäcker oder Fleischer anstehen mußte. Die Sektionen hatten vor den Lä-den Seile gespannt, an denen die Frauen sich festhalten konnten, um in der Reihe zu bleiben. Schon zweimal war die Vierzehnjäh-rige weinend heimgekommen, weil sich freche Nichtstuer mit un-ziemlichen Redensarten an sie gedrängt hatten.

Pierre in seiner Mönchszelle wußte das alles, aber er verschloß sich vor den Mißhelligkeiten des Tages. Als es wochenlang an Kerzen mangelte, suchte er sich in der Klosterkirche eine alte Öl-funzel, die ihm zwar die Zelle vollqualmte, aber immerhin etwas Licht spendete. Die Klagen der Hausfrauen hörte er nur mit hal-bem Ohr und empfahl ihnen, Zwiebeln aufs Brot zu legen und Kastaniensuppe zu kochen. Genügsamkeit habe Sparta zur Größe verholfen. „Ça ira!" pfiff er und ging weiter ... Heute trug er eine Carmagnole, jenes kurze Jäckchen der Fischer und Bauern, weite, unten geschlitzte Hosen und eine dreifarbig gestreifte Weste. In dieser Tracht hatte er dem Maler Louis Boilly Modell gestanden. Sein Ärger dabei war gewesen, daß die Pfeife, die er im Mund hal-ten mußte, nicht brennen durfte. Marat hatte ihm das Rauchen streng untersagt.

Pierre betrachtete etwas mißtrauisch Simonne, die für seinen Geschmack zu sehr herausstaffiert war. Sonst war Marats Gefährtin ihm halbwegs sympathisch, wenn sie auch keinen Vergleich mit Nanon aushielt.

Vor Etiennette hatte er Respekt, da sie als Lehrerin einer aufgelösten Klosterschule nun ihre Beschäftigung darin fand, bei keiner Versammlung des Frauenklubs zu fehlen.

Pierre war ausnehmend gut gelaunt. „Jetzt tragen wir die Revolution nach Deutschland, Belgien und Holland", prophezeite er, und sein Gesicht leuchtete. „Aber von den Brissotins dürfen wir uns nichts gefallen lassen! Schon haben sie den Vorsitz im Konvent ergattert. Ich frage mich, wieso nur?"

„Weil die quakenden Frösche vom Sumpf mit ihnen stimmen", antwortete Marat. „Ich sage Ihnen, Bürger Simonet, nur die Diktatur kann uns retten. Drei Leute, die wissen, was not tut, sind mehr als siebenhundertfünfundvierzig, die vor Angst über ihren Schatten stolpern."

Marat knüpfte sich die Halsbinde und wetterte halblaut über die Modefaxerei, der auch ein Revolutionär nicht entrinnen könne. Noch eine tellergroße Kokarde an den Hut, dann konnte man gehen ...

Festliches Treiben auf den Straßen. Hui – der Wind blies in die Fahnen, riß sie hoch, stülpte sie um, daß sie sich ineinanderwanden. Hui – er fing sie wieder auf, klatschte sie an die Mauern, ließ sie zärtlich wieder los und in leichten Wellen sich hinschlängeln. Mit Eichenlaub umwundene Büsten Voltaires und Rousseaus standen vor dem Gebäude der Cordeliers.

Die Pariser waren befreit von dem schweren Druck der letzten Monate, der Feind war verjagt aus Frankreich. Wenn man heute das Ohr auf das Pflaster der Straße nach Denis gelegt hätte, würde man keinen Kanonendonner mehr hören.

Mit Herzklopfen betrat Simonne den Saal des Konvents. Eine Volksmenge stürmte die Treppen empor, die zu den Tribünen führten. Doch Marat hatte vorgesorgt: Ein Saaldiener wies ihr einen Platz in einer der Logen an, die rechts neben dem Präsidentensitz lagen. Dunkelgrüne Vorhänge schlossen sie ab, die der Diener jetzt fortzog.

„Bürgerin Evrard", eine Simonne bekannte Stimme flüsterte in der dämmrigen Loge, „es ist Sitte, den Hut abzunehmen, wenn die Sitzung beginnt."

Sie wandte sich um und erkannte Doktor Grenier, der gerade eine Bleifeder spitzte, um mitzuschreiben. Leider war der Saal nur schwach von Kerzen erhellt; Theater brauchen kein Tageslicht, und dies war der Theatersaal Marie Antoinettes gewesen.

„Wenn Sie in die Loge links vom Präsidenten hineinsehen, können Sie die Bürgerin Roland entdecken. In ihrer Ehe ist sie der Mann, und ihr Gatte, der Minister, nur Prinzgemahl, wenn ein solcher Vergleich noch gestattet ist." Grenier lachte leise.

„Sagen wir lieber, sie ist federführend", antwortete Simonne und beugte sich vor, um die berühmte Frau zu sehen. Eigentlich recht plump gebaut, dachte sie, und zu vollbusig. Hat keinesfalls vorteilhaftere Züge als ich.

„Die hübsche Bürgerin in dem weißen Kleid neben der Roland ist Lucile Desmoulins. Sie hat Camille viel Geld gebracht, aber es war trotzdem eine Liebesheirat. Hat sie nicht ein reizendes Unschuldsnäschen?"

Simonne sah sich im Saale um. Wie in einem Amphitheater stiegen die Bänke der Abgeordneten empor und verschmolzen oben mit den Publikumstribünen, die nackt und kahl in die Wand gehauen schienen. Gegenüber stand das Rednerpult, zu dem neun steile Stufen hinaufführten. Rechts und links davon hohe Kandelaber, die modische Argandlampen trugen. Über dem Pult, also über dem Kopf des Redners, hingen drei riesige Trikoloren. An der Wand, den Sitzen der Konventsmitglieder gegenüber, standen Statuen.

Simonne fragte Grenier nach dem Sinn der riesigen Skulpturen. Er erklärte ihr, das seien Gesetzgeber des Altertums, Lykurg, Solon und Plato. „An der Rednertribüne ist die Tafel mit den Menschenrechten", fügte er noch hastig hinzu, denn der Präsident Pétion erklärte die Sitzung für eröffnet.

„Auch ein Girondist", flüsterte Pierre, der soeben die Loge betrat. Simonne war erfreut, sie fühlte sich unter Freunden, unter Freunden Jean Pauls. Sie sah ihn oben unter den Montagnards. Neben ihm saß der Abgeordnete Saint-Just, jung und blond, lässig an die Bank gelehnt. Auf den Publikumstribünen drängten sich Kopf an Kopf die Zuschauer, die vordersten hatten ihre Ellenbogen auf die Brüstung gelegt.

„Sehen Sie, Bürgerin, das ist echte Demokratie! Hier gibt es keine Schranke zwischen dem Volk und seinen gewählten Vertretern", flüsterte Grenier Simonne zu. Er vertraute ihr an, er plane ein Tagebuch über die Arbeit des Konvents.

Der Präsident hatte Brissot das Wort gegeben. Mit einigem Schrecken vernahm Simonne, daß er gleich in den ersten Sätzen mit maßloser Heftigkeit Marat angriff.

„Er will Mord und Terror in die dreiundachtzig Departements tragen", schmetterte Brissots Tenorstimme, „er hat eine Deklaration verschickt, worin er die ungesetzlichen Handlungen der ersten Septembertage auf ganz Frankreich angewendet wissen möchte. Er will die Fahnen der Nation durch den Schmutz schleifen, will, daß auch außerhalb von Paris die Willkürjustiz Einzug hält."

Auf den Tribünen begann ein Murren und Füßescharren, so daß Brissot einhielt und zornig wie ein gereizter Eber hinaufblickte.

Pétion, der Präsident, führte die Klingel: „Es geht nicht, Bürger, daß Sie stören."

Angstvoll beobachtete Simonne Marat. Sie war beruhigt, als er scheinbar unbeteiligt ein Blatt Papier bekritzelte und es an Saint-Just weitergab.

„Wir haben den König beseitigt, werden aber nicht dulden, daß sich der Bürger Marat aus den Kellern der Rue des Cordeliers zum Diktator emporschwingt. Wir werden ein Gesetz beantragen, das jeden mit dem Tode bestraft, der nach der Diktatur strebt", rief Brissot in den Saal.

Stärkeres Murren der Tribünenbesucher. Einzelne Rufe: „Huhu!"

Simonne, aufgewühlt, wollte sich an Grenier wenden, da hörte sie Madame Rolands klingendes Organ: „Stopft denn niemand diesem Pöbel dort oben den Mund?"

Der Redner tupfte sich den Schweiß ab und fuhr fort: „Wir werden auch nicht länger dulden, daß Paris diese Versammlung und damit ganz Frankreich terrorisiert. Paris muß auf den Grad eines Departements zurückgedrängt werden! Und Marat muß bekennen, ob er seine Deklaration aufrechterhält. Wer den Gerichten vorgreifen will, predigt Anarchie. Ihm gebührt der Tod." Brissot ging von der Tribüne, die Abgeordneten der Mitte, besonders aber die Girondisten, applaudierten minutenlang. Die Montagnards auf der Linken schwiegen, ihre Mienen blieben kalt.

Ein Saaldiener eilte zum Präsidenten und übergab ihm einige Depeschen. Die eben noch so erregten Konventsmitglieder schwiegen, als Pétion sich feierlich erhob. Er mußte etwas Wichtiges zu verkünden haben.

„Bürger! Soeben melden unsere Heerführer von der italienischen Front: Nizza hat sich unseren Nationalgarden ergeben! Villefranche ist in unserer Hand! Hundert Geschütze, fünftausend Gewehre, zwei Kriegsschiffe, das ist die Beute. Ein einzig dastehender Sieg! – Die zweite Depesche kommt von Sardinien. Unsere Truppen sind auf der Insel als Befreier begrüßt worden."

Die Abgeordneten wollten sich erheben, Pétion hielt sie mit einer Handbewegung zurück. „Hier eine weitere Freudenbotschaft: Savoyen ist unser! General Montesquieu ist in Chambéry eingezogen. Die Einwohner jubelten."

Alle Abgeordneten erhoben sich und stimmten das mitreißende „Allons enfants de la patrie" an. Ergriffen sang Simonne mit. Tränen liefen ihr über die Wangen.

Grenier flüsterte ihr zu: „Und auch vom Rhein kommen Siegesmeldungen. Custine zieht bereits auf Mainz. Speyer und Worms sind in unserer Hand."

Die Sitzung ging weiter. „Der Bürger Marat hat das Wort."

Geschrei von den Bänken der Girondisten: „Nieder! – Nieder mit ihm!"

„Hören Sie das Gequake, Bürgerin?" Pierre schob sich zur Brüstung der Loge. „Weil Marat als einziger die Eigentumsfrage lösen will, weil er unerbittlich ist gegen Adel und Pfaffentum. Radikale sind immer gehaßt, das Mittelmaß will die Ruhe des Bauches."

Der Umschriene, Gehaßte, Gefürchtete stand hinter dem Rednerpult. Er begann, ohne die Fassung zu verlieren: „Ich habe hier in der Versammlung eine große Zahl Feinde . . ."

„Alle, alle!" brüllten im Chor der Sumpf, die Gironde, ja auch eine Gruppe der Jakobiner.

Von der Tribüne kam der Gegenschlag: „Ihr Sumpfkröten! – Laßt ihn reden!" – „Ihr fürchtet ihn, weil ihr Grund zum Fürchten habt!"

Marat stand unbeweglich, nur seine Augen wanderten über die Menschenmauer ihm gegenüber.

„Man macht mir zum Vorwurf, für die Departements das Schwert der Volksjustiz verlangt zu haben, das in Paris die Häupter der Konspirateure so vernichtend traf. Warum macht man denen keinen Vorwurf, die die Agenten der Engländer und Emigranten ungestraft in allen Departements wühlen lassen?" Die Zuhörer oben klatschten im Takt Beifall.

„Sie bezichtigen mich, nach der Diktatur zu streben. Aber wer hat nach einem starken Mann geschrien, als Verdun fiel und Sie um Ihre Hälse bangten? Sie alle! Ich will Ihnen die Masken vom Gesicht reißen, auch wenn es wie eine schmerzhafte Operation ist. Hat nicht Danton mit dem gleichen Gedanken gespielt? Und Bürger Robespierre? Jetzt allerdings wollen Sie die Diktatur von siebenhundertfünfundvierzig Köpfen!"

„Der Ihre allein läßt sich besser abschlagen", schneidend kam der Ruf aus den Reihen der Girondisten, „das ist der einzige Vorteil Ihrer Diktatur!"

Marat umklammerte die Brüstung der Rednertribüne und fuhr unbeirrt fort: „Ja, ich will die Diktatur des Volkes! Die Allerärmsten, die Erniedrigten und Beraubten, sie sollen diktieren. Seit

Jahrhunderten hat man sie ausgebeutet, betrogen, bestohlen. Ihnen allein gebührt die Herrschaft!"

Der Konvent wurde zu einem brodelnden Kessel der Leidenschaften. „Auf die Guillotine mit Marat!" Schreie, Proteste, die im Toben untergingen.

Saint-Just, der ohne Bewegung diesen Ausbruch erlebte, nahm seinen großen Lehrmeister Robespierre beim Arm. „Er hat die Massen. Ohne sie ist die Revolution eine hypothetische Angelegenheit von Advokaten."

„Er hat die Konsequenz, die vielen unsrer Jakobiner fehlt", entgegnete der ältere Freund.

Marat verließ das Pult, bleich und erschöpft.

Danton hatte inzwischen den Antrag eingebracht: „Die französische Republik ist unteilbar. Keine Sonderrechte für die Departements."

Nur dieser Antrag kam zur Abstimmung, über die Diktatur sprach niemand mehr.

Simonne sah den verehrten Mann – ihren Mann –, wie er oben bei den Montagnards saß, allein auf einer Bank. Anscheinend wagte keines der Konventsmitglieder, ihm Sympathien zu bezeigen, geschweige sich auf seine Seite zu stellen.

„Er ist allein", flüsterte sie, und das Wasser stand ihr in den Augen. Was bedeuteten ihr dagegen die Siege am Rhein und an der Mosel, in Savoyen oder sonstwo. Sie hatten einen Anker in die Zukunft geworfen – und der hieß Marat.

In ihrer Loge sagte Madame Roland zu ihrer Nachbarin: „Ich erkenne jetzt, daß dieser Marat in der Lage ist, die Massen zu enthusiasmieren, schlimmer noch, daß er sie zur Raserei entflammen kann. Ich werde mit dem Minister reden, daß der Konvent eine ständige Wache bekommt, damit der Pöbel dort oben uns nicht mehr terrorisieren kann. Man muß aber bewaffnete Kräfte aus der Provinz nehmen, Paris ist unzuverlässig."

Lucile antwortete nicht, sie lächelte spöttisch. Was du wünschst, ist für den Minister Roland ein Befehl, dachte sie. Dann fragte sie: „Warum haben eigentlich Ihre Girondisten den Bürger Danton zum Rücktritt gezwungen? Er ist doch ein vollsaftiger Mann in der Blüte seiner Jahre."

„Zuviel Saft, meine liebe Lucile. Es ist besser, ein Minister ist abgeklärt, jenseits der Begierden. Darin sind wir mit Bürger Robespierre einig, im Schweigen der Leidenschaften soll ein Minister amtieren."

In der Loge der Madame Evrard sagte Pierre leise: „Ab heute muß eine ständige Schutzwache für Bürger Marat eingerichtet werden. Es genügt nicht, daß er von zwei Unterröcken bewacht wird. Im unteren Zimmer, wo die Austräger hocken, muß dauernd ein kräftiger Sansculotte sitzen. Man muß einen nehmen, der mißtrauisch ist und mit der Pike umgehen kann."

„Jean Paul wird das nicht wollen", erwiderte Simonne, „er ist zu vertrauensselig."

Die Sitzung des Konvents war zu Ende. Marat, Simonne und Pierre gingen durch die abendlichen Straßen, in denen eine freudig bewegte Menschenmenge promenierte. „Sieg unsrer Heere", leuchtete eine Inschrift am Palais Royal.

„Jetzt muß man Louis Capet den Prozeß machen", knurrte Pierre und sah in die Richtung des Temple, „jeder Offizier wird wegen weit geringerer Verbrechen vor die Flintenläufe gestellt. Der hinterhältige Verrat des Königs verdient zehnfachen Tod."

Sie kamen am Louvre vorbei und gingen dem Pont Royal entgegen. Von der Seine stiegen die Nebel des Oktobertags auf.

<h2 style="text-align:center">11</h2>

Die Hinrichtung des Königs

Das Laboratorium lag seit Monaten still und verlassen da. Die berußten Glaskolben hingen leer in den Metallklammern, die zur Erhitzung von Chemikalien dienenden Öllampen standen ungenutzt in Regalen, Staub deckte fingerdick die von Lavoisier erdachten Meßgeräte, die Retorten und Kessel, Pumpen und Werkzeuge. Es roch noch nach kaltem Rauch und Schwefel und in der Abteilung für Tierexperimente nach toten Mäusen und Ratten. Die Deckengemälde waren überpinselt. Konnte ein anrüchiger Steuerpächter noch einen Meergott mit dem Antlitz Ludwigs XIV. über blaues Meer reiten lassen? Lavoisier hatte über der Eingangstür die lapidaren Worte: „Freiheit, Gleichheit, Brüderlichkeit!" anbringen und – um ein übriges zu tun – noch zwei Trikoloren auf das kugelige Dach setzen lassen.

„Fassadenpolitik", hatte er zu Professor Charles gesagt, „alles Fassadenpolitik! Die Bürger meiner Sektion registrieren die Fahnen und die Inschriften; sind die da, so ist alles in Ordnung. Bürger Lavoisier ist dann unverdächtig."

Das Gespräch hatte an einem grauverschleierten Novembertag in der Wohnung Professor Charles' stattgefunden, der dabei erwähnt hatte, daß er abzureisen gedenke. „Ich habe eine Berufung nach Rußland, die Zarin hat mir sehr ehrenvoll geschrieben. Auch liegt gegen mich nichts vor."

Lavoisiers Lächeln war gequält. „Auch gegen mich liegt nichts vor. Trotzdem hat mir Bürger Danton einen Auslandspaß abgelehnt. Er brauche mich, die Werkstätten müßten mehr Schießpulver produzieren. Ein Vorwand!"

Die beiden Wissenschaftler hatten gedankenverloren in der Bibliothek gesessen und kaum bemerkt, wie das Tageslicht geschwunden und der hohe Raum immer mehr in Düsternis versunken war. Nur vom Porträt des Galileo Galilei hatte der Goldrahmen geleuchtet. Die Stutzuhr hatte getickt und jedesmal nach dem vollen Stundenschlag ein zärtliches Menuett ertönen lassen.

Einige Tage nach diesem Gespräch flatterte auf den Frühstückstisch Lavoisiers eine Ladung vor den Überwachungsausschuß seiner Sektion Place Royale.

„Jetzt ist das Unglück da", jammerte Madame, „warum sind wir nicht fortgefahren? Wir könnten bereits in England sein." Madames Augenlider klappten auf und zu, um den Mund zuckte es bereits, das nervöse Weinen ankündend.

„Schweig still! Jetzt brauche ich eine Frau mit Mut und keine, die nach dem Riechfläschchen schreit, wenn es einmal kritisch wird. Ich gehe. Bin ich in drei Stunden nicht zurück, läufst du zu Bürger Danton. Er wohnt ... Donnerwetter, heule nicht und höre zu. Er wohnt Passage du Commerce. Seine Frau ist nett, sie wird dich empfangen, falls er verhindert ist."

Die Dame Lavoisier verlor nun tatsächlich die Nerven. „Sie werden dich guillotinieren! Denke an Juliette. Wer weiß, was sie geredet hat. Gütiger Gott! Gütige Jungfrau!"

Lavoisier nahm aus einer Schatulle einige Assignaten, einen Brief des Ministers Roland, der ihm für geleistete Dienste dankte, und ein Passepartout des Justizministers Danton, das Vollmachten für die Salpetergewinnung enthielt. Er zögerte, überlegte, ob er die du Gazon benachrichtigen sollte. Dann klingelte er dem Diener. Auch der hatte verstörte Augen, wahrscheinlich war die Nachricht bereits durchgesickert.

„Du gehst zu Madame. Aber erst gegen Abend, zur Stunde, in der sie mich immer empfängt."

„Was mag wohl sein, Monsieur? Ob es mit dem König zusammenhängt? Hier ist der ‚Moniteur'. Man hat in den Tuilerien einen Geheimschrank gefunden und geöffnet. Der König hatte das Vexierschloß selbst konstruiert und ... Monsieur! Was ist Ihnen?"

Ohne einen Laut war Lavoisier wie leblos in einen Sessel gesunken. Es dauerte einige Zeit, bis seine Energien zurückkehrten und er klar denken konnte. Er hatte dem König in die Tuilerien zwei Briefe geschrieben, die hauptsächlich die Fortführung der Generalsteuerpachten und die Fortsetzung des bisherigen so verhaßten Steuersystems betrafen. Wenn man diese Eingaben gefunden hatte . . . Wie schrieb der „Moniteur"? „Dokumentarisches Beweismaterial über die Zusammenarbeit Louis Capets, einstmals König der Franzosen, mit den Feinden des Landes." – „Geheimer Briefwechsel mit europäischen Höfen und Emigranten."

Jeder Satz war ein Todesurteil, jedes Wort der Schlag des Fallbeils.

Lavoisier taumelte, als er das Haus verließ. Die feuchte Luft drückte den Rauch der Schornsteine nach unten. Hausfrauen eilten, um sich beim Bäcker anzustellen. Eine Patrouille der Polizeipräfektur kam mit einem Festgenommenen die Straße entlang. Passanten sahen dem Trüppchen nach, keiner sprach ein Wort. In einem Hausflur bot eine einfach gekleidete Frau geröstete Kastanien an. Erschrocken wandte Lavoisier den Kopf. Das war doch die Witwe des erschossenen Flesselles? Entsetzlich . . .

Die Cafés in der Rue St.-Honoré waren bereits gut besucht. Viele Bürger saßen an den Tischen und spielten Trente et quarante, schrien und schmetterten die Karten in die Lachen von vergossener Limonade oder verschüttetem Bier. Vor dem Palais Royal wartete eine Gruppe von Stutzern auf die Öffnung der Spielklubs.

„Eine Schande, Bürger!" sprach ein vorübergehender Arbeiter Lavoisier an. Der Chemiker erkannte ihn wieder, der Mann war bei der Gasuntersuchung der Abortgruben dabeigewesen, jener Tat, die damals den Stadtrat von Paris zu einer Dankadresse veranlaßt hatte. Tempi passati! Jetzt will die Kommune von Paris ihn vor Gericht stellen . . .

„Die Spielklubs sind überfüllt", fuhr der Kanalarbeiter fort, „aber die Klubs der Cordeliers und der Jakobiner sind leer. Meine Sektion zählt viertausend Bürger. Zur Versammlung kommen fünfundzwanzig. Gewiß, viele sind bei der Armee, aber die anderen? Sie stimmen mit den Füßen ab, Bürger Lavoisier, sie kommen nicht; nur zum Tanz gehen sie oder ins Theater, wenn man die ‚Päpstin Johanna' spielt, oder zum Würfeln ins Café. Da kann man sie sehen."

„Ob nicht die Revolution müde geworden ist?" fragte Lavoisier vorsichtig.

„Nicht die Revolution, Bürger. Aber die Massen sind der ewigen Rederei überdrüssig. Schluß mit dem Geschwätz, sagen sie, es macht uns die Bäuche nicht voll. Viele von uns sind arbeitslos, viele verdienen noch immer so wenig wie damals, als sie den Louis Capet nach Paris holten. Ein schöner Bäcker, Monsieur. Das Brot ist teurer geworden, die Spekulanten treiben die Kornpreise hoch, und die Bauern verstecken das Getreide."

„Ich weiß", sagte Lavoisier und wollte das Gespräch beenden.

„Sie sind doch ein studierter Mann, Bürger. Was nützt eine Revolution, wenn das Volk weiterhin darbt? Viele Manufakturen schließen. Das Ausland kauft nicht. Nur die Armeelieferanten sind rührig. Sogar in den Kirchen haben sie sich etabliert. Frauen nähen dort Uniformen und Hemden, stricken Socken und Rotmützen. Aber was verdienen sie? Es reicht nicht zum Leben, Bürger. Sogar die Sonntage schaffen sie ab, die da oben. Das ist schlecht, das war für den Arbeiter die einzige Zeit der Erholung und des Vergnügens. Bei uns im Viertel sagt man ‚Kaffee für den Armen'. Sie verstehen." Er zwinkerte und machte eine bezeichnende Handbewegung.

Lavoisier zog eine Zigarre aus der Tasche und bot sie dem Manne an, der sie mit verlegener Geste nahm. Der berühmte Chemiker sah nicht mehr, wie der Grubenreiniger den wertvollen Tabakstengel bei einem Bäcker gegen ein Weißbrot eintauschte.

Dieses Palais Royal! Treffpunkt aller Glücksritter, Treffpunkt der Royalisten. Hier wurden gefälschte Pässe verkauft und täuschend echte Bürgerkarten angeboten. Die kompromittiertesten Leute flanierten umher. Die Spielsäle des Palais waren den Patrioten verhaßt, man machte Razzien, doch sofort danach kamen neue Würfel und neue Spielkarten auf den Tisch.

Im Palais hatten Schauspielerinnen und Schriftstellerinnen ihre Salons. Sie wechselten Liebhaber und Gesinnungen, wie es sich traf. Sie verbrämten ihre Haltung mit Philosophie, einmal Feuillants, einmal Girondisten, und in diesen Appartements trafen sich Künstler und Halbweltdamen mit Bankiers und Politikern. Die Gironde hatte Royalisten aufgenommen, sie war zur Partei der Geldaristokraten geworden, die sich mit früheren Adeligen mischten.

Als Lavoisier den Platz verlassen wollte, sprach ihn ein Mädchen an. Sie hatte ein zartes Gesicht und verträumte Augen. Ihre langen Haare trug sie gesittet in einem dicken schwarzen Zopf. Unter dem Brusttuch ließ sich ein kräftiger, schöngeformter Busen ahnen. Sie wirkte schüchtern; Lavoisier merkte ihr an, daß sie noch nicht lange bei dem Gewerbe war. Bei jeder anderen Gelegenheit hätte der verwöhnte Mann dieses Geschöpf nicht einmal beachtet. Jetzt betrachtete er den noch so kindlichen Mund mit den Augen eines Abschiednehmenden.

„Werden Sie mich lieben, Monsieur? Ich habe heute noch keinen warmen Löffelstiel im Leib gehabt." Das Mädchen sprach den derben Jargon der Gasse.

Hastig zog Lavoisier die Geldbörse und entnahm ihr einen größeren Schein. „Nimm! In – drei Stunden bist du wieder hier. Ich habe eine schwere Mission. Komme ich zurück, feiern wir, und du wirst zufrieden sein. Komme ich nicht, trinkst du darauf, daß ich ein leichtes Sterben habe."

Ihre Augen weiteten sich vor Schreck und Erstaunen. „Ich könnte Sie verbergen. Hier gibt es Gassen, in die sich kein Gendarm wagt. Ich heiße Madelon, falls Sie mich suchen sollten."

Sie bot ihm ihre frischen Lippen, und einen Augenblick lang vergaß der Geängstigte, daß es einen Konvent gab, einen Überwachungsausschuß, einen angeklagten König und die gleichmachende Guillotine . . .

Die Sektion Place Royal hatte sich in der Kirche St. Rochus niedergelassen und zwischen Beichtstuhl, Kanzel und Altar eine Anzahl von Büroräumen gezimmert, einfache Brettergehäuse, jeweils einem Kommissar als Arbeitsraum dienend. Hier saßen Männer, die für Schießpulver sorgten, andere, die für das Einschmelzen von Bleisärgen oder Regenrinnen verantwortlich waren – die Armee brauchte Flintenkugeln. Hier schrieb ein Arzt Listen von benötigten Medikamenten, hier requirierte man Pferde, dort legte man Stammrollen für Ausgehobene an. Die Front war wie eine ungeheure Pumpe, die ständig frisches Blut ansaugte.

Das Konventsmitglied Bürger Thuriot leitete die Sektion des Bezirks. Jede der achtundvierzig Sektionen von Paris war mit sechs Mitgliedern im Generalrat der Kommune vertreten. Diese zweihundertachtundachtzig Bürger bildeten das revolutionäre Herz der Riesenstadt. Sie waren zumeist Cordeliers oder Jakobiner, und die letzteren korrespondierten mit ungezählten ähnlichen Klubs in allen Städten Frankreichs.

Als Lavoisier eintrat, hörte er den erregten Disput zweier Männer. Es ging um Seife, und der Kommissar Thuriot drohte dem Unbekannten, daß er ihn unter das Messer der Guillotine werfen lasse, wenn bei der Haussuchung auch nur eine einzige verheimlichte Kiste gefunden werde.

„Die Armee verlaust und verdreckt, und in den Spitälern können sich die Ärzte nicht waschen; ihr aber verkauft die Seife an die Huren."

Der Seifenfabrikant konnte sich nicht überzeugend verteidigen, er schützte nur Mangel an Fetten und Chemikalien vor.

Ein blasser Mann schob sich an Lavoisier vorbei. Seine Augen flackerten.

„Bürger Lavoisier!" rief Thuriot, „es ist schön, daß Sie sofort gekommen sind. Zeugt von gutem Gewissen. Ja, ja. Ich hätte Sie sonst holen lassen. Die Sache duldet keinen Aufschub. Setzen Sie sich – der unbequeme Sessel gehörte einst in einen Beichtstuhl. Symbolisch, was?" Der Bastillestürmer lachte dröhnend.

Lavoisier war noch um eine Schattierung bleicher geworden. Was würde kommen?

„Warum wir Sie hergebeten haben, Bürger Lavoisier? Nun, wir sind mit der Salpetergewinnung zufrieden. Auch die Pulvermühlen in Charenton arbeiten gut. Aber das genügt nicht. Heutzutage werden die Kriege in den Laboratorien der Wissenschaftler gewonnen. Warum kommen von Ihnen keine Vorschläge? Unsere Armeen dringen siegreich vor, stehen am Rhein, in Belgien und Italien. Aber ein Mangel ist zu verzeichnen, Bürger Lavoisier. Sie fertigen zwar in jeder Dekade dreißigtausend Pfund Salpeter, aber Sie haben den Heerführern keine Fernsicht geliefert, damit sie wissen, wohin die Kanonenkugeln fliegen sollen."

„Es gibt doch Fernrohre", antwortete Lavoisier verwundert. Wohin zielte dieser ehemalige Advokat?

„Es gibt Gegenden ohne Berge", Thuriot lachte, „da muß man den Offizier anheben, damit er die Operationen des Feindes überblicken kann. Wir sind für revolutionäre Methoden: Geben wir der Armee Luftballons."

„Aber die treiben doch fort, unter Umständen ins gegnerische Lager" – in dem Chemiker wurde der Erfinder wach – „wenn man sie nicht an den Boden fesselt."

„Also, wir haben uns verstanden. Man muß die Ballons mit Wasserstoff füllen, sie mit Seilen befestigen. Genieoffiziere müssen aufsteigen und ihre Beobachtungen den Kommandeuren der Truppe mitteilen. Nun, Bürger Lavoisier, wie schaffen wir Ihren Wasserstoff nach Meudon, wo die Ballons gefüllt werden? Wie transportieren wir die Ballons an die Front?"

„Man sagt, der Streit sei der Vater aller Dinge", Lavoisier atmete befreit auf, „sollte man nicht sagen, die Revolution ist es? Ich mache mich an die Arbeit, Bürger Thuriot. Sie hören von mir."

„Ja, eigentlich ist die Wissenschaft eine Revolution in Permanenz. Das hat Ihr großer englischer Kollege Priestley vor einem Jahr erfahren müssen. Ich erzähle Ihnen nichts Neues. Sie wissen ja, daß der von französischen Emigranten aufgehetzte und bezahlte Londoner Gassenmob Priestleys Laboratorium zerschlagen und seine Möbel verbrannt hat, alles, weil er sich zu unserer heiligen Sache bekannte."

Die Straße schaukelte, tanzte, so sehr war Lavoisier bewegt und erschüttert. Er kam sich wie begnadigt vor.

Am Palais Royal erwartete ihn Madelon. Sie sprach kein Wort, aber ihre Augen lachten. Er nahm sie mit in sein kleines Absteigequartier.

„Es ist wie ein Wechselbad, Kleines", sagte er und küßte ihre Augen, „glühend heiß und eiskalt. Ich falle ins Bodenlose, bleibe an einem Fels hängen. Wie lange? Doch das alles verstehst du nicht. Du brauchst es auch nicht zu verstehen – du hast einen schönen Körper..."

Seit François Laval das Handelshaus seines Vaters immer mehr auf Heereslieferungen umgestellt und den Import von Drogen darüber vernachlässigt hatte, war sein freundschaftliches Verhältnis zu Marat getrübt. Er fand bei dem älteren Freund wenig Verständnis und bekam zu hören, daß Waffenhandel ein schmutziges Geschäft sei und man die Fakturen mit Blut statt mit Tinte schreibe. Jeder private Handel mit Kriegsmaterial müsse verboten werden, nur die Nation selbst dürfe solche Handelsgesellschaften betreiben und unter Ausschluß jeden Gewinnes Waffen und Ausrüstungen ankaufen oder veräußern.

Im „Ami du peuple" vom April dieses Jahres war Marat mit streitbarer Feder gegen betrügerische Machenschaften losgezogen und hatte korrupte Elemente, die sich in allen Ämtern eingenistet hatten, beim Namen genannt. Laval erhielt einen schroffen Brief: „Der Waffenhandel bringt noch weitere Gefahren. Um den Bedarf zu steigern, muß man sorgen, daß überall in der Welt die Kriegsfackel lodert. Gibt es keine bewaffneten Auseinandersetzungen zwischen den Völkern, muß man sie erzeugen. Man handelt wie der Fabrikant von Feuerspritzen, der ganze Dörfer anzünden läßt, damit der Absatz seiner Erzeugnisse immer mehr steigt."

Seitdem François diese Zeilen in Händen hatte, war er tief gekränkt.

Das kleine Bürozimmer war an diesem 19. Dezember gut geheizt. Draußen stiebte der Schnee in dicken Flocken. Im Lagerraum nebenan waren die Gehilfen beschäftigt, dreitausend Patronentaschen für die Südarmee in Kisten zu packen.

Die sorgliche Lizzy stellte eine Teekanne auf die Ofenplatte und röstete nach englischer Sitte einige Brotschnitten. Butter war rar, so half man sich mit Toasts. Sie betrachtete ihren François bekümmert, der nachdenklich bald in das Schneegestöber, bald auf die an der Wand hängende Karte Frankreichs blickte.

„Schlechtes Wetter für die Soldaten", meinte er, „hoffentlich haben sie gute Quartiere. Man erzählt sich, daß sie in Deutschland und Belgien mit Jubel empfangen wurden. Verständlich, sie brachten den Freiheitsbaum und deklarierten die Menschenrechte. Ich kann mir vorstellen, wie die Kurfürsten von Trier und Mainz samt ihren Mätressen geflüchtet sind. – Dumouriez ist doch ein großer General, wenn ihm auch viele mißtrauen. Die Schlacht bei Jemappes war eine Meisterleistung!"

„Aber die Journale schreiben, daß die Unsrigen weder feste Schuhe noch Winterkleidung hatten, kaum Brot und keinen Branntwein. Das wird bestimmt den Heereslieferanten angekreidet werden. Marat eifert, sie seien alle reif für die Guillotine."

„Er weiß genau, das die jämmerliche Organisation des Feldzugs keine Schuld der Lieferanten ist. Aber er klagt an! Immer klagt er an! Wer ist denn ein Waffenlieferant? Liefere ich Schnaps, damit der Soldat Hitze im Bauch hat, so ist das doch auch Waffenlieferung: Er schießt dann besser. Dichtet einer ein Marschlied, das die Truppe begeistert, schreibt einer Gedichte, die den Kämpfer anfeuern, ist das nicht auch ein Waffengeschäft? Marats neue Zeitung ‚Journal de la République' ist doch auch Munition für die an der Front."

Laval hatte sich in eine Erregung hineingesteigert, die den in langen Ehejahren geschulten Ohren Lizzys verrieten, daß ihn noch etwas bedrückte.

„Was hältst du davon? Wir werden einen Besuch bei Jean Paul machen", sagte sie und beobachtete François' Reaktion auf diesen Vorschlag.

Statt einer Antwort umfaßte und küßte er sie.

Als sie aus dem Haus traten, schneite es heftig. Noch immer standen die Frauen vor den Bäckerläden. Die Zeitungsbuben riefen die neuesten Nachrichten aus: „Der Bürger Louis Capet vor dem Konvent!" „Capet gesteht seine Konspiration mit den Emigranten!" – „Marat verlangt die Guillotine für Betrüger am Staatseigentum."

Simonne Evrard warf einen schiefen Blick auf Lizzys beschneiten Radmantel, auf die schmutzigen Stiefel Lavals, ehe sie kurz angebunden erklärte, der Bürger Marat arbeite und habe sich jede Störung verbeten. „Ob Freunde oder nicht." Liebenswürdig war die Begrüßung keinesfalls, und Lizzy nahm bereits wieder die Klinke in die Hand, als Massillon mit einem Stoß Zeitungsblätter erschien. Es bedurfte seinerseits nur weniger Worte, und Marat war zu sprechen.

François stellte fest, daß Marat heute frisch aussah. Sein sonst so fahles Gesicht war lebendig durchpulst, seine Bewegungen deuteten auf zurückgewonnene Energie hin.

„Schade, daß Sie nicht eine Stunde früher gekommen sind, Bürger Laval. Soeben war ein Leutnant der Armee Dumouriez' bei

340

mir. Wie kommt es, daß sie noch keine Wintermäntel hat? Wie kommt es, daß die Flintenkugeln nicht in die Gewehrläufe passen? Daß Verwundete verbluten, weil es an Scharpie fehlt? Alle Heereslieferanten müssen vor einem Tribunal erscheinen, Rechnung ablegen." Er lief umher, die Rockschöße flogen.

„Jetzt darf ein vielgescholtener Lieferant auch einmal reden." Laval knallte mit aufsteigender Wut einige Briefe und Dokumente auf den Tisch. „Unfähigkeit der Heeresintendanturen! Unfähigkeit des Kriegsministeriums! Dort haben sich die girondistischen Kaufleute eingenistet, die Heeresspekulanten! Säubern Sie hier in Paris, und die Front wird die Reinigung durch Siege vergelten!"

„Sie werfen alle in einen Topf, Bürger Marat", mischte sich Lizzy ein. „Wenn ich damals in London auch alles Wasser zusammengeschüttet hätte, das wären schöne Analysen geworden!" Sie hatte alle Scheu, allen aufbewahrten Respekt verloren. „Mit Ihrer Unmäßigkeit verderben Sie alles. Man kann nicht mit dem Kopf durch die Wand! Sie schreiben gegen die Assignatenspekulanten. Wer läßt denn die Güter der Emigranten verkaufen und dafür Geldscheine drucken, die im Wert täglich sinken? Wo wäre denn die Italien-Armee, wenn François nicht rechtzeitig Armeesättel und Munitionskarren besorgt hätte?"

„Es ist gut, Lizzy", wehrte Marat unwirsch ab. „Du hast die gleiche Beredsamkeit wie deine Mutter . . . Armer François!"

Sie mußten wider Willen alle drei lachen. Das Klima wurde milder. Marat blickte durch das Fenster, an dem die Schneeflocken klebten.

„Der Krieg frißt alles auf", sagte er schließlich, „eine Million Männer sind bei der Armee. Eine halbe Million Zugtiere fehlen im Land. Wer soll ernten? Wer fabrizieren? Es fehlt an allem. Und dieser Winter dazu. Kein Holz, keine Kohle. Selbst der Konventssaal ist kalt. Entspricht er damit nicht völlig dem Zustand unsrer Seelen? – Aber dieser Capet muß gerichtet werden – sagen wir besser: vernichtet! Wißt ihr auch, daß er den Schlosser vergiften wollte, der ihm bei dem Geheimschrank geholfen hatte? Und die Dienste Mirabeaus hatte er gekauft, bis zuletzt die entlassenen Garden besoldet, die gegen uns marschierten. Wenn das kein Hochverrat ist! Aber die Speichellecker der Gironde schrecken vor dem Prozeß und seinen Konsequenzen zurück."

„Auch wir kommen als Warner, als Mahner . . . Hier . . . diese Briefe! So schreibt das wohlwollende Ausland." François breitete seine Papiere aus, die von Marat überflogen und verächtlich beiseite geschoben wurden.

„Sogar die Truthahnwirtin ist dabei." Marat lachte grimmig. „François, Ihnen möchte ich sagen: Wir werden den Capet wie einen

Offizier behandeln, der dem Feind die eigenen Operationen verraten hat. Darauf steht – die Todesstrafe. Der Tod ohne Umschweife!"

„Wir sind von der Schuld des Königs und der Königin nicht minder überzeugt. Aber die Folgen eines Todesurteils? Die ganze Welt wird gegen Frankreich aufstehen. England finanziert den Krieg, die Truppen marschieren, und der tote Capet zieht Hunderttausende in sein Grab nach." Laval strich die Briefe glatt, die Marats Faust zerknüllt hatte.

„Sie sprechen wie ein Girondist, Sie zittern wohl um Ihr Handelshaus? Wir können darauf keine Rücksicht nehmen! Wir schneiden die Nabelschnur durch, die uns mit der alten Gesellschaftsordnung verbindet. Wir sind bereit, wenn es die Notwendigkeit verlangt, uns auf einem Meer von Blut einzuschiffen."

„Aber Monsieur Marat! Was nützt der Menschheit eine neue Welt, wenn sie nur Blut und Tränen von ihr empfängt?"

„Jeder Monarch ist eine Herausforderung für ein freies Volk!"

Lizzy winkte ab, alles schien ihr sinnlos zu sein. „Aber die Nachwelt, Monsieur Marat. Man wird Ihren Namen durch die Gossen schleifen, es wird keinen Schmutzkübel geben, der für den Unflat ausreicht. Liegt Ihnen nichts an dem, was die Historiker schreiben werden? Wer wird uns glauben, wenn wir versichern, daß Sie ein guter Mensch sind? Wollen Sie als ein Ungeheuer, als ein Blutsäufer, als ein Königsmörder in die Geschichte eingehen?"

Marat lächelte, ein schmerzliches, wehmütiges Lächeln.

„Seitdem der Citoyen Sokrates den Giftbecher getrunken hat, der Citoyen Jesus am Kreuz starb, ist es allen so gegangen, die den Ärmsten der Armen Erlösung bringen wollten. Was kümmert mich da die Nachwelt? Soll ich Rücksicht nehmen auf Historiker, die die Historie verfälschen? Merkt euch, Freunde, die Geschichte einer Epoche wird vom Sieger geschrieben."

„Möge all denen die Hand verfaulen, die etwas Schlechtes über Jean Paul schreiben", sprach Simonne, die dem Gespräch schweigend zugehört hatte, und wischte Marat die schweißige Stirn.

„Die Revolution ist noch nicht zu Ende, Freunde, die Bürger fragen mich, was nun werden soll", sagte Marat, als François und Lizzy gehen wollten. „Die Bauern wollen das Land der Emigranten, aber ohne Bezahlung, denn sie haben kein Geld. Die Arbeiter wollen endlich mehr Lohn, bessere Wohnungen, reichlichere Nahrung. Alle wollen ein sinnvolleres Leben. Und was tut der Konvent? Er ist von Machtkämpfen zerrissen. Die Girondisten hassen mich, weil ich das Eigentum antasten will. Und selbst viele Jakobiner nennen mich einen Rasenden, der in ein Irrenhaus gehört."

Marat begleitete die beiden bis zur Treppe, die in die unteren Räume führte. Abschiednehmend sprach er davon, daß er beantragen werde, Laval zum Kommissar für das Nachschubwesen zu machen.

„Dann stehen Sie entweder auf den Stufen des Ruhms oder denen des Schafotts", sagte er sarkastisch.

Im Atelier Breullons war es so kalt, daß das Waschwasser in der Blechschüssel gefror. Die Pinsel mußten aufgetaut werden. Die Farben in Tuben und Tiegeln hatten ihre Geschmeidigkeit verloren. Ein begonnenes Ölgemälde – die Schauspielerin du Gazon als Medea – stand auf einer Staffelei. Der noch unausgeschlafene Maler schlüpfte in seine Stulpenstiefel, trat ans Fenster und betrachtete mißmutig den schneegrauen Winterhimmel und den Rauch, der wirbelnd aus den Schornsteinen des Vorderhauses stieg. Die haben es gut, die Bürger dort vorn. Ein Malersmann hat bestenfalls seine Staffelei, um sie in den Ofen zu stecken...

Die du Gazon kam nicht mehr zu Sitzungen, wie sollte das Porträt fertig werden? Angeblich sei sie nicht mehr bei Kasse. Den großen Talma hatte er als Julius Cäsar gemalt – wo blieb das Honorar? Da lohnte sich ein lebensechtes Bild der Bürgerin Montmartin schon eher. Er hatte sie – umgeben von ihren Fischkörben –, gereizt auch durch die flimmernden Tönungen der Schuppenpracht der Fische, ganz in der Manier von Liotard gemalt. Sie war zufrieden und zahlte mit Heringen und Dörrfischen.

„Die Kunst geht nach Brot", ein deutscher Schriftsteller sollte diese bittere Erkenntnis niedergeschrieben haben. Und sie stimmte, wenn auch der Konvent redlich bemüht war, den Künstlern Aufträge zu geben. Aber nur David war voll beschäftigt. Er malte Konventsmitglieder, Sansculotten, ausmarschierende Regimenter, und jetzt war er mit zwei Gehilfen dabei, den Ballhausschwur festzuhalten. Breullon hatte das noch unfertige Gemälde gesehen, ihm schien es zu heroisch, zu antikisierend. Er wollte mehr Natürlichkeit, blutvolles Leben.

Das sollte ihm heute unter den Zeichenstift kommen. Da lag sie, die Mitteilung des Konventsvorsitzenden Vergniaud, wonach die Hinrichtung des Bürgers Louis Capet am 21. Januar 1793 alter Zeit, um acht Uhr in der Frühe, auf dem Revolutionsplatz stattfinde. Der Konvent lege Wert darauf, dieses historische Ereignis auch durch Maler und Zeichner der Nachwelt zu überliefern. Gegen Vorlage dieses Schreibens werde dem Bürger Breullon ein Platz nahe der Guillotine zugewiesen. Rechtzeitiges Einnehmen dieses Platzes sei erforderlich.

Breullon hatte noch keiner Hinrichtung beigewohnt. Er haßte

diese öffentlichen Schauspiele, deren Notwendigkeit er nicht einsehen konnte und wollte. Wenn schon Todesstrafe, dann sollte die Vollstreckung in der Abgeschiedenheit eines Gefängnishofes oder eines Klostergartens erfolgen. Das Schafott mit den Henkern erschien ihm als letzter Rest des Mittelalters. Ganz übel war die Anwesenheit der Neugierigen, die sich an der Todesangst der Delinquenten nicht satt sehen konnten – Kleinbürgergestalten, die täglich ihre Nasen an den Kaffeehausfenstern der Saint-Honoré plattdrückten, um die Karren mit dem „Guillotinenfutter" nicht zu versäumen. Dabei empfand Breullon keineswegs Mitleid für die Verurteilten; er war von der Gerechtigkeit der Justiz überzeugt und hätte auch im Konvent für den Tod Louis Capets gestimmt.

Mit fiebernder Anteilnahme hatte er den letzten Sitzungen beigewohnt und unbemerkt einige Konventsmitglieder gezeichnet. Als er in seinem Block blätterte, fand er das hagere Gesicht Fouchés und den Stierkopf Dantons, auf einer anderen Seite die zwei erbitterten Gegner Brissot und Marat, und hier, flüchtig hingetuscht, Robespierre auf der Rednertribüne.

Der Prozeß gegen Ludwig XVI. war zu Ende. Wochenlang hatte man ihn verhört, befragt und oft genug – zur hellen Empörung des Konvents – bewiesen, wie er sich als Feind des eigenen Volkes immer mehr verstrickte: Korrespondenz mit ausländischen Höfen, deren Truppen bereits marschierten, mit Emigranten, deren Haß eine Koalition gegen Frankreich zuwege gebracht hatte. Dieser Capet log immer, auch wenn man die Beweisstücke auf den Tisch legte – ein Zögling der Jesuiten, der durch die tägliche Beichte ständig in den Händen dieses Ordens war. Tagsüber Leugnen, Lüge, Betrug, abends vom Beichtvater jegliche Absolution.

„Man muß diesen Feind vernichten. Er hat die Armeen des Feindes ins Land gerufen, ihm gebührt tausendfacher Tod. Ludwig muß sterben, weil das Vaterland leben muß."

Dieser Rede Robespierres hatte auch Breullon zugestimmt. Doch die Mitte des Hauses hatte geschwiegen, und mancher Girondist hatte gemurrt, er wolle keine Verurteilung.

Während Breullon hastig eine trockene Brotschnitte kaute und jedem Bissen mit Branntwein nachhalf, dachte er daran, daß an dem bemerkenswerten 16. Dezember Marat vom Konvent die Stimmabgabe über die Todesstrafe in aller Öffentlichkeit und mit vollem Namensaufruf verlangt hatte.

„Köstlich", hatte der Physiker Grenier neben ihm gezischelt, „lehnen sie ab, so zeigen sie, daß sie für den Capet und damit Feinde der Nation sind."

Breullon hatte seinen Lehrmeister David unter den Jakobinern entdeckt, der den Jüngling Saint-Just zeichnete.

„Könige sind wie Wölfe, man rottet sie aus." Diese Worte des jungen Konventsmitglieds waren scharf wie das Messer der Guillotine.

„Als Todesurteil! So ein Umstand", hatte Bürger Simonet protestiert, „jeder Soldat, der seinen Posten verläßt, bekommt die gleiche Strafe."

Doch Marat hatte sie später belehrt: „Wir erreichen, daß unsre Gegner im Konvent öffentlich bekennen, ob sie für den zehnten August waren, ob sie für des Königs Rückkehr oder für seinen Tod stimmen."

Während Breullon sein „republikanisches Frühstück" zu sich nahm, und seine Kohlestifte und Bleifedern ordnete, klopfte jemand an die Tür.

„Du bist es, Louison? Und so zeitig? Wenn ich deinen sündigen Corpus nicht so genau studiert hätte, hielte ich dich für ein Gespenst. Was treibt dich her, mitten in der Nacht?"

„Zuerst einmal guten Morgen. Und einen Kuß könntest du mir ruhig geben, weil mir so frostig um den Mund ist. – Aber du riechst nach billigem Schnaps. Brrr!"

„Champagner kann ich dir nicht anbieten, Schatz. Die einzige Flasche habe ich mit Grenier getrunken nach der Abstimmung im Konvent. Wir waren durstig wie Kamele."

„Schöne Abstimmung! Eine Stimme mehr, und Capet hätte seinen Kopf behalten können. Schuldig? Ja! Todesstrafe? Dreihunderteinundsechzig Ja, dreihundertsechzig Nein. Ich habe oben gesessen, dicht hinter einem solchen Fettkopf aus der Provinz. Habe mitgezählt, bei jedem Ja mit einer Nadel in einen Karton gestochen. Ich kann dir sagen, das war aufregend! Du solltest übrigens mal zu einer Versammlung von Jacques Roux gehen! Das ist ein Redner! Der kann es! Dagegen sind Robespierre oder Marat Stümper!"

„Ich mag diesen Schreihals nicht", fertigte er sie ab, „fordern kann man viel. Die Nation ist im Krieg, da darf ich keinen Honig verlangen, da muß Schwarzbrot genügen." Er zog seinen Radmantel an und rollte das Zeichenpapier zusammen.

„Pah, du bist ein Puritaner wie Marat. Ich sage dir, das ist erst ein Tyrann! Hat er doch den Schwestern Evrard verboten, zum Revolutionsplatz zu gehen. – Vielleicht ist Simonne schwanger? Die Ärzte sagen, Säuglinge haben einen Schaden, wenn die Mütter das Fallbeil sehen. – Ich will den Platz dicht an der Guillotine. Du hast doch einen Erlaubnisschein – sagst, ich bin dein Gehilfe, muß dir die Stifte halten oder irgend so was."

„Das ist kein Schauspiel", er schob Louison von sich, „der Louis Capet stirbt keinen Bühnentod, bei dem man hinterher aufsteht und soupieren geht. Das ist etwas grandios Schauerliches."

„Ich will aber hin! Stehe ich unter den vielen Leuten auf der Straße, sehe ich nichts. Schon jetzt sperren die Militärs den ganzen Platz ab. Meine Tante sagt, daß die Adeligen eine Verschwörung angezettelt haben, sie wollen den Dicken befreien."

Unschlüssig nahm Breullon seinen Stock. „Also, dann komme mit. Irgendeine Lüge wird mir einfallen."

Unterwegs plapperte sie weiter. „Viele Girondisten haben mit Nein gestimmt, die wollten den König retten."

„Sie wollten ihre Geschäfte retten", entgegnete er.

„Es ist kalt heute", meinte sie, während sie sich durch die Menschenmenge drängten, „aber der Capet wird den Frost nur auf dem Hinweg spüren."

„Es ist fraglich, ob er ihn spürt. Jedenfalls kann er sich nicht beklagen, daß man ihn hätte hungern lassen. Der ‚Moniteur' meldet, daß er jeden Tag vier Vorspeisen, zwei Braten, vier Zwischengerichte, drei Kompotte und drei Fruchtplatten bekommen hat. Drei Diener haben ihn betreut – na, ist das was?"

„Du solltest doch zu Jacques Roux gehen. Er hat genau aufgezählt, was die Capets essen und was das Volk dagegen hat. Da bist du sprachlos!"

Sie eilten die lange Saint-Honoré entlang und bogen in die Weite des Platzes ein. Unter den Säulen des Marineministeriums standen die Kommissare der Kommune von Paris, um das Protokoll der Hinrichtung aufzunehmen. In diesem Gebäude hatte man den geladenen Malern zwei Fenster eingeräumt.

Louison ließ ihre kecken Augen umherspazieren und flirtete mit einem Marineleutnant, der ihr ein Fernglas besorgte.

Breullon blickte hinab auf den Platz, in dessen Mitte die Guillotine stand. Hoch oben blitzte das blanke Dreieck, die bleiche Wintersonne spiegelte sich im Eisen. Zwei Henker mit roter Mütze stellten den ledernen Korb bereit, der den Kopf aufnehmen sollte, und einen länglichen, der für den Körper bestimmt war.

„Das viele Militär", murrte Louison, „es verdirbt einem die Sicht. Nicht an jedem Tag wird ein König geköpft."

Das weite Viereck war mit Geschützen umstellt und von Nationalgarden besetzt. Dahinter, Kopf an Kopf, die Pariser Bevölkerung. Eine Schwadron berittener Gardisten mit gezücktem Säbel hielt an der Treppe des Schafotts.

„Er hat sich einen Jesuitenpater als Beichtiger genommen", sagte der Leutnant. „Es ist ein Irländer, natürlich nicht vereidigt."

Was mochte der Mann in der grünen Kutsche denken, die jetzt, aus der Rue Saint-Honoré kommend, in den Platz einbog? Einstmals, es waren wohl achtzehn Jahre her, brachte man ihn in prunkvoller Karosse durch die Rue Saint-Jacques hin zur Kirche Sainte Geneviève, und ein junger Mann kniete huldigend im Straßenkot – Maximilian Robespierre. Heute fährt der König durch eine feindlich gestimmte Menge dem Tode entgegen. Aus der Kirche von einst hat man das Pantheon gemacht.

Alles ging nun sehr schnell ... Kommandorufe ... Trommeln ...

Louison reckte sich auf die Zehenspitzen. Die Kutsche hielt, von Kavalleristen umringt. Der König stieg aus. Er legte Überrock und Halstuch ab. Dann verließ der Geistliche die Kutsche. Er kniete nieder und betete.

Wieder Trommelwirbel ... Rufe: „Vive la nation!"

Breullon ließ kein Auge von dem Manne auf der Plattform des Schafotts, der jetzt eine Bewegung machte und zu sprechen begann. Doch der Trommelwirbel dröhnte so laut, daß die Worte untergingen.

Vier Gehilfen des Henkers Sanson ergriffen Louis Capet. Das Fallbeil stürzte herab ...

Noch immer zeichnete Breullon, die Hände wurden ihm klamm, ringsum war Stille.

Ein Wagen mit der Leiche rollte zum Madeleine-Friedhof. Es war genau zehn Uhr und zwanzig Minuten. Unten am Schafott stritten sich englische Reisende mit Händlern, die Taschentücher verkauften, die sie in das Blut des Königs getaucht hatten.

Breullon fand Louison nicht; er lief allein zurück. Im Hof seiner Atelierwohnung kehrte die Hausbesorgerin den Schmutz zusammen. „Hat er noch etwas gesagt?" fragte sie. „Nun hat er sein Veto. Und die Österreicherin muß auch in den Korb niesen."

12

Die Schachspieler

Es war März, als Marie Forestier in Paris eintraf. Sie war ohne Aufenthalt durch die aufständische Bretagne gefahren, doch es schien ihr, als kröche die schwerfällige Postkutsche schneckengleich über die vom Frühjahrsregen aufgeweichten Chausseen.

Beim Pferdewechsel in Rennes hatte der Bürgermeister sie vor der Weiterfahrt gewarnt; das Land sei ein Hexenkessel, verhetzte Bauern zögen in die Städte, um die Beamten der Republik zu erwürgen. In der Vendée – der hinzukommende Postmeister hatte sich bekreuzigt – sei es noch schlimmer. Sogar Frauen seien an den Morden beteiligt, sie seien besonders erfinderisch, wenn es gelte, Martern für gefangene Jakobiner oder eidleistende Priester zu ersinnen. Es geschehe, daß man diese Pfarrer an die Kirchentüren nagle, kreuzige, wie einst den Heiland. In anderen Distrikten hätten rasende Frauen den Gemeindebeamten Zungen und Lippen mit Scheren zerfetzt. Die Bürgerin Forestier komme nicht lebend nach Paris, sie werde beraubt und bestimmt vergewaltigt.

Marie hatte erklärt, daß sie reisen müsse, weil sie wichtige Botschaften für Konventsmitglieder mit sich führe. Sie sei nicht furchtsam und besitze auch Papiere, die sie schützen würden.

Nun gut – also Weiterreise auf eigenes Risiko. Maries Legitimationen aus Martinique hatten tatsächlich den Anführern bewaffneter Bauernabteilungen genügt. Einer mit einem Ziegenfell hatte gebrüllt: „Mit den gottlosen Parisern werden wir's so machen! Erst beichten, dann erstechen! Aber hübsch langsam! Der Herr Pfarrer hat gesagt, man soll sie leiden lassen, ihnen ordentlich Schmerzen auferlegen, damit Gott gerächt wird."

„Die Lage der Republik ist kritischer denn je zuvor", hatte ein mitreisender Kaufmann aus Chartres gesagt. „Frankreich hat mehr Feinde als ich Ringe an den Fingern, Madame. England, Österreich, Preußen, Holland, Spanien, Neapel, Sardinien, das Heilige Römische Reich deutscher Nation und noch das riesige Rußland. Viele Hunde sind des Hasen Tod. Und jetzt gleichzeitig diese Aufstände. Mußte man die verrückten Ideen dieses Rousseau in die Tat umsetzen? Die Menschen werden niemals gleich sein, niemals frei."

Er war beschwörend an Marie herangerückt. „Glauben Sie mir, Madame – oder wollen Sie, daß ich Bürgerin sage? –, die Freiheit basiert auf dem Besitz. Kann ich mir Dienstboten halten, Zinsen kassieren, an Wertpapieren gewinnen, dann bin ich freier als mein Bürodiener, der so frei ist wie der Hund an der Kette."

Marie hatte angewidert geschwiegen. Kurz vor Paris, der Morgen dämmerte, hatte der Kaufmann nochmals mit düsterer Miene den Untergang Frankreichs vorausgesagt und ihr angeboten, das Land mit ihm zu verlassen.

„Ich werde bald an Italiens Seen sitzen und wie Vater Noah abwarten, bis die Sintflut sich verlaufen hat. Wenn Sie mitkommen, werden Sie es nicht bereuen. Ich besorge auch Ihnen einen Auslandspaß und regle alles. Ich habe Freunde in den Ministerien. Ein Bündel Assignaten öffnet jede Tür."

„Lieber reise ich zum Revolutionsplatz", hatte Marie hervorgestoßen.

„Schade, Madame."

Paris bot ein düsteres Bild. Die Hausfrauen hasteten zu den Bäckerläden und stellten sich an den schmierigen Strick. Gendarmen führten einen Mann, den sie bei einer Hausdurchsuchung als Assignatenfälscher erwischt hatten. Marie mietete im Hôtel de la Providence ein billiges Zimmer. Es lag im ersten Stock, die Fenster gingen auf die Rue des Vieux Augustins. Einfache Möbel, dem Preis entsprechend, einfaches Frühstück, von der Not des Krieges diktiert.

Bevor Marie mit einem Verkehrswagen zur Rue des Cordeliers fuhr, prüfte sie, ob sie auch alle Papiere bei sich trug, die sie in Brest vom dortigen Jakobinerklub sowie von Gustave erhalten hatte. Er war zu dieser Stunde wieder auf hoher See, er befehligte eine Halbflottille, die vor der Küste Frankreichs kreuzte. Auf den vorgelagerten Kanalinseln Jersey und Guernsey hatten sich die adeligen Emigranten wie Krähenschwärme niedergelassen. Von hier, im Schutze Englands, fuhren des Nachts Agenten zum Festland, um den aufständischen Bauern als Führer zu dienen; von hier wurden Waffen und Falschgeld in die Fischerorte geschmuggelt. Gemessen an den Operationen des Vorjahres waren die jetzigen planmäßiger und militärisch wirkungsvoller.

Man spürte die Hand Pitts, des englischen Ministerpräsidenten. England war Frankreichs gefährlichster Gegner geworden.

Es war bestimmt kein Zufall, dachte Marie bedrückt, daß der Aufstand in der Vendée zur gleichen Zeit ausbrach, als die Koalitionsarmeen zu einem neuen Angriff antraten. Aufruhr im Lande – der Feind im Anrücken – die Häfen blockiert – Frankreich stand allein.

Die mißtrauische Simonne wollte Marie nicht vorlassen.

„Halten Sie mich nicht auf, Bürgerin, ich muß zu meinem Vetter", verlangte die Besucherin energisch.

„Neuerdings kommen viele Damen, die ihn zum Vetter haben wollen. Bürger Marat hat bereits Besuch, der Bürger Jacques Roux aus der Sektion Gravilliers ist bei ihm. Da müssen Sie warten."

„Wenn Sie mich nicht vorlassen, Bürgerin – ich bin zweimal sechsunddreißig Stunden von Brest hierhergereist, ich habe Mitteilungen von größter Bedeutung. Jean Paul wird wüten, wenn er sie nicht sofort erfährt."

Glücklicherweise kam Etiennette hinzu. Sie zog die störrische

Schwester beiseite und sagte zu Marie: „Sie müssen das verstehen, Bürgerin. Wir müssen wachsam sein. Am Tage nach der Abstimmung im Konvent hat ein Royalist den Abgeordneten Lepelletier niedergestochen, der für den Tod des Königs gestimmt hatte. Sie haben sicher davon gehört?"

„Die Journale schrieben darüber."

„Ach, Bürgerin, mich trifft dieser Tod in besonderer Weise. Ich bin Lehrerin, und in dem Erziehungssystem, das Lepelletier entworfen hatte, wäre für mich ein würdiger Platz gewesen. Wir wollen doch die Jugend nach den Prinzipien Rousseaus erziehen, eine neue Moral in die Kinderherzen senken . . ."

Marat erhob sich erfreut, als Marie eintrat, und sein kränklich-bleiches Gesicht rötete sich. Nachdem er sie umarmt hatte, mußte er sich wieder setzen, und Marie bemerkte mit Erschütterung, wie sehr sein körperliches Leiden an ihm zehrte. Im Hintergrund des Zimmers stand ein Mann in Priesterkleidung. Marat stellte ihn vor: „Das ist der Bürger Jacques Roux, den die Girondisten einen Wütenden nennen. Er ist aber nur wütend, wenn ihm das Unrecht oder die Lüge begegnen. Er ist Mitglied des Generalrats der Kommune und ein Freund der Armen."

Marie hatte unterwegs schon von diesem Priester gehört. Ihr fiel auf, wie sehr sein asketischer Gesichtsschnitt dem eines calvinistischen Pfarrers ihrer Heimat glich, der bei Mädchen und Jungen gefürchtet gewesen war, weil er barbarisch gezüchtigt hatte. „Jacques Roux züchtigte die Besitzenden", sprach Marat, als ob er ihre Gedanken erraten hätte.

„Du kommst in einer schrecklichen Stunde, Marie", fuhr er fort, „Frankreich ist von Feinden umringt wie der Eber auf der Treibjagd von Hunden. General Dumouriez erweist sich als Verräter. Er tritt auf der Stelle und sollte marschieren. Er sollte schlagen, und er wird geschlagen. Aber das ist noch nicht so schlimm wie die Unfähigkeit der girondistischen Minister."

„Sie haben den Kopf verloren, längst bevor man ihn abschlägt." Das Lachen Roux' klang böse, sein Husten hohl. Anscheinend war der Geistliche brustkrank.

„Ich bringe leider auch Hiobsnachrichten", sagte Marie. „Doch bitte, erst ein Geschenk" – sie kramte in ihrer Tasche – „bereits vor Monaten habe ich bei einem Buchhändler in Brest ein Exemplar Ihres Buches ‚Entwurf für die Strafgesetzgebung' aufgetrieben. Arg zerlesen. Der Mann wollte es nicht verkaufen, sagte, es würde bestimmt eine kostbare Rarität werden. Schließlich überließ er es mir doch. Ich mußte ihm versprechen, Ihnen zu sagen, daß erst in einem kommenden Jahrhundert diese Schrift gewürdigt werde, dann erst die Erdenbürger begreifen würden, wie groß die Menschenliebe gewesen sei, die Ihnen, lieber Vetter, die Feder geführt habe."

Jacques Roux hatte Marie den Band aus der Hand genommen und blätterte darin. „Hier steht: ‚Und mit welchem Recht eignet ihr euch ein Stück dieser Erde an, die allen ihren Bewohnern gemeinsam gegeben wurde?' Die Agrarfrage ist hier vorweggenommen."

„Ich habe das Buch selbst in Seide gebunden und Ihren Namenszug eingestickt, mein lieber Vetter", sagte Marie leise.

Der Beschenkte saß ganz still, die Augen waren ihm feucht geworden. „So ist doch ‚das leprakranke Untier mit dem Froschmaul' zu etwas nütze gewesen. ‚Die schleimige Kröte aus der Taubenhausgasse' hat ausnahmsweise keinen Geifer gesprüht. Ja, ja, liebe Cousine. So nennt mich die Bürgerin Roland, so betitelt mich Brissot im Konvent. Ich bin von Todfeinden umringt, von keinem ist Gnade zu erwarten. Diese Girondisten verschwenden ihre ganze Kraft und Intelligenz, um mich zu schmähen und zu verfolgen!"

Marie hatte in dem ihr so vertrauten abgewetzten Besuchersessel Platz genommen. Marats bittere Worte erschütterten sie.

Jacques Roux fuhr in seiner Rede fort: „Ihr Vetter hat bereits vor vier Jahren Prinzipien vertreten, die ich zu den meinigen zähle. Ein Mann, der damals solche Sätze schrieb wie: ‚Die Gesellschaft schuldet denjenigen ihrer Mitglieder, die keinen Besitz haben und deren Arbeit kaum zur Befriedigung ihrer Bedürfnisse ausreicht, einen gesicherten Lebensunterhalt, die notwendigen Nahrungsmittel, Kleidung und anständige Wohnverhältnisse, Pflege in Krankheitsfällen und im Alter sowie Erziehungsbeihilfe für ihre Kinder', gehört auf einen Ministersessel an Stelle der Bande von Schöngeistern und Schönrednern aus den Salons der Madame Roland."

„Ich danke Ihnen, Bürger Roux. Ich fürchte nur, meine Macht wäre nicht herkulisch genug, um die Augiasställe der Büros und Ämter auszumisten, in denen sich die Nutznießer der Revolution verkrochen haben. Für einen jeden, der an der Front kämpft und stirbt, sitzt einer hier, der lebt und genießt. Für jeden, der auf den Feldern oder in Fabriken schuftet, gibt es einen, der nur verwaltet. Die Mühle klappert, aber sie gibt kein Mehl. Mit Deklamationen kann sich das Volk den Hintern wischen. Es braucht Brot."

Ein Zeitungsbote brachte eine Nachricht, die über den optischen Telegraphen gekommen war. In der Schlacht bei Neerwinden waren die unter der Führung von Dumouriez stehenden Revolutionstruppen von den Österreichern geschlagen worden.

„Verrat!" tobte Jacques Roux.

„Ich habe in jeder Nummer meiner Zeitung vor diesem Verräter-general gewarnt. Jetzt ist er für die Guillotine reif." Marat zitterte, so empört war er.

Danton sei nach Belgien gefahren, um Dumouriez zu verneh-men, meldete der Bericht weiter.

„Gut, warten wir seine Untersuchung ab, dann aber keine Gnade", sagte Marat. „Nun aber endlich zu Ihnen, Marie. Was meldet Forestier? Wie steht es in der Vendée?"

„Wenn die Aufständischen dort genügend militärische Führer bekommen, sind sie eine Gefahr für ganz Frankreich. In Brest sprach man von fünfzehntausend Bewaffneten, in Nantes von hunterttausend. Sicherlich vergrößert die Angst die Zahl. Aber Nantes ist sehr bedroht. Es gibt allerdings auch beruhigende Nachrichten. Man bildet Bataillone zur Abwehr. In Brest stehen zweitausend Sansculotten bereit. Doch sie brauchen Verstärkung – geübte Linientruppen."

„Hätten wir genügend Linientruppen, würden wir sie zuerst nach Belgien schicken, denn von dort rücken die Österreicher heran." Jacques Roux fuhr mit dem Zeigefinger auf der Landkarte umher.

Marat studierte die Briefe Forestiers, der über erste Seegefechte mit englischen Fregatten berichtete. Dann blickte auch er auf die Karte und sagte: „Wir müssen die Küste mit Geschützen sichern. Es darf kein englisches Kriegsschiff Emigranten landen, die die Aufständischen unterstützen. Ich werde mit Danton sofort nach seiner Rückkehr sprechen."

„Mit Danton – gut", schaltete sich Roux ein. „Erwarten wir nichts von den Ministern, die Girondisten wollen gar nicht siegen, weil sie das Volk viel zu sehr fürchten. Es könnte nach dem Sieg die Forderungen stellen, die ich seit Jahr und Tag vertrete. Glau-ben Sie mir, Bürgerin Forestier, ich lebe spartanischer als die Spar-taner. Alles schenke ich den Armen der Sektion. Ich schlafe in der Sakristei meiner Kirche, meine Zeit regelt die Glocke auf dem Turm. Für mich ist die Armut kein Gelübde, sondern eine Selbst-verständlichkeit."

„Mit Wohltätigkeit geht es nicht, Bürger Roux. Das ist wie mit dem Faß der Danaiden – vergebliche Arbeit. Man muß die Men-schen lehren, um ihr Recht zu streiten." Marie hatte leidenschaft-lich gesprochen und erwartete die Antwort des asketischen Man-nes, der sie mit seinen Blicken abtastete.

„Ach, Bürgerin, Sie haben mich mißverstanden, seit mehr als Jahresfrist predige ich dies. Es gibt zwar kaum noch Royalisten, desto mehr Girondisten. Aller neuer Reichtum flüchtet sich unter ihre Fittiche. Gibt es ein größeres Verbrechen, als sich auf Kosten der Volksnot zu bereichern? Man prägt Tränen und Leiden des Volkes in Schiebergeschäfte um."

„Das Messer der Guillotine wird sie treffen", sagte Marat mit heiserer Stimme.

Marie ging über den Pont-neuf. Sie sah hinüber zur Conciergerie, deren düstere Fassade sich wie hineingerammt im Wasser der Seine spiegelte, und zu den klobigen Türmen von Notre-Dame. Es polterte hinter ihr – sie trat beiseite, ihr Herzschlag setzte aus – zum erstenmal erblickte sie einen Henkerkarren mit Verurteilten.

„Sie haben wohl Mitleid mit dem Gesindel, Bürgerin?" fragte ein Mann mit dem Schurzfell eines Hufschmieds, der auf der steinernen Ufermauer hockte, und spuckte verachtungsvoll ins Wasser. „Lauter Feinde der Republik", er machte eine Bewegung mit der Handkante, die Arbeit des Scharfrichters andeutend. „Es war Zeit, aufzuräumen. Wenn ein Gaul den Spat hat, sticht man ihn ab. Dieses Gesindel hat dafür gesorgt, daß die Nation den Spat bekommt, also weg damit! Ich kenne die Fracht. Der ganz vorn ist der Sekretär des Grafen Mirabeau, er hat von der Bestechlichkeit seines Herrn gewußt, er kannte die Briefe des verfluchten Capet. Das Frauenzimmer ist seine Freundin. Der Jüngere hinten ein ehemaliger Marquis, der uns an Österreich verraten hat. Und der Dicke, der so herzzerbrechend weint, ist ein Wirt, der Waffen für die Konterrevolution in seinem Keller versteckt hatte."

Lange noch, während Marie in der Postkutsche der heimatlichen Schweiz entgegenrollte, spürte sie den hilfesuchenden Blick der jungen Frau auf dem Karren. Ach ja, Härte muß sein – Erbarmen ist fehl am Platz.

Südlicher rollte der Wagen, dem Genfer See entgegen. Im Außenministerium der Republik war Marie ein Paß ausgestellt worden, gültig für drei Monate. Zweck der Reise: Familienangelegenheiten, Besuch der in Genf wohnhaften Kinder. Der Reisepaß war datiert vom 3. Germinal des Jahres V der Freiheit und des Jahres II der Französischen Republik. Die Torwachen der Pariser Kommune hatten noch unter den Stempel den Zusatz geschrieben: „Jahr II der Gleichheit".

Von Reisegefährten erfuhr sie noch einige Begebenheiten, die ihr Marat nur in Bruchstücken mitgeteilt hatte. Da er Ausschüsse in den Sektionen bilden wollte, um – unter Umständen auch mit Gewalt – die Lagerräume und Backstuben der Pariser Bäcker zu kontrollieren, hatte die rechte Seite des Konvents Marats Ausstoßung und Anklageerhebung wegen Anstiftung zum Aufruhr beantragt.

Die versteckten Mehlvorräte waren durch Androhung der Kontrolle überraschend schnell zum Vorschein gekommen. Doch die Ertappten hatten „Mordio" gerufen, weil sie unsanftes Behandeln nicht gewohnt waren. Die Girondisten hatten sogar diese Nutznießer der Revolution behütet. Aber das Volk auf den obersten Tribünen hatte die von Marat vorgeschlagenen Maßnahmen bejubelt. Die Anklage wurde zurückgezogen. Marat hatte triumphiert.

Am Abend des fünften Reisetages rollte die Kutsche durch die Straßen von Genf, am See entlang, in dessen Wellen die Alpenriesen sich spiegelten. Friedliche Schweiz, fern den revolutionären Stürmen, fern der Nordsee mit ihren Fährnissen. Mutterglück, das langentbehrte ...

Doch schon nach wenigen Tagen rückte das Dräuende wieder heran. Die Zeitungen meldeten von einem Seegefecht im Ärmelkanal zwischen übermächtiger englischer Flottille und französischen Kriegsschiffen. Verluste auf beiden Seiten ... Marie stöhnte ... Gustave auf hoher See ...

General Dumouriez' Verrat hatte sich bestätigt. Er war zum Feind, zu den Österreichern, übergelaufen.

Furchtbar – die Armee ohne Führung – der Feind im Vormarsch. Maries eigene Sorgen verwoben sich mit dem allgemeinen Leid. Wann würde sie wieder auf den Wogen des Glücks treiben? Wann?

Das milde Aprilwetter hatte die Bürger von Paris aus den Häusern gelockt. Sie lebten ohnehin mehr auf den Straßen als je zuvor. Für die bereits selbstverständlich gewordenen Gastmähler – den zur Front abgehenden Soldaten bereitet – spendierte man seine Zehntageration Hammelfleisch. Frauen bildeten Straßenklubs, kauerten auf den Stufen der Kirchen und zupften Scharpie. Wie lachten sie ausgelassen über die derben Witze exerzierender Nationalgardisten und sangen gemeinsam mit ihnen die Marseillaise oder ein anderes in den Tagen der Revolution entstandenes Lied. Auf dem gepflegten Rasen des Luxembourg-Gartens übten Scharfschützen. Im Park Monceau ritten Dragoner eine Übungsattacke nach der anderen.

Die Republik war von Feinden umstellt – aber sie wehrte sich heroisch. Den an die Front marschierenden Regimentern jubelte man zu. Arbeiter – dürftig genug besoldet – hielten einen die Straße entlangtrottenden Schuhhändler an, kauften von zusammengelegtem Geld fünfzehn Paar Stiefel und schickten sie dem Konvent für die Verteidiger des Vaterlandes.

Ernst waren die Zeiten – aber man lachte. Chansonsänger traten auf, gefielen sie, bekamen sie Belohnung, mißfielen sie, prügelte man sie scherzhaft durch. Überall, auf Straßen und Plätzen, tanzte man die Carmagnole.

Doch es gab auch ein anderes Paris. Im Palais Royal brütete noch immer das Geschmeiß der Spielbankhalter, Händler und Zuhälter. Die Kommune machte Razzien, aber dieses Gelichter klebte am Gemäuer so fest und unausrottbar wie der Besitzer des ganzen Gebäudekomplexes, jener berüchtigte Herzog von Orléans mit seinen Freundinnen . . .

Selbstverständlich war für jeden Anhänger der Revolution, daß er die Kokarde trug und die rote Mütze, daß man sich duzte und nur noch die Anrede Bürger und Bürgerin zuließ.

Selbstverständlich, daß man Straßennamen änderte. „Straße des Gesetzes", das war einst die Rue Richelieu. Die Place Louis XV., in deren Mitte die Guillotine stand, hieß jetzt Revolutionsplatz.

Selbstverständlich, daß man auch die Statuen der Könige entfernte, ja sogar das Kartenspiel revolutionierte: statt der Dame die „Freiheit", statt der Könige „Genien". –

Doktor Grenier wühlte sich, aus seinem Institut kommend, durch das Menschenmeer. Gendarmen waren mit einem Haftbefehl gegen Professor Charles erschienen und hatten ihn, trotz Einspruchs der Universitätsbehörden, mitgenommen.

„Er kommt vor das Revolutionstribunal", diese Worte hämmerten in Greniers Kopf wie Paukenschläge. Sein verehrter Lehrer! Ein Wissenschaftler von Weltbedeutung! Zwölf Jahre gemeinsamen Forschens, täglicher gemeinsamer Arbeit, jetzt erst wieder die eminente Entwicklung der Fesselballons . . . Ob die Festnahme damit zusammenhing? Einer war in der Luft explodiert, Offiziere waren mit schweren Verbrennungen abgestürzt . . .

Lavoisier könnte ein Gutachten abgeben. Wasserstoff war hochexplosiv – das war noch nicht allgemein bekannt. Bei der Füllung der Ballone hatte Charles den Arbeitern ihre Tabakspfeifen fortnehmen müssen. Ob sie an der Front ähnliche Dummheiten begangen hatten?

Oder war es klüger, zu Robespierre zu gehen? Man sprach achtungsvoll von dessen Unbestechlichkeit, seiner Güte, seinem Gerechtigkeitssinn.

Vor dem Haustor des Tischlermeisters Duplay standen einige Sansculotten. Im Hof hing Bürgerin Duplay blau-weiß gestreifte Baumwollstrümpfe, die vermutlich Robespierre gehörten, auf eine Wäscheleine. Einige Tischlergesellen hobelten und sägten – Meister Duplay hatte viele Aufträge, er mußte Tribünen und Sitzbänke bauen, Arbeitstische für den seit April geschaffenen Wohlfahrtsausschuß und Altäre für bürgerliche Eheschließungen.

„Du möchtest zum Bürger Robespierre? Das wollen viele. Vor

einer Stunde drückte sich hier eine Bürgerin herum, die von ihrem Mann verdroschen worden war. Haha! Maximilian, hilf! Und einer, der Porzellantassen bemalt, will unbedingt das Gesicht unseres Maximilian draufhaben. Sie kommen mit dem blödsinnigsten Zeug zu ihm. Na, und du, was willst du denn?"

„Es geht um ein Menschenleben", sagte Grenier ernst und zog seinen Bürgerausweis hervor.

Frau Duplay trat mißtrauisch in die Toreinfahrt. „Bürger Robespierre ist ausgegangen", sagte sie und setzte eine altmodische Brille auf. Als sie den akademischen Grad des Besuchers entdeckte, wurde sie freundlicher, ein Doktor war immerhin eine Respektsperson.

Einer der Sansculotten klopfte brummelnd seine Pfeife aus. „Hier stehn wir uns nun die Beine in den Bauch, und Bürger Robespierre läuft derweilen mutterseelenallein draußen rum."

„Das verstehst du nicht, Nicolas. Er will einsam sein, allein mit Gott und der Natur. Da geht er immer in die Berge von Montmorency."

„Von denen droht ihm auch keine Gefahr. Aber von den verdammten Girondisten, ja, da schmieren sich auch genug Royalisten an. – Du, zum Beispiel, Brüderchen, trägst du einen Dolch bei dir? Laß dich durchsuchen."

Grenier ließ sich abtasten.

„Also Montmorency? Das sind vier Stunden Fußmarsch. Da komme ich besser in den Abendstunden wieder", und zu Mama Duplay gewandt: „Es ist schön, daß Sie ihn bewachen, aber Sie sollten auch daran denken, daß ein Mann des Volkes für das Volk zu sprechen ist. Es ist nicht gut, wenn ein solch großer Mann die Menschen nur aus Berichten, Dossiers und Eingaben kennenlernt."

In der Rue Royale erfuhr Grenier von Jacques, daß Monsieur Lavoisier im Café de la Régence sei, o pardon, im Café der Gleichheit. Er treffe sich dort wieder einmal – nach sehr langer Zeit – mit Monsieur Marat. Dem Alten war die Anrede Bürger nicht anzugewöhnen.

Auf also zum „Café Egalité". Es mußte eine Freude sein, die hartnäckigen Widersacher an einem Schachtisch vereint zu sehen. Auch Marats Fürsprache würde für Professor Charles nützlich sein.

Grenier hatte bereits an einer Sitzung des Revolutionstribunals teilgenommen und als Sachverständiger über die Brisanzwirkung von Minen ausgesagt. Ein unfähiger Sappeuroffizier hatte dieselben mit zu kurzer Zündschnur – und daher tödlich für die eigenen Soldaten – gelegt. Die gleichgültigen Augen des öffentlichen

Anklägers Fouquier-Tinville, die Todesangst des Angeklagten, dem der Schweiß in den hohlen Schläfen stand und dem die Guillotine gewiß war – an diese gramerfüllte Atmosphäre erinnerte sich Grenier genau.

Marat mußte helfen, wenn auch zwischen ihm und Charles oft genug heftige Differenzen aufgestiegen waren. Außerdem, ob schuldig oder nicht, die Republik brauchte Wissenschaftler.

Im Café verkehrten jetzt andere Gäste als zu Zeiten Diderots: Spekulanten mit fuchsschwanzgeschmückten Fellmützen spielten mit Geschrei Trente et quarante; andere strichen umher, den Zahnstocher im Munde, den Hut auf dem Kopf, und boten Kisten mit Seife, Kerzen oder Tee an; einige verkuppelten halbwüchsige Mädchen, die kichernd in einem Hausflur warteten.

„Die Revolution hat hier ihren Aussatz abgeladen", flüsterte der alte Hausdiener und führte Grenier durch das Gewühl, „dabei darbt das Volk. Ständig klettern die Preise. Ein Klafter Holz kostet vierhundert Franken, eine Droschkenfahrt sechshundert. Man müßte Höchstpreise einführen. Können Sie nicht bei den Jakobinern darüber sprechen, Bürger Grenier?"

„Reden Sie mal mit den Girondisten, mein Alter. Die sind gegen Maximalpreise. Ich hörte sie zetern, daß wir die Rechte des Eigentums antasten wollen. Wer Ware besitzt, kann sie nämlich so teuer verkaufen, wie es der freie Markt erlaubt, behaupten sie."

„Eine schöne Freiheit . . . Dort drüben, in der alten Schachecke, finden Sie die Bürger."

Erstaunlich, die beiden Gegner spielten friedlich Schach und schlürften Honigwasser! Im allgemeinen Lärm konnte Grenier, der nur flüchtig begrüßt wurde, ihrem Gespräch schwer folgen. Er bemerkte aber, daß die Schachfiguren gar nicht gerückt wurden und die Dame Marats auf falschem Feld stand. Aha, die beiden Kämpen waren in ihr Gespräch so vertieft, daß sie alles andere völlig vergaßen.

„Ich pfeife auf die von Ihnen so angehimmelten Massen, Marat. Gucken Sie sich doch um! Kartenspieler, Säufer, Huren. Hier und da ein paar brave Arbeiter. Heute schreien sie ‚Hosianna' und morgen ‚An die Laterne'."

„Ja, Bürger Lavoisier, einstweilen ist es eine Revolution der Händler und Bankiers. Es wird aber zur Revolution des vierten Standes kommen, der jetzt von Ihnen und Ihresgleichen verachtet wird."

Der Chemiker blickte spöttisch im Raum umher und rührte umständlich im Glas. „Ihre Revolution, bester Marat, endet in einer neuen Diktatur. Wenn die Tyrannei aller allen unerträglich geworden ist, wird ein neuer Gewaltherrscher geboren. Was geschieht denn bereits jetzt? Der einzelne geht in der Gleichförmigkeit der Masse unter. Sein selbständiges Denken stirbt ab, verkümmert wie ein rudimentäres Organ. Die Regierenden sitzen so weit entfernt, daß sie keine Kritik erreicht. Sie sind wie Götter, denen Menschenopfer gebracht werden. Ich will aber kein Opfertier sein! Ich bin ein denkendes Wesen, das sich erlaubt, über öffentliche Institutionen und Gesetze ganz private Ansichten zu äußern."

„Es soll vorkommen, daß Köpfe mit eigenen Ansichten gar schnell die der Gegner annehmen. Wenn sie dann fallen, Bürger Lavoisier, fallen feindliche Prinzipien in den Korb des Henkers." Marat schob mit einem Ruck seine Dame weiter.

„Abgeschlagene Köpfe sind für eine Revolution kein Renommee, ebensowenig wie Kerker und Galgen." Auch Lavoisier rückte an seiner Schachfigur.

„Glauben Sie, daß die Reichen freiwillig ihre Besitztümer herausgeben? Glauben Sie, daß adelige Offiziere ohne Zwang ihre Neigung für das Volk entdecken? Ich glaube, daß die Gleichheit möglich ist, allerdings muß man mit dem Messer Sansons nachhelfen." Marat sprach verhalten, aber mit Leidenschaft.

„Und wer gibt euch das Recht zu solcher Gleichmacherei? Ihr pfuscht der Natur ins Handwerk. Die läßt alles vielfältig gedeihen, keine Blume ist der anderen völlig gleich. Und erst die Menschen! Wo ist denn die Bewußtheit der neuen Brüderlichkeit? Um einen Laib Brot schlagen sie sich wund. Hören Sie mir zu, Marat. Ich bin einer der euch so verhaßten Individualisten. Stehe ich vor meinen Retorten, verwende ich totes Gestein, Säuren und Gase. Ich nehme auch Ratten und Mäuse. Ihr aber nehmt sechsundzwanzig Millionen Franzosen, stampft sie in ungeheure Retorten und behauptet, daß der neue Mensch, gereinigt von Fehlern und Mängeln, aus dem Experiment hervorgeht. Was aber entsteht? Der alte Mensch, behängt mit neuen Phrasen! Äußerlich gesäubert wie mit Fleckkugeln, innerlich noch so dreckig wie zuvor. Ich pfeife auf die neue Moral. Sie ist für mich nichts anderes als eine kühlere Stelle auf meinem Kopfkissen. – Ich leide nämlich an Schlaflosigkeit genau wie Sie, Marat."

„Wenn ich schlaflos bin, Bürger Lavoisier, dann über Sie und Ihresgleichen. Ich lausche auf die Stimmen der Nacht. Sie flüstern mir zu, daß die Revolution erstickt werden soll. Hat man dem armen Bauern geholfen? Besitzt er das Land der Emigranten? Hat er Ackergeräte? Soll er den Boden mit bloßen Händen aufreißen? Hat man dem Arbeiter geholfen? Nicht einmal Arbeit hat er! Sehen Sie, das ist meine Schlaflosigkeit!"

„Und meine Schlaflosigkeit?" Lavoisier war bleich geworden, so sehr rüttelte die Wut an ihm. „Ich stehe vor neuen Entdeckungen, aber die Republik gibt mir keine Schwefelsäure, nimmt mir die Assistenten, besoldet mich miserabel. Wissen Sie auch, daß die Italiener weiter sind? Volta und Galvani? Die Elektrizität wird das kommende Jahrhundert erobern. Doch bei uns sitzen Ignoranten in den Ämtern, wissen nicht einmal den Unterschied zwischen Chemie und Physik, zwischen Kohlenstoff und Sauerstoff."

„Dafür wissen sie den Unterschied zwischen einem Ehemaligen und einem Volksfreund sehr genau." Marats dunkle Augen sprühten Zorn.

Grenier sah den Augenblick gekommen, sich für Professor Charles einzusetzen. „Nicht immer, Bürger Marat", sagte er. „Heute in der Frühe hat man Professor Charles verhaftet. Aus der Vorlesung heraus. Hier, eine Abschrift des Haftbefehls, unterschrieben von Bürger Fouquier-Tinville."

„Ich halte einen Irrtum für ausgeschlossen", bemerkte Marat. „Unsere Justiz begeht keine Fehler. Ich vertraue ihr so, daß ich mich selbst dem Revolutionstribunal unterwerfen würde."

Lavoisier ahnte die Gründe der Festnahme. Hatte nicht der unvorsichtige Professor Charles einen Briefwechsel mit dem Zarenhof geführt und seine Abreise nach Rußland vorbereitet? Und zählte nicht die Zarin zu den Feinden der französischen Republik?

Mit scharfer Stimme kam Marat einer Äußerung Lavoisiers zuvor: „Ich vermute, daß Petersburg ein gefährlicher Magnet für Bürger Charles geworden ist. Gut, Grenier, daß Sie gekommen sind. Ich werde mit Danton sprechen, er ist ja das Haupt des Wohlfahrtsausschusses, aber nicht, weil ich diesem Charles gewogen bin. Auch für ihn gibt es einen Tarpejischen Felsen, von dem er eines Tages hinabgeschleudert werden wird. Jetzt aber brauchen wir jeden Gelehrten."

„Also reiner Pragmatismus", höhnte Lavoisier, „da haben Sie die neue Moral."

„Ja, reine Nützlichkeit, Lavoisier. Und wenn wir Sie nicht brauchten", Marats Stimme schwoll an, „ich selbst würde Sie dem öffentlichen Ankläger übergeben. Aber ein abgeschlagener Kopf denkt nicht mehr."

Grenier hatte mit atemloser Spannung zugehört. Jahrelanger Zwist wurde hier ausgetragen. Schüchtern wagte er einen Einwand. „Ich verstehe nicht, Bürger Lavoisier, daß Sie auf Ihrem Fachgebiet allem Neuen Verständnis entgegenbringen, aber die größten Ideen des Jahrhunderts ablehnen."

„Weil Frankreich untergeht." Lavoisier beherrschte sich nur noch mühsam. „Die fremden Armeen erwürgen uns – das beste Heer der Republik ist in Mainz eingeschlossen. Der Feind belagert Valenciennes. Die spanische Grenze ist ohne Verteidiger, in Lyon tobt der Bürgerkrieg, in den Cevennen auch. Die Meuterer der Vendée sind im Vormarsch, haben Fontenay besetzt. Nur ein Narr kann noch an Siege glauben."

„Und solche Narren befehlen Ihnen: noch mehr Schießpulver! Morgen wird man Ihnen eine Liste der Glocken zustellen, die zum Gießhaus im Luxembourg wandern müssen. Wir brauchen Kanonen."

„Sie sprachen vom Tarpejischen Fels, Marat. Hüten auch Sie Ihre Gesundheit. Je weiter oben Sie sitzen, desto schärfer bläst der Wind. Er könnte Sie herabschmettern." Dabei hatte Lavoisier einige Assignaten auf den Tisch gelegt und winkte dem Kellner.

„Ja, Lavoisier. Ich sitze oben bei den Montagnards. Wir sind nur wenige, die Zahl der Feinde ist groß. Aber wir wenigen haben ein Bündnis mit dem Tode geschlossen. Das macht uns unbezwinglich."

Marat ging, ohne sich von Lavoisier zu verabschieden. Beim Durchschreiten des Lokals wurde er von Händlern mit gehässigen Bemerkungen bedacht.

Vor dem Café stand Pierre, mit einem schweren Knotenstock bewaffnet. Er begleitete Marat zu dessen Wohnung, was der in Gedanken Versunkene kaum gewahrte.

Simonne erkannte, daß Marat fieberte, und bereitete ihm ein kühles Bad. Er ließ sich ihre Zärtlichkeit und frauliche Fürsorge gefallen. Geliebter und Kind zugleich – dachte sie beglückt.

„Ich muß zu Danton", sagte er, „wir wollen einen Wettbewerb für Malerei und Skulptur ausschreiben. Auch muß ich ihn dringend wegen Charles sprechen."

„Du mußt erst etwas schlafen", Simonne goß noch mehr Wasser in die Wanne.

Schlafen? dachte Marat. Er hatte noch einen Artikel schreiben wollen. Der Tischler Mollet hatte eine Vorrichtung gebaut, die über die Wanne gelegt wurde und dem im Bad Sitzenden das Schreiben ermöglichte. Doch sosehr Marat auch gegen die Müdigkeit ankämpfte, sie überwältigte ihn doch. Plötzlich waren Kindheitserinnerungen da.

Habe ich nicht einmal in jugendlicher Phantasterei geschrieben, daß ich mit fünfzehn die Universitäten erobern, mit zwanzig sämtliche Wissenschaften beherrschen werde? Meine Feinde haben das aufgespürt – jedes Mittel ist ihnen recht, mich zu diffamieren. Und Lehrer Camus, hat er mich nicht wegen meines Trotzes und Besserwissens einmal geschlagen – vor der ganzen Klasse geschlagen – und am Abend die gleiche Züchtigung durch den Vater? Ich habe es nicht ertragen, bin vor Scham und Wut aus dem Fenster gesprungen, habe mir den Kopf verletzt. Der Tod wäre mir lieber gewesen. Was schreiben die Gegner heute? „Er war immer schon ein Tunichtgut und Phantast." Ja, sie haben erfunden, daß ich mir als Kind eine Köpfmaschine gebaut und Spatzen, meine gefiederten Lieblinge, damit guillotiniert hätte. Oh, wie sie mich hassen. Sie würden mich ermorden, wenn sie könnten. Komme ich in den Konvent, bin ich isoliert. Den Jakobinern bin ich zu radikal, den „Wütenden" zu gemäßigt. Robespierre mag mich nicht, weil ich bei den Sansculotten beliebter bin als er. Danton fürchtet mich, weil ich sein doppeltes Spiel durchschaue. Er möchte eine neue Welt, ohne sein Boot von den alten Ufern zu lösen.

Wie hat Lavoisier gesagt? „Es ist ein den Revolutionen immanenter Prozeß, daß die Führenden einander befehden, bis sie von denen aufgefressen werden, die nach Konsolidierung der neuen Verhältnisse streben."

Muß es so sein? Frißt die Revolution ihre eigenen Kinder? Danton hatte dieses resignierende Wort ausgesprochen . . .

Marat war eingeschlafen.

Simonne schlich hinaus, sie wollte seine Ruhe nicht stören. Regen hatte eingesetzt und sprühte gegen die Scheiben. Unten im Treppenflur rumorten die Falzerinnen und die Zeitungsausträger. Die neueste Nummer war ausgedruckt. Sie mußte verkauft werden.

Sie hatten eine Zusammenkunft bei Laval vereinbart und trafen in der Abendstunde ein. Lizzy stellte für Danton Calvadosschnaps bereit, für Marat englischen Tee, für Robespierre eine Schale mit Apfelsinen. Es war nicht leicht, Südfrüchte aufzutreiben. Doch die Handelsbeziehungen ihres François hatten geholfen. Seinen Waffenhandel hatte er aufgegeben, nachdem er von einer Schweizer Firma mit Gewehren aus dem Siebenjährigen Krieg betrogen worden war, und handelte wieder mit Drogenpflanzen. Er machte gute Geschäfte, da die Armee laufend Arzneien brauchte. François fehlte in keiner Versammlung der Jakobiner, er war einer jener Kaufleute, die sich bemühten, Revolution und Erwerbssinn zu vereinigen. Dabei ließ er sich nicht die kleinste Unkorrektheit zuschulden kommen. Jetzt stand er mit Grenier am Kaminfeuer; die Abende waren noch frostig.

Lizzy ließ es sich gefallen, daß Danton sie bei der Begrüßung ohne viele Umstände abküßte. In dem Speisezimmer mit der niedrigen Gebälkdecke wirkte er noch riesenhafter als sonst. Sein modischer scharlachroter Frack hob sich leuchtend von der gelben Weste ab. Sein grobgeschnittenes Gesicht wirkte abgehetzt und müde.

„Ein schauderhafter Tag, Bürgerin Laval. Nemesis ist eine strenge Göttin. Wer ihr dient, sollte sich tatsächlich die Augen verbinden. Zwanzig Todesurteile nur hier in Paris. Die Gefängnisse sind übervoll. Man darf leider keine Gnade walten lassen."

„Nicht jeder ist ein Verbrecher", meinte Lizzy schüchtern, „viele sind irregeleitet."

Grenier trat hinzu. Sollte er sein Gesuch für Charles gleich anbringen, oder war es klüger, auf Marat und Robespierre zu warten?

„Ach was", Danton konnte sein Organ nicht dämpfen, sein Temperament nicht bändigen, „wir stehen an einem Abgrund. Entweder wir stoßen die anderen hinunter oder stürzen selbst hinein. Man muß das Krebsgeschwür im Lande beseitigen, auch wenn das Skalpell tief ins Fleisch schneidet. Wir haben den Wohlfahrtsausschuß gebildet. Er gibt den Ministern Befehle. Nun schreien die Überängstlichen, das sei Diktatur. Der Verteidigungsausschuß tagt in Permanenz, um Dumouriez' Verrat zu eliminieren. Wir schicken neue Kommissare an die Front. Zugleich machen wir das Brot billiger. Auf Kosten der Reichen natürlich. Das ist die Revolution in Aktion!"

Lizzy betrachtete den Hünen mit Neugier und auch etwas Furcht. Sie kannte das unerfahrene sechzehnjährige Mädchen, dem Danton jetzt seine Gunst schenkte. Diese Louise Gély, im katholischen Glauben erzogen, sollte schon Einfluß auf ihn haben. Es hieß, Danton, der Atheist, sei bereit, diesem Mädchen zuliebe wieder in die Kirche einzutreten und es, vier Monate nach dem Tode seiner so sehr geliebten Frau, zu heiraten.

Robespierre brachte der Hausfrau einen Strauß köstlich frischer Schlüsselblumen. Mit seiner etwas altväterlichen Courtoisie sagte er: „In meiner Heimat nennt man diese gelben Kinder der Natur Himmelsschlüssel, weil sie den Frühlingshimmel öffnen. Mögen sie auch Ihr Herz aufschließen, Bürgerin Laval."

Er begrüßte alle Anwesenden, lächelte erfreut über die Apfelsinen und riß sofort die Unterhaltung an sich, so daß Danton leicht verärgert dem Calvados zusprach.

„Ich war den ganzen Tag in Montmorency und bin mit der Postkutsche zurückgekehrt. Denkt euch, ich habe den Weg wiedergefunden, wo ich dem alten Jean Jacques Rousseau begegnet bin. Ach, Freunde, wie lange ist das her! Immerzu mußte ich an ihn denken. Damals lauschte ich seinen Worten: ‚Nichts hier auf Erden ist so kostbar, daß Menschenblut darum vergossen wird.' Und jetzt? Seine Ideen werden Taten und zwingen zum Töten. Welch eine Verstrickung!"

Danton rief: „Wer die Hand an den Pflug legt und schaut zurück, der ist nicht geschaffen für das Himmelreich, noch weniger für die Revolution auf Erden. Wir sind vom Schicksal zusammengespannt, eine Troika, würde man in Rußland sagen. Weiß man, wohin die Pferde rasen?"

„Zum Schafott, Bürger Danton, oder zum Triumph. Ins Pantheon oder auf den Schindanger." Marat war mit diesen Worten eingetreten. Seine Stimme war heiser, man merkte ihr die Diskussionen im Konvent an.

„Ja, Marat, die Girondisten nennen uns die dreiköpfige Hydra. Man müsse sie enthaupten, sagen sie, dann werde die Republik aufatmen." Robespierre begrüßte Marat reserviert.

„Zum Teufel! Warum dulden wir noch länger diese Bremsklötze? Raus mit ihnen aus dem Konvent. Laßt meine Sansculotten nochmals marschieren. Dann können wir die Republik für die Armen aufbauen. Bis jetzt ist sie nur für die Reichen da, für Betrug und Wucher." Marat schüttelte allen die Hand.

Danton brüllte los: „Du bist ein Demagoge, Bürger Marat. Versprichst den Armen das Maximum, genau wie es Jacques Roux tut und die anderen Tollköpfe. Weil ihr Stroh in den Köpfen habt. Sowie wir Maximalpreise festsetzen, verschwindet die Ware vom Markt wie im Hut eines Zauberers. Handel und Industrie haben ihre eigenen Gesetze."

„Sehr wahr", pflichtete ihm François Laval bei, „das weiß bereits ein Banklehrling", er nickte zu Grenier hinüber, der ins Kaminfeuer starrte, „die Wirtschaft hat ihre Gesetze, genau wie die Physik."

„Wenn wir einige Dutzend deiner Wirtschaftler auf die Guillotine legen, kommt die Ware zum Vorschein und es entsteht ein neues Gesetz." Marat ereiferte sich und redete auf Danton ein: „Man darf eine Revolution nicht halb machen, Danton, das ist Selbstmord."

Lizzy wollte beschwichtigen, sie bot Erfrischungen an, doch sie wurde beim Redeschwall Dantons nicht beachtet.

„Du bist Präsident bei den Jakobinern geworden, Marat. Seitdem redest du noch radikaler. Aber du weißt auch, daß der Konvent in seiner Mehrheit gegen dich stimmte, weil du mit deinen Petitionen und Aufrufen das Volk aufwiegelst, damit es gegen die gewählte Versammlung marschiert. Das ist Verleitung zum Aufstand mitten im belagerten Frankreich. Darauf steht der Tod, Marat."

Sie rissen sich die Worte vom Munde. Zutiefst betroffen erlebte Grenier diesen Zusammenprall, in den Robespierre nicht eingriff. Er dachte an seinen Lehrer Charles, der einmal gesagt hatte, diese Streitigkeiten der führenden Köpfe kämen ihm vor wie das Geraufe von Hunden unter einer Wolldecke. Man höre das Gekläff und sehe die Bewegung, begreife aber nicht, was eigentlich los sei.

Jetzt endlich meldete sich Robespierre, und seine Stimme klirrte wie Glas: „Es ist erlaubt, Danton, ungetreue Volksvertreter abzuberufen. Es gibt keine Immunität. Das Volk kann den Rücktritt erzwingen. Oder wollen Sie, daß der Konvent für Bösewichter zur Freistatt wird wie früher die Dome? Ich werde zweiundzwanzig Namen nennen. Lauter Girondisten. Ich werde ihre Sünden aufzählen: Föderalismus, Aufruf zum Bürgerkrieg, Verleumdung der Pariser und offene Unterstützung des Verräters Dumouriez."

„Robespierre, ich bin zufrieden", sagte Marat und trank seinen Tee. Aber Danton schüttelte seinen mächtigen Kopf. „Niemand hat das Recht, sie abzuberufen, nur ihre Wähler. Das aber würde neue Aufstände bedeuten. Das Gebiet der Gironde würde sich erheben, Marat. Dort sitzen deine Feinde, die dir den Tod geschworen haben."

„Die Gironde muß untergehen", sagte Marat, „damit Frankreich gerettet wird. Oder wollt ihr wirklich eine Republik der Krämer und Geschäftemacher?"

„Sie haben in vielem recht, Marat, aber Sie werden sich dem Beschluß des Konvents beugen und sich dem Revolutionstribunal überliefern müssen. Es wird gut sein, Sie machen es wie Sokrates und begeben sich freiwillig ins Gefängnis. Es wird keine harte Haft werden, aber der Form ist Genüge getan." Robespierre sprach wie bei einem Plädoyer.

„Wenn aber Bürger Marat verurteilt wird?" Lizzy hatte aufgeschrien. Eine Apfelsine rollte zur Erde.

„Dann, liebe Bürgerin Laval, wird ebenfalls der Form Genüge getan. Die Guillotine köpft auch kleine Leute." Danton lachte.

„Ich gehe, Robespierre, gehe, um den prinzipiellen Fall zu liefern. Stößt man mich aus, kann man auch die zweiundzwanzig, von denen Sie sprachen, ausstoßen und dem Richter überstellen." Marat erhob sich steif, er war durch Dantons brutale Art zutiefst verletzt.

Robespierre nickte zustimmend zu Marats Worten. „Wir sind drei und zerfleischen uns", sagte er. „Laßt uns endlich Frieden halten. Der Feind droht uns hart genug. Und Marat, zähmen Sie die ‚Wütenden', deren Sitz der Erzbischöfliche Palast ist. Auch Rom mußte die Gracchen vernichten, als sie am Bestand des Eigentums rüttelten. Lassen Sie jetzt keine Hunde los, es könnte Sie reuen."

Wie immer hatte er gesprochen, ohne die Stimme zu heben.

Alle bemerkten, daß er weiterhin das Sie verwendete, obgleich das Du selbstverständlich geworden war.

Der Abend verlief nun etwas ruhiger. Man sprach von einer Razzia im Café Patin, wo die Royalisten ihren Stammsitz hatten, von Carnot, der eine neue Armee aus dem Boden stampfte, von den zu schaffenden Elementarschulen und der Errichtung von Museen. François erzählte, man biete als Kinderspielzeug Guillotinen an, die Puppen enthaupten, aus deren Hals roter Saft spritze.

„Da habt ihr euren freien Handel", stieß Marat zornbebend hervor, „diese Schufte vergiften die Seelen unserer Kinder."

Als sie spät in der Nacht schieden, konnte Grenier endlich seine Bitte vortragen. Zwar murrte Danton etwas, sprach von Wissenschaftlern, die Verräter seien, nahm aber dann den Federkiel in seine derbe Faust und schrieb ein Passepartout für den Bürger Charles, das aus den lapidaren Worten bestand: „Laissez passer. Danton." –

Als Grenier beim ersten Morgengrauen den verehrten Lehrer aus der Conciergerie abholte, umarmte ihn der Gelehrte und sagte: „Eigentlich müßte man Dantes Spruch über den Eingang setzen: ‚Laßt, die ihr eingeht, alle Hoffnung draußen.' Kaum einem geht es so gut wie mir."

Sie saßen auf der Kaimauer der Seine. Die aufgehende Sonne riß Goldfunken aus dem Wellengekräusel. Plötzlich sagte der Professor: „Im Gefängnis ist mir übrigens etwas Neues eingefallen, Grenier. Ammoniak löst doch weißes Silberchlorid auf. Wir müssen mit Ammoniak experimentieren."

Sie eilten zum Laboratorium in der Rue Saint-Jacques.

13

Der Angeklagte klagt an

„Marat vor dem Revolutionstribunal!" – „Marat der Aufwiegelung bezichtigt." Die Rufe der Sansculotten weckten die Schläfer, ließen sie erschrocken in die Kleider fahren.

Schon formierten sich erste Marschkolonnen. Die Vorstädte waren brodelnde Kessel des Aufbegehrens.

„Auf zum Justizpalast!" Charlotte Simonet an der Spitze der

Marschierenden handelte zum ersten Male selbständig. Ihr gescheiter Pierre hatte sich mit Marat in die gleiche Zelle einschließen lassen; er wußte, daß der Volkstribun ernsthaft erkrankt war, wie schnell konnte ihn ein Herzschlag treffen, wenn irgendein Strolch nachhelfen würde.

Aus allen Straßenzeilen drängten Sansculotten zum Stadtzentrum. Die Sektionen erschienen so vollzählig wie selten sonst, ihre Trikoloren blähten sich im herbkühlen Frühwind, der um die Hausecken strich.

„Jetzt zeigt es sich", Mollet formte die Hände zum Sprachrohr, „wer nicht für unseren Marat ist, der ist gegen das Volk. Aber heute zeigt sich auch, wer die größere Puste hat, wir, die Sansculotten, oder die Culottes dorées, die neuen Reichen."

Taktmäßiges Marschieren. Es tönt das Ça ira. Nicht mehr „Aristokraten an die Laterne", sondern „Girondisten auf die Guillotine" wird gesungen. Man zieht über die Brücken der Seine. Hoch empor in den milchfarbenen Aprilhimmel mit seinen regengeschwängerten Wolken reckt sich der Justizpalast mit Türmen, Türmchen und spitzbogigen Fenstern. Hier also amtiert der Bürger Fouquier-Tinville, der öffentliche Ankläger. Von ihm geht die Rede, er sei ein seelenloser Paragraphen-Automat. Oho, aber es kommt auf die Geschworenen an, und das sind Männer der Arbeit, Sansculotten, wie alle ringsum.

„Der Saal ist bereits knallvoll! Nicht mal eure Läuse haben noch Platz." Ein stämmiger Wagenbauer, in seiner grünen Schürze, saß rittlings auf der Fensterbrüstung und kommentierte die Ereignisse mit Witzworten. Er fühlte sich als Sprecher für die Öffentlichkeit, und die Gendarmen ließen ihn gewähren.

Heute war ein ruhiger Tag, nur zwei Angeklagte: General Miranda und dieser Konventsabgeordnete Marat, über dessen kleine Statur und gallige Gesichtsfarbe bereits von Böswilligen gewitzelt wurde.

„Der Gerichtshof ist eingetreten", schrie der im Fenster, „nehmt eure Kappen und Hüte ab, Leute! So, nun hinsetzen, wer etwas hat, um den Hintern zu placieren. Bürger Hermann eröffnet die Tagung. Er hat die Weste geöffnet, das deutet auf eine lange Sitzung hin. Wer von euch es nicht aushalten kann, am Pont-neuf ist eine Retirade . . . Jetzt kommt unser Väterchen Marat! Hoch ihm!"

Unten auf dem Platz drohte Mollet: „Wenn du jetzt nicht das Maul zumachst, bekommst du Sektionskeile."

„Laßt ihn doch! – Er sieht wenigstens was! – Hoch Marat! – Weh, wenn die dort oben schlafen!"

Rufe aus der Menge, die dem Berichterstatter gespannt zuhörte.

„Der Vorsitzende nimmt eine Prise", informierte er, „wohl bekomm's!"

Nun aber schwieg der Wagenbauer. Die feste Stimme Marats drang durch die geöffneten Fenster über die weite Fläche, hallte von den Hausmauern. Zwar konnte die Menge nicht alles verstehen, aber die Sätze genügten, um das titanische Ringen, das vor dem Tribunal ausgetragen wurde, zu begreifen. Hier ging es nicht nur um den Kopf des geliebten Abgeordneten, es ging um das Schicksal der Revolution.

Agenten Brissots und Vergniauds schlichen umher, belauschten die Pariser Sansculotten und trabten dann zum Café Corazza, wo sich das Hauptquartier der girondistischen Partei befand. Die Brissotins hatten in den Nächten neue Pläne entworfen, die ganz unverfänglich aussahen: Die Sektionen sollten wegen der ständigen Gefahren in Permanenz tagen ...

„Hundebrut!" tobte Mollet, „die Söhne der Bourgeoisie haben Zeit und Geld, können sich mit ihren Ärschen auf unsere Sitze hinfläzen. Wir müssen schuften, können nur einmal wöchentlich kommen. Sie kriechen in uns hinein wie die Gallwespen, sie haben dann die Waffen und die Macht."

Ein Agent tuschelte: „Es ist doch besser, man verdient. Wache mögen die reichen Bürgersöhne schieben." Mollet trat diesem windigen Gesellen in den Hintern.

Jetzt deutlich Marat: „... es kann keine politische Revolution geben, die nicht zugleich eine soziale ist ..., es muß alles erlaubt sein, was zum Guten führt, nichts, was den Patrioten schadet ... Seht mich an, Bürger Geschworene, bin ich reich geworden? ... Meine Nächte sind von Fieber und Schlaflosigkeit zerstört, mein Herz ist krank geworden, ein schweres Leiden quält mich. Aber ich höre nicht auf, diejenigen anzuklagen, denen die Revolution ein Geschäft ist, die behaupten, daß der Despotismus trotz all seiner Mißstände doch noch besser war. Ich verlangte ein Agrargesetz, damit der Bauer auf freiem Boden pflügt und sät. Ich verlangte eine Bezahlung der Sansculotten in den Sektionen, damit diese keine Domänen der Reichen werden ... Vor zwei Jahrzehnten schrieb ich die ‚Ketten der Sklaverei'. Sind sie bereits von uns genommen ...?"

„Nein!" Die Zuhörer im Gerichtssaal und die auf dem Platz waren nur eine einzige Stimme.

„Mein Leben geht zu Ende, die Uhr läuft ab. Man schmäht mich, verleumdet mich, trachtet mir nach dem Leben. Für euch, meine Freunde, nehme ich diese Verfolgungen auf mich. Die Dolche und Kugeln der Mörder fürchte ich nicht." Wieder der tausendstimmige Schrei der Massen.

Oben in dem kleinen Saal war die Luft zum Ersticken, obgleich alle Fenster geöffnet waren. Für Simonne hatte man in der ersten Reihe einen Sessel bereitgestellt; sie saß nur auf der äußersten Kante und beobachtete mit ängstlichen Augen ihren Jean Paul. Wie krank er aussieht, wie erschöpft . . . Ob er überhaupt geschlafen hat? Im Gefängnis schwitzen die Mauern Feuchtigkeit aus. Wenn sie ihn verurteilen, wird die Kerkerzelle sein Grab sein. Ob er wieder fiebert? Der Doktor Grenier hat gesagt, Jean Paul müsse aufs Land, vielleicht in die Schweizer Berge, er hat gesagt, daß die Hautkrankheit nur Ausfluß eines inneren Leidens sei.

Pierre Simonet hatte die Arme auf die Knie gestützt und das Kinn in den Händen vergraben. Er ließ kein Auge von dem Vorsitzenden, dem er mißtraute, nicht zuletzt deshalb, weil Saaldiener auf dessen Anordnung ihm den Knotenstock fortgenommen hatten. Auch den Ankläger betrachtete Simonet mit der Geringschätzung des Handarbeiters gegenüber einem „Paragraphenreiter".

Nun sprach Marat von seiner Jugend in Boudry und von den Studienjahren in London und Edinburgh.

Der Präsident auf seinem erhöhten Sitz gähnte unmerklich. Was war das schon? Hatte nicht das Städtchen Arras wesentlich sensationellere Ereignisse geboten? Abendliche Whistpartien mit Robespierre; Gesellschaft bei Madame Carnot; Schach mit Fouché. Alle waren heute in Paris. Arras schien so eine Art Bethlehem zu sein, das die neuen Messiasse gebracht hatte . . .

Wie dieser Marat aussieht . . . Auch Rousseau soll so herumgelaufen sein . . . Philosophen ist das wohl schon seit Sokrates so angeboren . . . Was kümmern uns eigentlich die Geifereien dieser Girondisten? Natürlich haben sie recht, der Angeklagte Marat hatte die Vorstädte aufgewiegelt und Aufrufe in die Departements geschickt, damit auch dort die Armen gegen die Reichen marschieren. Natürlich braucht das Land einen Burgfrieden.

Aber bis zu einem gewissen Grade hat auch dieser ehemalige Armendoktor recht.

Sollen sich die Soldaten totschießen lassen, wenn sich daheim nichts ändert? Für verwanzte Quartiere und magere Suppen kämpft man nicht.

Fouquier-Tinville blätterte gelangweilt in den Akten. Das war kein handfester Prozeß. Er war Jurist und liebte es, wenn die Fakten stimmten, die Täter bei der Anklage zusammenbrachen, gestanden und verzweifelte Reue zeigten. Sein eingetrocknetes Herz zog sich dann immer wie im Krampf zusammen, einem nicht unangenehmen Krampf. Bürger Tinville ging nie zu einer Hinrichtung, ihm genügte der Aktenvermerk.

Dieser Marat verhält sich ganz anders, er klagt selber an. Er rüttelt an dem Fundament der menschlichen Gesellschaft, dem Eigentum. Solche Hochverräter wie Jacques Roux, Hébert und diesen Marat, einmal wird man sie mit der Guillotine vermählen. Jetzt allerdings muß man diesen stinkenden Pöbel respektieren, der mit Geschrei und Gerülps die Straßen und Plätze füllt.

Die Geschworenen hörten Marat mit Anteilnahme zu; er war Fleisch von ihrem Fleische, Geist von ihrem Geist.

Marat hatte seine Verteidigungsrede beendet. Bürger Hermann setzte den federgeschmückten Hut auf, zog sich mit den Geschworenen zurück ...

„Der Bürger Ankläger plädiert auf Freispruch", brüllte der im Fenster Sitzende hinab. Unten liefen seine Worte von Mund zu Mund.

Wie es zu erwarten war, schlossen sich die Geschworenen diesem Vorschlag an.

„Freispruch", frohlockte Pierre, schluchzte Simonne, jubelten die Sansculotten im Saal. Sie rissen Marat empor, wirbelten ihn umher, Frauen küßten ihn, ein glückseliger Taumel hatte alle ergriffen.

Trotz Einspruchs der Gerichtsdiener wurde der grünsamtene Sessel der Simonne vom Volk beschlagnahmt. Pierre schleppte ihn die Treppen hinunter, vier Handwerker modelten ihn in kürzester Frist in einen Tragstuhl um und hoben den Gefeierten hinein. Mädchen hatten auf einmal Blumen in den Händen, die sie Marat zuwarfen.

Die Prozession ging über den Pont-neuf, durch die Rue de la Monnaie, die Rue Saint-Honoré entlang. Immer reicher wurde der Blütenregen.

Die Frauen aus den Hallen drängten sich heran und umringten den hochgestimmten Marat. Sein sonst so kränkliches Gesicht glühte.

Abgesandte der Sektionen hielten improvisierte Ansprachen. Handwerker ließen ihre Werktische im Stich und baten um die Ehre, den Sessel tragen zu dürfen. Die Marseillaise war auf allen Lippen.

Simonne schritt neben ihrem Jean Paul, sah in sein glühendes Antlitz hinauf. Das war ein Triumph – das war auch ihr Triumph!

Der Zug kam beim Konvent an, der gerade über das Eigentum debattierte. Der Saal war im Nu von Menschen überflutet. Die Wiederaufnahme des Volksfreundes Marat wurde auf Antrag Dantons beschlossen.

Auf den Bänken der Girondisten flüsterte Brissot: „Ich sehe schwarz. Sie werden uns aufs Schafott schleifen."

Als die Sitzung beendet war, brachte das glückliche, fröhlich singende Volk von Paris seinen Marat nach Hause.

Der Erschöpfte fiel in Pierres Arme. „Für dieses gute Volk von Frankreich habe ich alle Mühsal auf mich genommen", sagte er noch – dann trug ihn eine Ohnmacht fort.

In den letzten Maitagen des Jahres 1793 wurde Paris von einer neuen Welle des Mißtrauens und der Unzufriedenheit erfaßt. Die Girondisten, die die Regierungsgeschäfte führten, hatten völlig versagt, als es galt, die Errungenschaften der letzten vier Jahre zu sichern.

So war die Revolution ins Stocken geraten. Aus mindestens sechzig Departements – dreiundachtzig gab es – kamen Hiobsbotschaften. Die privilegierten Klassen behaupteten noch immer ihre Macht. In vielen Gebieten tobte der Aufruhr, geschürt und geleitet von eidverweigernden Geistlichen und zurückgekehrten Adeligen, die sich an die Spitze konterrevolutionärer Abteilungen gestellt hatten. Im März war der Aufstand in der Vendée ausgebrochen. In mehr als hundert Gemeinden hatten verhetzte, unwissende Bauern zu den Waffen gegriffen und die Republikaner viehisch hingemordet. Der von den Girondisten begünstigte General Dumouriez erlitt in Holland Mißerfolge und wurde bei Neerwinden geschlagen. Marats immer wieder geäußerte Warnungen vor einem Verrat dieses Generals bewahrheiteten sich nun: Dumouriez verhaftete Kommissare des Konvents, knüpfte Verhandlungen mit den Österreichern an und floh schließlich ins Lager der Feinde.

Wieder war die Republik in tödlicher Gefahr. Die Truppen der Interventen näherten sich erneut den Grenzen Frankreichs.

In den Städten wuchs die Not. Man stand jetzt eine ganze Nacht hindurch vor den Bäckerläden um einen Laib Brot an. Für Fleisch und Fett wurden solche Wucherpreise gefordert, daß die Sansculotten sie nicht zahlen konnten. –

„Man muß in den Konvent gehen und allen Brissotisten mit dem Messer Sansons drohen", meinte Pierre Simonet, der gerade die neueste Nummer des „Journal de la République française" falzte.

Simonne saß Pierre gegenüber und schnitzelte Bohnen, die sie einige Stunden Anstehen gekostet hatten. „Es wird schon etwas unternommen", sie sprach langsam, wie es ihre Art war, „Bürger Marat hat nur seine Morgensuppe gelöffelt und ist wieder in den Konvent gestürmt. Heute soll es gegen Brissot und seine Bande losgehen. Jean Paul sagt: sie oder wir. Pierre, soll ich dir etwas anvertrauen? Jean Paul hat in der vorigen Nacht kaum geschlafen, er hat in der Frühe auf dem Rathaus die Sturmglocke geläutet. Ganz Paris sollte heute alarmiert werden."

Pierre stieß einen Laut grimmiger Zustimmung aus. „Dachte ich es doch!"

Jemand klopfte an die Haustür. Pierre trat ans Fenster. Grenier in seiner Gardistenuniform schrie von der Straße hinauf: „Da ich gerade hier vorbeikomme – wißt ihr schon, die Nationalgarde tritt ins Gewehr! Gleich donnert die Alarmkanone auf dem Pont-neuf! Alle Sektionen rücken zum Konvent. Wir werden die verfluchten Brissotisten wie faule Eier aus der Versammlung hinausschmeißen."

„Schade nur, daß ich so ein Invalide bin!" rief Pierre. „Jetzt möchte ich hinter der Trommel marschieren, wie damals, als wir nach Versailles gezogen sind. Aber ich werde zum Konvent gehen, ich will doch wenigstens sehen, wie unsere Sansculotten reinen Tisch machen. Schluß mit den schönen Reden, davon wird dem Volk der Bauch nicht voll! Schluß mit den Verrätergenerälen! Kommissare mit der Guillotine an die Front im Osten! Entweder du siegst, General, oder du verlierst deinen Kopf."

„Du weißt noch längst nicht alles, Bürger Simonet. Kennst du Lyon, diesen Aussatz unter den Städten Frankreichs? Achthundert Patrioten haben sie dort gemordet. Die Royalisten sind von den Girondisten unterstützt worden. Ich sage wie Marat: Keine Gnade für die Feinde der Republik! Belagern wir den Konvent, bis er die Schuldigen ausschließt! Die Kommune von Paris hat eine Liste von neununddreißig verräterischen girondistischen Abgeordneten aufgestellt: Sie müssen vor das Revolutionstribunal!"

Simonne legte ihre Küchenarbeit beiseite. „Ich werde mitgehen", sagte sie und band die Schürze ab, „es ist nicht so wichtig, daß die Bohnen kochen."

Pierre lachte. „Da hast du recht! Es ist viel wichtiger, daß die Sansculotten kochen! Komm, wir werden dieser verfluchten Mörderbande einheizen."

Als sie das Haus verließen, kam Etiennette in großer Erregung. „Ich komme gerade von den Tuilerien. Der Konvent wird belagert. Es ist ein revolutionärer Generalrat gebildet worden, ihm untersteht die Nationalgarde. In den Straßen wimmelt es von Menschen. Robespierre hat gesprochen. Er soll die Auflösung der Zwölferkommission verlangt haben. Wißt ihr, was das bedeutet?"

„Die Brissotisten wollten durch diese Kommission unsere Kommune überwachen lassen. Das hätte Lahmlegung bedeutet", antwortete Grenier. „Aber ich muß weiter, Freunde."

Man hörte das Wummern der Lärmkanone.

„Diese Fettgesichter!" Pierre stieß einen ellenlangen Fluch aus,

„sie wollten auch unsere Sektion überwachen. Sogar unsere Geldausgaben. Dabei wird bei uns so sparsam gewirtschaftet wie bei den ersten Christen."

„Ich begreife nicht", Simonne drückte der Schwester den Schlüssel in die Hand, „wieso diese Feindschaft entstanden ist. Vor Jahresfrist waren sie doch noch einig, waren die Brissotisten Brüder der Jakobiner."

„In einem Jahr kann man sich auf Tod und Leben entzweien", erwiderte Pierre.

Als Etiennette erfuhr, daß die beiden zum Konvent wollten, schloß sie sich ihnen an.

„Die Tribünen sind geöffnet", sagte Simonne, „man braucht keine Eintrittskarten mehr. Jean Paul hat durchgesetzt, daß die Sansculotten ständig den Konvent im Auge behalten können. Denkt euch nur! Einige dieser Volksverräter wollten das Haus verlassen, weil sie terrorisiert würden! Da hat der Bürger Hanriot den Säbel gezogen und die Kanoniere an die Geschütze befohlen. Wie begossene Pudel sind diese Konventsmitglieder wieder in den Saal zurückgekehrt."

Pierre Simonet lachte schallend. Er war in froher Stimmung. Endlich geschah doch etwas! Das untätige Herumsitzen war fürchterlich gewesen.

Auf Straßen und Plätzen waren Menschenansammlungen wie schon lange nicht mehr. Die drei trafen Bekannte und Freunde, die alle zum Konvent wollten.

Sie begegneten auch dem Maler Breullon, der auf einen eleganten Bürger, den Abgeordneten Lenormande, einredete: „Der Arme hat seine Schuldigkeit getan, Bürger Lenormande, es wird Zeit, daß sie der Reiche jetzt tut."

„Laß diesen Bourgeois laufen", rief Simonet, der Breullons Worte gehört hatte, „er wird bald genug in Sansons Sack niesen."

Lenormande tobte. „Auch Ihnen wird man den Mund stopfen", schrie er Pierre zu. „Die Revolution hat ganz Paris überschwemmt, da sind diese Kreaturen aus ihren Löchern gekrochen, aber wir werden sie zurückjagen. Es dürfte Ihnen bekannt sein, Bürger Breullon, daß die meisten Bataillone der Nationalgarde auf *unsere* Kommandos hören. Merken Sie sich, sie sterben eher, als daß sie dulden, daß das Eigentum angetastet wird."

„Ich weiß", Breullon lachte, „das Eigentum ist heilig, und ich vermute, es ist das einzige Heiligtum, an das Sie glauben." –

Pierre war mit den Schwestern Evrard vor den Tuilerien angelangt. Ein Kordon aus Bataillonen der Nationalgarde umschloß das riesige Gebäude, Geschütze waren aufgefahren und richteten ihre Mündungen auf den Eingang. Pierre entdeckte den Tischler

Mollet, der auf der Lafette einer Kanone saß und auf Befehle für seine Abteilung wartete.

„Eigentlich ist schon gesperrt, mein Alter. Aber gehe nur mit den Bürgerinnen hinein, sage, daß euch der Citoyen Mollet geschickt hat. Übrigens geht es dort höllisch ernst zu. Jetzt endlich haben sie das Gesetz über den Brotpreis angenommen: drei Sou je Pfund, und das für ganz Frankreich."

„Aber erst mußte ganz Paris aufmarschieren", sagte Pierre zufrieden.

Im Konventsgebäude bekamen sie noch einen Stehplatz auf der obersten Tribüne. Neben ihnen stand eine ältere Frau, die den Abgeordneten Robespierre durch ein Fernglas betrachtete. „Endlich wird der Ausschluß perfekt", sagte sie, „Bürger Robespierre hat gesiegt. Es war wie bei einem Duell: Robespierre oder Brissot. Nun müssen die neunundzwanzig Girondisten ausgestoßen werden. Bürger Couthon hat den Antrag gestellt."

Pierre raunte den Schwestern zu, das sei die Hauswirtin Robespierres, Madame Duplay. Der Bürger Duplay sei beileibe kein Sansculotte. „Er beschäftigt etwa fünfzehn Gesellen in seinen Tischlerwerkstätten und besitzt Grundstücke, die ihm eine Rente von zehntausend Franc jährlich einbringen. Aber er ist Jakobiner, Geschworener am Revolutionstribunal, ein guter Patriot."

Im Saal begann die Abstimmung. Sie vollzog sich unter Lärm und Beschimpfungen: „Aufhetzer!" – „Mörder der Patrioten von Lyon!" – „Verschwörer!" – „Räuber!" – „Diebe des Eigentums!" – „Gottesleugner!"

Die Montagnards drohten den Girondisten, die Girondisten drohten den Montagnards. Ziemlich weit oben saß Marat. Er blickte hinüber zu den Girondisten, deren Führer Brissot blaß und unbeweglich über Papiere gebeugt hockte. Anscheinend hatte er begriffen, daß die Bergpartei Siegerin des Tages war, daß die stolze girondistische Fraktion zugrunde ging.

Immer wieder die Glocke des Präsidenten. – Fäuste wurden geschüttelt, Drohungen hinausgebrüllt.

Oben auf der Tribüne antwortete das Volk von Paris. „Hinaus mit euch Geldsäcken aus dem Konvent!" – „Ihr verpestet die Luft!"

Endlich gaben die Schriftführer das Resultat bekannt: Ausschluß von neunundzwanzig girondistischen Abgeordneten! Die Ausgeschlossenen verließen, von Gendarmen geleitet, den Konventssaal.

„Sie dürfen in ihre Wohnungen gehen, sie haben nur Hausarrest. Ja, sie bekommen sogar ihr Tagegeld von achtzehn Franc weiter", berichtete Pierre, der mit dem Abgeordneten Camille Desmoulins gesprochen hatte. „Wölfe sollte man in Käfige sperren", meinte Etiennette, die den Tumult zu ihren Füßen zum ersten Male erlebte.

Jetzt meldete sich Marat zu Wort. Als er zur Rednertribüne ging, rief einer der Abgeordneten aus den Reihen des „Sumpfes": „Marat, nimmt nicht so viele Bäder! Denkt daran, schon Seneca ist im Bad gestorben!"

Simonne preßte mit einem Angstgefühl die Hand auf das Herz.

Marat bezeugte dem Rufer mit einer Kopfbewegung seine Verachtung, dann begann er: „Wir haben mit diesem Ausschluß einen großen Anstoß gegeben. Die Hemmschuhe sind beseitigt, jetzt muß der Konvent die Grundlagen des öffentlichen Wohles sichern. Wir wollen, daß alle Bürger, die man als Sansculotten bezeichnet, in den Genuß des Glückes und des Wohlstandes kommen. Wir wollen, daß dieser nützlichen Klasse von den Reichen nach Maßgabe ihrer Kräfte geholfen wird. Wir wollen das Eigentum nicht antasten. Aber welches Eigentum ist das geheiligteste? Das der Existenz! Nur dieses Eigentum soll man respektieren.

Wir wollen, daß alle Menschen, die weniger als hunderttausend Franc Vermögen haben, daran interessiert werden, unser Werk zu behaupten. Wir werden die schreien lassen, die mehr als hunderttausend Franc Vermögen haben. Wir werden zu ihnen sagen: Gebt zu, daß wir die zahlreichsten sind, und wenn ihr uns nicht helfen wollt, jagen wir euch aus der Republik, nehmen euer Eigentum und verteilen es unter die Sansculotten."

Ohrenbetäubendes Geschrei auf der rechten Seite des Hauses und in der Mitte. „Marat, das Blut des Septembers wird dich ersticken!" rief einer aus den Reihen der übriggebliebenen Girondisten.

Simonne und Etiennette verließen das Gebäude. Sie waren wie betäubt. Am Eingang trafen sie Grenier, der mit gezücktem Säbel Wache stand. „Bürgerinnen, jetzt geht es mit der Republik wie mit einer Eilstafette!" rief er ihnen zu. „Die Bremsklötze sind entfernt. Hier sind sie vorbeigekommen, die Brissot, Pétion, Guadet, Barbaroux und die anderen. Mögen sie erkennen, wie sie dem Volk geschadet haben. Nun werden die Männer vom Berg handeln, eine Zwangssteuer für Besitzende festlegen, das Land der emigrierten Feudalherren parzellieren und an die Bauern verteilen . . ."

„Und Maximalpreise für alle Lebensmittel einführen", schrie Mollet, der mit seiner Abteilung auf den Abmarschbefehl wartete.

„Achtet auf den Bürger Marat", sagte Simonne mit beklommener Stimme, „er ist kränker, als ihr wißt."

„Er wird gesund werden, Bürgerin", antwortete Mollet zuversichtlich, „weil die Nation gesundet."

14

Der Mord

In Caën läuteten alle Glocken. Die Kirchen füllten sich mit Gläubigen.

In dieser Stadt der Normandie, unweit der Meeresküste, sah man mit Abscheu auf das revolutionäre Paris, dem man Atheismus und Anarchie vorwarf. In Caën war man der Kirche nach wie vor eng verbunden. Hier neigte man zum Royalismus und nahm die aus dem Konvent ausgestoßenen und trotz des Hausarrests geflüchteten girondistischen Abgeordneten wie heimkehrende Helden auf. Man trauerte um den hingerichteten König und vergaß geflissentlich, daß er den Krieg erklärt und entfesselt hatte, jenen unseligen Krieg gegen Österreich und Preußen, der eine Hafenstadt wie Caën dem wirtschaftlichen Ruin preisgab. Seit England der gegnerischen Koalition beigetreten war, die britische Flotte im Ärmelkanal lag und die französische Seefahrt blockierte, seitdem fallierten angesehene Handelshäuser, und ihre Wechsel blieben ohne Deckung. Auf der träge zum Meer hinströmenden Orne ankerten Dutzende von Seglern, denen die Ausfahrt verwehrt war, und in den hochgiebligen Lagerhäusern stauten sich die Warenballen.

Seit Jahrhunderten hatten die Handelsherren aus Caën Geschäfte mit Übersee getätigt, und ihr Reichtum war in Bankunternehmen geflossen. Auch die Jahre der Flaute, ja der schweren Finanzkrise hatten keine bemerkenswerte Lücke in die Schar der Schiffseigner, Weinexporteure und Kolonialimporteure gerissen. Nun aber stand die Wirtschaft still, nur selten passierte ein Blokkadebrecher die Sperre der englischen Fregatten.

„Schuld an unserem Unglück ist das Pariser Lumpenvolk", sagte Madame Bretteville zu ihrer Nichte, dem vormals adeligen Fräulein Charlotte Corday d'Armont. Beide waren auf dem Weg zum Gottesdienst, und anschließend wollten sie dem an diesem Sonntag vorgesehenen Aufmarsch der Freiwilligen zusehen. Die Bevölkerung wollte diesen jungen Männern, die nach Paris marschieren und die tausendköpfige Hydra der Anarchie zertreten sollten, Blumen an die Hüte stecken.

„Ich verstehe nicht, daß man sich in Paris alles gefallen läßt", sagte Charlotte und half der Tante die abgewetzten Kirchentreppen hinauf.

„Sie haben vollkommen recht, es ist an der Zeit, daß etwas geschieht", ergänzte ein den Damen bekannter Kaufherr. „Die Nation braucht Frieden, Frieden und nochmals Frieden. Gestern haben wieder zwei ehrbare Handelshäuser Konkurs angemeldet. Der Ruin schleicht durch die Gassen und steckt an wie die Pest. Dazu diese verfluchten Gleichmacher in Paris. Man sollte ihnen die Köpfe abschlagen, dann hätten sie ihre verwünschte Gleichheit."

Die Orgelklänge aus dem Dom übertönten die Antwort Charlotte Cordays; doch die Tante hatte einige Satzfetzen verstanden. Die Nichte verwünschte es, daß sie nicht als Mann geboren war. Sie hätte sonst mitmarschieren können nach diesem verworfenen Paris.

Selbstverständlich las ein Priester die Messe, der den Eid auf die Verfassung verweigert hatte. Er predigte gegen die Gottlosigkeit und nannte die Stadt Paris ein sündenbeladenes Babylon, das untergehen werde, auch wenn dort zehntausend Gerechte neben den Abtrünnigen leben würden. Er sprach vor allem die in der vordersten Reihe sitzenden Konventsabgeordneten an, deren Flucht und Eintreffen in Caën das nicht versiegende Tagesgespräch der Bürger war.

Als die Damen den Dom verließen und in der Schar sonntäglich Gekleideter der Wiese zustrebten, wo die Verabschiedung der Freiwilligen stattfinden sollte, begrüßte sie der Abgeordnete Barbaroux. „Es ist mir ein Vergnügen, meine Damen, Ihnen hier zu begegnen, zugleich ein doppeltes Vergnügen, gemeinsam mit Ihnen das Erhabene zu erleben, das sich sogleich vollziehen wird. Das wird der Tragödie, die zu schildern ich Ihnen noch schuldig bin und deren Akteure wir vor einem Monat gewesen sind, einen würdigen, hoffnungsvollen Abschluß geben."

„Ja, bitte, erzählen Sie uns recht genau, wie es in Paris zugegangen ist", bat Charlotte.

„Eine Abstimmung im Konvent ist nur möglich, wenn der Gassenpöbel sein Einverständnis gibt. Er belagert die Versammlung und zwingt ihr seinen Willen auf. Dabei sind die Jakobiner nicht einmal unter sich einig – die radikalen bedrohen die gemäßigten Elemente. Marat, dieser Wolf der Cordeliers, will die Wohlhabenden so unerhört besteuern, daß sie zu Bettlern werden."

„Und es ist niemand da, der diesem Menschen Einhalt gebietet?" fragte die Corday.

„Marat hat die Gunst der Masse, der Sansculotten, ihn verehrt dieser unbegreifliche Pöbel."

„Stimmt es, daß Marat auch die Abstimmung über den Mord an dem König erzwungen hat? Man sagt, er trage ebenfalls die Schuld an den blutigen Taten des September?" In Charlotte Cordays Fragen war ein wenig Aufsässigkeit.

Über das hübsche, etwas verlebte Gesicht Barbaroux' glitt ein eitles Lächeln. Wie primitiv doch diese Provinzschöne die subtilen Fragen beurteilt, vor denen der Konvent im verflossenen Winter gestanden hatte! Natürlich hatte man mit der Aburteilung und Hinrichtung des Louis Capet gezögert. Er war doch, aus der Sicht girondistischer Minister, ein Austauschobjekt. Man hätte die ganze Königsfamilie an die Preußen oder Österreicher ausliefern und einen günstigen Friedensvertrag für sie einhandeln können. Es stand ja schlecht genug an der Ostfront, auch in den Kolonien war Aufruhr und Aufstand der Sklaven, die Städte litten an Lebensmittelmangel, an Arbeitslosigkeit. Ganze Industriezweige waren ohne Aufträge. – Doch was verstanden diese weltfremden Provinzlerinnen von alledem? Sollte er sie aufklären? Ihnen erzählen, wie Danton zur Armee geeilt, wie aber seine geheime Mission gescheitert war? Wie weder der König von Preußen noch der von England, ja nicht einmal der Bruder Marie Antoinettes, der Kaiser von Österreich, eigene politische Interessen zu opfern gewillt waren? Was lag ihnen am Schicksal des Bourbonenkönigs?

Das Lächeln des jungen Abgeordneten wurde zynisch. Auch die Lüge gehörte zum politischen Handwerk. Es war notwendig, in diesem bigotten Nest eine Atmosphäre des Hasses, des wütendsten mörderischsten Hasses gegen die Montagnards von Paris zu schaffen und die Handlungsweise der Jakobiner als abscheulich und ungeheuerlich darzustellen. Er hütete sich wohl, dieser Corday die Wahrheit zu sagen, daß der Konvent einstimmig den König für schuldig befunden und mit Stimmenmehrheit die bedingungslose Todesstrafe beschlossen hatte.

Charlotte Corday lauschte der angenehm klingenden Stimme des eleganten Pariser Abgeordneten, der sich nach Kräften bemühte, in ihren Augen als vielbeschäftigter und verfolgter Staatsmann zu gelten. Ihn interessierte dieses vertrocknete Fräulein de Bretteville nicht, deren Kleider nach dem Weihrauch aller Kirchen und Kapellen dufteten, er betrachtete nur ihre schöne Nichte, deren Ahnungslosigkeit auf politischem Feld auf ähnliche in anderen Gebieten schließen ließ. Andererseits verfügte Charlotte über eine gewisse literarische Bildung. Die Tante hatte ihm erzählt, dieses ehemals adelige Fräulein habe den großen Dichter Corneille zum Ahnherrn, und schon in der Klosterschule sei sie von seinen Dramen so enthusiasmiert gewesen, daß sie ganze Szenen auswendig deklamieren konnte.

Jetzt sprach Barbaroux von der neuen Verfassung, die durch Volksabstimmung angenommen oder abgelehnt werden solle. Er höhnte: „Jeder hat das Recht auf Arbeit. Aber gibt es denn Arbeit?

Jeder hat das Recht auf Bildung. Aber welche Bildung, meine Damen? Die neue Konstitution schüttet einen Sack von Freiheiten aus. Freiheit der Presse, Freiheit der Meinung, Freiheit der Religion! Hoffentlich begreift die Nation, daß es die Freiheit für Raubtiere ist, Freiheit, das Eigentum zu rauben."

Die Dame Bretteville sah ihn ohne Verständnis an. „Wie denn", sagte sie, „raubt man den Schmuck der Damen? Räumt man die Bürgerhäuser aus?" Sie mühte sich, ihren altmodischen Sonnenschirm zu öffnen, die Julisonne brannte zu sehr.

„Das wird man doch wohl nicht wagen", beruhigte Charlotte die Tante. „Aber Monsieur Barbaroux kann uns sicherlich mitteilen, was diese Räuber wirklich planen. Wenn sie das geheiligte Leben des Königs antasteten, dann ist ihnen auch das Heiligste nicht heilig. Doch was kann man gegen sie tun? Wie kann man sie vernichten?"

„Wir sind zweihundert, die zur Gironde gezählt werden. Jeder von uns ist ein Schützer des Eigentums, und wir wollten, daß es auch der Gesetzgeber respektiert. Aber diese Reptilien wollen aufteilen. Nun, wir haben durchgesetzt, daß die Worte Freiheit, Gleichheit, *Eigentum* auf allen Postamenten stehen. Selbst ein Wüterich wie Danton mußte diese Losung anerkennen. Brissot ist der Ansicht, daß die Revolution beendet ist, daß kein umstürzlerisches Mittel mehr benötigt wird, doch Robespierre rief uns zu: ‚Habt ihr eine Revolution ohne Revolution gewollt?'"

„Wer soll das alles begreifen", jammerte die Bretteville, „es ist doch gottgewollte Fügung, daß es Reichtum und Armut gibt."

Charlotte Corday spähte über den weiten Platz, auf dem Fahnen wehten und Musiker ihre Instrumente auspackten. Aber wo waren denn die dreißigtausend Freiwilligen, deren Abmarsch gefeiert werden sollte? Sie sah Bürger in Sonntagskleidern, Mädchen mit blauweißroten Schärpen, den Bürgermeister mit der Amtskette, sah ganze Schulklassen mit ihren Lehrern, nur die erwarteten Soldaten sah sie nicht. Lediglich ein Häuflein von etwa dreißig jungen Männern hatte sich eingefunden. Verlegen standen sie inmitten der Menge und hörten sich die Rede des girondistischen Abgeordneten Pétion an, der zum Kreuzzug gegen das Triumvirat Marat – Danton – Robespierre aufrief. Dann nahmen sie die Blumen entgegen, die ihnen in Fülle überreicht wurden.

Charlotte Corday stand wie erstarrt. Statt dreißigtausend nur dreißig? Und mit diesem Häuflein sollten die Jakobiner in Paris gebändigt werden? Sie hörte wie durch Watte die phrasenhaften Sätze des Redners: „Drei Revolutionen waren notwendig, sagte Bürger Brissot, um Frankreich zu retten: Die erste hat den Absolutismus beseitigt, die zweite das Königtum vernichtet, die dritte

378

muß die Anarchie niederschlagen. Drei Köpfe hat die Lernäische Schlange in Paris. Schlagen wir sie ab, und die Ordnung wird siegen. Besiegen wir die Jakobiner und Cordeliers, stürzen wir sie vom Tarpejischen Fels hinab."

Marat! Im Gedächtnis der enttäuschten Charlotte war dieser Name haftengeblieben. Er war ein Vernichter Frankreichs, er zerstörte die uralten Bindungen und Traditionen, er verlängerte den Krieg, er trug die Schuld, daß Frankreich nicht zur Ruhe kam.

„Ein Untier ist dieser Marat", sagte sie zu ihrer Tante, „er muß Nero und Caligula zugleich sein. Bestimmt ist er auch ein Wüstling wie Herodes. Er kann ungehemmt in den Konvent gehen, kein Brutus findet sich, der ihn auf den Stufen des Kapitols niedersticht? Diese Männer in Paris sind doch armselige Memmen!"

Scheu blickte das alte Fräulein ihre Nichte an. Sie gingen zur Stadt zurück. –

„Ich möchte nach Paris fahren, Monsieur Barbaroux", die Stimme der Corday klang entschlossen, „ich nehme an, daß Sie Ihren Freunden Nachrichten zu übermitteln haben. Ich würde das gern übernehmen. Könnten Sie mir Empfehlungen mitgeben?"

Fräulein Bretteville zuckte erschrocken zusammen, doch sie schwieg, eingeschüchtert vom Wesen ihrer Nichte, an dem sie oft genug gerätselt hatte.

Der Abgeordnete Barbaroux betrachtete dieses seltsame Menschenkind, dessen Gefühlsleben ihm unbegreiflich war.

„Ich werde Ihnen einen Brief an Bürger Duperret mitgeben. Er ist noch Konventsabgeordneter. Teilen Sie ihm vertraulich mit, was Sie soeben gesehen haben. Sagen Sie ihm, daß der geplante ‚Bund der Vereinigten Departements' nur aus unsern paar Landsleuten besteht. Und", hier dämpfte er die Stimme, „er soll schleunigst abreisen, nach Caën oder Bordeaux, nur fort aus der mörderischen Stadt." –

Noch lange, nachdem Barbaroux sich in der Toreinfahrt eines alten Hauses von den beiden Damen verabschiedet hatte, grübelte er. Plante diese Corday etwas? Ach was! Ein überspanntes Frauenzimmer, wie es viele gibt.

Paris kam in Sicht. Kirchtürme stachen wie Dolche in den fahlen Horizont.

Über den verschachtelten Gassen hing eine messinggelbe Wolke. Alte Männer saßen geruhsam im Abendwind, Kinder spielten noch auf den Straßen, Kaffeehäuser und Läden waren geöffnet, Hausfrauen kramten in den Auslagen, Stutzer promenierten auf und ab.

Marie Charlotte Corday d'Armont, soeben aus Caën eingetroffen, staunte. Das sollte jene mordlustige Bevölkerung sein, von der die heimatlichen Gazetten so Ungeheuerliches berichteten?

Der Hausdiener im Hôtel de la Providence lächelte geringschätzig, als er das bescheidene Gepäck ins Zimmer trug. Vermutlich eine arme Provinzlerin, die der Lebenshunger nach Paris treibt. Wird bald genug ihre Unschuld – sieht so aus, als ob sie die noch hat – am Palais Royal verplempern. Überrascht betrachtete er dann das noble Trinkgeld, das das Fräulein ihm zusteckte.

„Ich bin müde", sie hatte ein metallisches Organ, „sorgen Sie, daß mich niemand weckt."

„Ein langer Schlaf ist besser als ein langer Tag. Gute Nacht, Bürgerin, schlafen Sie wohl."

Ein langer Schlaf – beziehungsvoll. Hôtel de la Providence – auch beziehungsvoll.

Die Vorsehung waltet, hat mich, Charlotte, zur Judith bestimmt, den Holofernes meiner Tage – genannt Marat – zu töten. Zu töten... Man muß Frankreich von diesem Ungeheuer befreien... Früher wurde dem Drachen eine Jungfrau geopfert, jetzt wird eine Jungfrau den Drachen töten... töten... töten...

Tante Bretteville wollte mich verheiraten. Sollte ich neben einem Durchschnittsmann dahinvegetieren im Schatten der Dome und Kapellen Caëns?

Niemals! Spätere Generationen werden mich als Heldin preisen... Die Guillotine... Man soll sie gar nicht spüren, die Guillotine...

Warum mußte Mutter so früh sterben? Ich weiß nichts von ihr – kaum mehr vom Vater. Nur Bücher sind seine Welt, uns Kinder hat er einfach vergessen. Aber ich hatte ja meinen Plutarch, meinen Voltaire, meinen... Wer wird die Werke an sich nehmen, wenn ich nicht mehr bin? Wer wird meine Zeichenmappe benutzen? Ob man den Vater verfolgen wird? Aber wer überhaupt ist seines Lebens sicher, solange dieser Marat lebt? Er ist der Schlimmste...

Charlotte Corday erwachte erst, als die Sonne auf ihre Hand brannte. Sie war sofort wieder bei ihrer Mission. Gut, daß sie den Brief des Abgeordneten Barbaroux besaß, zu überbringen dem Abgeordneten Duperret in Angelegenheiten einer emigrierten Freundin. So konnte sie sich einführen. Sie machte sich ausgehfertig.

Doch der girondistische Abgeordnete war schon im Konvent. Sie möge zu späterer Stunde wieder vorsprechen...

Im Hotel speiste man zu Mittag. Der Speisesaal war nicht voll besetzt. Charlotte fand Platz in einer Nische. Vom Nachbartisch tönten bekannte Stimmen. Ach – Mitreisende aus der Postkutsche. Die Corday kroch ganz in sich zusammen, sie wollte keinesfalls erkannt werden, aber dem Gespräch lauschte sie eifrig.

„Ich finde, wir haben auf unsrer Fahrt recht zufriedene Bauerngesichter gesehen. Ist ja auch begreiflich! Endlich das Agrargesetz. Auch die armen Landwirte können jetzt Bodenparzellen erwerben. Ich lobe mir die Bürger Robespierre und Marat, die alle Feudalrechte beseitigt haben."

Eine fette Stimme fiel ein: „Ich bin aus Bordeaux, ich sehe das anders. Wir verarmen immer mehr. Der Überseehandel ist gestört. Die Sklaven in den Kolonien meutern, die Arbeiter verlangen so hohe Löhne, daß die Produktion nicht mehr rentiert. Und wer ist schuld? Die Radikalen hier."

Der erste Sprecher entgegnete: „Jammern Sie nicht so, Bürger. Die Montagnards haben für Frankreich in vier Wochen mehr geleistet als die jetzt hinausgeworfenen Girondisten in zwei Jahren."

Eine dritte Stimme sagte: „Ich setze auch auf Marat und Robespierre. Danton ist mir zu sehr Versöhnler, er möchte die Girondisten zurückholen. Man muß aber konsequent sein. Und bedenken Sie, unsere Armeen werden den Feind nur schlagen, wenn die Soldaten zufrieden sind, und die meisten sind Bauernsöhne."

Charlotte Corday aß mit schlechtem Appetit. Immer wenn der Name Marat fiel, glaubte sie davonstürzen zu müssen! Ihr Entschluß! Ihre Tat! Sie bezwang sich nur mit gewaltiger Energie.

Nebenan wurden Stühle gerückt; die kleine Tischgesellschaft brach auf. Für Charlotte Corday wurde es Zeit, noch einmal bei Duperret vorzusprechen. Sie ging in ihr Zimmer hinauf, um sich umzukleiden. Sie nahm ihren Plutarch hervor: „Eine große Tat fordert eine große Seele . . ." Im Nebenzimmer sang ein Mann. Sie kannte das Lied. Von Liebe war die Rede . . .

Liebe? Schon in der Klosterschule hatte sie keine Freundin gehabt, die meisten Mädchen aus begüterten Adelskreisen hatten arrogant auf die Minderbemittelte herabgeblickt. Auch zu den beiden Brüdern hatte sie kein inniges Verhältnis gehabt. Jetzt dienten sie im Heer der Emigranten. Ob sie einmal an die ferne Schwester denken, die bald keine Wolken mehr ziehen sehen, kein Lied mehr hören, niemals die Liebe eines Mannes erleben wird? „Eine große Tat fordert eine große Seele . . ."

Duperret saß mit seiner Familie zu Tisch, als der Diener ihm Charlotte Corday meldete.

Sie machte dunkle Andeutungen: „Glauben Sie mir, Monsieur, reisen Sie nach Caën. Fliehen Sie vor dem morgigen Abend."

„Was wollen Sie? Ich bin Konventsmitglied. Unantastbar nach dem Buchstaben des Gesetzes."

„Hat man danach gefragt, als man Ihre Freunde ausstieß? Sie

sind verdächtig – jeder ist verdächtig, der ein Ende der Tyrannei will."

„Ich kenne Sie nicht, Bürgerin, lediglich Ihr überbrachtes Schreiben legitimiert Sie. – Eine Frage noch: Sie waren am vorigen Sonntag, am 7. Juli, noch in Caën? Haben Sie die Freiwilligen gesehen, die gegen Paris marschieren wollen? Man sprach von dreißigtausend . . ."

„Oh, Monsieur Duperret, erinnern Sie nicht daran. Es war schmachvoll – dreißig waren gekommen – dreißig – ich war so entmutigt – aber . . ."

„Allerdings, diese paar Männlein hätte man hier mit dem Hundefänger gehascht."

„Aber die Entmutigung ist von mir gefallen, Bürger. Es wird Frieden werden."

Der Konventsabgeordnete Duperret sah der Besucherin kopfschüttelnd nach.

Noch eine Nacht verging.

Charlotte Corday lag wach und lauschte auf den Lärm der Straße.

Ob der Tod sofort eintritt? Man erzählt sich, daß der abgetrennte Kopf noch lebt. Ob der Schmerz sofort aufhört, wenn das Leben verhaucht?

Ich wollte Marat auf dem Marsfeld niederstechen. Vor allem Volk und im Angesicht des Himmels. Am 14. Juli ist das Königtum gefallen, an diesem Jahrestag sollte der Tyrann fallen. Doch nun ist das Fest verschoben worden. Die Lage sei zu ernst. Also dann im Konvent. Wie einst Cäsar auf den Stufen des Kapitols . . . Doch Marat ist krank, wie man sagt. –

Der Messerhändler, ein ungemein fröhlicher Mensch mit kugelrundem dickem Kopf und einer Warze an der Nasenwurzel, hatte seinen Stand unter den Kolonnaden des Palais Royal.

„Ein Messer, schöne Bürgerin! Beachten Sie meine Auswahl! Soll es ein Geschenk für den Liebsten sein? Für den Feldzug? Hier, ein deutsches Klappmesser. Schneidet Hühneraugen und Räucherspeck. Aber man soll kein Messer schenken, wenn man verliebt ist. Schneidet die Zuneigung entzwei. Ach so, ein Messer für die Wirtschaft? Die Bürgerin ist Hausfrau. Hier eins für vierzig Sou. Das sind acht Pfund Brot nach dem Maximalpreis. Beachten Sie, frisch geschliffen! Die Klinge ist biegsam. Stahl aus Toledo. Mit diesem Messer könnte man als Matador dem Stier auf den Leib rücken. Man muß nur genau treffen. Hier am Schulterblatt und dann wie in Butter hinein bis ins Herz. Nicht von der Seite, da sind die Rippen. Beachten Sie diesen Griff! Ebenholz! Und liegt in der Hand wie . . ." Er wollte den obszönen Witz machen, mit dem er täglich bei Hausfrauen und Küchenmägden Erfolg hatte, da sah er in das stille abweisende Gesicht und beendete den Satz nicht.

Charlotte Corday ging durch die Gartenanlagen, lächelte einem Kinde zu, das seinem Ball nachlief, zog einem anderen den Brummkreisel auf, sah den Schwalben nach, die pfeilschnell durch die Säulengänge schossen.

Unnatürlich steif war ihr Gang. Sie hatte das in Ölpapier verpackte Messer in ihr Mieder gesteckt und spürte bei jeder Bewegung die zehnzöllige Klinge, die sich ins Fleisch preßte.

Sie ging durch den Sonnenglast des Nachmittags und war bereits der Erde entrückt. Verse klangen in ihr, begleiteten sie, verwehten wie die Schwalbenschreie über den Platanen. Sie war doch die Nichte des großen Corneille und kannte seinen „Cinna" Wort für Wort. Im Rhythmus ihrer Schritte zitierte sie:

> *„Er opfert morgen auf dem Kapitol. Er selber*
> *soll Opfer sein: so rächen wir an diesem Ort*
> *im Angesicht der Götter eine Welt an ihm."*

Es war ein milder Abend mit den tausendfältigen Geräuschen der geschwätzigen Stadt. Um sieben Uhr hatte die Bürgerin Corday das Hotel verlassen, war mit einem Verkehrswagen zur Place des Victoires gefahren; von dort weiter über den Pont-neuf und stand nun aufatmend vor dem düsteren Haus Rue des Cordeliers 20. Alte Möbel im Erdgeschoß, eine schmale Treppe, die nach oben führte. Madame Massillon trat der Besucherin in den Weg. „Bürger Marat ist krank, sein Magen verträgt nur noch flüssige Speisen. Er ist im Bad, Bürgerin, Sie können nicht zu ihm! So hören Sie doch!"

„Lassen Sie mich, Bürgerin, ich komme aus Caën, werde von Royalisten verfolgt, bin eine Unglückliche." Charlotte Corday schob sich an der Hausbesorgerin vorbei und lief die Treppe hinauf.

Neuer Widerstand. Diesmal war es die unerbittliche Simonne. Sie stand auf der obersten Treppenstufe und musterte ärgerlich den Eindringling.

„Bürger Marat ist nicht zu sprechen, für Damen überhaupt nicht."

„Ich muß ihn sprechen! Es geht um das Schicksal der Normandie."

„Es geht um das Schicksal eines kranken Mannes. Meines Mannes!"

„Er wird es nie verzeihen, daß Sie sich wie ein Cerberus benehmen! Ich habe Papiere, Dokumente, Bürger Marat weiß um deren Wichtigkeit. Ich melde ihm eine Verschwörung."

Marat lauschte der metallisch klingenden Stimme. Er schob das Manuskript auf dem über der Wanne liegenden Schreibpult beiseite. Eine Besucherin? Er brauchte eigentlich Ruhe. Was rief die Frau? Sie komme aus Caën? Soll sie doch passieren! In Caën sitzt der Verrat! . . .

Charlotte Corday trat ein. Ihr Kleid war so ehrbar provinziell, daß Marat über Simonnes Verdacht nachträglich lächeln mußte. Simonne hörte durch die Tür die Stimme Marats: „Das sind also die geflüchteten Konspirateure? Es ist gut, daß du gekommen bist, Bürgerin. Zeig mir die Liste."

Sie antwortete vornübergebeugt: „Barbaroux und Buzot, Pétion und Louvet, Vergniaud . . ."

„Es genügt, Bürgerin. In acht Tagen sind sie auf der Guillotine."

Sie hat das Messer hervorgezogen, stößt von oben zu. Die Klinge dringt ein. Sie hilft mit ihrem Körpergewicht nach. Wie hatte der Messerhändler gesagt? Bis zum Herzen stoßen, bis zum Sitz des Lebens.

Marat schreit: „Rasch herbei!" Er blickt in das Gesicht der Corday, das sich in Haß und Grausen verzerrt, sieht die Augen seiner Mörderin. Eisgraue Augen.

Nochmals ein Hilferuf, dann bricht der Blutstrom aus Marats Mund, aus seinem Hals.

Jean Paul Marat ist nicht mehr unter den Lebenden.

Die Mörderin rührt sich nicht. Erst bei dem Verzweiflungsschrei der Simonne blickt sie auf. Erstaunen und tiefste Ahnungslosigkeit liegen in ihrer Frage: „Wie denn? Er wurde geliebt?"

Ja, Jean Paul Marat wurde geliebt. Die Kunde von seinem Tod ließ alle Gespräche verstummen, versteinte die Gesichter der Männer und Frauen. Die Kinder spielten an diesem Sommerabend nicht mehr, und die Liebespaare im Parc du Luxembourg lösten sich aus der Umarmung. Entsetzen sprach aus den Augen der Mädchen.

Marat war ermordet worden. Die Sansculotten hatten ihren besten Freund verloren. Er hatte seine Tage in Armut verbracht und nichts hinterlassen als eine Assignate im Wert von fünfundzwanzig Franc.

Die Mörderin mußte in geschlossener Kutsche zum Gefängnis gebracht werden, sonst hätten die Anwohner der Rue des Cordeliers sie erwürgt. —

Hinter dem Sarg, der die sterbliche Hülle Marats barg, gingen alle Mitglieder des Konvents, viele Nationalgardisten und die ungezählte Schar der Sansculotten. Es war bereits Mitternacht, als der gewaltige Zug unter dem dumpfen Klang der Trommeln bei der Begräbnisstätte anlangte. Hier, unweit seiner Arbeitsstätte, unter den alten Bäumen des Klosters der Cordeliers, sollte der Dahingeschiedene ruhen. Fackeln erhellten die sommerliche Nacht, und zwischen den Zweigen schwamm das milde Licht des vollen Mondes.

Thuriot, der Vorsitzende des Konvents, sprach schlichte Worte des Gedenkens und der Würdigung. Tiefes Schweigen war, als die Schollen auf den Sarg polterten. Schweigen und Weinen der Frauen.

Als die Sansculotten zurückmarschierten, sangen sie die Marseillaise, und das Lied klang trotziger denn je zuvor.

Worterklärungen

Adsorbens	Arzneimittel, das an seiner Oberfläche giftige Stoffe festhält
Akkreditiv	Beglaubigungsschreiben eines Diplomaten
Aktrice	Schauspielerin
antichambrieren	im Vorzimmer warten
Argandlampen	Rundbrenner für Gas (nach dem französischen Erfinder)
Berline	viersitziger Reisewagen
Büchse der Pandora	Gefäß, enthaltend Übel und Krankheiten, das Pandora, eine Gestalt der griechischen Sage, auf die Erde brachte
ça ira	es wird gehen
Cerberus	grimmiger Wächter (nach dem den Eingang zur Unterwelt bewachenden Hund der griechischen Sage)
Crayon	Bleistift
Digitalis purpurea	Fingerhut (Heilpflanze)
Diligence	Eilpostwagen
Divergenzen	Meinungsverschiedenheiten
echappieren	entweichen, fliehen
eliminieren	ausschalten, ausscheiden
Emeute	Aufruhr
Episkopat	Gesamtheit der Bischöfe
Faible	Neigung, Vorliebe
fallieren	zahlungsunfähig werden
Ferme	Landgut
Fichu	dreieckiges Brusttuch
Friedhof der Innocents	Friedhof der Unschuldigen
Grisètte	leichtfertiges Mädchen
Groom	Stallknecht, Diener
Häresie	Abweichung vom kirchlichen Dogma
Hochzeitscarmen	Festlied zur Hochzeit
Hôtel de ville	Rathaus

indigniert	ungehalten, entrüstet
inhibieren	verhindern, verbieten
Jeunesse dorée	„goldene Jugend", junge Nichtstuer aus der Bourgeoisie
Kabbala	mystische Strömung im Judentum
Konduite	Lebensart, Führung
Kongestion	Blutandrang zum Kopf
Kongregation	katholische Vereinigung
konsterniert	verblüfft, bestürzt
Konstituante	verfassunggebende Versammlung
krängen	sich nach der Seite neigen (seemännisch)
Lettre de cachet	geheimer Verhaftsbefehl
Lupus in fabula	„Der Wolf in der Fabel", der, von dem gesprochen wird
mille tonnerres	tausend Donnerwetter
Nessusgewand	durch das Blut des Zentauren Nessus vergiftetes Gewand
Notabeln	vornehme Herren, hohe Beamte usw.
Ondit	„man sagt", ein Gerücht
Pandekten	Sammlung von Sprüchen aus dem römischen Recht
Peripetie	entscheidende Wendung im Drama
Pinte	Kanne (Hohlmaß)
Pistazie	mandelähnliches Gewürz
Portepee	Troddel am Degengriff
Poularde	kastriertes Masthuhn
Purgation	Reinigung
Purgativ	Abführmittel
Redingote	Überrock mit zwei Kragen
Regalien	Hoheitsrechte
Remedur	Abhilfe, Verbesserung
Rendite	Verzinsung
Ridikül	Handtäschchen
Sakrilegium	Religionsfrevel, Entweihung
Säkularisation	Überführung kirchlichen Besitzes in weltlichen Besitz
Sansculotten	„ohne Kniehosen"; Bezeichnung für die im Gegensatz zu den Aristokraten lange Hosen tragenden Proletarier
Séance	spiritistische Sitzung
Silen	Begleiter des griechischen Weingottes Dionysos
Sorbet	eisgekühltes Getränk aus Fruchtsaft

Spagat	tänzerische Beinspreizübung
Sporteln	Gebühren für Amtshandlungen
subversiv	zerstörend, umstürzend
Trente et quarante	„dreißig und vierzig", Glücksspiel
Tusculum	ruhiger Landsitz (nach Ciceros Landhaus in Tusculum)
Zeloten	Glaubenseiferer
Zider	Obstwein

Verzeichnis
der historischen Personen

Adams, John	führender Vertreter der amerikanischen Unabhängigkeitsbewegung, geb. 1735, gest. 1826; Präsident der USA von 1797 bis 1801, 1778 Bevollmächtigter des Kongresses in Paris
Addison, Joseph	englischer Schriftsteller, geb. 1672, gest. 1719; half bei der Entwicklung des bürgerlichen Bewußtseins
d'Alembert, Jean Lerond	französischer Mathematiker, Naturwissenschaftler, Philosoph, geb. 1717, gest. 1783; Mitherausgeber der „Encyclopédie", bürgerlicher Aufklärer
Arkwright, Richard	englischer Mechaniker, ursprünglich Barbier, geb. 1732, gest. 1799; erfand 1769 eine Spinnmaschine
Bailly, Jean Sylvain	französischer Astronom, Politiker, geb. 1736, 1793 hingerichtet; 1789 Präsident der Konstituante, erster Bürgermeister von Paris, Feuillant
Barbaroux, Charles Jean	französischer Advokat, geb. 1767, 1793 hingerichtet; Mitglied des Konvents, Girondist
Barnave, Pierre Joseph Marie	Advokat, Politiker, geb. 1761, 1793 hingerichtet; Mitglied der Konstituante, Führer der Feuillants
Beauharnais, Alexandre, Vicomte de,	französischer Grundbesitzer auf Martinique, später General, Befehlshaber der Rheinarmee, geb. 1760, 1794 hingerichtet
Beauharnaise, Joséphine de	geb. 1763, gest. 1814; Witwe des Generals Beauharnais, später Gattin Napoleon Bonapartes; 1804 Kaiserin der Franzosen

Bodmer, Johann Jakob	schweizerischer Schriftsteller, Kritiker und Ästhetiker, geb. 1698, gest. 1783; beeinflußt von der englischen Literatur, vertrat er bürgerliches Selbstbewußtsein
Brissot, Jacques Pierre	führender Politiker der Französischen Revolution, geb. 1754, 1793 hingerichtet; geistiges Haupt der Girondisten, Herausgeber der Zeitung „Le patriote français", Mitglied des Konvents und des Jakobinerklubs; durch Volksaufstand aus dem Konvent entfernt
Bürger, Gottfried August	deutscher Schriftsteller, geb. 1747, gest. 1794; Professor für Literaturwissenschaft in Göttingen; Vertreter der literarischen Richtung „Sturm und Drang"; Balladendichtung „Lenore" (1772)
Cagliostro, Alexander, Graf von	eigentlich Giuseppe Balsamo, italienischer Abenteurer und Hochstapler, geb. 1743, gest. 1795; galt als Goldmacher und Geisterbeschwörer
Calvin, Johann	schweizerischer Reformator der Kirche, geb. 1509, gest. 1564; Verfechter der Lehre von der Prädestination (Vorherbestimmung)
Chardin, Jean Baptiste Siméon	französischer Maler, geb. 1699, gest. 1779; Vertreter der bürgerlichen Richtung innerhalb des Rokoko
Chippendale, Thomas	englischer Kunsttischler geb. 1718, gest. 1779
Condorcet, Antoine, Marquis de	französischer Philosoph und Mathematiker, geb. 1743; Mitarbeiter an der „Encyclopédie"; Theoretiker der Girondisten in der Revolution (Selbstmord 1794)
Corday d' Armont, Charlotte	französische Adelige, geb. 1768, 1793 hingerichtet; ermordete Jean Paul Marat am 13. 7. 1793
Corneille, Pierre	französischer Dramatiker, geb. 1606, gest. 1684; sein Ruhm begann mit der Tragödie „Der Cid"
Couthon, Georges	französischer Advokat, geb. 1756, 1794 hingerichtet; Mitglied der Legislative, des Konvents, des Wohlfahrtsausschusses; Anhänger Robespierres

Crébillon, *Claude Prosper*	französischer Schriftsteller, geb. 1707, gest. 1777; Autor frivoler Erzählungen
Cromwell, Oliver	englischer Staatsmann, geb. 1599, gest. 1658; Führer der bürgerlichen Revolution 1648; unter seiner Regierung Festigung des bürgerlichen Englands im Innern, als Kolonial- und Seemacht nach außen
Damiens, Robert *François*	Franzose, geb. 1715, 1757 hingerichtet; verwundete durch einen Messerstich Ludwig XV.
Danton, Georges *Jacques*	französischer Advokat und hervorragender Revolutionär, geb. 1759, 1794 hingerichtet; 1792 Justizminister; Mitglied des Konvents und des Wohlfahrtsausschusses; Ende 1793 Führer der Gemäßigten
David, Jacques *Louis*	französischer Maler, geb. 1748; gest. 1825; Begründer des Klassizismus, berühmte Bilder: „Schwur im Ballhaus", „Tod des Marat"
Defoe, Daniel	englischer Journalist und Schriftsteller, geb. 1660, gest. 1731; Vertreter des aufstrebenden Bürgertums, Verfasser von „Robinson Crusoe"
Desmoulins, *Camille*	französischer Advokat und Journalist, geb. 1760, 1794 hingerichtet; Schulfreund Robespierres; Volksredner, Mitglied der Cordeliers; stand auf seiten der gemäßigten Dantonisten
Diderot, Denis	französischer materialistischer Philosoph und Schriftsteller, geb. 1713, gest. 1784; führender französischer Aufklärer, Begründer und Herausgeber der „Encyclopédie"
Dubarry, Marie *Jeanne,* *Gräfin*	geb. 1743, 1793 hingerichtet; Mätresse Ludwigs XV.
Dumouriez, *Charles* *François*	französischer General und Politiker, geb. 1739, gest. 1823; 1792 Außen- und Kriegsminister
Duport, Adrien	französischer Politiker, geb. 1759, gest. 1798; Mitglied der Konstituante, Führer der Feuillants

Evrard, Simonne	geb. 1764, gest. 1824; „La veuve Marat", die Witwe Marats; sie war Arbeiterin in einer Uhrfederfabrik und Marats Gefährtin
Evrard, Etiennette	geb. 1766, gest. 1841; Schwester Simonnes, Lehrerin
Fouché, Joseph	französischer Staatsmann, geb. 1759, gest. 1820; Mitglied des Konvents, Kommissar in Lyon, Gegner Robespierres, dessen Sturz er vorbereitete; Polizeiminister unter dem Direktorium sowie unter Napoleon, ging 1814 zu den Bourbonen über
Fouquier-Tinville, Antoine Quentin	französischer Staatsmann, geb. 1746, 1795 hingerichtet; seit 1793 öffentlicher Ankläger am Revolutionstribunal in Paris
Fragonard, Jean Honoré	französischer Maler des Rokoko, Radierer, geb. 1732, gest. 1806; schuf galante Szenen
Frank, Johann Peter	deutscher Arzt, Internist, geb. 1745, gest. 1821; Professor in Göttingen, Pavia, Wilna, Petersburg, Wien; Begründer der Sozialhygiene
Franklin, Benjamin	nordamerikanischer Staatsmann, Schriftsteller, Naturwissenschaftler, geb. 1706, gest. 1790; Mitverfasser der Unabhängigkeitserklärung, Erfinder des Blitzableiters, Führer der Aufklärung in Nordamerika
Fréron, Louis	französischer Journalist, Revolutionär, geb. 1765, gest. 1802; Mitglied des Konvents, Dantonist, später Anführer der „Jeunesse dorée"; Feind Robespierres
Galilei, Galileo	italienischer Naturforscher, geb. 1564, gest. 1642; Professor für Mathematik, studierte die Fallgesetze, Verteidiger der kopernikanischen Lehre; durch Inquisition gezwungen, mußte er abschwören, blieb in Gefangenschaft der Kirche
Garrick, David	englischer Schauspieler, Bühnendichter und Theaterdirektor, geb. 1717, gest. 1779; berühmt als Darsteller Shakespearescher Rollen

Georg III.	König von England, geb. 1738, gest. 1820; seit 1760 König, zugleich Kurfürst, seit 1814 König von Hannover, ab 1811 wegen Geisteskrankheit unter Regentschaft; Krieg in Amerika um die Unabhängigkeit der Kolonien
Guillotin, Joseph Ignace	französischer Arzt und Abgeordneter, geb. 1738, gest. 1814; trat für die Einführung des Fallbeils (Guillotine) während der Revolution ein
Hanriot, François	französischer Revolutionär, geb. 1761, 1794 hingerichtet; Generalkommandant der Pariser Nationalgarde
Hargreaves, James	englischer Weber, gest. 1778, konstruierte 1767 die erste Spinnmaschine, die er nach seiner Tochter Jenny benannte
Hébert, Jacques René	französischer Journalist, genannt „Le Père Duchesne", geb. 1757, 1794 hingerichtet; Führer der linken Jakobiner, führendes Mitglied der Pariser Kommune
Hippokrates von Kos	bedeutender Arzt des Altertums, geb. 460, gest. 377 v. u. Z.; Vater der Medizin; Verfechter der medizinischen Ethik (Hippokratischer Eid)
Hogarth, William	englischer Maler und Kupferstecher, geb. 1697, gest. 1764; schuf Werke mit sozialkritischer Tendenz
Hortalez & Co.	Deckname für das Handelshaus des Dichters Beaumarchais, der auf diese Weise Waffen für Amerika lieferte
Jefferson, Thomas	nordamerikanischer Staatsmann, geb. 1743, gest. 1826; Führer im Unabhängigkeitskrieg der USA; Plantagenbesitzer, Verfasser der Unabhängigkeitserklärung, 1801–1809 Präsident der USA, Gründer der Demokratischen Partei
Karl I.	König von England, geb. 1600, 1649 hingerichtet in der ersten bürgerlichen Revolution unter Cromwell
Prinz Karl, Graf von Artois	Bruder Ludwigs XVI., geb. 1757, gest. 1836; als Graf von Artois Haupt der konterrevolutionären Emigration, nach 1815 Führer der Ultraroyalisten; 1824 bis 1830

König, wurde durch die Julirevolution gestürzt

Laclos, François Choderlos de
französischer Schriftsteller, geb. 1741, gest. 1803; Privatsekretär des Herzogs von Orléans; 1792 General der Revolution; Roman: „Gefährliche Verbindungen"

Lafayette, Marquis de
französischer General und Politiker, geb. 1757, gest. 1834; nahm am nordamerikanischen Unabhängigkeitskrieg teil; L. wurde 1789 in die Generalstände gewählt, ging zum dritten Stand über, Befehlshaber der Nationalgarde, konstitutioneller Monarchist, später Konterrevolutionär, Mitglied der Feuillants, lief 1792 zu den Österreichern über

Lamarck, Jean Baptiste de
französischer Naturforscher, geb. 1744, gest. 1829; entwickelte Methode zur Pflanzenbestimmung

Lameth, Charles, Graf von
französischer Offizier und Politiker, geb. 1757, gest. 1832; Führer der Feuillants

Lamettrie, Julien
französischer Philosoph und Arzt, geb. 1709, gest. 1751; Vertreter des mechanischen Materialismus

Lavoisier, Antoine Laurent
französischer Chemiker, geb. 1743, 1794 hingerichtet; Begründer der modernen Chemie, erkannte Verbrennung als Verbindung des Sauerstoffs mit brennbarem Stoff; war Leiter der Salpeter- und Pulverfabriken; Generalsteuerpächter unter Ludwig XVI.

Le Chapelier, Isaac
französischer Jurist, geb. 1754, 1794 hingerichtet; Abgeordneter von Rennes in der Konstituante; Verfasser des Gesetzes, das den Arbeitern das Streik- und Versammlungsrecht nahm

Leonardo da Vinci
italienischer Maler, Bildhauer, Baumeister, Mathematiker, Schriftsteller und Forscher, geb. 1452, gest. 1519; universeller Künstler und Wissenschaftler der Renaissance

Lepelletier des Saint-Fargeau, Louis Michel	französischer Pädagoge, geb. 1760, gest. 1793; Jakobiner, Kulturpolitiker, Mitglied des Konvents, von einem Royalisten ermordet
Lesage, Alain René	französischer Romanschriftsteller, geb. 1668, gest. 1747; Romane: „Der hinkende Teufel", „Gil Blas" und andere
Locke, John	englischer Philosoph, geb. 1632, gest. 1704; Begründer der kritischen Erkenntnistheorie, trat für eine konstitutionelle Monarchie ein, beeinflußte Rousseau
Loyola, Ignatius von	spanischer Adeliger, geb. 1491, gest. 1556; gründete 1540 den Jesuitenorden, dessen erster General er wurde
Ludwig XIV.	König von Frankreich (Sonnenkönig), geb. 1638, gest. 1715; Vertreter des Absolutismus; durch Eroberungspolitik und Prunksucht ruinierte er Frankreich wirtschaftlich
Ludwig XVI., später Louis Capet genannt	König von Frankreich, geb. 1754, 1793 hingerichtet; unter seiner Regierung Krise des Feudalismus und Revolution
Maintenon, Marquis de	bigotte Mätresse Ludwigs XIV., geb. 1635, gest. 1719
Mansart, Jules	französischer Architekt, geb. 1646, gest. 1708; schuf Bauten des Barock; Versailles, Grand-Trianon, Invalidendom
Marat, Jean Paul	französischer Revolutionär, Volksführer, Publizist, geb. 24. 5. 1744 Boudry b. Neuenburg (Schweiz), ermordet 13. 7. 1793 Paris; Arzt, Physiker, Soziologe; 1774 Veröffentlichung „Die Ketten der Sklaverei"; 1776 Leibarzt des Grafen von Artois in Versailles; 1789 Führer der revolutionären Bewegung; Herausgeber des „Ami du peuple"; Mitbegründer der Cordeliers; Führer der Jakobiner, 1792 Mitglied des Konvents, Feind der Girondisten, organisierte deren Ausschluß aus dem Konvent; trat für konsequente Jakobinerdiktatur ein

Maréchal, Sylvain	französischer Schriftsteller, geb. 1750, gest. 1803; Publizist, Redakteur der „Revolutions de Paris", später Mitarbeiter Babeufs
Marie Antoinette	Königin von Frankreich, Gattin Ludwigs XVI., geb. 1755, 1793 hingerichtet; Tochter Franz I. und Maria Theresias von Österreich
Marivaux, Pierre Chamblain de	französischer Schriftsteller, Komödiendichter, geb. 1688, gest. 1763
Maurepas, Jean Frédéric Graf von	französischer Staatsmann, geb. 1701, gest. 1781; Minister unter Ludwig XV.; unter Ludwig XVI. Ministerpräsident
Mesmer, Franz	Theologe und Mediziner, geb. 1734, gest. 1815; Arzt in Wien, Paris und Meersburg; seine Theorie vom Heilmagnetismus war irreführend
Milton, John	englischer Dichter, geb. 1608, gest. 1674; Puritaner; Anhänger der bürgerlichen Revolution unter Cromwell; Epos „Das verlorene Paradies"
Mirabeau, Honoré Gabriel Victor Riquetti, Graf von	Politiker, geb. 1749, gest. 1791; Mitglied der Konstituante, Führer des liberalen Adels und der Großbourgeoisie, trat später heimlich in den Dienst des Hofes
Montesquieu, Charles de	französischer Schriftsteller, geb. 1689, gest. 1755; Gegner des Absolutismus, Theoretiker der konstitutionellen Monarchie, der Gewaltenteilung; Hauptwerke „Vom Geist der Gesetze" (1748), „Persische Briefe"
Montgolfier, Gebrüder	französische Erfinder, entwickelten ersten Heißluftballon, Aufstieg 5. 6. 1783
Necker, Jacques	aus der Schweiz gebürtiger Politiker, geb. 1732, gest. 1804; Bankier, französischer Finanzminister 1777–81 und 1788–90; versuchte durch Reformen den Zusammenbruch der Monarchie aufzuhalten
Newton, Isaac	englischer Wissenschaftler, geb. 1643, gest. 1727; berühmt durch Entdeckungen auf dem Gebiet der Astronomie, der Mathematik, der Optik

Paracelsus	(eigentlich Theophrastus Bombastus von Hohenheim), Arzt, Naturforscher und Philosoph; geb. 1493, gest. 1541; Wegbereiter der neuzeitlichen Medizin
Pétion de Villeneuve, Jérome	französischer Advokat, geb. 1756, gest. 1794; Abgeordneter in der Konstituante, 1791 Bürgermeister von Paris; Präsident des Konvents, als Girondist verfolgt, beging Selbstmord
William Pitt der Ältere	englischer Staatsmann, geb. 1708, gest. 1778; Mitglied des Unterhauses, Führer der Whigs; führte in Nordamerika Kolonialkrieg gegen Frankreich
Priestley, Joseph	englischer Philosoph und Naturforscher, geb. 1733, gest. 1804; Entdecker des Sauerstoffs; sympathisierte mit der Französischen Revolution
Rabelais, François	französischer Humanist und Schriftsteller der Renaissance, geb. 1494, gest. 1553
Robespierre, Maximilien de	französischer Advokat, geb. 1758, 1794 hingerichtet; einer der Führer der Französischen Revolution; Abgeordneter, leitender Kopf des Jakobinerklubs
Roland de la Platière, Jean Marie	französischer Staatsmann, geb. 1734, gest. 1793; 1792 Innenminister, Girondist, beging Selbstmord
Roland de la Platière Jeanne Marie	Gattin des vorigen, geb. 1754, 1793 hingerichtet; Madame Roland hatte großen Einfluß auf die Führer der Gironde
Rousseau, Jean Jacques	französisch-schweizerischer Schriftsteller und Philosoph, geb. 1712, gest. 1778; Pädagoge, Musiker und Musikschriftsteller, Staatstheoretiker, Mitarbeiter der „Encyclopédie", Schriften über das Naturrecht: „Der Gesellschaftsvertrag"; größter Einfluß auf Jakobiner, auf Verfassung von 1793, auf europäische Literatur
Roux, Jacques	französischer Geistlicher und Revolutionär, geb. 1752, gest. 1794; Führer und Ideologe der „Wütenden"; 1792 Mitglied des Generalrats der Pariser Kommune, beging Selbstmord

Saint-Just, *Louis Antoine*	französischer Revolutionär, geb. 1767, 1794 hingerichtet, Konventionsmitglied, Mitglied des Wohlfahrtsausschusses, Kommissar der Revolutionsarmee, Freund Robespierres
Serveto, Miguel	spanischer Arzt und Theologe, geb. 1511, gest. 1553; beschrieb den Lungenkreislauf; in Genf auf Betreiben Calvins als Ketzer verbrannt
Staël-Holstein, *Germaine de*	genannt Madame de Staël, französische Schriftstellerin, geb. 1766, gest. 1817; Tochter Neckers; von Napoleon verbannt, lebte sie längere Zeit in Deutschland und schrieb „De l'Allemagne"
Talleyrand- *Périgord,* *Charles Maurice*	französischer Staatsmann, geb. 1754, gest. 1838; Bischof von Autun; 1789 Mitglied der Generalstände und Nationalversammlung, 1792 Gesandter in London; Emigration bis 1796; nach Rückkehr Außenminister unter Napoleon; ab 1815 diente er als Diplomat der Restauration
Turgot, Anne *Robert Jacques,* *Baron de*	französischer Staatsmann, geb. 1727, gest. 1781; bürgerlicher Ökonom, Finanzminister, Vertreter des Physiokratismus
Vergniaud, Pierre *Victurnien*	französischer Advokat, geb. 1753, 1793 hingerichtet; Mitglied der Legislative und des Konvents; Führer der Girondisten
Villon, François	französischer Dichter, geb. 1431, gest. um 1465; schrieb derb-sinnliche und tiefreligiöse Gedichte
Voltaire	eigentlich François Marie Arouet, Philosoph und Schriftsteller, geb. 1694, gest. 1778; Haupt der französischen Aufklärung, einer der Wegbereiter der Revolution
Washington, *George*	nordamerikanischer Staatsmann, geb. 1732, gest. 1799; Plantagenbesitzer, Oberkommandierender des Unabhängigkeitskrieges; von 1789–97 erster Präsident der Vereinigten Staaten

Watt, James	englischer Ingenieur, geb. 1736, gest. 1819; Erfinder der Dampfmaschine
Watteau, Jean Antoine	französischer Maler, geb. 1684, gest. 1721; bedeutendster Rokokomaler Frankreichs
Wilkes, John	englischer Journalist, geb. 1727, gest. 1797; Unterhausmitglied, Bürgermeister von London, Vorkämpfer gegen Sklavenhandel, für Unabhängigkeit Amerikas

Inhaltsverzeichnis

ERSTER TEIL
Englisches Präludium

6	1	Der Arzt aus der Rookery St. Giles
24	2	Die Flucht aus Bridewell
38	3	Missis Helen Seymour
49	4	Sam Butlers Verschwörung
68	5	Beim Lord-Mayor von London
85	6	Heimkehr nach Frankreich

ZWEITER TEIL
Frankreich vor dem Sturm

96	1	Marie Cabrol bei Lavoisier
105	2	Prinz Karl, Graf von Artois
121	3	Der Tod im Moor
128	4	Dr. Marat, der Leibarzt
139	5	Begegnung mit Robespierre
156	6	Im Café de la Régence
168	7	Ein Brief aus Martinique
185	8	Fahrt auf der Seine

DRITTER TEIL
Der Freund der Sansculotten

204	1	Der Sturm auf die Bastille
215	2	In der Redaktion des „Ami du peuple"
228	3	Marsch der Frauen nach Versailles

238	4	Rückkehr aus England
253	5	Das Handelshaus Laval
265	6	Das Fest auf dem Marsfeld
278	7	Der gefangene König
286	8	Nanon Simonets Tod
308	9	Sturm auf die Tuilerien
320	10	Marat vor dem Konvent
333	11	Die Hinrichtung des Königs
347	12	Die Schachspieler
365	13	Der Angeklagte klagt an
375	14	Der Mord
387		Worterklärungen
391		Verzeichnis der historischen Personen

Walter Baumert

Das Ermittlungsverfahren

Ein Thälmann-Roman

2. Auflage · 308 Seiten · Ganzleinen 9,80 M

Ein Mann in einer Zelle des Berliner Polizeige-
fängnisses: Niemand darf zu ihm, die Wächter haben striktes Redeverbot, der Trakt wird von anderen Gefangenen geräumt, kein Laut ist zu hören.
Isolationshaft im Jahr 1933.

Mehr als zwei Jahre dauern die Versuche, Ernst
Thälmann als Persönlichkeit zu zerstören und ihn
„prozeßreif" zu machen. Manchmal gibt es gefährliche Augenblicke, in denen er seine ganze Wil-
lenskraft mobilisieren muß: Hitler an der Macht,
Millionen Genossen verhaftet oder ermordet, die
Partei verboten, wie konnte es dazu kommen?

Walter Baumert hat einen Roman über ein Er-
mittlungsverfahren geschrieben, dem nie ein Prozeß folgte. Er „bezieht sich auf verbürgte Ereignisse und stützt sich auch auf die intensive Selbst-
befragung Ernst Thälmanns zum Gang der
politischen Ereignisse zwischen dem Blut-Mai
1929 und dem Machtantritt des Faschismus 1933".

Neues Deutschland, Berlin

Verlag Neues Leben Berlin

E. R. Greulich

… und nicht auf den Knien

Roman vom streitbaren Leben des Artur Becker

9. Auflage · 456 Seiten · Ganzleinen 7,60 M

Das Buch ist alles andere als eine Aufzählung äußerlicher Daten, als der erweiterte Lebenslauf Artur Beckers vom lernbegierigen Knaben zum Vorsitzenden des Kommunistischen Jugendverbandes und jüngsten Reichstagsabgeordneten der Wahlperiode von 1930.

… Hier wird vor dem Leser ein Mensch lebendig mit seiner Liebe zur Wahrheit, seiner Unbestechlichkeit, seinen Sorgen, seiner Angst, seinem Mut und seinen Erfolgen, die er nie für sich persönlich erheischte. Immer wieder steht er vor Entscheidungen in politischen und persönlichen Dingen. Da kommt ein Augenblick, in dem er sich bewußt wird, welch hohes Ansehen er bei seinen jungen Genossen genießt, welchen großen Einfluß er auf sie auszuüben vermag. Wie leicht kann einem so etwas in den Kopf steigen. Er sieht das ganz klar, weil er sich selbst gegenüber ehrlich ist. Und indem er diese Gefahr erkennt, ganz bewußt, weiß er ihr auch zu begegnen. So lernt man den liebenswerten Menschen Artur Becker von den verschiedensten Seiten her kennen und damit zugleich auch die Zeit, in die er hineingeboren wurde.

Verlag Neues Leben Berlin

Bernhard Kellermann

Der 9. November

Mit Fotografiken von Hans-Georg Gerasch
352 Seiten · Broschiert 5,30 M

Alles leuchtete und glänzte an ihm, die Stiefel, die roten Streifen der Hosen, die Ordensauszeichnungen. Nur sein Gesicht wirkte versteinert, denn vor einem halben Jahr hatte man ihm, dem Generalleutnant von Hecht-Babenberg, das Frontkommando genommen und ihn zur Büroarbeit nach Berlin abkommandiert – während draußen, wie er zu sagen pflegte, die Kanonen Europa in Fetzen schossen und eine neue Welt aus dem Blutmeer emporstieg. Im Salon seiner Geliebten, Dora von Dönhoff, leugnet der General die Mißerfolge an der Front. Seine eigenen Kinder stellen sich gegen ihn. Sohn Otto, Hauptmann, verstümmelt sich selbst, um zu überleben; Tochter Ruth arbeitet in der Volksküche aus Protest gegen die menschenverachtende Haltung ihres Vaters. Sie verliebt sich in den Soldaten Ackermann, in einen von denen, die am 9. November 1918 die Waffen niederlegten.

Verlag Neues Leben Berlin